经济生态系统广义水资源合理配置

裴源生 赵 勇 陆垂裕 秦长海 张金萍 著

黄河水利出版社

内 容 提 要

本书是在全面总结科技部西部开发重大攻关项目"宁夏经济生态系统水资源合理配置研究"成果的基础上编著而成的,全书共分3篇12章。第一篇为理论篇,论述了水资源经济生态系统和自然－人工复合水循环系统的理论内涵,构建了经济生态系统广义水资源合理配置理论体系。第二篇为方法篇,在建立经济生态系统广义水资源合理配置理论体系的基础上,构建了经济社会发展与需水预测模型、多目标配置模型、广义水资源合理配置模型和广义水资源合理配置后效性评价模型。第三篇为实践篇,以宁夏为例,将经济生态系统广义水资源合理配置理论与方法应用到宁夏经济社会发展和水资源规划管理研究中,进行了宁夏经济生态系统现状分析与未来预测,模拟了区域"四水"循环转化规律,给出了经济生态系统广义水资源合理配置结果,提出了宁夏广义水资源合理配置战略。

本书可供从事社会经济发展规划、水文水资源、农田水利、生态环境等相关专业的科研与管理人员、大专院校教师和研究生阅读。

图书在版编目(CIP)数据

经济生态系统广义水资源合理配置/裴源生等著.
郑州:黄河水利出版社,2006.7
ISBN 7 – 80734 – 067 – 3

Ⅰ. 经… Ⅱ. 裴… Ⅲ. 水资源－生态经济－
经济系统 Ⅳ. TV213

中国版本图书馆 CIP 数据核字(2006)第 044899 号

策划组稿:王路平 电话:0371 – 66022212 E-mail:wlp@ yrcp. com

出 版 社:黄河水利出版社
　　　　　地址:河南省郑州市金水路 11 号　　邮政编码:450003
发行单位:黄河水利出版社
　　　　　发行部电话:0371 – 66026940　　传真:0371 – 66022620
　　　　　E-mail:hhslcbs@ 126. com
承印单位:河南省瑞光印务股份有限公司
开本:787 mm × 1 092 mm　　1/16
印张:20.25
字数:468 千字
版次:2006 年 7 月第 1 版
印数:1—2 000
印次:2006 年 7 月第 1 次印刷

书号:ISBN 7 – 80734 – 067 – 3/TV · 456　　　　　定价:48.00 元

前　言

　　水资源是基础性的自然资源和战略性的经济资源。水资源短缺在不同程度上阻滞了经济社会发展,威胁到生态环境稳定,甚至引起了水事冲突。在遵循公平、合理和可持续的原则下,科学配置有限的水资源,是解决水资源短缺的重要手段。水资源的公益性特征、生态特征和不可替代性特征,使得水资源配置过程异常复杂,不仅要满足生活、社会稳定和生态保护的基本需求,还要协调各用水竞争领域的利益与目标,发挥水资源的最大综合效益。

　　随着可持续发展理念的深入人心与构建和谐社会的开展,走资源节约与高效利用之路已是必然,水资源的科学配置便成为广泛关注的焦点。在水资源短缺矛盾日益突出、水环境和水生态问题日益尖锐的情况下,要求水资源配置研究更加系统和深入、规划管理工作更加科学化和定量化,传统水资源配置便体现出以下几个方面的不足:①未将土壤水纳入到配置水源中,无法实现缺水地区广义水资源合理配置;②未将天然生态系统纳入到配置对象中,难以协调自然 – 人工系统的水资源需求与供给;③在供用耗排水量分析中,仅利用经验估算耗排水量,缺乏准确的定量分析依据;④在地下水资源调控中,割裂了地表水、土壤水与地下水之间的紧密联系,无法反映人类活动对地下水位的影响;⑤在配置过程中,忽略了水资源配置与水循环之间的反馈效应,无法反映水资源配置过程中水资源、水循环和生态环境的演变趋势等。这些缺陷使得传统水资源合理配置在理念和方法上难以实现缺水地区面向经济生态系统的水资源合理配置与高效利用。

　　本书正是在这一背景下,基于作者多年研究和知识,借助科技部西部开发重大攻关项目“宁夏经济生态系统水资源合理配置研究”,开展了经济生态系统广义水资源合理配置研究,在水资源合理配置理论方法和实践应用上均取得了新的进展。

　　(1)提出了经济生态系统广义水资源合理配置理论与方法。在水资源合理配置基础、配置对象、配置范围、配置过程、配置指标等方面构建了新的体系,开发了经济生态系统广义水资源合理配置模型系统,实现了多重模型的有机耦合。

　　(2)开发了平原区分布式水循环模型。针对平原区人工取用水 – 蒸散发 – 引用水回归为主的水循环过程,模拟自然 – 人工复合水循环各个过程,全面揭示了人类活动干扰频繁下的平原区降水、地表水、土壤水和地下水循环转化规律。

　　(3)基于区域水循环和水资源合理配置模式,辨识了用水节水与耗水节水科学内涵,提出了用水节水与耗水节水之间的定量化关系研究方法。

　　(4)将区域经济发展预测模型、投入产出模型与虚拟水模拟模型进行耦合,明确国民经济各部门、各行业与水资源之间的关系,反映水资源的开发利用对区域经济社会发展的制约作用和影响程度。

　　(5)建立了绿洲生态稳定性预测模型,对未来宁夏绿洲生态环境演变趋势及生态稳定进行预测,为宁夏生态环境的维护和改善提供依据。

（6）在经济生态系统广义水资源合理配置理论方法框架下，解决了宁夏的引、用、耗、排黄河水量问题；提出的宁夏经济社会发展方略已在宁夏经济社会发展规划中得到应用；提出的水资源合理配置方案及其相关成果得到了采纳；构建了宁夏骨干水利工程布局框架和规模，以支撑宁夏经济社会的可持续发展；为宁夏省级节水型社会试点的建设提供了全面的技术支持。

经济生态系统广义水资源合理配置理论与方法的提出，赋予了水资源合理配置研究新的内涵，孕育了新的研究方向，在水资源规划、管理、节约、利用、保护等方面具有广阔的应用前景：可用于研究平原区自然－人工水循环转化规律，实现对人类干扰情况下水资源及其开发利用的科学评价；研究三种指标的广义水资源合理配置，即传统水资源合理配置、地表地下水水资源合理配置和广义水资源合理配置；研究水资源配置、水资源开发利用和大规模节水等对流域（区域）水循环、生态与环境的定量影响；研究水资源配置的经济、社会和生态响应，选择流域（区域）适宜节水水平和水资源高效利用模式；研究区域用水节水、耗水节水、节水潜力、节水方式和节水力度，以及节水的经济、社会效益和生态效益等，为实现科学节水提供定量化依据；进行分布式土壤墒情预测和实时供用耗排水量模拟等，为流域（区域）水资源实时调度提供潜在的科技平台；为初始水权分配提供三种口径的指标，合理确定水权转移方向和转移的水资源数量，促使水资源朝着价值高的方向流动，等等。

全书共分3篇12章。第一篇为理论篇，论述了水资源经济生态系统和自然－人工复合水循环系统的理论内涵，构建了经济生态系统广义水资源合理配置理论体系。第二篇为方法篇，在建立经济生态系统广义水资源合理配置理论体系的基础上，构建了经济生态系统广义水资源合理配置模型体系，包括经济社会发展与需水预测模型、多目标配置模型、广义水资源合理配置模型和广义水资源合理配置后效性评价模型。第三篇为实践篇，以宁夏为例，将经济生态系统广义水资源合理配置理论与方法应用到宁夏经济社会发展和水资源规划管理研究中，进行了宁夏经济生态系统现状分析与未来预测，模拟了区域水循环转化规律，给出了经济生态系统广义水资源合理配置结果，提出了宁夏广义水资源合理配置战略。

在项目研究和本书编写过程中，得到了宁夏科技厅、宁夏水利厅等许多单位领导和专家的指导与帮助，项目组的所有成员团结协作、努力创新，为本书的完成打下了坚实的基础，在此一并表示衷心的感谢。

由于问题的复杂性与前瞻性、研究时间和作者水平的限制，书中难免存在片面、遗漏甚至错误之处，敬请读者批评指正。

作 者

2006 年 5 月于北京

目　录

理论篇

第一章　水资源经济生态系统

第一节　水资源系统

一、水资源的概念和内涵

(一)水资源的概念

作为具有使用价值和经济价值的自然资源,水资源概念早已被广泛接受,但由于水资源转化的复杂性,并同时具有自然属性、社会属性、生态属性和经济属性,"水资源"这一貌似简单的概念却蕴涵着丰富的内涵。

水资源一词很久以前已经出现,并随着时代前进不断丰富和发展。1977 年联合国教科文组织(UNESCO)建议"水资源应指可资利用或有可能被利用的水源,这个水源应具有足够的数量和可用的质量,并能在某一地点为满足某种用途而可被利用"。1988 年《简明大英百科全书》台湾版把水资源定义为"地球上所有的(气态、液态或固态)天然水"。1999 年《不列颠百科全书》国际中文版定义水资源为"地球上存在的不论属于哪种状态(液态、固态或气态)的,对人类有潜在用途的天然水体"。

国内对"水资源"也有不同见解。《中国大百科全书》在"大气科学、海洋科学、水文学卷"中的定义是"地球表层可供人类利用的水,包括水量(质量)、水域和水能资源,一般指每年可更新的水量资源"(叶永毅,1987)。1987 年出版的《中国农业百科全书》"水利卷"定义的水资源为可恢复和更新的淡水量,并根据水资源的更新周期将其分为两类,一类是永久储量,它的更新周期长,更新极缓慢,在利用这类水时,水的利用消耗不应大于它的恢复能力;另一类是年内可恢复储量,它是参与全球水循环最为活跃的那一部分动态水量,并可以逐年更新,在较长时间内可以保持动态平衡,即为人们通常所说的水资源(陈志恺,1987)。《辞海》的水资源条目将其定义为能得到恢复和更新的淡水量。1992 年出版的《中国大百科全书》的"水利卷"则仿照《不列颠百科全书》的提法,将水资源定义为自然界各种形态的天然水。供评价的水资源是指可供利用的水资源,即具有一定的数量和可用的质量,并在某一地点能够长期满足某种用途的水资源(陈志恺,1992)。《中国水利百科全书》的水资源的定义与《中国大百科全书》的"水利卷"相似。2002 年《中华人民共和国水法》中规定"水资源包括地表水和地下水",《全国水资源综合规划》认为水资源总量为地表水资源量和地下水资源量之和扣除二者重复计算量。

（二）水资源的内涵

对水资源不同定义的解释可以看出，对水资源概念和内涵的认识有狭义和广义的差别。狭义的概念和定义考虑了水资源的时间、空间和数量及质量的限制，强调在现有人类社会经济技术条件下能被人类利用和对人类有价值的水。广义的概念和定义一般忽略水资源的时间、空间和数量、质量的差别。综合起来，对于水资源概念的纷争主要缘于以下几个方面：

（1）资源观的问题。水资源作为一种重要的自然资源，必须具备两大特征：一是对人类是有用的，能够改善人类生存环境或产生经济价值；二是能够为人类所利用。因此资源必须在一定社会经济技术条件下能够为人类所利用。随着经济、社会、科学技术和思想认识的进步，原来不可用或认为是不可用的水能够为人类所利用，就增加了水资源的使用范围。

（2）循环再生性问题。与一般资源相比，不同尺度的水分循环决定了水资源具有与一次性资源本质不同的可再生性，这也是水资源可持续利用的本质特征。因此，在认识和计算水资源量时应考虑人为和天然再生水与循环过程中的水。

（3）量与质统一的问题。水质是水资源的基本属性，水质的可再生性也应该被纳入水资源概念，不能撇开某种使用功能，片面强调水资源量。如果不考虑水资源的使用功能与水质因素，所得到的水资源量，可能会因为没有质量保证而无法利用。

（4）对土壤水资源与植物水资源的认识问题。随着人们对土壤水与植物水研究的深入，以及土壤水和植物水的客观存在，越来越多的学者认识到土壤水和植物水的资源属性。

无论是"量"，还是"质"，水资源都是围绕着满足人类某种需求的使用功能，即可供人类利用。不同的水资源使用功能有不同的"量"和"质"的要求。通常人们所提到的水资源，往往是指"一定经济、社会、环境与技术条件下，可供开发利用的淡水资源"。所谓可供开发利用是一个相对的、动态的和复杂的过程。同时，各种水的存在形式相互作用、相互影响、相互转化，只有综合考虑整个水资源循环系统，才能够得出客观的结论。

二、广义水资源

（一）广义水资源的概念

传统的水资源评价认为：降水是大陆水资源的主要来源。对于一个封闭的流域，降水的转化可以表述为：

$$P = E + R + \Delta U \tag{1-1}$$

式中：P 为总降水量；E 为总蒸发量；R 为径流量（包括地表径流量和地下径流量）；U 为地表、土壤和地下含水层的贮水总量。在假定多年平均状态下，U 是不变的，只剩下总蒸发和径流两个要素。按照传统的水资源评价思想，只有径流量是人类可以利用的，即实际意义上的水资源：

$$W = R + Q - D \tag{1-2}$$

式中：W 为水资源总量；R 为河川径流量；Q 为地下水资源量；D 为河川径流量和地下水互相转化的重复量。这是我国目前水资源综合规划评价水资源的标准。

与稳定的河川径流和地下径流一样,土壤水是一种可恢复的淡水资源,在陆地水循环中起着积极作用,是植被生存的重要自然资源。仅就农业而言,土壤水分是构成土壤肥力的一个重要因素,是作物生长的基本条件,它与人类生产生活有着极其密切的关系,无论是灌溉水、潜水,还是天然降水,都要转化为土壤水后才能被作物根系吸收。因此,有效利用土壤水是充分利用当地水资源的关键。

为了与传统水资源区别,本书认为广义水资源是指通过天然水循环不断补充和更新,对人工系统和天然系统具有效用的一次性淡水资源,其来源于降水,赋存形式为地表水、土壤水和地下水。与传统水资源内涵不同之处在于把土壤水、植被截留和降水地表填洼都认定为水资源。

从广义水资源界定出发,可以将降水分为三类:一类是无效降水,指天然生态系统消耗的,人工系统无法直接利用或对于人工系统没有效用的那部分降水,如消耗于裸地、沙漠、戈壁和天然盐碱地的蒸发。第二类是有效降水和土壤水资源,可为天然生态系统与人工生态系统直接利用,对生态环境和人类社会具有直接效用,却难以被工程所调控,但可以调整发展模式增加对这部分水分的利用。有效降水包括各种消耗于天然生态系统(包括各类天然林草和天然河湖)和人工生态系统(包括人工林草、农田、鱼塘、水库、城市、工业区和农村等)的降水和河川径流量。第三类是径流性水资源,包括地表水、地下含水层中的潜水和承压水,这部分水量可通过工程进行开发利用,如图1-1所示。

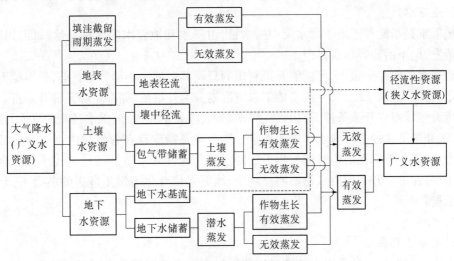

图 1-1　广义水资源组成示意图

广义水资源的界定对于水资源合理配置具有重要意义:第一,广义水资源认为与生态系统具有密切关系的一切水分都应该评价为水资源。这是因为,生态消耗的水分不仅是国民经济和社会发展的基础性资源,而且还滋养了对人类生存具有重要意义的生态系统,界定广义水资源的概念可以体现对生态环境保护和社会经济发展的决定性意义;第二,对生态系统具有效用的水分不仅是径流性水资源,还有降水产生的填洼截留和非径流性资源。因为无论是天然生态还是人工生态,降水都是研究其水分需求的前提,西北干旱半干旱地区更是如此;第三,广义水资源的定义对土壤水调控提供了理论依据,对水资源的高效利用、科学调控广义水资源,以及增加水资源的有效利用量都具有重要的意义;第四,广义水资源的定义对水资源合理配置中采取工程和非工程措施调控降水资源、增加降水的有效利用量具有重要意义。

(二)广义水资源的赋存形式

地球上的水以气态、液态和固态的形式存在于海洋、陆地、大气和生物机体中,人类可以直接利用的水主要是江、河、湖泊中的地表水,储藏在地下含水层中的地下水,以及能够被植物吸收利用的土壤水,而大气降水是它们的主要来源。

1. 地表水

地表水资源是指存在或运动于地球表面的不同形态的自然水体,包括河流水、湖泊水(水库、洼地)、冰川水、沼泽水和海洋水等,由大气降水、冰川融水和地下水补给,经河川径流、水面蒸发、土壤入渗等形式排泄,是工农业生产最主要的水源。

河川径流量主要由地表径流量、排入河道的地下径流量和高山冰川消融径流量组成。地表径流量由降雨超渗或浅层土壤蓄满而形成,地下径流量指渗入地下含水层而排泄到河流的那部分水量,冰川水虽然仅占我国河川径流总量的 2.1%,但它是内陆河水资源的重要组成部分。河川径流量主要有四种调蓄作用:①河流自身调蓄作用;②水库、洼淀、平原闸坝调蓄作用;③沟、渠、塘、田调蓄,它包括天然和人工引水灌溉和储水;④天然湖泊调蓄作用。

2. 地下水

地下水是指储存于地下含水层中的水量,由降水和地表水的下渗补给,以河川径流、潜水蒸发、地下潜流等形式排泄。

地下水的储存量很大,但能够开采利用的只是其中的一小部分。目前,我国地下水资源的定义和分类尚未统一,一般将地下水资源划分为补给量、储存量和允许开采量。补给量是指天然状态或开采条件下,由大气降水渗入、地表水渗入、地下水径流的流入、越流补给、人工补给等途径进入含水层中的水量。储存量是指储存在含水层内水位变动带以下的重力水,即地下水在历史时期积累形成的水量。允许开采量是指通过技术经济合理的取水工程,在整个开采期内水量不明显减少、地下水位变化不发生危害的前提下,允许开采的水量。

3. 土壤水

1)土壤水资源

土壤水资源是一种可以直接被利用和消耗而人工难以抽取和转移的资源,它存在于地下水潜水面以上的包气带土壤中。土壤水的补给量包括降水入渗补给量和地下水毛管上升补给量。土壤水的调节量是指天然状态下,一定时期内土壤最高含水量和最低含水量之间所蓄存的水量。气象条件、降水分布、灌溉情况、包气带岩性与分布、微地貌、土地利用方式和强度等都将影响土壤水资源的时空分布。

土壤水资源具有与其他资源不同的特点:一是与国民经济各部门及生活对水资源的利用有着本质的不同,一切水源只有首先转化为土壤水资源才能被植物吸收利用。二是资源数量巨大。据朱福星等 1984～1989 年田间小区试验,河北黑龙港地区全年降水的 75.9% 转化为土壤水,9.2% 成为地表水,14.9% 补给地下水。三是周年和多年的平衡性。

土壤水资源有明显的季节性变化规律,正常年份土壤有效库容都具有蓄、贮、供三个明显阶段。一旦平衡被长期破坏得不到恢复,生产条件和生态环境将恶化,并可能造成土地沙化。四是不可开采、可调控性。由于一个区域的土壤水资源量的大小不仅与该区域的土壤岩性、气候、地形及潜水埋深等自然因素有关,还与该区域的植物和种植作物种类及相应的耕作措施及管理水平等人为因素有关,所以土壤水资源的一个重要特性就是可调控性,调控的目标是增加土壤水资源量,减少无效耗损,从而达到积极、高效利用土壤水资源的目的。

　　2)土壤水资源结构

　　土壤水资源的结构由以下几部分组成:

　　(1)永久性蓄水量,为土壤中不参与水分循环的那一部分蓄量。这部分水是不能作为资源量来开发利用的,在土壤水资源评价中,可以不考虑这部分蓄量,而将其作为蓄水量的相对零值。

　　(2)动态蓄水量,土壤中可以供给蒸散发的实际蓄水量。土壤水资源的动态蓄量为土壤水资源的现状评价指标,但动态蓄水量是一个变化的蓄量过程,它不能作为区域总的土壤水资源量来评价。

　　(3)可以更新的土壤水资源量,为区域多年平均的蒸散发量。多年平均蒸散发量是由土壤输入大气的多年平均水量,它是总的降水资源的一个组成部分。从土壤植被系统的水量平衡方程来看,它是由土壤蒸发和植物散发两部分组成的。即

$$E = ES + ET \tag{1-3}$$

式中:E 为多年平均土壤总蒸散发量;ES 为土壤蒸发量,是直接由土壤表面进入大气的水量;ET 是植物散发量,可认为是生物耗水量。

　　把土壤总蒸散发定义为土壤水资源后,从多年平均水量平衡方程来看,它使水资源的结构得到了完善,把蒸散发量作为一种资源来认识是水资源概念的一个重要改变。它对水资源理论的发展及对水资源持续利用的研究具有重要意义。

　　3)土壤水资源调控

　　土壤水主要以毛管水的形式供给作物吸收利用,它处在不停的水文循环之中,即使不被作物吸收,也会因自然蒸发而消耗。因此,使降水量和灌溉水量转化为土壤水,增加土壤水以毛管水形式的蓄积和减少它的非生产性消耗是实现土壤水调节和降水有效利用的两个主要方面。土壤水调节一方面能够直接节约灌溉水量,即通过土壤的调蓄作用,增加降水的收入,减少蒸发的支出,从而降低灌溉定额,减少灌溉次数。另一方面能够在不提高田间耗水量的情况下,通过提高单位水的利用率而间接节水,即借助于土壤的水库作用,将收入和存储的降水和灌溉水转化为土壤水,根据土壤水运动规律,调节土壤水的运动方向和数量。在控制地下水位的条件下,使灌溉水量既不产生过多的渗漏,又能由深蓄水及时向根系活动层补充,提高单位水的利用率,充分利用土壤水资源。

　　土壤水资源开发和调控的目标是增加土壤水资源量,减少土壤水资源的无效耗损,提高水资源的利用效率和作物水分生产效率,从而达到积极、高效利用土壤水资源的目的。土壤水资源调控的途径一般为:工程调控措施、耕作调控措施、生物工程调控措施。归纳起来,土壤水资源调控的主要途径为增加土壤水资源量、控制土壤蒸发和无效的植物散

发,建立与土壤水资源的时空分布特征相适应的种植制度,把无效的蒸散发变为有效的植物散发,如图1-2所示。

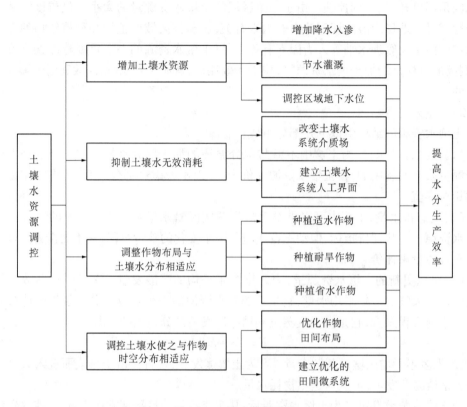

图1-2 土壤水资源调控

从水资源(包括土壤水资源和当地可用于农、林、牧业生产的地表与地下水资源)整体考虑,在我国北方干旱、半干旱区,提高农、林、牧业生产水分利用效率的最直接手段是把尽可能多的大气降水转化为土壤水资源。可以通过适量的田间工程措施提高雨水转化为土壤水资源的比例,并充分利用土壤有效库容的调蓄作用,如平原区的"灌、蓄、补一体化工程"、山区的"坡改梯工程"、以增加农业水资源的雨水集流工程和小流域综合治理工程等。

通过耕作措施调控土壤水资源的途径众多,其中心思路是调整有限降水和灌溉水量在田间的分布,使当地的土壤水资源更多地被作物吸收利用,尽量减少田间无效的蒸发损失。如节水灌溉、优化作物田间布局、地膜和秸秆覆盖种植技术、机械震压保墒调墒技术、保水剂使用技术及秸秆还田土壤培肥技术等。

通过生物工程措施调控土壤水资源,其中心思想是通过选择适合当地水资源的作物(植物)品种和不同种类的作物(植物)间作、套种以及立体化种植等措施,充分高效地利用土壤水资源,并增加降水转化为土壤水资源的比例和通过增加土壤有效库容增加调蓄土壤水资源的能力。如种植适水、省水、耐旱作物,乔、灌、草相结合的种植模式,沙棘与乔木间作的种植模式,田间不同作物间作套种模式,以及退耕还林还草等措施。

（三）广义水资源的特性

水是生命之源，是自然环境的重要组成部分，是环境中最活跃的要素。水不停地循环转化，参与自然界一系列物理、化学和生物过程，形成了其独特的特征和功能，并按一定的规律运移变换。只有充分认识水资源的特点和功能，才能有效合理地开发利用水资源，使之发挥更大的生态环境效益和经济社会效益。

1. 自然特性

水资源特性鲜明，主要体现为循环转化、可再生、分布不均匀、不可替代、地域特性和利害两重性等。

循环转化特性：水资源与其他资源的显著区别在于其循环转化特性，它是在水循环过程形成的动态资源。水资源在开采利用后，能够得到大气降水的补给，处在不断开采、补给和消耗、恢复的循环之中，如果合理利用，可以不断供给人类使用，并满足生态平衡的需求。水的循环转化还表现在水的相变，包括液态、固态水的汽化，水汽凝结降水等。

可再生性：水资源处在不断的消耗和补充过程中，具有"取之不尽"的特点，恢复性强。但实际上，地球上淡水资源是十分有限的，能够真正被人类利用的淡水资源少之又少。从水量动态平衡的观点来看，某一时期的水量消耗量应接近于该时期的水量补给量，否则将会破坏水平衡，造成一系列不利的环境问题。水循环过程是无限的，但水资源储量是有限的，并非取之不尽、用之不竭。

分布不均匀性：水资源在自然界具有一定的时间和空间分布特性，并且在时间和空间上的分布表现得极不均匀。水资源来源于降水，受自然界水循环的影响，降水在年内和年际间的变化很大，具有时空分布不均匀的显著特性，一般是夏多冬少。而水资源时空分布不均匀性是造成水旱灾害频繁的重要因素。

不可替代性：水是生命的基础，是一切生物的命脉。地球上联系生命系统与非生命系统的生物、化学、地质循环，都有水的参与或以水为载体进行的。自然界满足人类需求的生活、生产资源的供给，更是离不开水的参与和供给。水是生态系统结构与功能的重要组成部分，是维持生态系统良性循环的基础物质，是不可替代性资源。

地域特性：受大气环流和重力的影响，降雨和融雪水在地球表面产流、汇流，总是在一定地域从高处向低处流动，决定了水资源分布的地区特性。不同地域之间水资源特性差别显著，有的区域水资源丰富，有的区域水资源短缺；有的区域水资源以地表水资源为主，有的区域甚至完全依赖地下水资源。水资源问题研究应结合区域实际，对症下药。

利害两重性：水资源被广泛应用于人类生产和生活中，并维持生态环境的平衡。但水量过多则造成洪水泛滥，水量过少则造成干旱等自然灾害。水资源的利害两重性，决定水资源的开发利用过程中应强调合理使用、有序开发，以达到兴利除弊的目的。

2. 社会特性

水对人类社会发展有着重要的影响。古先民逐水而居，在水的滋养哺育下，创造了辉煌灿烂的人类文明，如美索布达米亚的底格里斯河和幼发拉底河、埃及的尼罗河、印度的恒河和我国的黄河。同时，水也决定着人类文明的兴衰，一些城市由于水资源枯竭而成为废墟，印度斯城和中国楼兰古城的消失就是最好的佐证。在世界范围内，由于水是人类生存与发展不可替代的资源，因洪涝灾害和干旱缺水而引起的动乱在历史上屡见不鲜，当代的中东战争主要就是水资源之争。联合国预言,未来的战争是争夺水资源的战争。因此,水资源作为一种战略性资源,不仅影响一个国家的发展与稳定,而且关系到世界的和平与进步。

3. 经济特性

水是维持生命和社会经济发展必需的资源,是工农业生产必需的基础物质,具有显著的经济价值。目前,由于人口的不断膨胀,经济社会的快速发展,水资源已逐渐成为一种稀缺资源。物以稀为贵,从这种意义上讲,水资源的经济价值越来越大。水是农业的命脉,水对农作物的重要作用表现在它几乎参与了农作物生长的每一个过程。水是工业的血液,从古代的手工业到现代的高科技产业,没有一个部门离开了水还能得到发展,水资源的保证对工业发展规模起着重要作用。

4. 生态特性

水是地球上各种生命的源泉,是几乎所有生物有机体的最大组成部分,一般情况下植物植株的含水率为 $60\% \sim 80\%$,人体内的水分占到体重的 70% 。不论是动物还是植物,大多是傍水而生,依水而长。水的生态功能,造成了生物的多样化,维持了自然生态环境的平衡。一旦水资源短缺,水的生态功能就会减弱甚至消失,生物的生存和多样性就会受到严重的影响,自然生态环境将不断恶化,主要表现为湿地消失、河道干枯、草场退化、森林锐减、洪水泛滥、地下水位下降、海岸蚀退和海水入侵等。

第二节　经济生态系统

一、经济生态系统概述

(一)经济生态系统概念与特征

经济生态系统是经济系统与生态系统相互联系、相互作用、相互交织构成的具有一定结构和功能的复合系统。它是一切经济活动的载体,任何经济活动(包括自然资源利用活动)都是在一定的经济生态系统中进行的。

经济生态系统是一个复合开放的大系统,除具有大系统整体性、关联性、目的性和环境适应性等属性外,尚有一些能揭示经济生态系统本质的特征,从而使经济生态系统在结构、功能、目标、效益等方面呈现出特有的规律性。

(1)协同性。经济生态系统综合研究自然规律和经济规律相互影响与相互作用关系,将人类经济活动与自然生态环境作为一个有机整体来研究人口、资源、环境与经济、社会的发展关系和系统规律,这正是系统协同作用的结果。

(2)有序性。经济生态系统是典型的开放性系统,它必须不断地从各级系统外部环境中输入能量和物质,形成稳定、有序的状态,并向更高层次演化。这种有序状态,具有比单一的生态系统与经济系统二者之和大得多的制约力和生命力,反映了经济生态复合系统的新特征。

(3)中介性。生态系统与经济系统的连接和耦合,是通过各种技术要素组成的技术系统这个中间纽带实现的。

(4)多重性。经济生态系统的多重性是指系统的组成、结构、功能、目标、规律等表现的非一性和多样性。

(二)经济生态系统结构

任何系统的存在都有其相应的结构。经济生态系统结构是指系统内部诸要素之间的相互作用方式与关系。经济生态系统内部要素众多,有生命的和非生命的要素,有自然的和社会的要素,可集中表现为生态要素、经济要素和技术要素的综合,主要体现为人口、环境、资源、物资、资金和科学技术等六个方面。

1. 人口

人口是指在一定社会制度、一定地理区域内,具有一定数量和质量的人的总称。人是复合系统中六大要素的核心,具有自然和社会的双重属性,在所有要素中处于主体支配地位。人具有主观能动作用,不仅可以能动地调节控制人口本身,而且可以能动地建立各种农业、工业、能源、水资源经济生态系统。人的主体地位和能动作用,是人的生产劳动和创造能力的集中表现。人的自我调节失控和人口政策不当会导致人口膨胀,从而会带来无穷无尽的压力和后患。

2. 环境

环境是围绕人这个主体以外的客观条件,有自然环境和社会环境之分。就经济生态系统的环境而言,则是指人与自然、人与社会的客观条件的总称。环境要素在经济生态系统中具有基础的地位与作用,但需通过人与环境的关系来体现。自然环境是人类生存的基础,也是经济生态系统产生、演化和发展的基础。人离不开环境,并与之相互依存。但环境要素的容量是有限的,人类经济活动不能超出环境容量限度,否则,环境就会遭到破坏,反过来限制和制约经济发展。因此,人类必须合理调节和控制经济发展与生态环境的关系,以促进经济生态系统和全社会的可持续发展。

3. 资源

资源是指与人类社会发展有关的各种有用的客观自然要素和社会要素的总称。资源与环境并无严格区分。当人们关心的是物资、能量、动植物产品与某些经济社会生产、消耗过程中所需信息资料时,一般把自然(或生态)系统的这些部分叫做资源;当人们关心的是经济活动中能量、物质消耗后的废弃物回归场所时,一般称自然系统的这些部分为环境。资源包括自然资源、经济资源和社会资源,它们构成经济生态系统的物质与信息要素。没有资源参与的生态经济系统是不存在的。资源在系统中的差异性决定了各种不同类型的经济生态系统,如以水资源作为经济生态系统的基本资源要素,就决定了水资源经济生态系统的基本性质和特征。任何资源都是有限的,人类经济活动不能超过它的承载能力和限度,否则,社会发展将受到阻碍。

4. 物资

物资是经济生态系统中已经社会化了的物质要素,也是自然资源经过人的劳动、加工转化而来的社会物质财富。如果舍弃社会物质财富的具体物的形式或使用价值特征,则可将其用统一的经济社会产值来表示。经济社会产值既是一类物资,又是包括社会信息的一类社会资源。物资是经济生态系统形成、发展的重要条件。

5. 资金

资金来源于社会财富,是企业用来组织经济活动的物质资料价值的货币表现形式,是经济生态系统生产与再生产得以持续的物资条件,也是增加社会物质财富的有力手段,没有资金的不断投入,价值形成和增值运动过程就无法进行。资金对经济生态系统的发展,实质上是起着物质转化的作用。

6. 科学技术

科学是关于自然、社会和思维的知识思想体系,技术是依据科学原理而发展成的各种操作工艺和技能。作为经济生态系统的科学技术要素是通过人的身体素质、科学技术知识、生产经验、劳动技能与经济生态系统进行物质交互的劳动资料相结合而成的。它的使命是认识、掌握自然规律和经济规律,将自然界的生态、环境、资源转变为经济社会中人们可以直接利用的物质和资料,促进经济与生态环境的协调持续发展。

(三)经济生态子系统分析

经济生态系统包括经济子系统和生态子系统,两种系统的耦合构成了经济生态系统。

组成经济生态系统的生态子系统,是由生命系统和非生命系统及环境系统构成的综合实体。它通过"生产者"(绿色植物,又称自养生物)、"消费者"(动物,又称异养生物)和"分解者"(微生物)与周围环境之间进行着永无休止的物质循环、能量转化和信息传递,为人类社会提供了各种物质产品和生态环境效益,为社会生产储备了物质基础。

组成经济生态系统的经济子系统,是社会生产中生产力与生产关系的结合,通过经济运行联系,构成整个的经济系统。经济系统的含义虽有不同的表述和不同的层次,但其实质则是人类社会生产与自然资源利用相互结合的产物,并集中表现为人类社会不同发展阶段的生产力与生产关系两个方面。其中,生产力是人与自然界的物质交换能力;生产关系则是人与人之间的社会关系。它们之间的相互作用与协调,共同促进整个经济系统的发展。

现实世界中的生态系统与经济系统,存在着下列密不可分的关系:

(1)生态系统是经济系统构成的基础,并制约着经济系统具体结构功能的类型。

人类社会的经济活动是利用各种资源和环境条件生产出适于人类消费的物质资料。在这个生产过程中,运转的物质和能量源于生态系统,而产生的废弃物又回归于生态系统。因此,生态系统构成了经济系统的基础。由于自然资源种类的多样性和差异性对社会分工和经济产业结构具有重要影响,因此生态系统也是建立产业结构的主要依据之一。总之,人类社会经济活动目标和功能的实现,始终都是以生态系统为基础的。

(2)经济系统反作用于生态系统,可使生态系统朝着良性或恶性方向发展。

人类社会物质资料的再生产过程,是自然再生产与经济再生产相结合的过程。在这个过程中,生态系统是生产的物质基础,经济系统则是以人为主体的生产主导系统。说它是主导系统,是因为人类可通过自己的活动干预或影响生态系统的发展,达到人类经济活动的目的。

经济系统反作用于生态系统的机制,主要是通过经济生态生产活动的直接正、负反馈作用和间接的反馈作用施加给生态系统,而生态反(响)应又会影响经济系统的发展。经济活动一般具有正反馈机制,有自我强化增长的特性,要求生态系统供给更多的物质资料;而生态系统具有负反馈机制,有自我调节弱化的作用。二者正负反馈的强弱融合,决定了经济生态系统的运行机制。

在经济生态系统运行中,只有正反馈,可使系统形成良性循环,也可使系统形成恶性循环,这主要取决于经济需求与生态供给之间的变量差异关系;只有负反馈,通过反馈环的自我调节,可使系统达到某一稳定状态。实际系统中,反馈回路是由多个正、负反馈环组成的。正、负反馈作用的结果,必然产生稳定、增长或衰退之间的相互变化。调节控制正、负反馈作用的结果,是实现可持续发展战略的重要任务之一。

此外,各种经济政策、方针、措施、法令、制度价格等的制定和执行,通过经济系统的调控作用,将间接影响生态系统正常运行的好坏。

生态系统与经济系统融合有其必然性和必要性。经济生态系统是自然与社会发展到一定历史阶段的必然产物。社会经济活动需求有赖于生态资源的供给;经济活动机制强化了生态资源发展;生态资源供给的增强又促进了经济的进一步增长;生态系统的经济化、经济系统生态化的交融趋势客观形成了二者密不可分的必然结果。

生态系统与经济系统融合一体是解决世界性生态环境危机的需要。因为解决危机及人类生态发展的人口、粮食、能源、资源、环境与经济等复杂的庞大问题,单纯从生态学、经济学或传统的其他有关学科角度来处理,都是顾此失彼或不能奏效的。只有从涵盖生态学和经济学的经济生态系统和多学科综合的角度来寻找出路,才能使人口、资源、环境与发展协调起来,达到全社会可持续发展的目的。

二、区域经济发展理论

(一)区域经济发展的内涵

经济发展就是经济进步。进步是指"现在比过去、将来比现在有可能实现更理想的状态"。所以,经济的进步就是指现在比过去、将来比现在能产生更理想的经济状态。经济进步表现在很多方面,对区域经济而言,基本表现在如下五个方面:

(1)生产的增长。在经济进步中占有中心地位,但并不等于经济进步的全部。生产增长的水平可以用人均国民收入或人均国内生产总值测定,不宜单纯用工农业总产值和社会总产值等指标,因为这两个指标中有相当一部分(中间消耗部分)是没有社会经济意义的。

(2)技术进步。包括工具和机械的发明改良、生产技术方面的知识增加、新产品的开发、劳动生产率的提高、资本效益的提高、成本的降低、大批量生产技术的开发、产品质量的提高等。由分工和大规模生产而带来的生产率的提高也是其重要的特征之一。

(3)产业结构的改进。区域经济发展的历史就是区域产业结构演变的历史。典型的情况是,在区域经济形成和发展早期,区域从事农业这一单一的社会生产,后来随着新产业的兴起和它们之间的有机结合,各个产业的生产增加了,结果整个社会产品也增长了。各产业兴起的时间不同,发展速度不同,各产业之间的关系也不同。产业结构标志着地区经济的发展水平。促进区域经济的发展,就要适时地培育和扶持新兴产业,使产业稳步地向有利于发挥地区优势、增加区域经济竞争力的方向发展。

(4)资本积累。积累就是把生产物(产品)的一部分不作为消费,而用于工具、机械设备、工厂、建筑物、库房等的投资,从量和质两个方面扩大生产能力。上述经济发展中技术进步和产业结构的变化等现象,都是与投资活动有联系的,这些投资就来自于资本积累。所以说,把新创造价值的一部分转换为生产设备的资本积累,是引起技术进步和产业结构变化并由此扩大生产的必要条件。

(5)与外界经济关系的改善。对于空间范围不大的区域来说,靠自产自销是发展不起来的,要增加收入就得出售产品。同样的道理,只靠区域内的资源是满足不了进一步发展的需要的,要保证生产资料的供应和产品的销售,就要与外界发生联系,这是一个地区经济的开放性。与周边地区、与国外有稳定协作关系,是一个地区经济成熟的标志,也是今后发展的重要保障。当然,这种联系和协作关系是有原则的,也是互惠互利的。不能只讲协作,不顾区域本身的物质利益,不顾国家利益。关键是要在发挥自身的优势、生产出有竞争力产品的基础上,勇于开拓市场,讲信誉,守合同,与其他地区、其他国家建立起良好的协作关系。中国积极加入 WTO,意义就在于此。

总之,经济发展不完全等同于区域经济增长,区域经济发展的表现是多方面的,而且这些方面是相辅相成的。

(二)影响区域经济发展的主要因素

1. 影响区域经济发展因素分类

影响区域经济发展的因素较多,既有经济方面的因素,也有非经济方面的因素。这些因素往往相互交织在一起,对区域经济增长产生综合作用。为便于深入分析,揭示各因素之间的有机联系,抓住问题的本质,有必要对区域经济增长影响因素进行科学的分类。

从不同的角度出发,采用不同的标准,可以把区域经济增长因素分为不同的类型:

(1)从各种因素与社会生产过程的相关程度看,可以分为直接影响因素和间接影响因素两类。直接影响因素也即"生产的因素",是指直接参与社会生产过程的因素,主要包括劳动力和生产资料(或生产资金)两方面。体现在知识产业中的科学技术,也是一种直接影响区域经济增长的因素。这些直接影响因素,对区域经济增长起着决定性的作用。间接影响因素是指通过直接影响因素对社会生产过程间接发生作用的因素,包括自然条件和自然资源、人口、科学技术、教育、经营管理、产业结构、对外贸易、经济技术协作、经济体制和经济政策等。这些间接影响因素一般通过改善生产条件、劳动力和生产资料的质量来影响区域经济的增长。

(2)从各种因素的地区来源看,可以分为内部因素和外部因素。内部因素产生于区域的内部,包括区内生产要素的供给、消费和投资需求,以及区域的空间结构等因素;而外部因素则来源于区域的外部,包括区际要素流动、区际商品贸易、区域外部需求,以及国家区域政策等方面。前者反映了区域经济增长的潜力和自我发展能力,后者则反映了外部环境条件对区域经济增长的影响。

(3)从各种因素的性质和特征看,则可分为一般性因素和区域性因素。前者是指国家和区域都具有的增长因素,如资金、劳动力投入和技术进步等因素,它反映了区域经济增长的共性特征。后者是指区域所特有的增长因素,如城市化水平、资源禀赋与配置,以及国家投资的区位偏好等,它反映了区域经济增长的个性特征。

2. 主要因素作用机制分析

1)自然条件因素

自然条件(包括自然资源)是区域经济增长的重要影响因素。自然条件的状况如何,直接或间接地影响着各地区劳动生产率的高低。特别是自然条件,直接决定了各地区农业、采掘业及水力发电等部门劳动生产率的不同水平,进而间接影响到原材料工业和加工工业劳动生产率的高低。各地区优越的地理位置,如交通便利、接近原料产地和消费地区,同样也影响着社会劳动生产率的提高。这种优越的地理位置能够减少原料、材料以及成品运输中的劳动消耗。因此,在其他条件相同的情况下,由于自然条件的优劣不同,人们即使花费了等量劳动,劳动生产率也不相同。马克思曾把由自然条件差异所形成的劳动生产率称为劳动的自然生产率,这种劳动的自然生产率是区域经济增长的重要因素。应该指出,随着科学技术的进步,自然条件因素对区域经济增长的作用在逐渐减弱。

2)人口和劳动力因素

人口作为生产者和消费者的统一,是生产行为和消费行为的载体。从生产者的角度看,一定的人口数量和适度的人口增长是保证区域劳动力有效供给的前提条件。在人口年龄构成一定的条件下,劳动人口数量与人口总量成正比,人口总量越多,劳动人口数量也越多,反之则越少。此外,人口素质的高低还直接影响着区域劳动力素质和劳动生产率的水平。再从消费者的角度看,人口增长过快不仅直接制约着区域消费水平的提高,而且在国民收入一定的情况下,还会造成消费基金增加,生产积累减少,使科学技术和教育投资难以得到较大的增加,人口和劳动力素质难以得到较大的提高,从而直接或间接地影响区域经济的增长。据一些国家的历史经验,人口自然增长率每增长1%,大约需要拨出国民收入的1%作为维持新增人口生活和就业技术装备水平的费用。

劳动力是生产力的首要因素。一个区域劳动力资源丰富,即为该区域的经济增长提供了最基本的条件。劳动力资源缺乏,推动区域经济增长所必要的人力得不到保证,就必然会影响乃至延缓和阻碍经济的进一步增长。劳动力在区域经济增长中的作用,主要表现在三个方面:

首先,在一般情况下,增加劳动力投入如增加劳动者人数、延长劳动时间、提高劳动强度,可以提高区域经济的产出水平。一般地说,劳动力投入与经济增长成正比关系,投入生产的劳动力越多,导致生产资料的投入增多,产出的产品就越多,增长就越快。但是,在现代化大生产条件下,劳动力投入必须与资金投入相匹配,劳动力数量必须同现有生产资料相适应,否则,对区域社会再生产与经济增长将产生不利影响。

其次,提高劳动生产率是加速区域经济增长的重要途径。提高劳动生产率关键在于提高劳动力素质。劳动力素质包括劳动者的身体素质、科学文化素质和思想素质。身体素质越好,标志着劳动者的生产能力越强;高水平的科学文化素质可以将"知识形态的生产力"转化为现实的生产力;思想道德素质则是劳动者不断提高自身素质的动力。因此,不断提高劳动力素质,可以大幅度提高劳动生产率,从而加快区域经济增长。

此外,劳动力在部门间和地区间的合理流动,能使劳动力资源得到充分而合理的利用,从而有利于劳动生产率的提高,有利于区域经济的增长。

3)资金因素

生产资金是区域经济增长的重要影响因素。生产资金(即生产基金)包括固定资金(原有固定资产和新增投资)和流动资金两个部分,它是生产资料在价值形态上的体现。生产资金对区域经济增长的作用主要表现在三个方面:

首先,资金投入的增加可以提高区域的产出水平。一般来说,资金投入的增加同经济增长成正比,一个区域投入生产的资金越多,能容纳的劳动力就越多,生产增长就越快。

其次,资金产出率的提高是加快区域经济增长的重要途径。资金产出率的提高,具体表现为生产资料利用效率的提高,如设备、燃料、动力和原材料利用率的提高,单位产品物质消耗系数的降低,耕地复种指数的提高等。这就意味着用同样多的生产资料或等量资金,可以生产出更多数量的产品。因此,单位产品资金占用量下降越快,达到一定的生产增长率所需要的积累基金就越少,也就越有利于区域经济的增长。

第三,固定资产投资是保证区域社会再生产和经济增长的物质技术条件。固定资产投资是保证社会再生产顺利进行的重要手段,也是加快区域经济增长的重要途径。一般来说,区域经济要获得一定数量的增长,固定资产投资应保持同步或略快增长。在积累和消费保持正常比例关系的情况下,固定资产投资的增加,可以使区域不断采用先进的技术装备,提高生产能力,降低原材料和燃料消耗,改善劳动条件和生产条件,促进产品升级换代,调整产品结构,增加花色品种,以及合理布局生产力等,从而加快区域经济的增长。

4) 科技进步因素

随着科学技术的迅猛发展,科技进步对区域经济增长的影响越来越大,日趋居于主导性的地位。现代化生产的发展,愈来愈在更大程度上依靠劳动生产率的提高,依靠对现有资源利用程度的提高,而这又在很大程度上取决于科学技术的进步。先进的科学技术不仅会改善资本装备的质量,也会提高劳动者的素质,从而使生产要素的产出能力发生质的飞跃。而且,依靠先进的科学技术方法,还可以大大提高经营管理水平,优化现有资源的配置,改善区域生产力组织,从而加快区域经济增长。

科技进步对区域经济增长的作用大小,取决于科学技术成果在生产实践中的推广应用程度和生产技术的革新。一项知识形态的科学技术成果,只有在生产实践中得到推广应用并取得效果时,才能转化为现实形态的生产力,推动区域经济的增长。科学技术成果在生产实践中的推广应用率越大,成效率越高,转化的时间越短,就越有利于区域经济的增长。对现有生产技术不断进行革新,提高设计和工艺水平,也是加快区域经济增长的重要途径。因此,在区域经济增长的过程中,必须抓住科学技术进步这个龙头,加强研究与开发,大力推广应用科学技术成果,尽快使知识形态的生产力转化为现实形态的生产力,这是加快区域经济增长、摆脱落后地区贫穷面貌的根本途径。

5) 资源配置因素

劳动力、资金和技术是区域经济增长中三个最基本的生产要素。这些要素既相互制约,又相互联系、相互作用,它们往往交织在一起,对区域经济增长产生综合的影响。单一要素投入的增加,如果没有其他要素的配合,往往起不到应有的作用。在技术有机构成一定的情况下,劳动力投入的增加必须与资金投入的增加相配合。科技进步作用的发挥,也需要有一定的劳动力和资金投入作保证。因此,在一定的要素投入和技术水平条件下,通过资源的优化配置,同样能够加快区域经济的增长。所谓资源优化配置,就是在区域生产过程中,通过对各种要素投入的合理分配和相互组合,从而最大限度地提高区域要素投入的总体产出水平。不断调整企业生产结构、优化产业结构和组织结构、合理布局生产力等,都是实现区域资源优化配置的重要途径。

6) 区际贸易因素

区际贸易包括区域对外贸易,也是影响区域经济增长的重要因素。一般说来,区际商品贸易(包括商品输入和输出)对区域经济增长具有乘数作用。也就是说,区际贸易量的一定增长,可以使区域社会总产品或收入成倍地增长。区际贸易量的大小,一般取决于区域可输出商品的比较优势、区际贸易障碍(如地区间距离、运输成本以及一些其他的人为障碍)和区域外部需求三个方面。区域可输出商品的比较优势越大,输出商品的市场竞争力就越强,也就越能促进区际贸易的发展;区际贸易障碍减少,则降低贸易成本,扩大贸易交流;区域外部对本区的需求增加,促使本区增加输出,从而有利于区域经济增长。

(三)区域经济发展阶段

美国经济学家钱纳里研究发现,国家和地区的经济发展都会规律性地经过六个阶段,从任何一个发展阶段向更高一个阶段的跃迁都是通过产业结构转化来推动的。

第一阶段是传统社会阶段。产业结构以农业为主,绝大部分人口从事农业,没有或极少数有现代工业,生产力水平很低。传统社会发展水平低,基础设施、技术水平都比较落后。

第二阶段是工业化初期阶段。产业结构由以落后农业为主的传统结构逐步向以现代工业为主的工业化阶段改变,工业则以食品、烟草、采掘、建材等初级产品的生产为主。这一时期的产业主要以劳动密集型产业为主,利用区域内廉价的劳动力降低成本,提高产业和区域的竞争能力。

第三阶段是工业化中期阶段。制造业内部由轻型工业的迅速增长转向重型工业的迅速增长,非农业劳动力开始占主体,第三产业开始迅速发展,这就是所谓的重工业化工业阶段。重工业是规模经济效益最为显著的产业,制造业的大规模发展能够支持区域经济增长达到较高的速度。因此,工业化中期阶段通常也是区域经济实现高速发展的阶段。这一阶段产业大部分属于资金密集型,对资金需求量大;同时工业劳动力开始占主体,城市化水平迅速提高;先导产业为机械工业、电子工业、轻工业、耐用消费品工业和第三产业。

第四阶段是工业化后期阶段。在第一产业、第二产业协调发展的同时,第三产业开始由平稳增长转入持续的高速增长,成为区域经济增长的主要力量。该阶段主要特征是在第一、第二产业获得较高水平发展的条件下,第三产业保持高速发展,特别是新兴服务业,如金融、信息、广告、公用事业、咨询业等。

第二、第三、第四阶段合称工业化阶段,是一个地区由传统社会向现代社会过渡的阶段。

第五阶段是后工业化社会阶段。制造业内部结构由以资本密集型产业为主导向以技术密集型产业为主导转换。技术密集型产业包括三大类:一是为生活服务的高档耐用消费品工业;二是改造、武装传统工业的新技术产业;三是新兴产业的产品,包括新能源、新材料、生物工程、航天技术等。

第六阶段是现代化社会阶段。第三产业开始分化,智能密集型和知识密集型产业开始从服务业中分离出来,占主导地位。现代化社会是一个用知识和智能来追求个性发展的社会,其投资领域主要是知识密集型产业和现代化的生产、生活服务业,多样化是其基本特征。

(四)科学发展观

2004年3月10日,胡锦涛同志《在中央人口资源环境工作座谈会上的讲话》中提出了"以人为本,全面、协调、可持续的发展观"的科学发展观。科学发展观的深刻内涵和基本要求是:坚持以人为本,就是要以实现人的全面发展为目标,从人民群众的根本利益出发谋发展、促发展,不断满足人民群众日益增长的物质文化需要,切实保障人民群众的经济、政治和文化权益,让发展的成果惠及全体人民;全面发展,就是要以经济建设为中心,全面推进经济、政治、文化建设,实现经济发展和社会全面进步;协调发展,就是要统筹城乡发展、统筹区域发展、统筹经济社会发展、统筹人与自然和谐发展、统筹国内发展和对外开放,推进生产力和生产关系、经济基础和上层建筑相协调,推进经济、政治、文化建设的各个环节、各个方面相协调;可持续发展,就是要促进人与自然的和谐,实现经济发展和人口、资源、环境相协调,坚持走生产发展、生活富裕、生态良好的文明发展道路,保证一代接一代地永续发展。

科学发展观是以邓小平理论和"三个代表"重要思想为指导,指导新世纪新阶段党和国家事业发展全局的重大战略思想。科学发展观总结了 20 多年来中国改革开放和现代化建设的成功经验,吸取了世界上其他国家在发展进程中的经验教训,揭示了经济社会发展的客观规律,反映了人民对发展问题的新认识。可持续发展观主要包括以下几个方面。

1. 发展的系统观

科学发展观把当代人类赖以生存的地球及局部区域,看成是由自然–社会–经济–文化等多因素组成的复合系统,它们之间既相互联系,又相互制约,其相互作用因地而异,且处于变化之中。这种系统科学观点是持续发展的理论核心,并为人与资源问题的分析提供了整体框架。人与资源矛盾的实质,是由于人和资源这一复合系统的各个组成之间关系的失调。一个可持续发展的社会,有赖于资源持续供给的能力;有赖于其生产、生活和生态功能的协调;有赖于自然资源系统的自然调节能力和社会经济的自组织、自调节能力;有赖于社会的宏观调控能力,部门间的协调行为,以及民众的监督和参与意识。其中任何一个方面功能的削弱或增强都会影响其他组分以及持续发展进程。因而在制定和实施资源战略时,需要打破部门和专业的条块分割以及地区的界限,从全局着眼,从系统的关系进行综合分析和宏观调控。

2. 发展的效益观

科学发展的开发与保护统一的生态经济观,为自然资源的管理提供了指导思想。科学发展的概念,从理论上结束了长期以来把经济发展与环境保护对立起来的错误观点,并明确指出二者应是相互联系和互为因果的。发展经济和提高生活质量是人类追求的目标,它需要以自然资源和良好的生态环境为依托。忽视对资源的保护,经济发展就会受到限制,没有经济的发展和人民生活质量的改善,特别是最基本的生活需要的满足,也就无从谈到资源的保护,因为一个科学发展的社会不可能建立在贫困、饥饿和生产停滞的基础上。因此,一个科学发展的资源管理系统,应该包括生态效益、经济效益和社会效益的综合,并把系统的整体效应放在首位。这种思想可以概括为 PRED 模式,即人口、资源、环境的协调发展。

对不同地区、不同国家,甚至对同一个国家发展的不同时期来说,其所面临的问题和采取的措施又是不同的。对于大多数发展中国家来说,发展经济、满足人民最基本的生活需要具有重要作用。贫困会减少人们以持续的方式利用资源,并会加剧对环境的压力。因此,对发展中国家来说,加速经济发展、提高人均收入水平是实现科学发展的一个重要标志。对于发达国家来说,其重点则应放在改造技术,使之向低投入、低消耗的方向转变。

长期以来,生产的效益是片面地用它的利润来计算的。例如,在计算林业的效益时,主要是用木材和其他副产品的价值减去开采所用的成本。至于森林更新和抚育所需资金以及由于森林破坏所造成的损失则很少计算在内。在利用其他资源时,类似的统计方法和事例是很多的。特别是当有些资源不能用货币的形式加以计算或在国家统计项目中不能反映时,更是如此。

生产的增长也取决于它的社会效益。如失业、收入分配、风险和脆弱性的增加或减少。经济效益、生态效益和社会效益是可以而且应该互相促进的。投入到教育和健康的钱,可以增加人们的生产能力,而经济的发展又为更多的人受教育提供了良好的机会。

3. 发展的人口观

要实现社会的可持续发展,必须把人口保持在可持续发展的水平上。在工业化国家中,人口的总增长率小于1%,有的国家已达到或接近零增长水平。预计发达国家的人口到2025年可以从13亿增加到14亿。世界人口的增长主要发生在发展中国家,预计到2025年发展中国家的人口将从1999年的47亿增加到68亿。因此,如何尽快地降低发展中国家人口的增长率是当前世界面临的又一严峻挑战。由于人口急剧增长,资源需求量在增加,环境质量在下降,构成了全球范围内的一系列问题。为了资源的可持续发展,一定要把人口控制在一定的水平,同时要注意提高教育、文化水平,提高人口素质,提高人们的生活质量。

4. 发展的资源观

科学发展要求保护和加强人类生存与发展所必须依靠的资源基础。对于世界上工业发达国家来说需要解决其高消费问题,而对发展中国家来说则是如何满足其最低需要问题。保护资源不仅是为了满足当代人的需要,也是为了子孙后代的生存与发展。当人们没有其他办法可选择时,对资源的压力就会增加。因此,关键的问题是给人们寻找出路。例如,在山区,可以引导农民把种粮食作物与种树种草、发展畜牧业结合起来,走持续农业或生态农业道路。过去对渔业和热带森林的经营主要是对天然资源的开发,从科学发展的观点出发就要求改进生产方法,以取得更多的产品。

5. 发展的技术观

技术是联结人类和自然的纽带,为了社会的可持续发展必须对其发展方向进行评价和调整。对于发展中国家来说,必须加强其技术革新的能力,以便能更有效地迎接持续发展的挑战。其次,技术的方向必须改变,并对环境因素给予更多的关注。有时发达国家的技术并不适合于发展中国家的社会、经济和环境条件,这就要求第三世界加强研究、设计、开发和推广适合于自己的技术,特别是许多国家有其传统文化和技术,它们是人们长期的经验和智慧的结晶,当前的任务是对这些技术和经验加以重视,并及时进行总结、保护、提高和推广。

许多具有商业目的的研究致力于生产和加工具有市场价值的产品。可持续发展的要求注意生产"社会产品",如改进空气质量,或增加产品的生命,或解决通常企业在计算价格时没有考虑的环境及废物排放的问题。

发展环境合理的技术与对风险的管理有密切的联系。例如原子反应堆、电力网、通讯系统和大量的运输系统,如果超过一定的限度都有一定的脆弱性。为此要采用完善的分析方法,吸取过去的教训,综合进行技术设计、标准制订和应急措施安排,这样才能有效减少问题的不良后果和大大降低意外事件的破坏性。

6. 发展的体制观和法制观

科学发展要求打破传统的条块分割、信息闭塞和决策失误的管理体制,建立一个能综合调控社会生产生活和生态功能、信息反馈灵敏、决策管理水平高的管理体制,这是实现社会高效、和谐发展的关键。

把科学发展的指导思想体现在政策、立法之中,通过宣传、教育和培训,加强持续发展的意识,建立与科学发展相适应的政策、法规和道德规范。

7. 发展的群众观

社会发展工作主要依靠广大群众和群众组织来完成。要充分了解群众的意见和要求,动员广大群众参加到科学发展的全过程中来。为此要动员决策人员、科技人员、地方各级领导干部和广大群众参加到实现可持续发展的行动中,群策群力,协同完成。

8. 持续发展的社会平等观

科学发展主张人与人之间、国家与国家之间应互相尊重、互相平等。一个社团的发展,不应以牺牲另一个社团的利益为代价,这种平等的关系不仅表现在当代人与人、国家与国家、社团与社团的关系上,同时也表现在当代人与后代人之间的关系上。

9. 发展的全球观

人类共同居住在一个地球上,没有哪个国家能脱离世界市场而达到全部自给自足。当前世界上的许多资源与环境问题已超越国家和地区界限,并具有全球的规模。要达到全球的可持续发展,必须建立起巩固的国际秩序和合作关系,对于发展中国家,发展经济、消除贫困是当前的首要任务,国际社会应给予帮助和支持。保护环境、珍惜资源是全人类的共同任务,经济发达的国家负有更大的责任。对于全球的公物,如大气、海洋和其他生态系统要在统一目标的前提下进行管理。实现社会的可持续发展,并以此为目标调整资源战略是一个长期而艰苦的过程,它需要从经济结构、技术发展方向以及思想价值观念上进行巨大的变革。在对待全球资源与环境问题上,各国、各地区间既有共同利益,又有利害冲突。因此,为了制定一个国家或地区的资源发展战略,必须对该区的资源系统历史给予科学的辨认,发现其特色及存在的问题,对未来进行预测,并以可持续发展的基本原则为指导,结合国家和地区的具体条件,进行能动的设计和调控。

(五)区域经济发展中的人口、资源与环境

一定质量和数量的自然资源和自然环境,不仅是人类生存和繁衍的基础,而且是经济可持续发展的基础。因此协调好经济发展与自然环境的关系,是实现可持续发展的前提条件。

关于人与环境,或称人及其经济活动与自然关系的协调,地理科学和许多其他学科的研究取得了十分可喜的成果,总结出了一些规律性的东西。主要包括以下几点:

(1)人类发展活动必须同地理环境容量相适应。

这里的环境容量实际上是指地理环境的承载力。人类生存和发展的一切物质需要都来自地理环境,离不开自然资源的开发与利用。地理环境中任何一种物质相对于人类需求的短缺或过剩,而又无法替代补给或消除,都可以成为计算地球承载力的依据。从总的

方面看,地理环境的承载力可以通过三种途径来计算:一是资源途径,通过资源总量的人均占有需要量的下限的比例来求取;二是环境途径,通过环境自净能力与人均排污及预防能力(扣除人为净化后)的平衡来计算;三是生产途径,通过土地的物质生产能力与一定的人均消费标准相除来得出结论。人类利用自然、改造自然力量日益增强,人口数量与人均生活消费水平呈上升趋势,能否保证人与自然关系相协调,关键是要使之控制在特定的地理环境容量,即环境承载力之内。超过了这一界限,生态平衡将受到破坏而恶化。

(2)人类必须从自然环境的整体性出发从事开发利用自然的活动。

自然环境是由各个相互联系、相互制约的自然地理成分(包括岩石、地貌、气候、土壤、水文和生物等)组成的综合体。人类对这种自然综合体进行开发利用,必须从整体出发,考虑和评价它们的自然条件和自然资源优势,决不能从某一成分或某一自然资源的优势出发,孤立、片面地做出评价。从整体出发评价自然环境对生产活动的影响,可为合理利用自然提供科学依据。但合理利用自然决不能理解为只是为了充分发挥各个地方的自然优势,最重要的是要保证整个环境能建立起一种良好的生态结构,形成一个良性循环的高效的物质、能量转换系统。人类在改造自然时,也必须从自然环境的整体出发,对自然环境实行综合治理,而不能"头痛医头,脚痛治脚",要使其整体上达到最优化,保证各个地区的自然优势持久地得以发挥。

(3)人类开发利用自然必须顺应自然环境的发展规律。

自然环境是独立于人类意识之外的客观物质体系,它具有自身固有的发展变化规律,不以人们的意志为转移。人类必须通过深入研究,掌握自然环境的发展变化规律,并善于运用它来指导自己的实践活动,避免大自然的惩罚。按照自然界的客观发展变化规律,开展利用自然、改造自然的活动,最理想的途径是保持自然环境固有的发展趋势,或者说,对蕴藏在自然界固有的发展趋势和潜在可能性因势利导地利用和优化。这样,不仅可以使自然环境的潜力和优势得到充分发挥,取得最稳定的生态效果,而且可以花费最少的资金获得最大的经济效益。当然,利用自然环境的固有趋势,并不一定都符合人类社会利益。如盐碱化的地区,往往朝着不利于人类生存与发展的方向发展,在这种情况下,需要建立有力的人工设施,进行生态创新,改善自然环境固有的发展趋势,以较大的人力、物力和财力投入,建立一种对人类生存发展有利的良好生态环境条件。应当指出,进行人工干预,同样要顺应自然环境的演化规律,有针对性地采取适当的措施,创造必要的转化条件,才能取得事半功倍的效果。

(4)各个地区的经济结构必须同自然环境与资源结构大体上相吻合。

一个地区的经济结构,反映着人类在该自然环境中经济活动的内容和规模,也反映着人类同自然界进行物质与能量交换的类别与数量。保持一个地区的经济结构与自然环境及资源结构大体吻合,有助于自然资源适宜性的合理选择,可以利用诸如小地貌变化形成的地方气候等局部性的资源优势,可以使工业企业接近原料地而减少运输费用成本,有益于减少对自然环境的扰动,有助于某些地方特有物种品质的保持,减缓自然演替的速度和强度,是维持该地区人类经济系统与自然系统之间平衡的关键,也是人类同地理环境之间保持稳定和协调的重要措施。当然,强调因地制宜,尊重自然环境结构复杂多样性,亦并非否定实现农业生产地域专门化,工业及其他产业企业规模经营,发挥集聚效益与规模经济效益的必要性。随着生产力的发展,人类对自然界限制性的克服,大自然提供的经济适宜性将越来越广,给现代化、社会化大生产提供了更为广阔的空间。经济结构同自然环境与资源结构相吻合,重在发挥地区优势,实现劳动地区合理分工,防止自然资源浪费或掠夺性开发。

(5)人类要消除地理环境的消极影响,必须全面正确地选择能源和其他资源的开发利用技术与工艺。

人类社会生态系统在从低级向高级演化过程中,为提高系统的有序性,以维持更高的生产力和系统的稳定性,必须依靠人类补充更多的能量。人类发展的过程,既是生产力发展的过程,也是能源种类选择与采用不断变换的过程。生产动力从最先的风力、水力,到薪炭、煤、电力、核能的变化,摆脱了能源对生产布局中企业只能选择于燃料基地的限制,扩大了人们支配和控制自然力的能力,更多地利用自然力增加剩余产品和多余劳动力,推动了经济和社会的发展。但不可否认,现在世界上面临的环境问题与能源选择有关。煤炭燃烧不充分造成了较严重的 CO、酸雨、粉尘污染。农业的衰退证明了以大量的化石能源换取农业产量的能量转换效率较低,农药、化肥、除草剂是土壤、水源与生物食物链污染物的主要来源。城市环境恶化与现代工业和交通运输中广泛使用煤炭、石油为原料有关。因此,采用新的工艺与技术,选用无害能源,以可再生资源替代非再生资源,以资源的循环利用来减少污染物的排放,也是促进人与自然关系协调的一个重要方面。

(6)自然资源与环境的开发利用要注意克服投资门槛,顺应经济环境变化带来的资源与环境量比较优势变化。

例如,某些山区发展畜牧业,试图将一批牛引上山,由于冬季没有饲草,山区农民温饱问题尚未解决,更无力购买饲料来喂牛,冬季牛越养越瘦,养牛效益低,不得不放弃养牛而回到开垦坡地以求温饱的老路。但是,在同一地区,由于国家投资增加了,农民口粮也自给有余,人工牧场和饲料基地迅速建立起来,以养牛为主的畜牧业获得较大发展。说明经济条件是自然环境与资源开发的保证。经济条件变化对自然限制性因子的克服,往往使一些地区潜在的自然优势得以发挥,在生产布局与市场竞争中具有较大的吸引力。例如,我国农业的发展,最早的主要农业区位于北方,土壤的易耕性与肥力对农业生产起支配作用。到了唐宋时期,水利事业有了较大的发展,人们治水的能力增强,南方地区的水热条件显示出了显著的优势,农业生产重心很快移到了南方,南方成为我国主要的农业区,形成"湖广熟,天下足"的局面。根据生产条件的变化,适时促进经济重心的转移,也是充分开发利用自然资源与环境潜力的一个重要方面。人地关系的协调不仅要遵循生态平衡规律,也应遵循社会经济规律。

党的十六届三中全会进一步明确提出了"坚持以人为本,树立全面、协调、可持续的发展观,促进经济社会和人的全面发展";强调"按照统筹城乡发展、统筹区域发展、统筹经济社会发展、统筹人与自然和谐发展、统筹国内发展和对外开放的要求",推进改革和发展。这样完整地提出科学发展观,是我们党对社会主义现代化建设指导思想的新发展。牢固树立和全面落实科学发展观,对于全面建设小康社会进而实现现代化的宏伟目标,具有重大而深远的意义。

三、生态系统稳定性理论

(一)稳定性的定义

系统稳定性的概念来自于系统控制论,常指系统受到外界干扰后,系统的偏差量(状态偏离平衡位置的数值)过渡过程的收敛性。从内涵上来说,描述稳定性的概念主要有:

(1)恒定性(constancy),指生态系统的物种数量、种类组成、群落生态型及物理环境的特征保持恒定。从定义可看出,这是一种绝对稳定的概念,但在自然界几乎不存在。

(2)持久性(persistence),指系统或系统某些组分在一定空间范围内保持恒定或持续存在的时间。某一种群如果达到灭绝的时间比另一种群长,则认为前者更稳定。这是一种相对稳定的概念,因研究对象而异。

(3)惯性(inertia),指生态系统在受到外界干扰诸如干旱、风、病虫害、啃食等不良因素影响时保持恒定和持久的能力。该定义与恒定性概念基本相同。

(4)弹性(resilience),指系统受到干扰后回到原来平衡状态的速度。弹性与持久性概念类似,但更强调生态系统受到扰动后恢复原状的速度,即对干扰的缓冲能力。

(5)抗性(resistance),指系统在受到扰动后产生变化的大小。

(6)变异性(variability),指系统在受到扰动后种群随时间变化的大小。

(7)变幅(amplitude),指生态系统被改变后能恢复原来状态的程度或强调其可恢复的受扰范围。

综上所述,稳定性包含了两方面内容:一是系统保持现状的能力,即抗干扰的能力;二是系统受到干扰后回到原来状态的能力,即扰动后的恢复能力。

(二)生态系统的稳定性

生态系统的稳定性是指生态系统所具有的保持自身结构和功能相对稳定的能力,以及在受到一定的干扰后恢复到原来平衡状态的能力。它包括以下几个方面。

(1)抵抗力稳定性和恢复力稳定性。抵抗力稳定性也叫抗变能力,表示生态系统抵抗外界干扰和维持系统的结构与功能保持原状的能力。恢复力稳定性表示生态系统在受到外界干扰后恢复到原来状态的能力。

(2)局域稳定性和全域稳定性。局域稳定性表示生态系统在经受小的干扰后恢复原状的能力。全域稳定性表示生态系统在经受一次大的干扰后恢复到原状的能力。对不同的生态系统来说,这两种稳定性可能有下列4种情况:①局域稳定性和全域稳定性都低;②局域稳定性高,全域稳定性低;③局域稳定性低,全域稳定性高;④局域稳定性和全域稳定性都高。

(3)脆弱性和强壮性。能在环境条件改变不大的情况下保持稳定的生态系统称为脆弱的生态系统;能在环境变化范围很大的条件下保持稳定的生态系统称为强壮的生态系统。

(三)干旱区绿洲生态系统的稳定性

在我国西北干旱地区,绿洲生态系统对水资源的依赖性极其强烈,水资源对其稳定性状况起着决定作用。地下水埋深较浅,地表蒸发强烈,土壤水中的盐分随蒸发沿毛细管上升,并在地表累积,形成盐碱化;地下水位埋藏较深,有效径流减少,水质恶化,导致绿洲荒漠化等,所有这些问题的解决依赖于西北地区内部径流的大小及水资源量的丰富程度。

1. 绿洲生态稳定性含义

对绿洲的稳定性可以从不同的角度和出发点加以审视与考察。从人地关系论来看，人口、资源、环境、经济发展系统（即 PRED 系统）的优化调控是绿洲稳定的基本内涵。

绿洲的稳定与不稳定是指绿洲的兴衰存亡而言，更多、更常见的是绿洲土地资源的退化，而导致绿洲土地退化的根本原因是绿洲生态平衡的破坏。绿洲的荒漠化类型通常可分为六种：①干旱型——因缺水或无水而使绿洲内某些土地不能确保作物和林木的正常生长；②风沙型——受风沙的侵蚀，使原有绿洲耕作土壤退化为风沙土或沙漠而无法耕种和利用；③盐渍型——因大水漫灌、有灌无排或排水不畅而使土壤的地下水位抬升，耕作层积盐加剧无法耕种或原有植被衰败、退化；④沼泽型——因地表积水过多，使土壤沼泽化被迫弃耕；⑤瘠薄型——因原有耕地土层薄、肥力低，加之长年水土流失和重用轻养，使土壤更加瘠薄，生产力极度低下；⑥污染型——受现代工业三废严重污染而无法利用。

以上几种绿洲荒漠化的类型都是由于生态系统、生态平衡的破坏与失衡，这才是绿洲不稳定和绿洲系统衰变的本质原因。总之，在整个变化过程中，有一个从量到质的转变，当某种或几种退化因素达到一定的量或度后，原有的生态平衡即被打破，绿洲的衰败随之发生。

从绿洲系统来看，在自然、社会、经济各子系统、各组元之间，始终存在着物质、能量及信息流的相互渗透和作用，存在着复杂的反馈机制。盲目自流状态将趋向增熵、无序与退化状态，即荒漠化；合理开发调控将趋向负熵、有序与进化状态，即绿洲化。

可见，绿洲的稳定性主要是指绿洲生态系统的稳定性，是确保绿洲生态系统的能流、物流、人流、信息流处于良性循环，绿洲生命体的生存环境不断优化，绿洲系统功能处于持续稳定发展中的一种绿洲化状态。由于稳定性的基本表征就是系统的良性循环和持续发展，因而绿洲生态稳定性的本质含义或深层次内涵就是绿洲系统特别是绿洲生态系统的可持续发展。

2. 绿洲生态稳定性的基本特点

（1）不稳定潜在趋势性。现代绿洲是一种高熵系统，呈现出荒漠化和绿洲化两个截然相反的变化方向。绿洲总是处在绿化与退化的动态过程中。绿洲生态系统高度脆弱，系统的弹性、抗扰动能力低，时刻存在逆化的可能。

（2）演替驱动力的综合性。绿洲生态系统演替的驱动力有三方面：自然因素、社会人文因素以及自然与社会人文因素的叠加。中小时间尺度（100 年或 10 年）下的绿洲生态稳定的主驱动力是人文因素。

（3）人类活动对绿洲生态系统演替正负功效驱动力的双重突出性及主导性。对于现代绿洲特别是人工绿洲，人类活动对其演化方向起决定作用。人类活动是绿洲生态系统形成、演替的内生变量，与自然生态系统的自组织力一并发生作用。一方面，人类是构建和优化其生态系统及其功能的主导力量（如防护林、人工渠系等）；另一方面，不适当的人类活动也是绿洲逆化、退化的主要驱动力。绿洲生产力水平高，使其成为与荒漠背景对立的景观。与此同时，正是因为绿洲是干旱区人类生存的主要场所和依托，人类活动带来的生态环境压力更为集中。生态天然脆弱与压力集中的矛盾，放大了人类活动的效果。人类干扰的性质和水平，主要有土地承载力、人口、水资源供需水平、经济结构与经济社会发展水平等。

（4）稳定的动态性与相对性。稳定性是对于某一时间与空间而言的，或是相对某一时间与空间耦合的界面而言的。由于稳定的驱动力具有时间与空间的大跨度性，虽然不同尺度下的稳定性问题相互关联，但有些尺度下稳定性问题之间差别很大，甚至根本不同。动态性（一般指时间函数序列）与尺度（空间与时间序列）的相对性，在绿洲生态稳定问题上表现较为突出。

（5）径流的高度依赖性和水资源的决定性。绿洲生态对径流具有高度的依赖性，水资源对其稳定性状况起着决定作用。地下水埋藏较浅，地表蒸发强烈，土壤水中的盐分随蒸发沿毛细管上升，并在地表累积，形成盐渍化；地下水埋藏较深，有效径流减少，水质恶化，会导致绿洲荒漠化等，所有这些问题的解决依赖于绿洲内部径流的大小及水资源量的丰富程度。

（6）与外部生态系统的高度关联性。绿洲寓于荒漠又异于荒漠。尽管有相对独立的地域，但在生态系统上，以水为纽带，与山地系统、荒漠系统存在决定性的作用关系。绿洲的存续同时取决于山地系统的以水为纽带的物质、能量、信息输入的稳定程度，也取决于荒漠系统与绿洲之间的对立统一作用关系。

3. 受水资源约束条件下的绿洲生态稳定

水是绿洲生存与发展的重要基础条件，无论是天然绿洲还是人工绿洲，水资源都在其中起到了重要的作用，人类通过各种水资源开发利用方式，对天然绿洲和人工绿洲所需的水资源进行配置。水资源配置方式的合理与否直接影响着绿洲生态的稳定性。当水资源配置得当，绿洲的生态环境和社会经济就会得到协调发展；若配置不当，使得社会经济用水大量挤占生态环境用水，就会使绿洲生态恶化，从而影响绿洲生态的稳定和发展。因此，水资源的合理配置对绿洲生态的长期稳定和持续发展具有举足轻重的作用。

另一方面，绿洲的生存与发展受水资源不足的制约。水资源不足是绿洲经济发展根本性的制约因素。降水稀少而蒸发强烈使绿洲在水平衡中处于水资源亏损状态。一定的水资源量只能维持一定面积的绿洲，随着绿洲面积的扩大，水资源的净蒸发损失也将扩大。当绿洲整体蒸发损失持续大于绿洲地表、地下水源输入时，绿洲的沙漠化过程就将产生。所以，绿洲开发应以绿洲保护为前提，绿洲经济体系的构建应侧重于绿洲开发的深度而不是广度。绿洲发展过程中的缺水现象主要来自耗水规模的扩大、耗水结构的不合理及用水水平的落后。资源的稀缺性是区域发展过程中的一种普遍现象，因而来自资源的限制在区域发展过程中具有一定的必然性，关键在于如何去缩小这种限制。在区域水资源不足的情况下，节水型经济体系的建立成为绿洲经济结构调整的方向。

4. 绿洲生态与稳定性

绿洲景观是与荒漠景观及其灾害的抗御中取得平衡而存在的生态环境系统。这个生态环境系统的早期，主要为天然绿色生态系统，包括草地、林地、水域和生活在其间的动物群落。随着人类文明发展的进程，绿洲生态环境中开始出现了农田生态系统和人类居住地，农田生态系统和人口增长相互促进，使居住地发展成了城市－村镇体系结构，这个体系的中心就是围绕人类发展的各种社会活动，称之为灰色生态系统。可以说，现代意义下的绿洲就是由绿色生态环境和灰色生态系统构成的生态环境综合体，在此意义下的绿色生态系统就包含了天然的绿色生态和人工的绿色生态,如农田、人工林、灌溉草原、水库、整治了的河道等。考察绿洲进化的历史可以认为,到目前为止,绿洲的人工进化基本都是围绕农田生态系统的建立而进行的。农田系统在不断扩张和完善,不断改变着绿洲生态系统各种成分的组成比例,不断提高人类生存能力,容纳了更多的灰色生态系统成分,促进着绿洲灰色生态系统的发展。灰色生态系统的发展,既要求农田生态系统生产更多的物质产品和其他条件,也为农田生态系统生产提供了更多和更高的生产力因素。

　　然而,农田生态系统毕竟不是自然进化的结果,而是在人的干预下形成的,农田生态系统的存在与稳定,极大程度上依赖于人类对系统的维护。所以在绿洲人工进化的过程中,人的努力主要集中在对农田系统的扩张和提高其生产能力上,通过种种措施将各类资源集中输入到农田系统,如水资源、肥料等。即使如此,农田生态系统仍然要依靠绿洲内其他天然系统而存在。过度改变天然资源在绿洲各系统的分配,造成了其他系统的极度退化,使得原本是支撑农田生态系统的天然环境发生变化,成为新的不稳定因素。如上游水源涵养林破坏改变了水文环境,植被减少和退化引起土地荒漠化和沙化,包括耕地本身和绿洲外围。实践表明,由于大风的胁迫,我国干旱内陆河流域荒漠区广大的流动沙漠和绿洲内部及交错带的土地沙化,是这些地区绿洲农田生态系统的最大威胁。具体分析绿洲各系统对土地荒漠化和沙化的贡献,毫无疑问,天然绿洲生态系统和人工绿洲防护系统,包括荒漠植被、天然的和灌溉的草场、天然的和人工的林地、湿地沼泽、湖泊塘坝等,对防治荒漠化和沙化有正面的功效。绿洲灰色生态系统,面积相对较小且处在农田生态系统的包围之中,可以划为农田生态系统的范畴。对于在广大意义上狭义的农田生态系统即纯耕地,则具有双重功效。一方面,广阔的农田在作物生长期,是绿洲绿色景观的主要组成部分,具有与其他绿色生态同样的正功效;另一方面,非生长期的农田是潜在的沙化源,有资料表明,裸露的耕地特别是退化了的耕地,其沙化和起沙的强度是未干扰土地的近百倍。因此,对绿洲各系统可以按其对防治绿洲荒漠化贡献进行划分,将那些对维护绿洲生存、防治荒漠化与沙化有正效益的生态系统,称为绿洲生态防护系统,简称绿洲生态系统;而农田生态系统更多的成分是经济生产功能,需要其他绿色生态系统的保护,宜划入灰色生态系统的范畴。显然,较高的绿洲生态系统比例有利于提高绿洲整体稳定性。

　5. 绿洲生态稳定性与可持续发展

　　绿洲是干旱区特有的一种景观,它的形成与气候干旱有关。作为干旱区人类生存和生产核心场所的绿洲,其稳定与否,直接关系到区域经济社会的可持续发展,绿洲生态的稳定性由其内部与外部的生态系统的结构、功能及生态过程决定,同时也决定于气候变化;另一方面,绿洲生态的稳定不仅涉及到农田生态系统、城市生态系统等众多子系统的结构、功能和生态过程,而且与次生盐碱化和风沙侵袭的防治与否密切相关。

　　绿洲生态的稳定性是针对绿洲生态的非稳定性提出的,绿洲化与荒漠化是干旱区两个最基本的生物地理过程,争取绿洲生态系统向稳定化、有序化方向演化并实现可持续发展是干旱区人类存在发展所追求的基本目标。但由于受自然和人类等动力因素的叠加影响,绿洲生态系统总是处在活化、交流状态,绿洲生态的稳定性问题始终将引起人们的警觉和重视。由于绿洲化的基本表征就是系统的良性循环和可持续发展,因而绿洲生态稳定性的本质含义就是绿洲生态系统的可持续发展。

　　可持续发展是人类面对日益损耗的资源问题和日趋紧张的环境问题而提出的一种解决人地关系矛盾的发展模式或指导思想。可持续发展是在对传统经济发展观的反思中形成的,核心是发展。绿洲生态稳定性实质是绿洲的正向发展态势、发展的适度性以及持续性,因此可持续发展为绿洲生态稳定性评价提供了理论基础和框架。

第三节　水资源经济生态系统

一、水资源与经济社会发展

　　人类为了生存和发展的需要,必须发展经济,建设物质文明,并在此基础上建设精神文明,人类才得以不断进步。无论工业、农业以及其他服务于人类社会的产业发展,都离不开对水的需求,人的生活本身也需要水,为此,人类必须开发利用水资源以适应经济社会发展的需要。经济社会的发展速度和发展模式因各国及各地区资源条件、人口、环境以及发展政策的不同而异,但发展速度将决定需水量的增长速度。经济结构的变化和城市化的发展,将改变总用水量中工业、城市生活和农业用水的比例,社会和经济发展过程中因各类用水的增加和各类污染物及废物排放量的增加,必然导致有效可利用水资源量的减少,势必增加用于扩大供水能力和加大污水处理力度所需的投资比例。但经济的增长也为投资于水资源的开发利用与治理提供了条件,关系到水资源开发利用和保护管理的格局。

　　经济社会的发展是必然的趋势,但制约经济发展的内在因素,主要是国民经济各部门间的投入产出关系、年度间消费与积累关系和不同地区间经济互补关系。而影响经济发展的外部因素中,资源与环境条件则起主要的制约作用,其中水资源的天然条件和经过人工控制与调节后的水资源及水环境在一些地区起主导作用。因不同地区的经济内部动因和外部资源与环境条件的不同,对经济发展问题一般均进行分区研究。通过对每个经济分区进行统一的部门划分,从经济上对其发展状况进行分析,并对照不同部门用水的特点进行需水分析。这种分析是进行水资源合理配置的基础。

二、水资源与生态环境建设

　　水资源是生态环境的基本要素,是生态环境系统结构与功能的组成部分。水以其存在形态与系统内部各要素之间发生着有机联系,构成生态系统的形态结构;水以其运动形式作为营养物质和能量传递的载体,不停地逐级分配营养和能量,从而形成系统的营养结构;水在生态系统中永无休止地运动,必然产生系统与外部环境之间的物质循环和能量转换,因而形成系统功能。水在生态系统结构与功能中的地位与作用,是其他任何要素无法替代的。

　　水是可恢复再生的自然资源,通过水循环往复于陆地、空间和海洋之间,支持物质循环、能量转换和信息传递的运转。在生生不息的生物圈中,生物地质化学循环也是靠水的运动和调节进行的。总之,生物圈内所有物质虽以不同形式进行着无休止的循环运动,但在任何物质循环过程中,都离不开水的参与和水的独具作用。

水在自然界中,以其存在形态构成环境的重要要素。没有水的自然环境是不堪设想的,而且在一般环境中水也是最易被污染的。为了保护环境,维持生态平衡,必须保持河川水环境的正常水流和水体自净能力,以满足水生生物和鱼类的生长,维持江河湖泊的生存与演化,保证水上通航、水上运动、旅游观光等各项环境功能。

水资源的开发利用可以改变环境状况:开发合理得当,能使环境由荒野状态变得文明秀丽;开发利用不当,则会造成环境恶化和污染。环境(自然和人文的)的优劣也能制约或影响水资源的开发,但一旦开发好了,环境的潜在资源价值也可变成可贵的现实资源,如旅游资源等。

三、水资源经济生态系统的基本内涵

水资源的开发利用与其他自然资源一样,既是在生态系统中进行的,又以水量、水质和生产条件等形式作为经济要素参与经济系统生产和消费的全过程。现行的水资源系统,是自然系统与人工系统相结合的产物,自其形成之日起就兼有了自然与社会的双重属性,只是过去水资源开发利用的力度在生态环境容量允许的范围之内,所以人与自然相安无事。然而,时至今日,自然生态及其环境容量受到人口、经济快速增长的严重挑战,世界性的生态环境问题层出不穷,且已日益危害人类的生存与发展。水资源的开发利用如果再不纳入到生态环境系统中考虑,就无法适应当前和未来的发展要求。

以水事活动为主体的水资源系统与生态环境经济社会相耦合,就是水资源经济生态复合系统,简称为"水资源复合系统"。它与现行水资源系统的基本区别在于:后者主要作为工程技术系统,忽视或脱离生态系统,单纯为经济目标服务;前者则是以经济生态系统为依托,实现水资源的开发利用,是为自然、社会多重目标服务的。

四、水资源经济生态系统的历史演变

自从人类干预自然伊始,纯自然属性的水资源系统就兼有社会属性,并开始形成水资源复合系统的雏形。以实证论观点考察水资源系统的历史演变,大体上可分为四个阶段或四种类型:初始型、发展型、增长型和协调持续型。尽管每个阶段或类型的界限与特点均带有一定的模糊性,但总体的轮廓和变化趋势是可以识辨的。

初始型水资源复合系统是社会生产力水平极低条件下的产物,其主要发生于自然经济和半自然经济的农业社会中,其特点是:系统的人工化水利措施规模小、效率低、技术手段简陋、结构功能单一,满足人类生活、生产用水的要求,主要依赖自然的赋予。就这个意义而言,人与自然的关系是融洽的。

在社会生产力和科技水平经历长足进步后,水资源复合系统的发展型逐渐出现了。它的基本特点是:自然系统人工化、人工系统经济化的趋势明显增加,系统结构与功能开始复杂化、多样化,水的开发利用程度有所提高,大力促进了社会经济的发展。由于系统结构功能开发力度相对不大,人与自然的关系处于和谐、共生共荣之中。

增长型的水资源复合系统,是与科技进步、社会经济增长同步出现的。其主要特点是:为满足工业化和人口发展的用水需求,水资源开发力度与规模不断强化和扩大,取得了经济方面的辉煌业绩,但由于工业化过程中对水资源的保护与开发利用处置失当,尤其

是不合理的自然资源开发利用方式带来了世界性的环境污染和生态破坏,对人类的生存和发展构成了现实的威胁。

面对增长型经济发展和掠夺式开发自然资源的后果,人们逐渐认识到,通过资源的高消耗追求经济数量增长的传统模式已不适合未来发展的要求,必须寻找一条人口、经济、社会、环境和资源相互协调发展的道路,这就是协调持续型水资源复合系统即将出现的必然理由。其特点是:水资源开发利用的力度和规模既要满足当代人和经济发展的需求,又能对后代人的需求能力无所损害,而使后代人可持续地利用与发展。

从水资源系统的历史演变过程可看出,水资源系统自其形成和发挥作用时起,就与经济生态系统结合成一体,并不以人的意志而改变,始终存在于自然和社会系统之中。

五、水资源经济生态系统属性

水以系统的组成要素和重要的资源形式存在于经济生态系统之中,除与其他自然资源具有共性外,也有其自身的特性,称为水资源的经济生态属性。

(一)系统性和整体性

一切物质均具有系统属性,而一切系统也均具有整体性。水资源的系统性与整体性主要表现在:水资源与其他自然资源、水资源与经济活动、地区水资源与流域水系等相互间存在着内在联系,存在着相互影响、相互制约的关系。很明显,水资源状况的重大改变(如形态、数量、质量、水事活动等变化)将引起生物和非生物资源因子的相应变化;水资源的综合开发和利用,将大大推进社会、经济的相应发展;流域内不同区域的水事活动,对河流的干支流和上下游将产生一定的影响。我们关注水的系统性与整体性,主要目的在于用其指导水资源复合系统整体(资源、环境与经济协调发展)综合优化的开发与利用。

(二)时空性与分布不均匀性

在地球上,水资源存在着明显的时空性和不均匀性,且差异很大,这就决定了水资源的开发利用和配置必须遵循因地制宜的原则。

我国水资源的时间分布,在年内和年际很不均匀,且变差很大。我国大部分地区的降水主要集中在汛期,降水量占全年总量的 60% ~ 80%;丰水期与枯水期的交替周期可持续几年或十几年;年径流的最大与最小之比,在南方为 2 ~ 3,在北方为 4 ~ 20。

我国水资源在空间(或区域)的分布也极不均衡,且与人口、耕地分布不相适应。我国水资源总量的 81% 分布在长江及其以南地区,而该区人口占全国总人口的 54.7%,耕地仅占全国耕地总面积的 35.4%;而长江以北广大地区,水资源量仅占全国的 19%,人口占全国的 45.3%,耕地却占全国的 64.1%,其中,黄河、淮河、海河、辽河流域内竟占全国的 42%,而水资源量只占全国的 9%。因此,形成了我国南方耕地少水多、北方耕地多水少的分布不均的局面。

这种时空分布不均的特点,一方面造成了我国水旱灾害频繁、农业收成不稳定和水资源供需紧张,另一方面也大大加重了水资源持续开发利用在生态环境保护、经济技术投入等方面的难度。

(三)有限性及短缺性

自然界中一切资源都是有限的,水资源也是如此。尤其是随着我国人口、经济的迅速增长,水资源越来越呈现出它的短缺性。

我国水资源总量为 28 124.4 亿 m³,其中地下水资源量(扣除地表水和地下水相互转化、相互重叠的部分)为 1 009.2 亿 m³,河川多年平均径流量为 27 115.2 亿 m³(居世界第5位),而单位面积耕地占有水量为世界平均的 76%,人均占有水量为 2 162 m³(人口按13 亿计),21 世纪中叶人均水量只有 1 800 m³ 左右(人口 16 亿),是世界上人均占有量最低的国家之一。

按地区分,各地丰贫程度差异很大。长江、珠江和浙闽地区,人均水量为 3 120 m³,属于我国水资源丰裕地区;黄淮海地区人均水量为 530 m³,其中海河流域人均水量仅有 200 m³,属于水资源严重不足地区;广大的西北内陆河流地区,处于雨水少的干旱地带,属于水资源极为贫乏地区。这种南多北少、东多西少的水资源分布状况与我国人口、耕地分布不相适应,更加剧了我国水资源供需矛盾。

(四)多用性、不可替代性和双重性

众所周知,水资源具有多种功能或多种用途,且这些功能和用途无论对生命系统还是对非生命系统,都是任何其他资源无法替代的;在人类生活和生产系统中,除极少的生产部门,如水力发电生产的电能、水路交通的运输外,水资源也是其他资源不能替代的,因此水对自然和社会的存在与发展,比其他可替代资源显得更为重要和珍贵。水既是自然资源,又是商品,具有价值和使用价值,也属于经济资源。因此,水资源的开发利用,必须遵循自然规律和经济规律。

水资源的双重性主要体现在"水可行舟,亦可覆舟"的两个方面,即水可兴利,也可带来灾害。兴利与水的多用性有关,水害与降水的时空分布以及人的用水行为有关。自然界水多、水少会带来洪涝和干旱;人的用水行为不当,则可引起多种灾害,如灌溉不当会造成土壤盐渍化,超采地下水会使地面沉陷,管理不当可造成"人造"洪水及水污染等。因此,水资源开发利用,要兴利与除害并重,保护环境与发展经济协同。

(五)流动性、可持续性和随机性

水在常温和高温下是一种流体,总是从能量高的地方向能量低的地方流动,且永无休止地流动着。在一定区域和时间内,对它的开发利用如不采用工程技术拦蓄和控制,就会时过境迁,"付之东流"。自然界水的流动和流失,除受地形影响外,主要受水循环规律的补给和驱动。只要水循环过程畅通无阻,便可永续地周期性更新和再生,构成再生资源。凡再生资源均具有可持续性,且受生态学可持续性法则支配。只要人们对可再生资源的使用不超过它的恢复再生能力,便可持续不断地永存和补给。由于自然界的水循环过程具有随机性,因此水的可持续再生能力每年是不等的,其量有上下限度,但多年平均量基本是个常数。据此,水资源的可持续能力不应超过水循环多年平均的最大水量。

水资源开发利用的历史和现实表明,水资源与经济生态系统之间的关系是密不可分的。建立水资源经济生态复合系统,将其作为水资源持续利用的基础,是有足够的理论与实践依据的。事实上,面对可持续发展战略的水资源开发利用也只有把客观存在的水资源经济生态系统作为一个整体来对待,并以经济生态系统理论为指导,才能实现水资源可持续利用的目的。

第二章 自然－人工复合水循环系统

第一节 国内外研究现状

一、国外研究现状

自从 1965 年联合国教科文组织(UNESCO)成立"国际水文十年"以来,对全球水循环及大陆尺度水文过程的研究就成为世界各国的一个热点问题。1974 年,UNESCO 开始执行国际水文计划(IHP)项目。全球能量和水循环实验(GEWEX)研究从 1990 年开始陆续开展。这些大型的科学计划,越来越注重人类活动对水循环的影响和水资源系统与生态系统的相互作用,为解决全球水资源的合理利用提供了科学依据,同时,对于客观评价地下水资源形成及利用具有重要的作用。

另一方面,国际组织开展了"水循环的生物圈方面计划(BAHC)"、"海岸带陆海相互作用计划(LOICZ)"、"全球变化与陆地生态系统计划(GCTE)"和"过去的全球变化计划(PAGES)"等。加拿大、英国、澳大利亚、日本、德国等国的科学家参加了全球能量与水循环实验(GEWEX),即在密西西比河流域的国际大型科学技术项目。现在,许多国家已经认识到大陆水循环过程研究是加深认识水资源形成和演化过程的一个重要方面。世界发达国家普遍重视区域水循环规律研究,注重利用自然规律来实现地表水与地下水优化调控,以提高水资源利用的合理性和可持续性。

20 世纪初至 60 年代,世界范围的大规模工程建设促进了工程水文学的发展与成熟,观测水文学、统计水文学以及降雨径流模拟技术等也日臻完善。这一时期的降雨径流模拟技术,如 Sherman(1932)的单位线法和线性水库法等,大都采用降雨径流应答关系即经验性的"黑箱"模型的分析方法。20 世纪 60 年代至 80 年代,随着科学技术的进步,进入流域水文模型即概念集总式"灰箱"模型的开发阶段,代表性模型有美国的 Stanford 模型(Crawford 和 Linsley,1966)和 HEC－1 模型(U. S. Army Corps of Engineers,1968),日本 20 世纪 60 年代后期开发的 TANK 模型(Sugawara,1995)。所谓流域水文模型是将整个流域作为研究单元,考虑流域蓄满产流、超渗产流及汇流等概念,并根据河川观测流量率定模型参数、模拟流域产汇流过程。这些概念集总式"灰箱"模型虽然比经验性的"黑箱"模型前进了一大步,但尚无法给出水文变量在流域内的分布,满足不了规划管理实践中对流域各个位置的水位水量情报的需要。

20 世纪 80 年代中期以来,随着计算机技术、地理信息系统和遥感技术的发展,考虑水文变量空间变异性的分布式流域水文模型的研究受到重视,世界各地的水文学家开发了许多分布式或半分布式流域水文模型。Singh 和 Woolhiser(2002)曾列出 88 个模型,在美国及加拿大常用的有 HSPF 模型(Bickenll 等,1993)、HEC－HMS 模型(U. S. Army Corps of Engineers,2000)、SWMM 模型(Huber 和 Dicknson,1988)、USGS－MMS 模型

（Leavesley 等，2002）和 UBC 模型（Quick，1995）等，在欧洲国家比较知名的有 SHE/MIKESHE 模型（Abbott 等，1986；Refsgaard 和 Storm，1995）、TOPMODEL 模型（Beven 等，1995）、HBV 模型（Bergstrom，1995）和 IHDM 模型（Beven 等，1987）。立川（2002）曾列举出日本有广泛影响的许多模型，如 IISDHM 模型（Herath 等，1997）、WEP 模型（Jia 等，2001）。特别是以 SHE 模型为代表的基于物理机制的分布式流域水文模型，或称分布式物理模型的研究、开发及应用受到水文水资源界的特别瞩目。这类模型从水循环过程的物理机制入手，将产汇流、土壤水运动、地下水运动及蒸发过程等联系起来一起研究并考虑水文变量的空间变异性问题，通常又称"白箱"模型。另外，全球环流（GCM）研究对陆地地表过程模拟提出了越来越高的要求，由着眼于局部某点的土壤－植物－大气连续体（SPAC）的观测实验与模拟研究发展到区域 SVATS（土壤－植物－大气通量交换方案）观测实验与模拟研究，进行了大量的区域尺度乃至全球尺度的地面与遥感联合观测工作，从而加强了水循环与能量循环的研究。SVATS 模型如 SiB 模型（Sellers 和 Dorman，1987）、Noilhan－Planton 模型（Noilhan 和 Planton，1989），虽然将研究重点放在土壤－植物－大气间的水热通量交换上，却忽略了流域产汇流过程的模拟，由于这些模型详细研究了植物的耗水过程，因此对生态需水的研究具有重要的参考价值。

二、国内研究现状

新中国成立以来，我国在水循环及陆气间水量、热量交换的研究方面都具有了一定的基础，先后利用流域水文模型研究了气候变化对地表水、地下水及土壤水变化的敏感性，进行了陆气间水量、热量交换与年水资源量关系的研究以及流域水文模型参数的地区规律等研究工作，20 世纪 90 年代开展了大气环流的 GCM 研究，取得了一批研究成果。"九五"期间，地质矿产部先后开展了"区域地下水演化过程及其与相邻层圈的相互作用"、"青藏高原形成演化、环境变迁与生态系统的研究"等，对区域地下水和青藏高原环境地质做了进一步研究。

（一）气候变化及其对水循环的影响

气候变化对水循环演变具有重要的影响，研究气候变化对水文水资源的影响对未来水资源系统的规划设计、开发利用和运行管理具有重大的理论意义和现实意义。评价气候变化影响的方法有三种：影响、相互作用和集成方法。气候变化对区域水文水资源影响的研究常采用影响方法，即所谓的 What－if 模式：如果气候发生某种变化，水循环各分量将随之发生怎样的变化。一般采用通用环流模型（General Circulation Models）模拟倍增后气温和降水的变化情景，然后把结果输入到水文模型中，模拟水循环对气候变化的响应。采用的水文模型可以分为经验统计模型、概念性水文模型和分布式水文模型。

我国水文工作者在黄河流域气候因子对水循环的影响方面取得了一系列研究成果，如张士锋等对比分析了黄河流域的两个丰水年——1983 年和 1985 年的地表径流量，发现在降水总量十分相近的情况下，地表径流量相差达 127 亿 m^3，分析主要为空间分布不同所致。康玲玲等利用黄河上游宁蒙灌区近 50 年气温、降水资料，分析揭示了气候干暖化的趋势，根据气温、降水和灌溉面积与耗水量的关系，建立了气候因素和灌溉面积等其他因素与耗水量的关系式，计算分析了近 20 年气候因素和其他因素变化对灌溉耗水量的影响。包为民根据黄河上游地理、气候特征,提出了一个考虑封冻、融雪、变径流系数的大尺度流域水文模型,检验了模型的合理性和有效性,进而分析了"温室效应"将对黄河上游2030年河川径流资源的影响。王国庆等依据假定的干暖化气候方案和气候模型的输出结果,采用水文模拟途径,分析了黄河上中游主要产流区水资源对气候变化的响应及其变化趋势。

(二)下垫面变化对水循环的影响

为了取得某种经济利益或者达到某种生态环境目的,人类有时会变更土地资源的利用方式,从而引起流域或区域下垫面条件发生变化。

不同土地利用类型对水循环的作用是不同的,阮伏水等研究安溪官桥径流小区实测资料显示,植被较好的林果茶坡地很少有地表径流产生。以这类坡地为主的流域,坡地地表直接补给河流的比例很小,壤中流(表层流)和地下水流可能在造峰过程中起决定性的作用;而在自然裸地,坡地地表直接补给河流的径流比例可达70%,地表快速汇流是造峰的主导因素。袁艺等以深圳市为例,应用SCS模型对该市部分流域进行降雨－径流过程的模拟,分析土地利用变化对流域降雨－径流关系的影响。张斌等研究了不同耕作制度对土壤－作物－大气连续体(SPAC)水分传输过程的影响。

黄土高原由于特殊的降雨和土壤状况,使得生态环境建设和社会经济建设的矛盾相当突出。因此,黄土高原区不同土地利用类型对水循环的影响是一个研究重点。比如有研究黄土沟壑区农田土壤水量转化规律的,有比较黄土高塬沟壑区森林和草地小流域水文行为的,有研究黄土丘陵区不同植被的土壤水文效应的,还有研究黄土区渭北旱塬苹果基地对区域水循环的影响的。

(三)水利措施对水文水资源的影响

随着工农业的发展,人类对水资源的需求越来越大,大量引用地表水和抽取地下水,改变了大气水－地表水－土壤水－地下水(以下简称"四水")的转换机制。利用水库调节河川径流,大幅减小了河川径流丰枯差值,引起一系列水文及环境生态效应。

人类对流域水资源的大规模开发利用,导致蒸发消耗增大,地表径流、河川径流减少,这种现象在干旱、半干旱地区表现得尤为突出。

任立良等研究了中国北方地区人类活动对地表水资源的影响,认为除气候变化的影响之外,河道外用水量的增加是导致中国北方地区实测径流量减少的直接原因;干旱、半干旱地区人类活动对河川径流的影响程度强于湿润地区。

三、典型水文模型研究现状

水文模型的产生是对水循环规律研究的必然结果,水文模型在水资源开发利用、防洪减灾、面源污染评价、生态环境需水、水资源可再生性评价和人类活动的流域响应等诸多方面得到了广泛应用。目前研究水循环的典型水文模型有SPAC系统和分布式水文模型两种。

(一)SPAC系统

SPAC系统(土壤－植物－大气连续体)实际是农田水循环系统中的水分循环过程。在有作物覆盖的农田中,植物的蒸腾是田间水分循环的重要组成部分。由于水势梯度的存在,土壤中的水分通过根系吸收进入植物体内,除部分消耗于植物生长和代谢作用外,大部分又由植物体通过叶面向大气扩散。因此,在研究有作物生长条件下的农田水分运动时,不仅需要分析农田水分状况和水分在土壤中的运动,还需要考虑土壤水分向根系的运动和植物体中液态水分的运动以及自植物叶面和土层向大气的水汽扩散运动等,为了完整地解决农田水分运动问题,必须将土壤－植物－大气看做一个连续体,这就是 SPAC 系统。SPAC 系统概念的建立有利于在农田水分和生态研究中从整体上把握土壤湿度、溶质分布与植物根系吸水及吸养、光合作用的动态关系,以及受到太阳辐射和大气水热运动影响的蒸腾蒸发过程。

农业水文模型的一个代表性作品是荷兰瓦赫宁根大学(Wageningen University and Research Center)开发的 SWAP 软件(Soil Water Atmosphere Plant)。SWAP 模型的上边界是植物冠层,下边界为地下水系统,土壤水渗流采用差分格式的 Richard 方程求解。在处理蒸腾蒸发方面的特点是土壤蒸发量和作物蒸腾量分开计算,这需要使用叶面积指数和土壤覆盖度两个参数。SWAP 还可以计算土壤溶质运移,同时考虑水分胁迫和盐分胁迫,用来分析盐碱化问题。SWAP 软件的突出优点是在灌溉制度上有某种自动设计功能。SWAP 已经开发出 2.0 版本,核心程序采用 Fortran 语言编写,图形界面采用 Delphi 语言编写。

但是,目前对 SPAC 系统的研究只是针对农田中某点或某个断面的水分运动,而对于人类活动干扰频繁尤其是平原灌区的水分转化关系没有进行详细描述。在研究方向上,SPAC 也只注重水分的垂向运动,区域水分的水平运移转化,诸如地表水、地下水与沟渠、湖泊以及河道的关系等都没有说明,因此无法应用 SPAC 对灌区的"四水"转化关系进行详细研究。

(二)分布式流域水文模型

分布式水文模型是从水循环过程的物理机制入手,将产汇流、土壤水运动、地下水运动及蒸发过程等联系起来一起研究并考虑水文变量空间变异性问题的水文模型。

自 1969 年 Freeze 和 Harlan 第一次提出了分布式水文模型的概念,分布式水文模型便开始得到快速发展。随后,Hewlett 和 Troenale 在 1975 年提出了森林流域的变源面积模拟模型(简称 VSAS),在该模型中,地下径流被分层模拟,在坡面上的地表径流被分块模拟。

由丹麦、法国及英国三个国家的相关科研机构提出的 SHE 模型被认为是最早的分布式水文模型的代表。SHE 模型考虑了截留、下渗、土壤蓄水量、蒸散发、地表径流、壤中流、地下径流、融雪径流等水文过程。流域参数、降雨及水文响应的空间分布垂直方向用层表示,水平方向用方形网格表示。SHE 模型的主要水文过程可由质量、动量和能量守恒偏微分方程的有限差分表示,也可由经验方程表示。模型有 18 个参数,部分具有物理意义,可由流域特征确定。它的物理基础和计算的灵活性使它适用于多种资料条件,在欧洲和其他地区得到了应用和验证。

与 SHE 模型相比,1994 年美国农业部农业研究中心开发的 SWAT 模型(Soil and Water Assessment Tool)是一个相对简化但具有很强物理机制的、长时段的、比较灵活的水文模型,它把流域分为若干个区块(subbasins),在每个区块内采用集中参数模型(概念模型)计算水均衡再进行汇总,地下水采用排水模型的解析解计算。

我国自20世纪70年代后期在水循环模拟方法和技术等方面取得了快速全面的发展,90年代以来模拟技术较以往有了很大的飞跃,而对分布式水文模型的研究则是在90年代后期才开始的。

郭生练(1997)介绍了分布式水文模型的发展现状,展望了其发展前景。黄平等(1997)在分析国外一些具有物理基础的分布式水文数学模型的不足的基础上,提出了流域三维动态水文数值模型的构想。其后,又建立了描述森林坡地饱和与非饱和带水流运动规律的二维分布式水文模型。任立良等(1999)在新安江与TOPMODEL模型基础上建立了基于DEM的数字流域水文模型,其产流机制为蓄满产流,更适用于湿润地区,曾成功应用于淮河史灌河流域内蒋集站集水区。张建云等(2000)建立了参数网格化的分布式月径流模型,并应用模型进行了华北、江淮流域的水资源动态模拟评估。杨井等(2002)基于GIS建立了两参数分布式月水量平衡模型。这些模型结构比较简单,对水文过程的描述经验性较强,时间尺度较大,难以精确反映水文要素的动态变化规律。夏军(2002)建立了分布式时变增益模型(DTVGM),应用在黑河流域,并与SWAT模型在本地区的应用进行了对比。唐莉华等(2002)在北京市水土保持生态环境建设的科技项目中,提出了一个针对小流域的分布式水文模型,包括产汇流和产输沙模型,这是一个典型的具有很强物理基础的分布式水文模型。该模型包括了从降雨到流域出口径流过程的各子过程,有林冠截留模型、降雨入渗模型、坡面径流模型、地下水径流模型和河道汇流演进模型,主要过程用有限差法和有限元法求解。贾仰文等(2002)开发了WEP模型,并在多个流域得到验证和应用。2003年,在国家"十五"科技攻关重点项目"黑河流域水资源调配和信息管理系统"中,针对我国内陆河流域的特点,对WEP模型进行了改进,特别是增加了积雪融雪模块和干旱地区灌溉系统模拟模块,以正方形网格为计算单元,形成IWHR－WEP模型,模型经验证后为水资源调配提供径流预报。2003～2004年,在国家重点基础研究发展规划项目中,开发了耦合自然水循环过程与人工侧支水循环过程的大尺度流域分布式水文模型WEP－L,采用子流域内等高带为基本计算单元,研究黄河流域水资源评价和人类活动影响下的水资源演变规律。

分布式水文模型作为最有前景的流域水循环模拟方式,既能够考虑各项水文气象因素信息的时空分异特征,也可以考虑流域下垫面时空变异特性。因此,既可以用来模拟自然水循环过程,又可以用来模拟受人类间接控制的水循环过程。从理论上来说,分布式水文模型还可以模拟受人类直接控制的人工水循环过程,比如水从渠首进入渠道以后在渠道内的输送过程,农田里的水分蒸发、渗透过程,等等,但前提条件是相应模型时空尺度的参数、边界条件和初始条件已知,比如模拟引水渠首过流量、泵站的抽水流量、渠系的布置、渠道蒸发渗漏系数、工业生活耗水率等。但这类资料受人为干扰太大,不确定性和随意性强,也没有一整套统一的数据采集和管理系统。相对来说,自然水循环系统和受人类间接控制的人工水循环系统的参数、边界条件和初始条件比较容易确定,比如水文气象要素可以有遍布全国的站网观测,有流域或者地区、省、国家各级机构统一数据库系统管理,下垫面参数可以通过"3S"技术采集,通过GIS技术处理和管理,土壤、水文地质参数有各地的勘探结果,且不容易随时间推移而改变。所以,在目前的条件下,对于受人工直接控制的水循环过程,尤其是针对类似于平原区以径流耗散为主、产汇流过程完全逆于自然状态下的产汇流过程,要想做到完全地分布式模拟是不太可能的,因此迫切需要建立一个新的平原区水循环模拟模型来解决此类问题。

四、存在问题

国内外研究水循环的发展趋势可以概括为:在水循环演化研究过程中,重视人类活动的影响,对水循环过程中的单项研究向综合研究转变,在分析全球、大陆区域和流域区域水循环系统变化的过程中,强调应用空间尺度和时间尺度的观点来客观地分析发生在不同时空尺度上的变化及其之间的联系,并随着 GIS 和 RS 等新手段的发展,在水循环研究过程中,重视应用现代观测手段和开发数据信息系统,强调理论模式和数值模拟研究。根据国内外水循环研究的状况分析,目前水循环研究中存在的问题可以概括为以下几点:

(1)关于区域水循环方面的研究一般以地表径流为主,以产汇流机制为理论核心,地下水方面作为产汇流的辅助因素大多作简化处理。

(2)在人类干扰频繁的平原区,在水资源合理配置研究基础上对自然水或人工引水等进行了重新分配后的水循环定量研究较少。

(3)水循环研究主要是对历史和现状的模拟,而对于未来和人类进一步加大干扰的情况下的水循环研究很少;同时对于水循环与生产关系的研究也很少,不能对生产进行直接指导。

(4)目前关于区域水循环的研究多数只是局限于静态的水均衡研究,而开展动态的研究很少,这样就不能更准确地体现出水循环中水分运动的状况。

第二节　人类活动干扰下的水循环系统

一、人类活动对水循环系统的干扰作用

(一)土地利用强烈影响水循环的陆面过程

水循环的陆面过程主要包括降水入渗、蒸腾蒸发、壤中流和地表径流。人类对土地的利用直接改变陆地表面的覆盖率、植物分布方式和土壤质地,而这些恰恰是水循环陆面过程的控制性因素。大量的事实表明,不合理的土地开垦很容易造成水土流失,使土壤保墒能力下降而破坏原有的水循环状态。气候因素与下垫面条件从两方面对流域径流产生影响,强烈的人类活动将改变流域的下垫面条件,从而改变流域的产汇流规律,进而影响当地的地表、地下水资源量及其时空分布。这些人类活动包括小流域治理的各种水土保持措施以及大规模的农业开发,如发展灌溉面积、大规模的城市化使低渗透、高产流的土地迅速扩张等。显然,土地利用模式的变化可以深刻地影响区域性的入渗产流过程。

(二)对地表水和地下水的调用形成了新的水循环路径

在人类的干预下,地表径流和地下径流的方向发生了很大的变化。水库和大量人工河流的兴建增加了地表水体的面积,同时引导水分脱离自然河道对耕作土壤进行灌溉。含水层的开采使本来需要长距离、长时间才能到达排泄区的地下水提前到达地表。这些

分离的水分在输运过程中往往形成新的水循环分支,最终小部分回到自然地表水体,大部分通过土壤蒸发消耗掉或转变为生物体和人造产品。与此同时,地表径流的流量减少,地下径流形成更多的局部流动系统(围绕开采中心的降落漏斗)。通过围湖造田可以导致湖泊萎缩,由于自然地表和地下径流的减少也可能导致湖泊、河流以及泉的衰退和消亡,这种水循环的再分配效应必然剥夺生态系统的用水量,使生态环境退化,从而使自然水循环中的生物因素发生变化。

(三)节水措施的应用对平原区水循环产生深刻的影响

节水措施的实施会改变水循环的形成条件和转化规律,从而影响到平原区水资源的可持续开发和利用。因此,应对节水后水循环形成与转化的规律进行分析预测,做到心中有数,从而可以更好地对未来水资源进行合理配置,实现区域社会经济和生态环境的良性发展。

对于农田而言,渠系的衬砌减少了水量渗漏,入渗到土壤中的水量减少了,包气带缺水量得不到有效补充,减少了入渗到地下水的水量,地下水位逐渐下降;田间灌溉方式的改变,提高了田间水的利用系数,作物无效蒸发减少,造成地表径流减少,相应的土壤入渗量也减少,地下水位降低,盐碱化面积缩小;农田地表产流的减少使得进入排水沟的灌溉退水得到控制,与节水前相比,排水量也减少;地下水由于得不到足够的入渗水量的补充,造成水位不断下降,从而改变了地下水与河道的补给关系,节水前地下水补给河道的形式将演变成以河道基流补给地下水为主。

可见,节水措施不仅改变了"四水"转化机制,而且还改变了其水循环转化通量的大小。由于节水可促使地下水位不断下降,而区域植被的生长状况主要依靠地下水的潜水蒸发,因此保持适宜的地下水位也是十分必要的,故而地下水位不能无限制地持续下降。为避免矛盾的产生,可建议在农田田面上实行井渠双灌,既要推广各种节水灌溉技术,又要充分重视地下水的涵养问题,通过井渠结合、以渠养井、以井补渠,实现水资源的良性循环转化。为此,灌区可在干旱少雨、河源来水不足的年份或季节,大量开采地下水并采用高效节水灌溉技术进行灌溉,这样既提高了用水效率,又腾出了地下水库容,以便蓄纳丰水年份或丰水季节降水、地表水的入渗补给,通过地下含水层的调蓄功能,对降水、地表水进行转化调节。而在丰水年份或丰水季节,应尽可能加大地表水的引灌水量,甚至可以利用坑塘、沟渠、田面拦蓄地表径流增加地下水的补给量,涵养地下水源,从而形成节水与养水结合、防碱与抗旱并重的可持续发展型生态灌区。

二、人类干扰度的识别

人类社会发展到今天,人类的足迹无所不至,但不能说所有水循环都是人工水循环系统,只要是人类活动对某一区域水循环的干扰程度不强,就可以认为仍然属于自然水循环过程。比如人迹罕至的深山老林,可以认为是自然水循环过程;白雪皑皑的雪山高峰,也可以认为是自然水循环过程。

判别一个区域人工影响是强还是弱,可以用受人类影响的水循环通量和区域水循环总通量大小的比值作为指标,这个指标称为人类干扰度(r)。

$$r = \frac{受人类影响的水循环通量}{区域水循环总通量}$$

根据人类干扰度 r 的取值,我们把水循环系统分为纯粹自然水循环系统、自然－人工复合水循环系统以及人工水循环系统三类。r 小于某一阈值 r_1,认为人工干扰很小,该流域属于自然水循环过程;r 介于阈值 r_1 和 r_2 之间($r_1 < r_2$),该流域属于自然－人工复合水循环系统;如果 r 大于某一阈值 r_2,该流域属于人工水循环过程。这里的阈值需要根据流域实际情况确定。

从上可知,判别一个区域人工影响的强弱取决于两方面的因素,一方面是人类影响的大小,另一方面是区域水循环本身总通量的大小。如果人类影响绝对通量大,但是区域水循环本身的总通量也大,也有可能是自然水循环过程;反之,在一个人类影响绝对通量不大的区域,如果区域水循环本身的总通量很小,也有可能是人工水循环过程或者自然－人工复合水循环过程。

人工水循环系统和受扰自然水循环系统的划分存在一个尺度问题。比如某一流域整体上受人类影响很少,该流域作为一个整体属于受扰自然水循环系统;但若进一步从局部分析,我们可以发现某些局部区域受人工干扰比较严重,则该区域属于自然－人工复合水循环系统或者人工水循环系统;如果再进一步对该区域进行细化分析,又可以发现该区域内部分属于人工水循环系统,部分属于受扰自然水循环系统,甚至是纯粹自然水循环系统。所以一个水循环系统是属于自然还是人工或者自然－人工复合水循环系统,因研究对象的尺度而定,研究方式相应地也因研究对象的尺度而定。

三、自然水循环系统

自然状态下的水循环系统是指没有人类活动干扰的水循环系统,它是由大气降水、地表水、土壤水和地下水之间的“四水”转换过程构成的。水在太阳辐射能作用下从水面和陆面蒸发,由液态水变成水蒸气,之后由大气环流输送到大气中,遇冷凝结后以雨或雪的形式降落到水面或陆面,而陆面上的降水在太阳能、重力势能和土壤吸力的驱动下,经植被冠层截留、地表洼地蓄留、地表径流、蒸发蒸腾、入渗、壤中径流和地下径流等迁移转化过程,一部分重返大气,一部分则排入水域,并再次从水域蒸发,就这样循环往复、永无休止。整个过程可概述为:流域上空的水汽遇冷以雨或雪的形式降落在流域内,经地表调蓄、土壤调蓄和地下水调蓄分别形成坡面径流、壤中流和地下径流,其中坡面径流和壤中流又统称为地表径流,地表径流和地下径流最终都要汇集到流域内的水域中,水域再通过太阳辐射蒸发形成水汽,再遇冷凝结,如此反复循环(见图2-1)。

蒸发和大气降水是纯粹自然水循环的原动力。地球上的水圈包含在日－地大系统内,在太阳辐射的作用下,能量发生变化,以水蒸气的形式上升到大气中,然后在一定条件下,凝结形成降水降落到地球表面上。

自然水循环过程中的蒸发主要包括以下几种:①降水过程中水分本身的蒸发;②自然裸地的蒸发;③植物树冠、茎叶的蒸散发;④自然水域的蒸发,包括海洋、河流、湖泊、沼泽湿地等。

入渗是指水从土壤表面渗入到土壤内部的运动过程,纯粹自然状态下,只要有来水,就有入渗现象的发生。入渗的水量先补充土壤包气带的缺水量,然后逐渐向下渗入,进一步补给地下水。

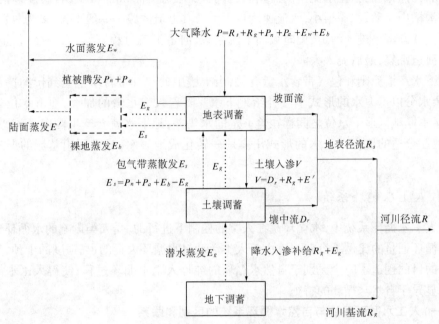

图 2-1　自然水循环过程示意图

土壤水蓄积实际上是水量入渗的结果,主要表现为土壤中包气带含水量的变化。纯粹自然状态下,包气带都或多或少地存在一定的缺水量,当有降水发生时,水分入渗补充包气带,土壤含水量加大,包气带缺水量减少;无降水发生时,由于蒸发的作用,水分不断上升到大气中,土壤含水率逐渐下降,包气带缺水量加大。在水分垂向运动过程中,包气带对降水起着二次调节分配的作用。其一为降水后表层土壤的入渗能力将降水分为两部分,即入渗水量与超过入渗能力的降水所形成的地面径流。其二是对入渗水量进行的再分配。入渗水量首先将蓄存在土粒周围,以补充土壤含水量;其次,在满足土壤田间持水量以后,余水将以重力水的形式运动,在适当的条件下,将成为壤中流或地下径流。

自然状态下的产流可分为蓄满产流和超渗产流两种。

(1)蓄满产流。在湿润及半湿润地区,植被较好,表土的入渗能力很强,包气带较薄,地下水位较高,蒸发消耗包气带含水量一般只限于地面以下 20～30 cm,一次降水易于满足距田间持水量所缺的水量,从而能以蓄满产流方式产生径流。

蓄满产流认为降水在包气带土壤含水量未达到田间持水量之前,不产生径流(净雨)。当土壤水分达到田间持水量之后,开始产生径流,且此时的降水将全部变为净雨。

(2)超渗产流。超渗产流一般发生在干旱、半干旱地区,当降雨强度超过入渗能力时,就会因超渗而产流;随着入渗量的累积,土壤田间持水量得到满足以后,继续入渗的水量将形成地下径流,即转为蓄满产流的方式。因此,在复杂的自然流域情况下,两种产流方式可能是共存的。

自然状态下地面径流的汇集主要包括坡面汇流和河道汇流。降落到地面上的降雨，扣除各种损失后余下的水量，并不是铺满地面成片地往下流动，而是形成许多股大小不一的、彼此时分时合的独立水流向前流动。这些水流在临时形成的很不明显且时时在变动的细小沟槽中流动，水深很小，水流速度也不大。其汇流的路程一般不长，多为数百米，这种坡面流逐渐汇集进入河道，此时坡面汇流结束，河道汇流过程开始，低一级河道水流向高一级河道汇集，最后流入大海。

地下水产汇流则和包气带含水量有关，当土壤中的包气带含水量达到田间持水量以后，多余水分以重力水的形式下渗补给地下水。随着入渗水量的加大，地下水位逐渐抬高，由于不同地区地下水位之间存在着一定的水头差，地下水就会产生侧向径流，并逐渐汇集，或在合适的地方以泉水的形式出露地表转化成地表水，或以河川基流的形式回归河道。

四、人工水循环系统

在人工水循环系统中，水循环是在人类的控制下进行的，受人类影响的水循环通量占区域水循环通量的比例不容忽视。由于人类活动对水循环大量的、高强度的干预，甚至为了自身的目的创造了完全区别于自然水循环的纯粹人工水循环过程，使得人工水循环系统具有明显异于自然水循环的特征。

(一)人工水循环系统与自然水循环系统的区别和联系

1. 系统结构和系统内部联系

人工水循环系统分为人工直接控制水循环系统和人工间接控制水循环系统。受人工直接控制和间接控制的水循环系统结构形式不太一样。受人类直接控制的人工水循环系统一般包括取水系统、输水系统、用水系统和排水系统几个子系统，但复杂程度不一。一般供用耗排系统的结构比较复杂，比如农业灌溉系统，其输水系统一般分为干、支、斗、农、毛等数级渠道，有的大型灌区在干渠之上还有总干渠，各级输水渠道在运行的时候遵从一定的续灌和轮灌制度。排水系统也分为干、支、斗、农等数级沟道，不受控制的自流排水系统的基本原理和结构形式类似于自然河道系统，很多平原圩区的排水系统设有很多控制性闸门或者泵站，遇到大水时各级排水沟道需要遵从一定的运行制度安排。对水循环过程非消耗性调节利用系统一般结构稍简单，比如为航运服务的梯级渠化系统，在自然河道上设置一些闸门，通过启闭闸门调节河道里的水位，使船只平稳通过，该系统的取水系统为所在河段上游的闸门及附属物，排水系统为河段下游的闸门及附属物，用水系统为控制河段，没有输水系统。单个人工水循环系统自成体系，各个子系统之间联系紧密，缺少任何一个部分，都不能达到预定的社会经济或生态目标。对于水资源统一调度和管理的流域来说，一般包含多个受人工直接控制的水循环系统，各个人工水循环系统互相配合、统一调度，共同为区域社会经济系统和生态系统总体利益最大化服务。

相对于自然水循环系统，受人类间接控制的人工水循环系统只是改变了一些基本的介质类要素，如地表覆盖物、土壤、沟道和河道等，没有改变自然水循环系统的基本结构，包括子流域水循环系统和河道水循环系统之间的关系结构以及基本子流域单元内部结构，各要素之间的联系和自然水循环系统一样。

2. 系统所处的环境

和自然水循环系统一样，日－地系统和大气系统都是人工水循环系统的外部环境。这两个系统和人工水循环系统进行物质、能量和信息的交换一如自然水循环系统。日－地系统为水分的运动和转化提供源源不断的驱动力，对于受间接控制的人工水循环系统而言，这是惟一的驱动力。

自然水循环系统和人工水循环系统同属流域水循环系统的子系统，这两者互为外部环境，密切的水分交换是联系两个系统的纽带，见图 2-2。

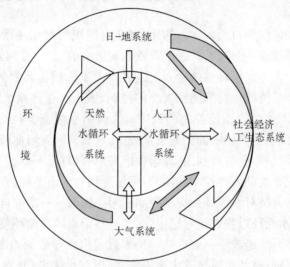

图 2-2 自然水循环系统与环境的关系

相对于纯粹的自然水循环系统，人工水循环系统的外部环境增加了社会经济系统和人工生态系统，合称社会经济生态系统。其中，社会经济系统既是人工水循环系统服务的对象，又是人工水循环系统构建和运行的源泉。一方面，人工水循环系统为社会经济系统供给必需的水分和能量，社会经济系统多余的或者废弃的水再排入人工水循环系统。比如，人工水循环系统为工业、农业生产输送需要的水，工业、农业系统用完以后的工业废水或者农业退水回归到河道或地下；水进入水力发电系统再回归河道时，虽然水量没有减少，但是水体里面蕴藏的能量被大量消耗。另一方面，人工水循环系统中人工或者半人工介质类要素的构建和维护需要社会经济系统提供一定的物质、能量和信息，直接控制的水循环系统的运行还需要社会经济系统提供必要的驱动。比如大坝的修建和除险加固需要水泥、钢筋等原材料，施工需要机器，照明、控温、机器的运行等需要能源，施工之前需要进行详细周密的规划和设计；农田建设、水土保持建设等也需要社会投入大量的人力、物力、财力才能完成；水库的运行调度需要管理人员根据一定的需水要求、来水情况等做出判断后发出指令（信息），控制系统需要一定的能量才能运行起来……人工水循环系统和人工生态系统的联系主要是前者供给后者必要的水分，后者为前者创造新的产汇流条件。

社会经济生态系统除了和水循环系统互相作用以外，它们之间也互相影响、互相作用。社会经济系统和人工生态系统都受人类的控制，它们互相制约、互相影响。随着人类研究的深入，人们越来越认识到，社会经济系统和人工生态系统共荣共生，只有两者协调发展,人类社会才能不断发展、不断进步。

值得注意的是,外部系统和人工水循环系统的界限不是绝对的,比如农田既属于社会经济系统,又是人工水循环系统的组成部分,水土保持林既属于人工生态系统又属于人工水循环系统。

3. 系统功能

人类构建人工水循环系统都有一定的社会经济和生态目的,比如农业生产、工业生产、生活用水、生态用水等,所以人工水循环系统的首要功能就是为社会经济系统和生态系统服务。

自然水循环系统仅仅受自然规律的作用,属于自组织的水循环系统。人工水循环系统表现出来的水循环效应不是水循环系统自发表现出来的,它们受到人类的控制,属于他组织的水循环系统。人工水循环系统中人工或者半人工介质类要素的构建和维护、受人类直接控制的水循环系统的运行都受到人类的控制,人工水循环系统体现出来的水循环效应的强弱,取决于人类对该系统控制的程度。大量引水灌溉,导致流域水循环尺度内缩;水土保持建设导致水平方向上的径流通量减少,垂直蒸散发增加;种林、种草减少狭义径流性水资源,同时增加水分有效利用,即增加广义水资源量。

人工水循环系统在受到人类控制的同时,仍然受到日－地系统、大气系统等外部环境的影响和作用,所以,人类对水循环系统的控制作用必须服从一定的自然规律。如果违背自然规律,破坏流域水循环过程的相对稳定性,将对整个流域水循环系统及依赖水循环的社会经济系统和生态系统造成不利的影响。比如过量引水导致河道断流,下游生态和社会经济用水得不到保证;破坏植被导致水土流失,河道和水库淤积,不利于水资源开发利用,等等。相反,根据水循环的运动转化规律因势利导,维持流域内人工水循环系统和自然水循环系统、维持整个流域水循环系统和周围环境之间的和谐关系,就能保证整个流域水循环系统的稳定,保证人工水循环系统持续正常运行。

(二)人工水循环系统分类

为了达到不同的目的和满足不同的需要,人类创造了各种各样的人工水循环系统。这些水循环系统从控制方式来分,可以分为两类:一类直接对水体的运动过程进行控制,称为直接控制;而对于另一类控制方式,水体的运动过程不受人类控制,但水循环的介质类要素受人工控制,比如对下垫面进行改造,对河道进行改造,这种人类通过改造自然介质类要素或者重新构建新的介质类要素对水循环的运动转化过程发生影响的控制方式称为间接控制。根据人类对水循环系统的控制方式,可以把人工水循环系统分为受人类直接控制的水循环系统和受人类间接控制的水循环系统两类。

其中受人类直接控制的人工水循环系统又可以分为以下两类:

一类是供用耗排水循环系统。为满足工业、农业、生活或者生态等需要,通过一些水利工程把水输送到社会经济系统和人工生态系统加以利用,再把超出消耗的水分和废水排出来,这类用来满足人类需要的水循环系统就是供用耗排水循环系统,其水循环过程包括取水、输水、用水、耗水、排水五个环节。

根据用水户不同,供用耗排水循环系统可以分为农业灌排系统、工业水循环系统、生活水循环系统、人工生态水循环系统。农业灌排系统还可以进一步分为农业(种植业)灌排系统、林果地灌排系统、草场灌排系统、渔业供排系统等；工业水循环系统可以细分为一般工业水循环系统和火(核)电水循环系统；生活水循环系统可以细分为农村生活水循环系统和城镇生活水循环系统，如图2-3所示。

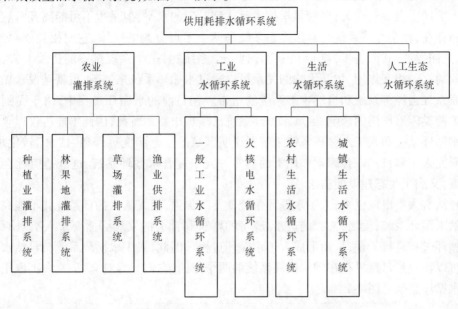

图2-3　根据用水户的供用耗排水循环系统分类

另一类是对水循环过程非消耗性的调节利用系统，比如为了防洪、发电、航运等目的，修建一些水库、闸门、蓄滞洪区等对流量、水位过程进行调控。这类系统和供用耗排系统的区别在于不以大量消耗水分为目的，仅对自然水循环的产汇流过程发生影响。

和直接控制不同，人类对水循环系统的间接控制只对水循环的介质类要素进行改造和重构，不对水循环的过程进行控制。根据作用主要分为四类：

(1)改变地表覆盖物，比如开荒种田、工矿场地建设、城镇建设、道路建设、兴修水库等，种林、种草、坡改梯、修建淤地坝等水土保持建设或者反向活动比如砍伐森林、过度放牧等。

(2)改变坡度，包括直接改变坡度和通过减缓或增加土壤侵蚀改变坡度。直接改变包括为了城镇建设、工矿场地建设、农田建设等平整土地、坡改梯等；增加土壤侵蚀的活动包括城镇建设、工矿场地建设、道路建设、破坏植被等，减缓土壤侵蚀的活动包括各种水土保持建设。

(3)改变土壤、岩层性状，比如农业种植、农业耕作措施和施肥、生态建设等对土壤的透水性、分层结构都有所改变，采矿破坏了原有土壤和岩层的结构。

(4)改造沟道和河道系统，淤地坝和拦河坝是人工沟道和河道系统的一部分，对水的流动起到阻滞作用；增加或减少土壤侵蚀的活动和河道清淤对河道形态有所影响；堤防工程建设使水的汇流过程集中在某一固定的区域；人工改道则对汇流方向和过程起到根本性的改变。

五、自然－人工复合水循环系统

（一）自然－人工复合水循环系统结构

人类社会发展到今天,尽管科学技术已达到一定的水平,但是也不可能离开自然环境而单独存在,社会经济系统与自然生态系统是两个不可分割的整体,它们相互依存、相互影响、共同发展、共同进步,离开了其中任何一个系统,另一个系统都不能持续下去,而二者之间的这种相互作用、相互影响的关系可以通过水循环系统来体现,也就是说水循环系统是联系社会经济系统和自然生态系统的纽带。在目前的水循环过程中,由于受到自然和人工两类因素作用的影响,区域水循环系统已呈现出新的特征,因此不能再仅以单纯的自然水循环系统和人工水循环系统来解释说明区域的水分演变过程和"四水"转化规律,而应研究人工和自然综合因素作用下的自然－人工复合水循环系统,这既适应社会经济的发展,又满足生态建设的需求。

自从有人类出现以来,人工水循环系统就逐渐加强,但人工水循环系统并不能完全替代自然水循环系统;反之,文明的进步、经济的增长和社会的发展必然要求人类对原始自然水循环过程进行干预,从而形成人工水循环过程。因此,人工水循环系统与自然水循环系统可以看成是自然界存在的水循环系统的两个方面,它们互为对立统一,人工取用水对自然水循环影响见图2-4。

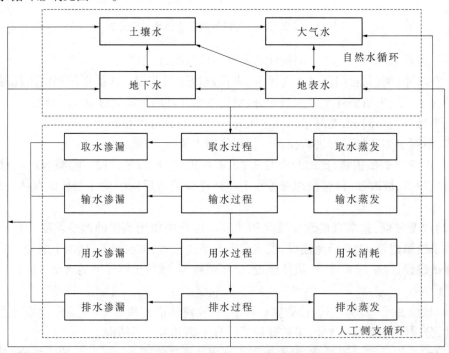

图2-4　人工取用水对自然水循环影响结构示意图

人类对水循环的干扰,打破了原有自然水循环系统的运动规律和平衡,原有的水循环系统由单一的受自然主导的循环过程转变成受自然和人工共同影响、共同作用的新的水循环系统,这种水循环系统称为自然－人工复合水循环系统,即由原先的以"四水"转化为基本特征的自然水循环变为自然主循环和人工侧支循环动态联系的复合水循环系统。其中自然主循环主要针对降水坡面产流和河道汇流而言,包括降水、入渗、产流、汇流和蒸发等环节,人工侧支水循环则主要指人工取用水所形成的以"取水－输水－用水－排水－回归"为基本环节的循环圈,自然主循环和人工侧支水循环二者之间存在紧密的水力联系,循环通量此消彼涨。

自然－人工复合水循环结构的形成对于水循环过程的影响是显而易见的,首先人工侧支水循环通量与河道主循环通量存在此消彼涨的动态互补关系,人工取耗水量的增加直接导致下游断面实测径流量的减少,甚至有可能改变江河湖泊联系;其次,人类"取水－输水－用水－排水"过程中产生的蒸发渗漏,改变了自然条件下的地表水和地下水转化路径,给区域水循环过程中各分环节项带来了相应的附加项,从而影响了区域水循环转化过程和要素量,见图2-5。

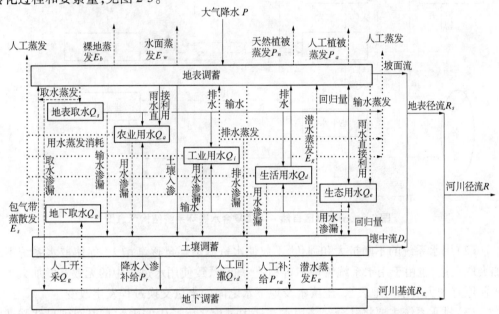

图 2-5　流域(区域)水资源复合演化模型的基本构架示意图

在大规模人类活动干扰下,区域水循环系统整体表现出三大效应:一是循环尺度变化,主要表现为区域大循环减弱,局地小循环增强;二是水循环输出方式变化,主要表现为水平径流输出减弱,垂向蒸散发输出增强;三是降水的转化配比发生了变化,具体表现为区域径流性水资源减少,而有效利用的水分增加。在人类活动干扰强烈的地区,这种效应影响越来越大,在某些方面甚至超过了自然作用力的影响。这种情况下,"忽略"或是"剔除"人工作用力的影响的处理方法都会造成区域水循环规律认知上的失真,而需要将人工驱动力作为与自然作用力并列的内生驱动力,然后研究自然和人工复合驱动力作用下区域水循环过程及其伴生的水资源演化规律。

(二)人工侧支水循环系统对自然水循环系统的影响

(1)取水系统根据国民经济需水结构和需水量的要求,从地表水和地下水中提取水量,并经过输水系统在时间上和空间上进行分配。这一过程将极大地改变区域内自然状态下原有的地表、地下水体蓄存量,区域的水面和陆面蒸发经受干扰以及由于水量下渗的时空变化而导致地表、地下水转化(在水平和垂直两个方向)的特征改变,流域土壤水含量及其分布发生变化,从而影响后期降雨径流过程中"四水"转化规律,转化过程见图2-6。

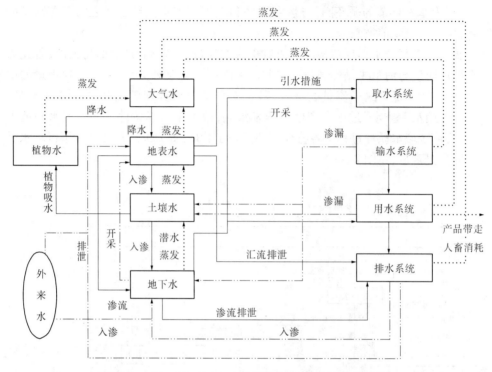

图2-6　宁夏灌区自然－人工复合水循环系统结构示意图

(2)用水系统的不断扩大和强化,不仅使水资源消耗量逐渐增大,促使取水系统不断加大取水量,也由于用水系统管理不善和效率低下,致使用水过程中的无效蒸发加大。这将使原有的大气水与地表水、土壤水及地下水之间的水量交换过程发生改变。

(3)排水系统主要将社会经济用水在耗用过程之后产生的废污水退回到自然受纳水体。社会经济用水产生的废污水除一部分经处理后回用外,其他作为退水又汇集到自然水体,退水系统的运作与取水系统、输水系统及用水系统的运作共同构成一个完整的过程,实现社会经济生产侧支用水过程对引用的水资源进行时空调配。这一不断进行的动态过程对自然"四水"转化过程一直发生着作用,而自然"四水"转化过程的变化(如丰、平、枯年分水量的变化及其各自相异的"四水"转化特征)同样影响着这一侧支用水过程,使社会经济用水需求受到限制。

第三节　平原区自然－人工复合水循环系统

一、平原区复合水循环的特点

(1)平原地区是受人类活动干扰最强烈的地区,其水循环系统是典型的自然－人工复合水循环系统。自然水循环过程处于相对次要地位,人工水循环系统主要包括受人类直接控制的系统(农业灌排系统、工业水循环系统、生活水循环系统、生态水循环系统)和受人类间接控制的系统(改变地表覆盖物、改变坡度、改变土壤岩性性状、改造沟道和河道系统)。

(2)人工控制导致灌区地表水具有不同于自然径流的特征。地表水系统是流域水文学的主要研究对象,地表水系统的自然发育特征是通过支流汇集水分到干流,以湖泊或海洋为排泄终点。但在受扰频繁的平原区域,地表水具有不同于自然产汇流和自然径流的特征,尤其是在农业灌区,经人工改造以后,地表水经主干渠道进入分支渠道,以农田为排泄区,形成逆汇流过程,而一部分地表水经过转化后通过分支排沟汇集到主干排沟后进入河道,最后重新进入自然循环过程。

(3)平原地区一般农业发达,在平原区循环过程中,由于人类活动的干扰,人工灌溉－蒸散过程成为最重要的水文过程,与此同时,受人类经济活动的影响,工业、生活、生态等人工水循环系统在整个水循环机制中也处于不能忽视的地位。

二、平原区复合水循环系统分类

不同的人类活动对水循环系统结构的改变是不一样的,为进一步深入研究平原地区水循环结构,把握其水循环转化演变规律,可根据平原区复合水循环系统特点,在供用耗排复合水循环系统中研究农业灌排复合水循环系统、工业复合水循环系统、生活复合水循环系统、生态复合水循环系统,并针对这些复合水循环系统中所存在的局部特殊复合水循环系统进行详细分析。

(一)供用耗排水复合循环系统

1. 农业灌排复合水循环系统

在农业灌排复合水循环系统中,人类活动的干扰主要表现在农田耕作、引水渠道和排水渠道的开挖,以及用于开采地下水的打井活动。从农田水分循环的转化角度来说,为了使土壤保持适宜的含水量,当土壤水分不足时就要进行灌溉,将地表水或地下水转化为土壤水,以弥补降水量与农作物需水量之间的差额;而排水则是排除过剩的土壤水分,使地下水、土壤水转化为地表水。这种人工灌溉和排水的方式改变了原有的自然水循环系统,取而代之的是人工与自然共同作用下的复合水循环系统。首先,水从河道引出以各级渠道为载体分布于农田田面上,由原来在河道中的汇流过程变成分散过程;若是打井抽水则改变了地下水的径流分布过程,使得自然状态下的地下水径流通过集中抽水分布在田面上。在农田排水时,灌溉退水由最末一级排水沟向干沟汇流的过程实际上是一个完全人工控制的汇流过程,若各级沟道不存在,则退水仍按照自然状态下的汇流机制进行,正是由于排水沟的存在才人为地创造了原本并不存在的人工汇流过程。但是,无论是灌溉还是降水,水循环系统在田面上所发生的改变仅是各循环通量数量的变化,或者是产汇流层次和方向发生变化,而水循环的转换机理却仍然遵循自然水循环的转换机理,就田面降水而言,若无人类干扰因素存在,则水分在田面所在的原有区域按自然水循环过程进行,但是由于田埂、田面平整、渠道和排水沟道等人类物化活动的存在,改变了降水在田面上的入渗、产流通量和汇流方向,即农田上的水循环过程一方面遵守着原始的自然水循环转换机理,另一方面又在人类活动干扰作用下改变其通量数量或产汇流方向,二者相互融合,不可分割,形成独特的自然－人工复合水循环系统。

在农田灌排复合水循环过程中,农田排水等人类活动对自然水循环的影响是一个重要表现形式,也是复合水循环区别于自然水循环的一个最主要的特征。人类干扰活动表现不同,农田排水形式也产生了不同的变化。

农田直排水量:农田上的直排水量是指进入农田但没有参与农田水循环的那部分水量。之所以有这种水量的存在,主要是由于传统的"大引大排"的灌溉方式所产生。由于渠系衬砌不足、渠道管理不善等原因,在每年灌溉季节都要引用大量的水进行农田灌溉,灌溉方式主要是大水漫灌,在田面上往往形成积水,积水层的存在和持续不断地向田间供水的行为使得一部分从渠道引来的灌溉水量直接从积水层面排泄进入排水沟,除去少量蒸发外,并没有参与田间的整个水分循环。从某种意义上讲,它类似于河道的洪水演进过程。

田面排水:田面排水的产生机理和自然水循环基本一致,都是在蓄满产流和超渗产流的基础上产生的。但是,在自然水循环过程中,来水所产生的径流呈小股逐步汇流,在自然低洼或有坡度的地方汇集。而在农田人工水循环过程中,出于农业本身灌溉排水的需要,有可能将原本是高地的地方开挖成排水沟,从而改变了水的自然汇流路径。

壤中流排水:为发展农业,人们在田间布置了无数条灌溉与排水渠道,尤其是在田面上的末级渠道和沟道的存在切断了农田土壤的汇流途径,使得壤中流几乎无法形成。

地下水排水:除去潜水蒸发外,地下水排水在农田人工水循环系统中主要表现在两个方面:一是人工打井,改变了原有的地下水径流分布过程以及地下水与地表水的转化机制;二是受到渠道和排水沟道的影响,汇集到排水沟道,然后按照人工汇流路径进入河道。

可见,人类灌排活动的参与对整个农田系统的产汇流过程进行直接控制,完全改变了自然状态下农田的产汇流途径和"四水"转化关系,未来农业的发展必须要遵循这种新的复合水循环转化规律才能实现农业水资源的高效利用。

2. 工业复合水循环系统

当工业复合水循环中的用水水源主要为地下水时,地下水可通过地下水工程变为地表水。在输送过程中,一部分水量渗漏损失掉,进入土壤和地下水中,其余部分进入工厂或企业。在产品制造过程中,一部分水量转化为"虚拟水"由产品带走,还有一部分水量消耗于蒸发,余者进入排污管道,排污管道同输水管道一样也存在着管道渗漏,渗漏水量进入土壤和补充地下水,其余排水量最终通过排水系统逐级汇流至干沟,然后排入承纳区域。在这种水循环系统中,一方面仍保留着入渗、蒸发等自然水循环系统的特征,但更多的却是人工创造了一个水量循环通道,二者相互作用形成工业复合水循环系统,见图2-7。

3. 生活复合水循环系统

生活复合水循环系统主要包括城镇生活复合水循环系统和农村生活复合水循环系统。城镇生活用水多由城市管道集中供水,在供水过程中由于管道陈旧,可能发生少量蒸发渗漏,进入家庭以后,除少量直接蒸发损失外,可认为城镇居民用水量即为其消耗量,产生的生活废水则通过集中排污管道进入城市纳污水体。

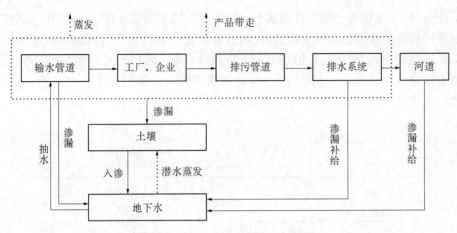

图 2-7 工业复合水循环转化示意图

农村生活用水取自于地下水。但其取水并不是集中供水,而是分散打井。一般认为,农村人畜用水量均全部消耗掉,无水量回归河道及补给地下水,耗水量就等于取用水量,同时另有少量废水排泄于庭院、农田或荒地,直接消耗于蒸发。

4. 生态复合水循环系统

为保持生态稳定、维护绿洲生态平衡,需要对湖泊湿地进行人工补水,这些水量主要来自地表引水渠道和排水沟道。一方面,渠道和沟道引水改变了原水流在河道中的演进方式;另一方面,人工补水造成湖泊面积增大,湖泊周围滩地成为湖泊的一部分,原有滩地上的产汇流关系发生变化,同时人工补给也使得湖泊水循环中地表水与地下水之间的转换关系在量上发生了相应的变化。

林草等人工生态的水循环关系变化主要表现在:除接受自然降水外,不透水面积上产生的地表径流可能作为林草等人工生态的入流水量,参与到人工生态的水循环过程中,使得蒸发量变大,径流量减少。

无论是人工补给湖泊还是林草,在水循环系统产汇流过程改变的同时,水循环通量也发生相应的变化,但是例如降水入渗、蒸发等原属于自然水循环系统中的成分仍然遵循自然水循环转换的规律而没有发生改变,即自然水循环系统和人工水循环系统相互糅合,形成生态复合水循环系统。

(二)局部特殊复合水循环系统

1. 水库复合水循环系统

水库是改变自然水循环转化最重要的工程措施之一。水库的建成改变了原河道的自然径流和蒸发特性,坝前水位抬高,水量加大,使得水面蒸发变大,河道对地下水的补给量加大,自然河道径流流速变缓。

2. 居工地、道路复合水循环系统

城镇中的居工地和道路大都属于不透水面积,这种下垫面条件的变化几乎重新定义了降水的产汇流形成机制。不透水面积将地表水与土壤水和地下水之间的相互转化途径完全隔离开来,降落在不透水面积上的降水,除消耗于大气蒸发外,余者皆形成地表径流,一部分直接进入排水管网,而仅有少部分补充城镇绿地。

　　应注意的是,城镇居工地和道路地下可能铺设有输水管道和排水管道,由于城镇居工地和道路建设面被认为是不透水面,因此城市输水管道和排水管道渗漏进入土壤中的水分不会再次蒸发进入大气中去,但是由于土壤和地下水之间仍然可能存在水势差,因此土壤与地下水之间的转化关系仍然存在,与自然状态下的土壤与地下水之间的关系等同。地下水与排水系统之间的转化关系与农田类似,见图2-8。

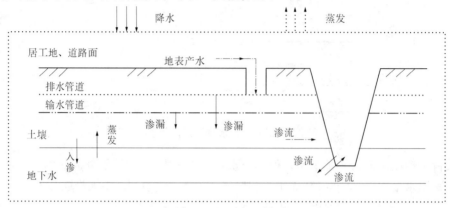

图 2-8　居工地、道路水循环系统示意图

　　3. 地下水漏斗复合水循环系统

　　地下水漏斗的产生是由于人类过多地开采利用地下水资源量,导致开采量大于地下水补给量,地下水水位逐年下降,形成漏斗。漏斗的存在不但会带来诸如地下沉降、生态环境恶化等问题,而且还会极大地改变原有的水循环转化关系。

　　正常状况下,地下水在地下含水层中有条不紊地按自然形成规律演进,在适当的地方汇集,而地下漏斗的存在改变了这种自然状态下的水平衡。一般来说,一方面地下水漏斗都会过深地切割地下含水层,使得原本自然演进的地下水水流汇集起来,填充漏斗,从而改变了地下水的径流分布过程。另一方面,漏斗的存在需要大量的地下水进行补充,结果会造成区域内地下水转化为地表水的比例变小,改变了地表水与地下水的循环通量关系。

第四节　山区自然－人工复合水循环系统

　　山区水循环系统也可以根据人类活动干预强度的大小进行分类,在一些原始或边远山区,人类涉足较少,尚未进行大面积开发,此时的山区水循环系统仍保持自然状态,仍以产汇流为主。而随着人类科技的进步,开垦荒山、伐木造田等行为的出现,在改变山区植被覆盖的同时,也直接或间接地改变了山区的水循环过程和通量变化。人类在山区伐木造田的结果是使植被覆盖度降低,山区自然蓄积雨水量减少,入渗补给山区地下水也随之减少,产汇流加大,进而造成山区水土流失。近年来,为改善生态环境,提高森林植被覆盖率,人们逐渐认识到盲目伐林所带来的严重后果,于是开始封山育林,采用各种水土保持措施孕育山区植被,进而增加土壤糙率,积蓄雨水,改善山区水土流失现状,从而创造了自然－人工共同作用下的复合水循环系统。

一、水土保持措施分类

为了减轻或防治水土流失，人们采取各种工程措施力图改变流域的某些下垫面条件，对流域的产汇流规律施加影响以使其朝着有利于人类社会的方向发展。

水土保持措施基本上可以分为工程措施、植物措施、水土保持耕作措施三类。工程措施又分为坡面工程措施与沟道工程措施。前者如梯田、水平沟、鱼鳞坑等，截短坡长并改变坡降拦截坡面径流，通过改变微地形直接拦蓄地表径流或减缓流速以达到减水减沙的目的；后者包括淤地坝、谷坊、治沟工程、沟头防护、护岸和护坡等，作用是拦截沟道径流、泥沙，抬高侵蚀基面，分散水流或导流，防止坍岸等。植物措施主要是在坡面上植树、种草，截留、吸收降水，阻滞地面径流，改善土壤结构，增加土壤黏聚力和孔隙度。水土保持耕作措施是在农耕地上实施，方法主要包括水平犁沟、沟垄耕作、轮作、蓄水聚肥耕作等，主要是通过改变微地形、增大植被覆盖率、调整和延长覆盖时间、改善土壤结构，增加入渗率和入渗总量，从而达到减水减沙的目的。

二、水土保持措施对水循环的影响

流域水土保持措施具有较好的拦蓄径流的作用，可以有效削减洪峰流量、滞后洪峰出现时间、缩短洪峰历时。这主要是因为水土保持措施不仅提高了植被覆盖度，同时微地形、微地貌也向滞流及分散引流方向变化，而且改变了土壤结构，使土壤孔隙率增大，在一定程度上增强了土壤的下渗能力和蓄水能力，从而使洪峰流量减小；另一方面，由于流域蓄水能力增强，小流量退水可以被有效抑制，使得洪水历时缩短；植被覆盖度的提高还能够有效地降低降水及地面径流对土壤的侵蚀，从而使得径流含沙量显著减小。

径流被拦蓄后，有两种去向，一是贮存于土壤及地下，以后慢慢释出，二是从土壤中蒸发或者被植物吸收并蒸腾。所以，进行流域治理采取水土保持措施不仅改变了洪水形态，而且在长时段的径流过程（例如1年）中同样可以起到削峰填谷的作用，改变了径流在时间上的分布状况。另外，原有地表径流转化为壤中流和/或地下水，在另一地点出流，径流在流域上的空间分布也发生了变化。但是，在植树、种草、建设淤地坝、修建水平梯田蓄水保墒后，流域的蒸发蒸腾将会有显著增加，所以一般来说，尽管在枯水期和枯水年的径流量增加，但总的径流系数必然有所降低，即在地下水和土壤水分增加的同时，地表径流显著减少，因此总径流量将有所减少，通常评价意义上的水资源总量呈下降趋势。

水土保持措施实施以后，山区水循环得到良性发展。由于水土保持工程的干预，使得自然水循环过程发生了显著变化。对于一次降水而言，水土保持措施滞留了径流，减少了对地面土壤的侵蚀，增加了降水入渗进入土壤和地下水的概率，从而提高了人类可利用的水资源量。

在图2-9和图2-10中，以箭头线的粗细代表水量的相对大小，可以看出，实施水土保持措施以后，地表径流由于被拦蓄，径流量明显小于未实施水土保持措施，而入渗土壤的水量大大增加，由于山区干旱少雨，土壤包气带缺水量很大，地下水位埋藏很深，如果不是特大降水，不可能有降水补给地下水，但当实施水土保持措施以后，由于对降水径流的拦蓄和滞留作用,土壤包气带缺水量减少,使得一部分降水有可能通过入渗进入地下水中,抬高该地区的地下水位,如果是扬水灌区,就可能加大灌溉回归水量。因此山区水土保持措施的实施促使该区域的水循环得到良性发展,缓解了经济发展与水资源短缺、生态环境脆弱之间的矛盾。

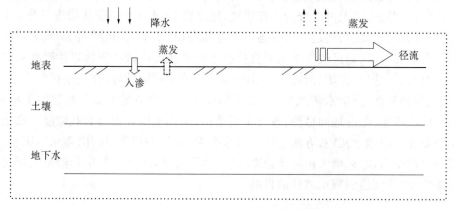

图 2-9　无水土保持措施下的水循环示意图

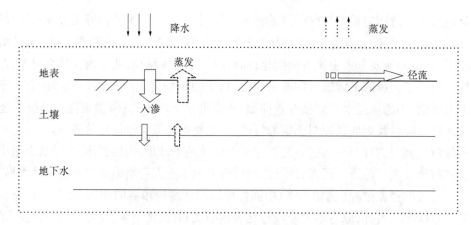

图 2-10　有水土保持措施下的水循环示意图

第三章　广义水资源合理配置

第一节　国内外研究现状及发展趋势

一、国外研究现状

国际上应用系统分析方法进行水资源配置的研究始于 20 世纪 40 年代中期,主要研究单一工程的优化调度,以后逐渐发展到流域水资源的优化分配,水资源合理配置的研究内容、配置目标、研究方法以及配置机制都得到了发展。

以水资源系统分析为手段、水资源合理配置为目的的各类研究工作,源于 20 世纪 40 年代 Masse 提出的水库优化调度问题。最早的水资源模拟模型是 1953 年美国陆军工程师兵团(USACE)为了研究解决美国密苏里河流域 6 座水库的运行调度问题而设计的(Hall 和 Dracup,1970)。

1960 年科罗拉多的几所大学对计划需水量的估算及满足未来需水量的途径进行了研讨,体现了水资源合理配置的思想。70 年代以来,伴随计算机技术、系统分析理论和模拟技术的发展及其在水资源领域的应用,水资源系统模型技术和合理配置研究得以长足进步,各种水资源管理系统模型应运而生。

D. H. Marks 于 1971 年提出水资源系统线性决策规则后,采用数学模型的方法描述水资源系统问题更为普遍,随着系统分析理论和优化技术的引入以及计算机技术的发展,水资源系统模拟模型和优化模型的建立、求解和运行的研究和应用工作不断得到提高。美国麻省理工学院(MIT)于 1979 年完成的阿根廷河 Riocolorado 流域的水资源开发规划,是当时最成功和最有影响的例子。Willis(1987)应用线性规划方法求解了 1 个地表水库与 4 个地下水含水单元构成的地表水、地下水运行管理问题,地下水运动用基本方程的有限差分式表达,目标为供水费用最小或当供水不足情况下缺水损失最小。美国学者 Norman J Dudley(1997)将作物生长模型和具有二维状态变量的随机动态规划相结合,对灌区的季节性灌溉用水量分配进行了研究。

从 20 世纪 80 年代后期以来,随着水资源研究中水资源量与质统一管理理论研究的不断深入,国际上从单纯的水量配置研究发展到水量、水质统一配置研究,从追求流域经济效益最优的目标发展到追求流域整体效益最优为目标的合理配置研究,更加重视生态环境与社会经济的协调发展。Watkins 和 David W Jr(1995)介绍了一种伴随风险和不确定性的可持续水资源规划模型框架,建立了有代表性的水资源联合调度模型,此模型是一个二阶段扩展模型,第一阶段可得到投资决策变量,第二阶段可得到运行决策变量,运用大系统的分解聚合算法求解最终的非线性混合整数规划模型。Carlos Percia 和 Gideon Oron(1997)以经济效益最大为目标,建立了以色列南部 Eilat 地区的污水、地表水、地下水等多种水源的管理模型,模型中考虑了不同用水部门对水质的不同要求。Tewei(2001)建立了流域整体的水量水质网络模型。

从 20 世纪 90 年代以来,欧美等发达国家水资源管理和合理配置的研究更加集中于社会公平、市场调节和体制方面,主要体现在:①政府调控与市场机制相结合;②公众积极参与水资源配置;③政府通过水法律法规保证生态环境用水;④流域民主协商分配水资源。

欧美发达国家的发展进程和近年的实践经验表明,要适应水资源开发、配置与管理的新时期特征,当务之急是要更新观念,突破原有的思想模式,以更加广阔的眼界来考察水资源开发、配置与管理问题。对中国水资源系统运行管理现状的分析表明,中国水资源开发、配置和管理也正在经历着欧美发达国家已出现的变化。然而,中国出现的这种变化是与我国的国情紧密相连的。中国的国情和经济发展水平与欧美发达国家有较大的差别,如中国南水北调工程既具有公益性特征又有市场经济的特征,水资源配置和调度管理需要从市场经济环境下的管理体制出发,探讨规范化的合理解决方案。

二、国内研究现状

随着实践研究的深入和可持续发展理念的指引,我国水资源配置经历了一个由简单到复杂、由点到面逐步深入的过程。研究过程从单纯的水量配置发展到水量、水质统一配置;从追求经济效益最优发展到追求经济生态整体效益最优;从仅考虑人工需水发展到考虑自然和人工需水;从长期的配置规划发展到规划和近期生产相结合;从进行可控水资源配置发展到广义水资源的配置。

(一)以单一水工程调配为主的初步探索阶段

我国 20 世纪 60 年代就开始了以水库优化调度为先导的水资源分配研究,这一时期的水资源配置研究对象主要集中于单一的防洪、灌溉、发电等水利工程,研究的目标是实现工程经济效益的最大化。1995 年由中国水利水电科学研究院主编的《水资源大系统优化规划与优化调度经验汇编》系统地介绍了我国 20 世纪 80 年代至 90 年代初在水资源大系统优化规划和优化调度方面的新理论、新技术和新方法。这些成果使水利工程单元的水量优化配置模型和方法不断丰富和完善,促进了以有限水资源量实现最大效益的思想在水利工程管理中的应用。20 世纪 80 年代初,以华士乾教授为首的研究小组对北京地区的水资源利用系统工程方法进行了研究,并在国家"七五"攻关项目中加以提高和应用,该项研究考虑了水量的区域分配、水资源利用效率、水利工程建设次序以及水资源开发利用对国民经济发展的作用,成为水资源系统中水量合理分配的雏形。

(二)基于宏观经济的区域水资源优化配置理论

这一时期的代表性成果是结合区域经济发展水平同时考虑供需动态平衡的基于宏观经济的水资源优化配置理论。

基于宏观经济的区域水资源优化配置理论不是单纯着眼于水资源系统本身,而是认为水资源系统是区域自然 - 社会 - 经济协同系统的一个有机组成部分。区域宏观经济系统的长期发展,既受其内部因素的制约,诸如投入产出结构、消费积累结构、调入调出结构、技术进步政策、投资政策及产业政策的影响,同时也受到外部自然资源和环境生态条件的制约。一方面经济规模的增长会促进水需求的增长,另一方面水供给的紧缺也会限制经济的增长并促使经济结构作适应性调整。

（三）基于二元水循环模式的水资源合理配置

基于宏观经济的区域水资源优化配置虽然考虑了宏观经济系统和水资源系统之间相互依存、相互制约的关系，但是忽视了水循环演变过程与生态系统之间的相互作用关系。基于二元水循环模式的水资源合理配置同时考虑了人工侧支水循环和自然水循环，且考虑了人工水循环和自然水循环的相互作用。这一拓展不但使水资源开发、利用、保护的资源基础更为合理，而且为生态需水研究和水资源演变研究奠定了科学基础。在决策服务对象上，将单纯考虑社会经济系统拓展为同时考虑社会经济和生态环境系统；在决策目标上，将单纯经济效益最大拓展为经济效益与生态效益之和最大。在合理配置问题涉及的生态系统方面，不仅包括属于人工生态的城市、工业、农业和畜牧业等，还包括了人工生态系统，而且涉及了自然生态系统。

（四）面向全属性功能的水资源合理调配

水资源是具有自然、生态、环境、社会和经济属性的资源，五种属性关联伴生，某一属性的破坏不仅影响与其伴生的资源服务功能，而且还会给其他属性功能的实现带来负面影响。面向水资源全属性功能的水资源配置方法是将水资源配置问题转为维护水资源自然、生态、环境、社会和经济等全属性维护的多目标决策问题，并根据区域实际情况确定配置目标、目标优先级和配置手段。在水资源配置过程中应满足基于自然属性的可再生准则、基于生态属性的可持续准则、基于社会属性的公平性准则、基于经济属性的高效性准则和基于环境属性的可承载准则。在水资源配置实践中应当从流域水资源全属性功能的系统维护出发，进行水资源的系统调配。

三、存在问题

水资源配置研究开展了大量工作，取得了丰富的成果，但也存在局限性和难以解决的问题。以前的水资源合理配置工作只解决了传统地表、地下水资源的配置，没有考虑到土壤水资源的调控，配置水源不全面，无法实现用水紧张情况下高效用水的目标；在配置对象上，只考虑到了人工系统的生活、工业、农业和人工生态水资源需求，而没有将自然生态系统纳入到水资源合理配置中，配置对象不全面，无法保证自然生态系统的水资源需求；在供用耗排水量的分析中，仅仅利用经验估算耗排水量，缺少科学的理论依据；在地下水资源的调控中，仅仅从人工地下水取用量的角度研究，而没有将人工取用地下水与地下水位联系起来，没有将潜水和承压水进行区分；在配置过程中割裂了水资源配置与水循环相互之间的反馈效应，不能反映水资源配置过程中水资源、水循环和生态演变过程，进而无法准确预测区域生态系统稳定状况。

在缺水地区，水资源是维系经济社会发展和生态系统稳定的根本保障，随着经济社会的发展，水资源供需矛盾越来越突出，造成工业用水挤占农业用水、农业用水挤占生态用水，使得原本脆弱的生态环境更加趋于恶化。而传统水资源配置研究的理念和方法难以解决一系列缺水地区可持续水资源开发利用的问题，如有限水资源的高效利用需要全面考虑广义水资源的有效利用，分析区域节水潜力需要充分考虑人工系统和自然系统的水循环转化过程，水资源开发利用对区域水资源、水循环和生态过程的影响，水资源配置产生的区域生态与环境响应状况,以及与水资源条件相适应的合理生态保护格局和高效经济结构体系,等等。

四、发展趋势

生产实践问题的不断出现和传统水资源配置的局限催生了水资源配置新的研究趋势——广义水资源合理配置,研究内容从不考虑水资源演变向考虑自然水循环和人工侧支水循环的相互作用过渡;从只配置径流水资源向配置广义水资源过渡;从单纯的经济用水配置向同时配置经济用水和生态用水过渡;从单纯依靠工程手段向依靠管理手段和工程手段并重过渡,具体表现出以下发展趋势。

(一)配置理论上

1. 以广义水资源为配置对象

水资源高效利用是缓解水资源短缺的有效手段,从资源有效性出发拓宽水资源配置对象,将与人工系统和生态系统具有效应的水分纳入到配置的水资源中,并在配置行为中考虑如何将无效降水转化为有效降水,对水资源合理配置、雨水资源化、真实有效节水和缺水标准研究具有重要的理论和实际意义。

2. 以自然－人工复合系统为配置内容

水资源是维持区域经济社会发展和生态系统稳定的纽带,以往水资源配置研究注重于人工系统的水资源配置过程,而忽略了人工系统水资源配置对自然系统水资源消耗时空分布的影响。以自然－人工复合系统为配置内容,同时配置自然系统和人工系统的供用耗排关系,并保持两者的协调统一,是水资源合理配置的又一趋势。

3. 以区域水循环模拟为基础

水资源合理配置的本质是按照自然规律和经济规律,对区域水循环和影响水循环的自然与社会因素进行多维整体调控。水循环模拟为水资源合理配置提供了客观真实的物理参数,抛弃了过去引用耗排采用经验统计的分析方式;水循环模拟可以充分利用空间信息,模拟人类活动改变下垫面和人工取用耗排水对区域水资源、水循环演变的影响,是水资源合理配置过程及其后效性评价的基础。

4. 以水资源配置后效性评价为依据

水资源配置是一个基于期望目标的决策过程,尽管在决策过程中采取局部和整体优化方法来保证决策过程的合理性,或是基于一定的准则来实现合理配置,但配置后效的模拟与评价仍然是配置过程不可或缺的环节之一,是水资源配置方案调整的基本依据。主要包括社会后效性、生态环境后效性、经济后效性、效率后效性模拟与评价等。

5. 以水资源实时调度为实现手段

水资源合理配置是水资源宏观管理与规划层面内容,在配置时间上的跨度甚至超越10～30年,空间上也通常以整个流域或区域为配置范围。水资源配置与紧密联系生产实际的水资源实时调度尚存在一定脱节,导致水资源配置规划难以落实到水资源日常管理调度中,因此实现水资源配置与水资源调度的紧密耦合是今后水资源调配工作的主要趋势之一。

6. 水质水量联合调配

水资源的可持续利用必须充分考虑经济发展与水资源和环境的相互协调,进行水质水量联合调配是水资源配置研究的重要内容。研究水体的水环境容量,污水与用水之间的关系,污水排放和水体纳污量间的关系,以及水质水量联合配置的理论、模型和方法,是水资源合理配置的重要研究课题。

(二)配置方法上

新的优化方法和"3S"(GIS、RS、GPS)技术的应用将丰富水资源优化配置的研究技术和手段。目前,水资源优化配置模型多采用线性规划、非线性规划、动态规划、模拟技术及它们之间的有机结合,这些方法应用于复杂大系统时会受到一定的限制,新近发展起来的智能优化方法,如遗传算法、模拟退火算法、禁忌搜索、人工神经网络和混沌优化等,对于离散、非线性、非凸等大规模优化问题具有其优越性,必将被越来越广泛地应用。在信息化社会,"3S"等高新技术在水资源领域的应用已经显示出强大的功能,从数据采集、储存到海量数据的管理、分析,信息技术与水资源优化配置的理论、模型和方法的结合衍生出一系列非常有前途的研究方向。

(三)配置机制上

研究有效的初始水权分配机制、有机的补偿与激励机制以及广泛的社会参与机制等水资源配置机制,并在深入研究水资源计划调控(政府机制)和市场配置(市场机制)理论与方法的基础上,运用系统工程理论,探索面向经济系统和生态系统的水资源合理配置多种机制结合的最佳形式。

第二节 水资源合理配置基础

一、水资源合理配置的自然-人工过程

水资源在水循环过程中产生、运移、转化与消耗。从整个地球的角度看,水循环是闭合系统,但对区域而言,则是开放系统。在没有人类干扰的情况下,降水、径流和蒸发是自然系统的水分从一个系统带到另一个系统的主要环节,而降水是水资源再分配的主要过程。降水初期,部分降水被林冠层截留,这是流域水资源的第一分配。直接降水与截留后再下降的降水到达地面形成径流以前,雨水被地面枯枝落叶层、洼地拦蓄,这是流域水资源的第二次分配。在降水期间及降水停后地面尚有积水的地方,积水渗入土壤,在根系区、饱气带和岩石风化层形成壤中流和地下径流,这是流域水资源的第三次分配。径流形成后,由坡面汇入湖泊湿地和河网,经河网调蓄,流出流域出口断面,完成了降水在流域时空上的自然分配。

由于水资源时空分布与人类水资源需求不相一致,自然水资源分配过程与人类水资源需求产生了供求矛盾,人类采取各种措施保证水资源的供给,以及为了消除各种水害进行治理措施等,改变自然水资源分配状况。如人类修堤筑坝引水灌溉、开采地下水补给生活生产用水、河渠衬砌减少水资源径流过程中的水资源损失量、采取各种工程措施收集雨水减少地表地下降雨径流、改变土地利用形式以满足人类需求等,完成了水资源的人工分配。这个过程从人类诞生之日起就在不停地上演,从远古的大禹治水,到著名的都江堰工程、京杭大运河的修建,再到现代的南水北调工程等,形成了当今世界的自然-人工水资

源配置过程,如图 3-1 所示。人工水资源配置是人类对水资源自然分配过程的干预,因此必须以遵循自然水循环规律、不破坏生态系统的平衡、维持区域可持续发展为目标,即以水资源可持续利用支持经济社会的可持续发展。

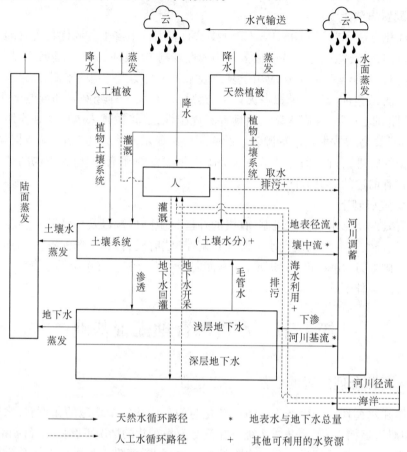

图 3-1　自然－人工水资源配置过程示意图

二、水资源合理配置的内涵

水资源合理配置是一项复杂的系统工程,随着人们的认识水平、科学技术水平的提高和配置实践的不断深化,对水资源合理配置的认识和理解也不断深化,水资源合理配置的概念逐步明确,其内涵日益丰富,至今仍在发展之中。

国际水资源协会(IWRA)主席 B. Braga 认为水资源优化配置是将有限的水资源在多种相互竞争的用户中进行复杂分配,各项目标的基本冲突表现在经济效益与生态环境效益上的冲突。

2002 年我国颁布的《全国水资源综合规划大纲》对水资源合理配置给出了一个比较权威的定义,即"在流域或特定的区域范围内,遵循有效性、公平性和可持续性的原则,利用各种工程与非工程措施,按照市场经济的规律和资源配置准则,通过合理抑制需求、保障有效供给、维护和改善生态环境质量等手段和措施,对多种可利用水源在区域间和各用水部门间进行的配置"。

水资源合理配置是人类可持续开发和利用水资源的有效调控措施之一,合理配置中的合理是反映在水资源分配中解决水资源供需矛盾、各类用水竞争、上下游左右岸协调、不同水利工程投资关系、经济与生态环境用水效益、当代社会与未来社会用水、各种水源相互转化等一系列复杂关系中相对公平的、可接受的水资源分配方案。合理配置是人们在对稀缺资源进行分配时的目标和愿望。一般而言,合理配置的结果对某一个体的效益或利益并不是最高、最好的,但对整个资源分配体系来说,其总体效益或利益是最高、最好的。

从宏观上讲,水资源合理配置是在水资源开发利用过程中,对洪涝灾害、干旱缺水、水环境恶化、水土流失等问题的解决实行统筹规划、综合治理,实现除害与兴利结合、防洪与抗旱并举、开源与节流并重;协调上下游、左右岸、干支流、城市与乡村、流域与区域、开发与保护、建设与管理、近期与远期等各方面的关系。

从微观上讲,水资源合理配置包括取水方面的合理配置、用水方面的合理配置,以及取水用水综合系统的水资源合理配置;取水方面是指地表水、地下水、污水等多水源间的合理配置;用水方面是指生态用水、生活用水和生产用水间的合理配置。各种水源、水源点和各地各类用水户形成了庞大复杂的取用水系统,加上时间、空间的变化,水资源合理配置作用就更加明显。

水资源合理配置的本质,就是遵循自然规律和经济规律,对水循环过程各个环节进行综合调控,以水为中心进行发展指标的全面平衡,兼顾除害与兴利、当前与长远、局部与全局,进行社会经济用水与生态环境用水的合理分配。

三、水资源合理配置原则

水资源配置就是按照可持续性、有效性、公平性和系统性原则,遵循自然规律和经济规律,对特定流域或区域范围内不同形式的水资源,通过工程与非工程措施,在宏观调控下进行区域间和各用水部门间的科学调配过程。依据这一指导思想,水资源配置原则包括以下四个方面:

(1)可持续原则。水资源配置过程中必须坚持水资源的可持续利用原则。区域水资源开发利用不能破坏或超过其可再生能力,区域发展模式要适应当地水资源条件,并优先考虑调整产业发展模式,统筹安排水资源开发利用,重点协调工农业用水矛盾,合理调配,提高用水效率,既要注重经济社会发展,又要保护生态环境,保证河湖等水体基本生态需水得到满足,维持适当的地下水位和保障生态用水基本需求,维持地表产水量基本稳定,维持地下水采补平衡,维持水循环空间尺度基本稳定。

(2)有效性原则。有效性原则就是要在水资源配置过程中保持经济和社会发展的效率和效益。通过各种措施提高参与生活、生产和生态过程的水量的有效程度,这些措施包括:增加对降水的直接利用;减少水资源转化过程和用水过程中的无效蒸发;一水多用和综合利用,增加单位供水量农作物、工业产值和 GDP 的产出;减少水污染,增加有效水资源量。考虑供水保证率的稳定性和高效性,对于连续枯水年和特枯年的应急预案,应重点保障生活用水,兼顾重点行业用水。

（3）公平性原则。公平性是水资源社会属性的首要特征。公平原则的具体实施表现在地区之间、近期和远期之间、用水目标之间、用水人群之间对水资源的公平分配。在地区上保证区域内各行政区之间以及行政区内部水资源的合理分配；要协调近、远期不同水平年流域治理规划和社会发展规划的水资源需求关系；用水目标上，在优先保证生活用水和最为必要的生态用水前提下，协调经济用水和一般生态用水以及不同经济部门间的用水关系；用水人群中，提高农村饮水保障程度并保护城市低收入人群的用水。

（4）系统性原则。系统性原则要求在水资源配置过程中，将配置区域作为一个大系统，首先研究系统水资源的收支平衡关系，在此基础上进行地表水和地下水的统一配置、当地水和过境水的统一配置、原生性水资源和再用性水资源的统一配置、降水性水资源和径流性水资源的统一配置等，并在不同层面上，将区域水资源循环转化过程和社会经济用水的供、用、耗、排过程联系起来考虑问题。

四、水资源合理配置的主要任务

随着社会的不断进步和生产的不断发展，人们对水资源在质和量两方面的需求越来越高，但自然界能够提供的可用水资源量却是有限的，导致了水资源在目标上、时间上和地域上存在着竞争性，而对于用水竞争性的不同解决方案又会导致不同的经济、环境与社会效益，因此在水资源配置策略上存在各种合理的可能性。

水资源配置的基本功能包含两方面：一是在需求方面通过调整产业结构，建设节水型社会经济并调整生产力，以适应较为不利的水资源条件；二是在供给方面协调各项竞争性用水，并通过各种工程和非工程措施改变水资源的自然时空分布来适应生产力布局。两个方面相辅相成。其实施是通过水资源合理配置系统来实现的。主要内容涉及到江河流域规划中的基本资料收集整编、社会经济发展预测、总体规划、水资源供应和需求预测与评价、水利工程规划、灌溉规划、城乡生活和用水规划、水力发电规划、水资源保护规划、航道保证流量、河道输沙流量、河道生态基流、水利工程的建设次序和主要工程参数、环境影响评价、经济效益评价，还涉及到水资源管理中的水权分配、取水许可制度、水费及水资源费制度、水管理模式及机构设置、相应的政策法规等。因此，水资源合理配置贯穿了区域水资源规划和管理的主要环节，是一个复杂的决策问题。归纳起来，水资源合理配置研究主要内容包括：

（1）社会经济发展问题。研究现实可行的社会经济发展规模，适合本地区的社会经济发展方向和合理的工农业生产布局。

（2）水资源需求问题。研究现状条件下各部门的用水结构、水的利用效率、提高用水效率的主要技术和措施，分析未来各种社会经济生态系统发展模式下的水资源需求。

（3）水环境污染问题。评价现状的水环境质量，研究工农业生产所造成的水环境污染程度，制定合理的水环境保护和治理标准，分析各经济部门在生产过程中各类污染物的排放率及排放总量，预测河流水体中各主要污染物的浓度，提出解决水环境问题的基本方法。

（4）水资源开发利用方式、水利工程布局等问题。现状水资源开发利用评价，供水结构分析，水资源可利用量分析，规划工程可行性研究，各种水源的联合调配，各类规划水利工程的合理规模及建设次序。

(5)供水效益问题。分析各种水源开发利用所需的投资及运行费,根据水源的特点分析各种水源的供水效益,包括工业效益、农业灌溉效益、生态环境效益,分析水利工程的防洪、发电、供水等综合效益。

(6)生态问题。生态环境质量评价,生态保护准则研究,生态耗水机理与生态耗水量研究,分析水资源开发利用与生态环境演变的关系。

(7)供需平衡分析。在不同的水利工程开发模式和区域经济发展模式下的水资源供需平衡分析,确定水利工程的供水范围和可供水量,以及各用水单位的供水量、供水保证率、供水水源构成、缺水量、缺水过程及缺水破坏深度分布等情况。

(8)技术与方法研究。水资源合理配置分析模型开发研究,如评价模型、模拟模型、优化模型的建模机制及建模方法,决策支持系统、管理信息系统的开发,GIS技术的应用。

五、水资源合理配置的决策机制

(一)宏观调控机制

水是基础性的自然资源和战略性的经济资源,在水资源配置过程中,必须充分发挥政府的宏观调控作用。其主要任务是:对水资源使用权和用水指标进行分配;对流域和区域水资源开发治理和保护进行统一规划和统一管理;对工程布局和开发方案进行决策;建立水资源宏观调控和微观定额指标体系;确定不同类型、不同用途的水商品价格,利用市场机制对水资源进行合理配置。

(二)市场机制

水具有自然属性与商品属性的双重属性特征。水资源管理运行机制包括合理的水权分配和市场交易经济管理模式、价格制度和保障市场运作的法律制度等。应当指出,我国供水市场受诸多因素的制约,缺乏普通商品市场的共性特征,是一个不完全意义上的市场,或者叫"准市场",对于这样的供水市场,国家应针对其特殊情况实行相应的市场经济政策。

(三)民主协商机制

水资源开发利用涉及流域上下游、左右岸的关系和利益,需要在全面规划、统筹兼顾的基础上,通过民主协商,协调好各个方面的利益关系。对于水资源规划方案的拟订和论证、水量分配方案的制定,以及运行调度方案的确定和配水方案的实施,都应广泛征求各方面的意见,进行充分的政治民主协商,并以合约和文件等形式达成一致意见,以利于水资源的合理配置。

(四)统一管理机制

水资源统一管理主要体现在流域的统一管理和地域的统一管理。要通过立法强化流域管理机构的权威。利用法律约束机制调节各方利益冲突,实现流域水资源的统一优化调度管理,加强水资源配置的执法检查和实施监督。流域统一管理应与市场机制和民主协商机制有机结合,通过不断的制度创新和制度更新,形成比较成熟有效的流域水分配、水管理模式,并逐步以法律法规的形式固定下来。

六、水资源合理配置的具体方式

水资源配置就是采取各种工程和非工程措施将多种水源在时间和空间上对不同用户的分配过程,因此水资源配置的具体方式表现在空间配置、时间配置、用水配置、水源配置和管理配置五个方面。

(一)空间配置

通过技术和经济力量改变各区水资源的自然条件和分布规律,促进水资源地域转移,解决水土资源不匹配的问题,使生产力布局更趋合理。流域内通过强化管理调整上下游用水关系,为增加下游供水进行河道整治及现有工程挖潜改造。流域间进行跨流域调水,提高大范围内水、经济、生态的协调程度,通过水资源的优化配置,促进流域产业结构和布局的调整。

(二)时间配置

通过工程措施和技术手段改变水资源的波动性,将水资源适时、适量地分配给各个地区和用水户,以满足不同时期的用水需求。对于西北地区,重点解决春季自然来水过少、与灌溉农业的用水需求严重不相适应的问题。通过山区水库建设增加对径流的调蓄能力,替代平原水库以减少库面蒸发,综合解决西北地区突出的春旱缺水问题。

(三)用水配置

以有限的水资源满足人民生活、国民经济各部门、生态环境对水资源的需要。重点解决经济建设用水挤占生态环境用水,以及经济发展用水中城市用水挤占农牧业用水的问题。经济用水和生态用水统一配置,在保障生产发展的同时维持和改善生态环境,解决生态环境脆弱的问题。

(四)水源配置

保证各种水源得到高效合理利用,对地表水和地下水统一配置,缓解次生盐渍化并减少潜水无效蒸发。防止地表水过度利用和地下水超采,配合水土保持建设,修建一批小型蓄水工程和微型集水设施,加大雨水资源的直接利用。结合小城镇建设,修建适合地域特点的污水处理设施,加大劣质水的再生利用程度。

(五)管理配置

重点解决重开源轻节流、重工程轻管理的外延用水方式问题。采用多种管理措施促进水资源的需求管理,以大型灌区改造为突破口,加大农牧业节水和配套挖潜改造的力度。综合运用法律、经济和行政手段提高用水效率。

第三节　广义水资源合理配置理论

一、广义水资源合理配置实践需求

我国水资源配置研究在实践需求和可持续发展理论的指引下,得以不断深入和丰富。从我国水资源配置理论与方法的发展历程来看,“八五”攻关提出的基于宏观经济的水资源优化配置理论与方法主要侧重于从经济属性来研究水资源配置决策;“九五”攻关提出的面向生态的水资源配置,是在充分认识到西北地区水资源生态属性维护的重要性基础上形成的;"十五"攻关黑河流域水资源配置中提出了面向水资源全属性功能的水资源配置方法,即将水资源配置问题转化为维护水资源自然、生态、环境、社会和经济等全属性维护的多目标决策问题。

综观以前研究成果,配置水源都是可控的地表水和地下水,不包含半可控的土壤水,配置水源不全面,无法实现用水紧张情况下高效用水的目标;配置对象只包括生活用水、工业用水、农业用水和人工生态用水,不包括自然生态系统用水,配置对象不全面,无法保证自然生态系统的水资源需求;在供用耗排水量的分析中,仅仅利用经验估算耗排水量,缺少科学依据,配置结果不精确;在地下水资源的调控中,仅仅从人工地下水取用量的角度研究,而没有将人工取用地下水与地下水位联系起来,没有将潜水和承压水进行区分;在配置过程中割裂了水资源配置与水循环相互之间的反馈机制,不能反映水资源配置过程中水资源、水循环和生态演变过程,无法准确预测区域生态系统稳定状况。

在缺水地区,水资源是维系经济社会发展和生态系统稳定的根本保障,随着经济社会的发展,水资源供需矛盾越来越突出,造成工业用水挤占农业用水、农业用水挤占生态用水,使得原本脆弱的生态环境更加趋于恶化。由于传统水资源合理配置存在一系列缺陷,使其在理念和手段方法上无法解决缺水地区面向经济系统和生态系统的水资源开发利用问题,如有限水资源的高效利用需要全面考虑广义水资源的有效利用,分析区域节水潜力需要充分考虑人工系统和自然系统的水循环转化过程,水资源开发利用对区域水资源、水循环和生态过程的影响,水资源配置产生的区域生态与环境响应状况,以及与水资源条件相适应的合理生态保护格局和高效经济结构体系,等等。

这些问题的存在催生了广义水资源合理配置研究,研究包括降水、土壤水在内的广义水资源在自然系统和人工系统间合理配置,在基于宏观经济的水资源优化配置、面向生态的水资源配置和面向水资源全属性功能的水资源配置的基础上,进一步完善、延伸、拓展,以人类干扰频繁地区的水资源循环转化模拟为基础,在经济－社会－生态系统中合理配置广义水资源,实现水资源利用效率和效益的最大化,维持经济生态系统的可持续发展,在有限水资源条件下,达到生态环境保护和经济社会发展"双赢"。

二、广义水资源合理配置内涵

传统上将水资源分为两类:狭义水资源和广义水资源。狭义水资源即传统意义下的水资源,是指能为人类直接利用的淡水资源,通常包括地表水和地下水;广义水资源是指地球表层可供人类利用的水,它是从水资源的有效性出发,对传统意义上的水资源概念进行拓展,其含义是指所有对人工系统和自然生态系统具有效用的水分,其补给来源主要为大气降水,赋存形式为地表水、地下水和土壤水。与狭义水资源比较,广义水资源所包含的内容更加丰富,不仅包括地表水和地下水,而且还包括土壤水和降水。

广义水资源合理配置的"广义"包括两个方面的含义:一是配置水源是广义的,从狭义的径流性水资源拓展为包括土壤水和降水在内的广义水资源,扩大了传统的资源观,丰富了水资源合理配置和科学调控的内容;二是配置对象是广义的,广义水资源配置的对象在考虑传统的生产、生活和人工生态的基础上,增加了自然生态配水项,配置对象更加全面。

广义水资源合理配置模式的变革包括:一是配置对象从狭义的径流性水资源拓展为包括降水和土壤水在内的广义水资源量,不仅在配置过程考虑现有的有效降水部分,而且在配置行为中考虑如何将无效降水转化为有效降水;二是配置范围从单一的人工系统用水的配置拓展为在人工系统和自然生态系统中配置;三是配置过程中考虑自然－人工复合驱动作用下的水资源演变过程;四是在进行水资源量调控的同时,进行水环境调控,实现水量、水质统一配置。

广义水资源合理配置是指在遵循有效性、公平性和可持续性原则的基础上,利用各种工程与非工程措施,进行广义水资源(降水、地表水、土壤水和地下水)的合理调控,实现广义水资源在经济社会和生态系统(人工生态和自然生态)中配置,并进行水资源配置的经济和生态后效性评价,实现水资源的高效利用,保证经济社会的健康发展和维持区域生态系统的稳定。

三、广义水资源合理配置复合系统

可持续发展理念指导下的广义水资源合理配置系统是一个由水资源、经济社会、生态环境组成的复合大系统。社会经济、生态环境和水资源子系统间既相互联系、相互依赖,又相互影响、相互制约,组成了一个有机的整体。只有保持了社会经济的协调发展,才能真正维持人类社会的协调和健康发展,而发展的目的是为了创造更文明的社会、更舒适的生存环境。水资源系统是人类生存发展的必要条件,是联系社会经济系统和生态环境系统的纽带,是制约区域内经济发展的中心环节。但水资源是有限的,资源的更新也是有周期的,对水资源的开发利用必须保持在一个合理的限度内,如果对水资源过度开采耗用,必将破坏生态系统的平衡。

组成广义水资源配置系统的水资源、经济社会和生态环境,不仅各子系统内部存在着制约机制(如水资源系统由水源、供水、用水、排水等因素组成,涉及水源的时空分配、水源的质量和可供应量、供水的组成、用水的性质和排水方式等;社会经济子系统涉及的范围更广,包括人口、劳动率、法律、政策、传统、经济结构等诸多因素;生态环境子系统需要处理自然生态与人工生态的关系,人工生态与农、林、牧、副、渔之间的关系,污染物的排放、组成、级别与控制等),而且在各子系统之间也存在着约束关系,如经济发展带来环境的污染和治理、经济发展带来的供水与水资源需求的矛盾、环境恶化导致的生态破坏和水资源浪费、水资源环境和生态条件的改善对经济发展和社会进步的促进作用等。

人和自然生态系统共同拥有利用水资源的权力,人不仅不能剥夺他人和后代的用水权力,也不能剥夺自然生态的用水权力。广义水资源配置不能离开系统空谈配置,否则会顾此失彼,造成系统运行失衡。系统具有多元性、结构复合性和各单元的关联性,牵一发则动全身。水资源既是基础性资源又是稀缺性资源,它的应用范围广,取舍不当会引发许多矛盾。经济社会的发展是个持续的过程,不仅要考虑水资源在当今时代的共享,还要与后代共享,不仅是人对水资源的共享,还有人与环境对水资源的共享,以实现水资源的永续利用。不合理的水资源开发将会导致超采、水污染、水土流失等水生态环境恶化的现象发生。井泉枯竭、河道干涸、湿地萎缩、荒漠化等问题,都同水的不合理开发有着直接的因果关系。

进行广义水资源合理配置时,需要统筹考虑水资源、经济社会和生态环境之间的关系,按照系统论的思想,合理处理系统内部和各系统之间的关系,保持复合系统的协调发展。

四、广义水资源合理配置的目标及其冲突与协调

水资源合理配置的最终目的是促进社会的进步和区域的可持续发展,可持续发展是既满足当代人的需求,又不对后代人满足其需求的能力构成危害的发展模式。对于水资源问题,可持续发展的模式要求水资源应当在时间上、地区上和社会不同阶层的受益者之间合理分配,既要考虑当代人的发展,又要照顾到后代人可持续发展的能力;既要照顾到发达地区的发展要求,又要求发达地区的发展不应以损害欠发达地区的可持续发展为代价;既要保证获得最大的经济效益,又不能够损害生态与环境效益。

广义水资源合理配置的目标是在社会、经济和生态之间高效分配水资源,以达到社会公平、经济高效和生态保护的目的,满足人口、资源、环境与经济协调发展对水资源在时间、空间、数量和质量上的要求,使有限的水资源在保障提高人们生活指标和生活质量上能够获得最大的社会效益,在促进生产经营上能够获得最大的经济效益,在维持生态与环境状况上能够获得最大的生态环境效益,同时保障水资源能够在地区间、社会各阶层间以及代际间获得公平的分配,以促进水资源的可持续利用。但公平(Equity)、效率(Efficiency)和生态(Ecology)三个目标之间无法公度,如何分配水资源就遇到了目标冲突,广义水资源合理配置就是协调这些冲突,达到区域经济社会和生态环境用水的合理分配。

公平目标是从社会学角度考虑水资源分配,具有历史的继承性和内涵上的延续性,最初认为公平是社会成员间有获得同样权利的机会,可持续发展中的公平,不仅仅是一个纯粹的伦理学概念,而且具有环境、经济、资源等方面的实际意义,不仅关注同代人的比较,还注重代际间的公平;效率目标是从经济学上考虑水资源分配,用最少的成本获得最大的利润行为;生态目标是从生态学上考虑水资源分配,维持区域生态环境的健康和稳定,使生态系统的物质和能量高效利用,系统中的物质和能量得到充分的循环利用。

长期以来,人们在从事经济活动时,往往只注重开发利用中直接的经济效益,而忽略了间接的社会效益,更不重视与人类整体利益和长远利益相关联的生态效益。工业和发达地区用水效率较高,常常分配更多的水资源,使农业和欠发达地区的配水比例减少,不利于农业和欠发达地区的可持续发展;生态用水直接效益通常不是显著的,所以生态用水往往被忽略或挤占。在水资源短缺的情况,单纯追求任何一个目标都是不可取的。只讲生态,放弃效率和公平,消极被动地满足生态需水,水资源无法支撑经济社会的可持续发展;仅仅追求公平分水,放弃效率和生态,就不是优化配置;如果不考虑公平和生态效益,经济发展也难以为继。可见,虽然公平、效率和生态三大目标无法公度,但却是相互影响、相互制约和相互促进的辩证关系。

广义水资源配置决策就是要权衡利弊,统一协调公平、效率和生态目标,既要促进生态系统的健康发展,又要保证安全用水和高效用水,达到水资源的合理配置。因此,应将广义水资源合理配置决策定义为"3E"(Equity、Efficiency、Ecology)决策过程,如图3-2所

示。其决策过程可用式(3-1)表达。即在水资源配置过程中,不期望寻求系统最优解,而是在不可公度的三个目标之间,寻求使各方均感到"满意"的合理结果,在保持生态系统稳定、健康和社会基本公平的情况下,保持区域经济效益的发展。

$$Sati = \max \sum_{i=1}^{3} \lambda_i \cdot E_i \qquad (3-1)$$

式中:$Sati$ 为区域整体目标满意度;E_i 为不同目标的满意程度;λ_i 为不同目标相应的权重。

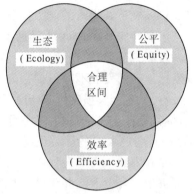

图 3-2　广义水资源配置的"3E"决策机制

五、广义水资源合理配置的调控体系

在对水资源的调配过程中,根据人类对水资源控制程度的不同可以将其分为可控水资源、半可控水资源和不可控水资源。地表水和地下水可以通过修建各种水利工程(如水库、引水工程、机井、泵站等)直接取用,并根据水利工程的规模决定取用水量的多少,因此将其称为可控水资源;土壤水资源在一般情况下人们不能对它进行直接调控,但可以通过各种农耕、水土保持措施(修建梯田、植树造林等)以及一些水利工程(如节水工程、井灌工程等)将雨水或径流蓄积于土壤中,改变土壤水含量,从而实现对其间接调控,因此可将土壤水称为半可控的水资源;由于水资源的开发利用、土地利用等方式可以改变地表水的渗漏量,改变地下水的埋深状况,影响地下水资源的补给量,从而实现对地下水的间接调控,从这个意义上讲,地下水也可称为半可控的水资源;降水是自然界水循环的产物,一般情况下,人类对其几乎没有调控能力(人工降雨除外),故将其称为不可控的水资源。

水资源配置过程就是对区域水循环过程的综合调控,通过对地表水、土壤水、地下水的合理调控,最大限度地把自然降水转化为有效水资源,趋利避害,以最大限度地发挥水资源的自然和社会经济效益,这是水资源合理调控的目标和出发点。从自然水循环各要素过程的调控来看,当前的技术措施重点是通过下垫面的影响或维护,改变或维持水循环的产流、汇流和蒸散发过程。传统的水资源合理配置是通过采取各种工程和非工程措施调控可控的地表、地下水资源来实现的。广义水资源合理配置不仅对可控的地表、地下水进行调控,还增加对土壤水的调控,并且在调控过程中考虑增加广义水资源有效利用量,以满足区域社会经济和生态环境的需水要求。

在平原区,农田引水灌溉,地表水转化为土壤水和地下水,实现水资源的农业生产配置;非灌溉季节,地下水位下降,土壤蓄积雨水能力增强,降水转变为土壤水和地下水,相当于增加了农业配水,从而也实现了水资源的农业生产配置。土地利用方式的改变,如林草地和未利用地变转变为耕地,未利用地变成有植被土地,农田耕作的单季变双季、作物轮作,等等,都将增加降水资源和土壤水资源的有效利用量。通过地表、地下联合运用,调控适宜的地下水埋深,增加土壤蓄水量,减少无效蒸发量,增大降水入渗,在增加有效水资源利用量的同时,又可以有效防止土壤盐渍化。对于自然生态的林草等,降水和部分灌溉引水转化为土壤水和地下水,实现了水资源在自然生态中的配置,自然湖泊湿地承受灌溉退水和地下水的补给,即退水和地下水转变为地表水,实现在自然生态中的水资源配置,当人为供水直接补充湖泊湿地时,则可认为是地表水在人工生态中的配置;地下水开采措施的应用实现了地下水资源在工业和生活中的配置。

山区广义水资源调控主要反映在小流域综合治理中各种水土保持措施的应用。修建梯田增加了土壤拦蓄雨水和地表径流的能力,土壤水蓄积量增大,从而对土壤水进行间接调控,水资源由地表水转变为土壤水。蓄积的土壤水除少量继续渗流补充地下水外,大部分供农作物蒸发蒸腾吸收利用,从而实现了水资源在农业生产中的配置;淤地坝可拦截部分地表径流,将地表水转化为土壤水和地下水,以供农业和生活用水,实现水资源在农业生产和生活中的配置;植树造林、退耕还林等措施可以多蓄积雨水,将降水转化为土壤水和地下水,以供植物蒸发蒸腾利用,实现水资源在生态中的配置;集雨利用主要将降水转化为地表水,满足人们生活需水要求,实现水资源在生活中的配置。其广义水资源配置流程如图3-3所示。

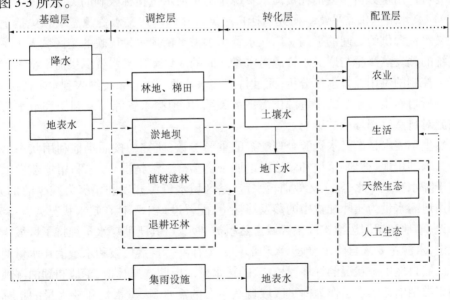

图3-3　山区广义水资源配置调控过程

六、全口径供需平衡分析

供需平衡分析是水资源合理配置的重要内容。基准年水资源供需分析的目的是摸清水资源开发利用在现状条件下存在的主要问题,分析水资源供需结构、利用效率和工程布局的合理性,提出水资源供需分析中的供水满足程度、余缺水量、缺水程度、缺水性质、缺水原因及其影响等指标。规划水平年的供需平衡分析是以基准年供需平衡为基础,提出未来供水组成、水资源利用程度、污水处理再利用、水资源地区分配、缺水率等。

传统水资源供需平衡分析没有考虑自然生态的需水,在需水项考虑不全面;在供水项仅仅考虑人工可控水资源,没有考虑土壤水资源,配置水源不全面。这些缺陷使得传统水资源供需平衡无法分析包括自然生态需水在内的广义水资源需求与包括土壤水在内的广义水资源供给的平衡关系。本书在传统水资源供需平衡分析的基础上,结合生产实际需求,提出了三层全口径供需平衡指标:

(1)传统供需平衡。研究生活、工业、农业和人工生态水资源需求和可控水资源供给量之间的平衡,其缺水量表明人工供水与人工需水之间的缺口。

(2)耗水供需平衡。研究包括自然和人工系统的可控地表、地下水资源需求与消耗的可控地表、地下水之间的平衡。耗水缺水量可以通过模拟生活、工业、农业、人工生态和自然生态需水不受到破坏情况下,消耗的地表、地下水资源量与实际配置过程中消耗的地表、地下水资源比较得到,其缺口表明包括自然生态在内的区域消耗地表、地下水资源量的不足。

耗水供需平衡分析对于研究类似依靠过境黄河水资源的宁夏等区域具有极为重要的意义,用于分析区域自然和人工系统消耗地表、地下水资源的不足。对于宁夏来说,地表、地下水资源是指周边地表、地下来水,黄河干流和降水产生的地表、地下水资源,耗水供需平衡研究可以用于分析宁夏消耗黄河水资源量与黄河水量指标限制的关系。

(3)广义水资源供需平衡。研究包括自然需水在内的广义水资源需求和包括土壤水在内广义水资源供给之间的平衡。广义水资源供需平衡缺水量反映的是区域人工系统和自然系统的蒸发蒸腾量与广义水资源需求量之间的缺口。广义水资源供需平衡不仅分析了人工可控制的供用耗排水量分析,而且将广义水资源和生态系统纳入到水资源配置中,进一步分析自然生态系统的水资源供需平衡关系,以预测水资源开发利用和节水改造等人工措施对自然生态环境的影响。

自然生态需水是广义水资源合理配置的重要参数,研究中按照土地利用状态将自然系统分为未利用地、林地、草地和湖泊湿地四种类型。一般情况下,未利用地蒸发水源主要来自于降水和地下水,属于无效消耗水量,是区域水资源开发利用努力减少的部分,因此未利用地需水量为实际配置中的蒸发消耗量,配置过程中不存在缺水状况。

林地、草地和湖泊湿地构成了区域自然植被和水域,其所消耗水量维持了区域生态系统的稳定,水源主要来自降水、地下水和部分人工补给。自然植被和水域消耗水量的多少决定了区域自然生态状况的好坏,是有效的耗水量。因此选择林地、草地和湖泊湿地三种土地利用类型消耗的水量作为衡量区域自然生态的需水量、供水量和缺水量的指标。研究中选取生态稳定性评价良好的自然生态系统实际蒸腾蒸发量作为需水量的标准,确保未来生态环境不低于良好的生态环境为目标;自然生态的供水量为水资源配置过程中自然生态系统实际蒸发蒸腾消耗水量,自然生态缺水量为自然生态需水量和自然生态供水量的差值。若自然生态需水量小于自然生态供水量,表明自然生态良好,生态环境向着良性方向发展,否则反之。

七、广义水资源合理配置后效性评价

广义水资源配置的目标是保证水资源在经济、社会和生态系统中的合理分配,进行水资源后效性评价一方面可以调整已有的配置方案,使其更加合理,保障配置的公平性和高效性;另一方面通过这种有效的反馈试验,为广义水资源配置理论和实践提供依据,防止广义水资源配置的盲目性和不合理配置效应的积累。广义水资源配置后效性评价研究大多从经济、效率、公平等方面展开,主要包括社会后效性、经济后效性、生态环境后效性、效率后效性四个方面。

(一)社会后效性评价

广义水资源配置是为了解决或缓解由于水资源短缺、不合理的开发利用等原因引起的人们生活、生态环境、社会经济等问题,以保障区域可持续发展和人民生活水平的提高。水资源是一种特殊资源,无法以经济方式进行生产,不是一种典型的经济商品,因此在水资源配置准则确定上首先要保障配置区社会进步的公平性。公平性是人们对经济外或非完全经济度量分配形式所采取的理智调控,从而避免部分或个别地区因水资源过度胁迫而严重干扰区域社会发展秩序,失去社会发展的区域均衡性。社会后效性评价的具体落实,可以根据人均用水量大致相等、尊重现状、缺水率大致均衡和产水优先标准进行现实评估操作。

(二)经济后效性评价

我国传统的水资源分配大多属于一种指令配置模式,主要通过行政手段来配置水资源,常常导致"市场失灵"。目前虽然微观上的水价改革已经付诸实施,宏观上的水资源统一管理也被日益重视,但水资源配置仍多属政府行为,并愈加侧重于强化"分水协议"的实施保障。具体操作中,水资源配置经济后效性评价在水资源开发措施上必须符合边际投入最小化,如开源和节流的边际成本的比较,在保证生活用水的基础上综合供水效益最大化,如单方水 GDP 产出、单方水粮食生产效率等。

(三)生态环境后效性评价

水资源系统同时承载着生态环境系统和社会经济系统,客体的二元结构决定了水资源最宏观层次上的配置行为就是水资源在生态环境系统和社会经济系统之间的分配,这也是水资源配置的首要步骤。因此,水资源在经济社会系统和生态环境系统间配置就成为水资源配置后效性判别的重要标准,重点应从生态环境系统的功能和效用出发,研究生态环境用水量的合理性、配置对区域生态环境的影响等。

(四)效率后效性评价

广义水资源配置行为实施的目的是为了水资源利用总体效益最大化,而实现这一目标的唯一途径则是提高水资源的整体利用效率。在国际上,水资源利用效率的合理性也是水资源使用权占有的主要构成要素之一,如美国加利福尼亚州将用水效率合理性的概念纳入州法典中,规定任何人没有不合理使用水的权利,如浪费和低效用水。在配置的效率后效性具体评价上,可以通过对效率指标的具体考察来确定配置的合理性,如工农业配水指标是否高于平均用水标准,配置工程是否使区域水资源无效蒸发向减少方向发展等。

第四节　广义水资源合理配置方法

一、广义水资源合理配置总控结构

广义水资源合理配置的总控结构分为六个层次：评价层、预测层、控制层、模拟层、响应层和结果层，如图3-4所示。

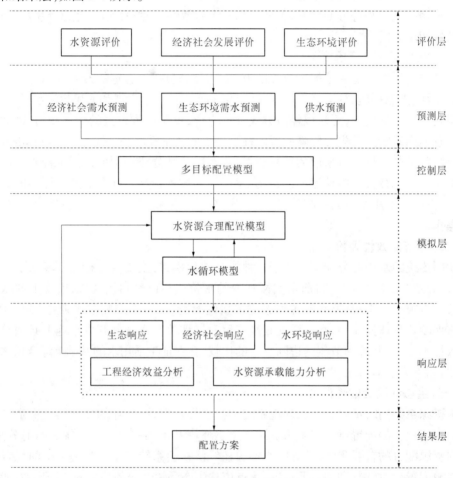

图3-4　广义水资源合理配置总控结构图

(一)评价层

评价包括水资源评价、经济社会发展评价和生态环境状况评价，它是水资源合理配置的基础。水资源评价着重对区域水资源量、水质状况以及水资源开发利用情势进行分析，了解区域现有水资源开发利用程度和未来开发利用潜力，并对现有水利工程和区域用水状况进行实时评价；经济社会发展评价即对目前评价区域的经济社会发展情况进行调查分析，了解区域经济社会发展水平，通过对研究区域的经济社会发展评价，分析经济社会发展趋势和未来发展战略方向，为今后经济社会需水预测提供基础和出发点；生态环境评价是针对现有的与水有关的生态问题,分析其产生的原因,并根据未来规划的生态环境保护目标,提出相应的保护措施,在此基础上,分析未来生态环境演变趋势。

(二)预测层

预测是在评价的基础上进行的,同时它也是水资源配置的前提和依据,预测主要包括需水预测和供水预测,其中需水预测又包括经济社会需水预测和生态需水预测。

经济社会需水预测主要包括工业需水预测、农业需水预测、生活需水预测。根据现有的水资源条件以及经济社会发展目标,结合各种节水工艺和技术的应用,对未来水平年经济社会的需水情况进行预测分析;未来不同水平年的生态需水预测是基于经济发展预测的基础上进行的,经济社会发展的预测结果直接影响到生态环境情况的变化,根据变化的生态环境状况预测未来水平年份的生态需水,进行该区域生态环境的水资源配置。供水预测则是根据不同规划水平年新增水源工程(包括原有工程)分析计算其可能达到的供水能力。

(三)控制层

根据区域水资源开发利用情势、经济社会发展状况和生态环境保护目标,在多种约束条件下,提出区域水资源高效利用的经济生态发展模式,即如何在有限水资源条件下支撑区域经济社会发展和生态系统稳定,以及区域宏观经济发展与水资源优化配置的可行性方案。

(四)模拟层

主要是对不同配置方案下的区域水资源供需平衡状况进行分析模拟。根据研究区域水资源情势、经济社会发展状况以及生态环境保护目标,以及为实现这些目标所采取的不同节水措施,确定相应的水资源调控准则,结合不同的供用水模式以及各种工程和非工程措施,在不同水平年的相关规划条件下,进行方案组合,得到水资源初始配置方案,从而为经济社会和生态环境的用水在质和量上提供配置依据。

根据设定的未来某个水平年的初始水资源配置方案,在多目标配置模型的总控下,结合该水平年供需水预测结果,进行该方案下的水资源供需平衡分析与模拟,在该方案基础上,运用区域水循环模型对研究区域的"四水"转化关系进行定量分析计算,得出不同土地利用类型、不同行业部门和不同单元间的供、用、耗、排水量,以及地下水位变化、部门用水信息等,并将这些信息反馈到配置方案中,以便根据配置要求及时进行修正。

(五)响应层

在水资源合理配置模型提供的方案基础上,进行经济社会发展评价、工程经济效益分析、生态环境模拟、水环境状况分析,为水资源合理配置方案的选择提供社会效益、经济效益和生态效益依据,确定水资源合理配置是否合理,从中找出造成不良响应状态的影响因素,并对其做出评价,进而得到科学、合理的水资源配置方案,提出符合可持续发展要求的经济社会发展和生态环境建设方案。

(六)结果层

水资源配置方案不同,水循环转化过程也就不同,相应条件下的经济社会和生态环境响应情况也是不一样的。因此,必须对不同水资源配置下的各种响应情况进行逐一分析,并在此基础上,不断调整配置方案和配置过程,使各响应状态良好,此时的配置方案即为最合理的广义水资源配置方案。

二、广义水资源合理配置方法

广义水资源合理配置是在水资源、社会经济和生态环境评价和预测的基础上,提供一系列可行性方案集,通过对水资源配置产生的水循环转化机制的模拟,进行社会经济发展、经济效益、水循环过程和生态环境分析,掌握不同配水情况下的社会经济发展状况和生态环境演化状况,为水资源合理配置方案的选择提供社会效益、经济效益和生态效益依据,修正并确定水资源配置的合理方案,实现水资源在经济社会和生态环境之间的合理配置,以满足区域各部门的合理用水需求,支撑经济社会的可持续发展和生态环境的稳定。广义水资源合理配置过程是以区域宏观经济调控为基础,以自然－人工复合水循环模拟为依据,进行水量、水质统一配置,以经济生态响应评价为评判标准。

(一)以区域宏观经济分析为总控

实现区域宏观经济的可持续发展,需要统一协调区域社会经济系统、生态环境系统和水资源系统。基于宏观经济的水资源总控模式是以区域为基本对象,协调水与社会、经济、资源和环境之间的关系,提出适应水资源高效利用的经济发展模式,对水资源开发、利用、整治、节约、保护等环节在更高层次上进行系统规划与统一管理,寻求区域经济可持续发展、生态环境质量改善和社会健康稳定等宏观水资源规划的目标,得到宏观最优的水资源配置方案,为水资源合理配置提供宏观总控条件,保证水资源合理配置的宏观可行性。水资源合理配置模型在其提供的方案选择目标域的基础上,揭示现状情景下区域水资源、生态环境和经济状况,并通过经济效益评价和规划工程措施的优化选择,模拟未来水资源、生态环境和经济状况,提出水资源合理配置方案。

(二)以自然－人工复合水循环模拟为基础

水资源分配的过程就是水资源循环转化时空规律重新调整的过程,水循环过程和路径发生改变,地表、地下水资源量和赋存形式发生变化,土壤水赋存和蒸散发消耗也将随之改变,相应的生态环境也将发生演变。为了维护区域生态环境状况、保障经济社会的可持续发展、促进水资源的合理配置和高效利用、调控水循环过程,必须以水循环模拟为基础,将水资源配置与水循环结合在一起,模拟不同配水情况下的水循环转化关系,以人类活动对区域水循环演变的内在影响为突破口,模拟区域降水、地表水、地下水和土壤水循环转化关系,研究区域引用耗排变化,定量解析区域水资源开发、工农业生产、土地利用和城市化等对水循环过程的影响。

(三)水量、水质联合配置

水资源可持续利用必须充分考虑经济发展与水资源、环境之间的相互协调,人工灌、排、提、引、蓄都是通过河渠网络系统调节来实现的,河渠上下游、左右岸补给和排水关系复杂,水质、水量问题紧密结合,并且与区域水环境和生态问题密切相关,实现了水质、水量的优化配置,有利于水环境与生态环境的改善和保护,以及水资源开发利用的良性循环。广义水资源配置的水量、水质联合调度模式是将区域水量、水质作为一个整体纳入到水资源配置系统当中,根据研究区水环境状况,进行水功能区划,计算水功能区的纳污能力,研究污水与用水、入河污水与水体纳污量之间的关系,确定水功能区的河道生态环境最小需水量,并将其作为约束条件引入到水资源合理配置模型中,实现水质、水量的联合配置。

(四)经济生态后效性评价

水是一个复合的生态系统,是联系自然、社会、经济复合生态系统的纽带和支撑。在干旱地区,水资源更是制约区域社会经济发展和生态系统建设的"瓶颈",竞争性的水资源使用已经诱发了各种冲突,严重影响到区域的稳定、安全与发展。广义水资源配置目标包含经济社会和生态环境两方面,由于两者不可公度,难以统一评价。因此,为了保证广义水资源配置目标的实现,进行生态效益和经济效益的评价是实现广义水资源合理配置目标的有效手段,在保证生态良好的基础上,实现经济效益的最大化。

第五节 干旱绿洲区广义水资源合理配置

在干旱区,经济与生态系统对水资源具有双重依赖作用。如何协调经济与生态环境之间的关系以及区域之间或流域上下游之间用水竞争的矛盾,科学合理配置有限水资源,一直是干旱区水资源开发利用的一个关键问题。

干旱绿洲区生态脆弱,没有灌溉就没有农业;水土矛盾突出,水资源地区分布不均衡;年际径流量变化不大,径流年内分布不均匀;生态需水刚性大,水资源可利用量相对较少;地表水地下水转化频繁,下游对中上游的水资源开发利用极为敏感等。这些特点决定了干旱区有别于其他地区的水资源、水循环和生态特性,给广义水资源配置带来了新的挑战,在广义水资源配置中也衍生出了一系列新的问题,如干旱区水分-生态驱动机制、干旱绿洲区耗水过程和机理、自然-人工双重作用下的水资源演化规律、绿洲区生态地下水位、适用于区域水资源条件的经济社会发展方略等。

一、干旱区水分-生态驱动作用机制

生态水文过程的机理是干旱区生态环境保护和恢复重建中必须面对的基础科学问题。许多年来,人们对单一的土壤水文过程或农作物的植物水文过程以及微域生态水文过程进行了广泛的研究,在土壤水与植物关系研究中,以农业节水为目标,研究农田土壤水分转化、农田水均衡以及土壤-植物-大气系统(SPAC)水分传输理论和应用,但对自然植被和农林复合系统的生态水文过程研究较少。

受水控制的干旱内陆流域,有水成绿洲,无水为荒漠,植被生长主要靠客水资源和地下径流。干旱区的水分循环过程是:地表客水资源通过人工调节调入干旱缺水生态区,除了调水过程中的蒸发损失外,其余的水一部分被植被直接吸收利用,另一部分通过大大小小的河道、渠道渗透补给地下水,产生地下水径流,形成地下水流场,地下水受土壤水的毛细管作用或植物根系的吸力作用被植被蒸腾蒸发所消耗。因此,干旱区水分对生态状况的影响研究可以划分为三个层次:微观层次上的水分胁迫生理生态研究、中观层次上的水分对种群(群落)的生态演替研究及宏观层次上的水分与景观生态格局研究。

水分是干旱区生物生存的胁迫因子,水分的多寡直接影响着干旱区生态系统的健康状况。水分-生态驱动作用的研究是干旱区生态建设与保护的基础,是生态配水的基本

依据,研究水分对生态的驱动作用,合理配置并维持植被生态用水,对确定合理的生态配水比例、改善生态环境、促进干旱区社会经济发展有重要意义。

二、绿洲区耗水机理

耗水量是指在输水和用水过程中,通过居民和牲畜饮用、产品带走、蒸腾蒸发等多种途径消耗掉而不能回归到地表或地下水体的水量,主要包括生活、工业、农作物生产和自然生态耗水量。耗水过程既是人类干预水分循环的过程(如满足人畜生活和工农业生产等社会经济发展的耗水过程),也是自然界的一种水文现象(如植物的蒸散发、水面蒸发等)。绿洲耗水量的含义是指绿洲区域内用于自然界和人类活动所消耗的水资源总量(包括当地降水、周边来水和外调水等)。

自然状态下,干旱绿洲区耗水机制单一,降水经植被冠层截留、地表洼地蓄流,入渗形成土壤水和地下水,除了少量灌区周边来水形成的地表径流和地下水外,主要消耗于当地人工系统和自然生态系统的蒸散发。由于受到人类活动的干扰,绿洲区水循环规律发生剧烈的变化,耗水机制也随之改变。强烈的人类活动改变流域的下垫面条件,陆地表面的覆盖率、植物分布方式和土壤质地等发生了变化,从而改变了区域入渗、产流、汇流规律,进而影响到当地的地表水、地下水和土壤水资源量及其时空分布。

大量引水灌溉和大量排水,除了引排水渠道本身的水面蒸发之外,农田灌溉用水量增加,自然裸地蒸发由农作物蒸发蒸腾所取代,也增加了蒸发量。引排水渠道的水量跑、冒、滴、漏和农田灌溉的排水使得区域土壤蓄水量和地下水蓄积量迅速增加,补给自然林草和湖泊湿地,增加自然生态系统的蒸发蒸腾量,形成了完全不同于自然状态的耗水结构。由于自然－人工耗水完全融为一体,当地降水和外来水含混不清,导致区域耗水过程和耗水机理不清,进而无法正确预测区域节水潜力和分析区域生态需水状况。

三、绿洲生态地下水位的维持

生态地下水位是指不致发生植被退化、土地沙漠化、土壤盐渍化等问题,保持生态平衡的地下水埋藏深度。该深度为地下水位的变动带,处于变动带内生态良好,超出或不足此深度则生态破坏。干旱地区降水量少、蒸发量大,植被属于非地带性植物,保证生态系统稳定的生态需水主要依靠潜水。影响植被生长的主要因素是土壤水分和盐分,土壤中的水分和盐分都与地下水位有关,地下水位过高,在蒸发作用下,溶解于地下水中的盐分可在表层土中聚集,不利于植物的生长。地下水位过低,地下水不能通过毛管上升来补充损失的土壤水分,使土壤变干,导致植被的衰败和退化。因此,确定既不使土壤中的盐分聚集影响植物生长,又不会使土壤变干导致植被衰退的生态地下水位是十分重要的。

由于水资源开发利用的不规范性,造成地下水资源过量开发利用,地下水位持续下降,对干旱地区以依赖吸收土壤水和潜水而生存的植被系统来说构成了极大的威胁。破坏自然的生态平衡状态,从而导致一系列的生态变异、土地沙漠化等危害。对于地下水埋深较浅的西北干旱、半干旱地区来说,由于潜水埋深浅,并且蒸发量大,易使土地发生盐碱化,生态环境并没有得到保护和改善。但是,水文地质工作者过去在进行地下水资源评价时,对于地下水开发引起的生态效应没有给予足够的重视,更没有从生态平衡的观点来论证限制地下水位最大下降幅度。因此,从生态学的角度、从保证生态系统稳定及其改善的角度来确定合理的地下水位,可以确定区域地下水资源的开发利用程度。

四、自然－人工作用下水循环演变规律

水资源在区域水循环过程中形成和转化,由于绿洲区强烈的人类活动完全改变了自然水循环过程,也改变了区域水资源的形成、转变和消耗过程。水资源配置过程就是对水循环过程各个环节进行综合调控的过程,水资源配置的工程、非工程措施对水循环过程的影响主要表现在修建水库、水电站、闸坝、蓄滞洪区、引提水工程等,改变地表径流和地下径流的方向,形成了人工侧支水循环系统。人类对土地利用直接改变,如开荒种地、建设城镇、兴修道路,以及水资源使用的转移、灌渠节水改造的实施、种植结构的调整、灌溉面积的变化、用水结构的变化等,改变下垫面情况,改变产流、汇流、蒸散发、入渗、排泄等水循环特性,影响了水资源演化过程。

干旱区一切生态系统都是围绕水而演变的,当区域水循环过程发生改变时,区域生态系统结构也将发生相应的调整,研究人工干扰下的区域水循环演变规律是探求生态系统演变的基础。在灌溉绿洲区,由于大量的灌溉用水入渗补给,使地下水位升高,在维系了人工系统和自然系统的同时,也导致潜水蒸发消耗的加大。随着我国节水型社会的建设,大规模的节水工作正在轰轰烈烈地开展,在当前普遍发生水资源短缺的情况下,应采取大量节水灌溉技术和设备,为农业增产作出重要贡献。但这些高效用水技术在充分利用水资源的同时,对水文和环境有巨大的影响。渠道防渗提高了输水的渠系利用系数,但减少了地表水对地下水的补给,引起地下水位的下降,使得主要依靠地下水补给的区域生态系统的水资源消耗受到严重影响,河流湖泊等自然水体的循环通量减少,影响水体自身生态系统健康发展。因此,研究自然－人工复合作用下水循环演变规律对于探求区域适宜节水潜力、维持区域良好的生态状态具有重要意义。

五、水资源约束条件下的区域经济社会发展方向

绿洲的生存与发展受水资源制约。水资源不足是绿洲经济发展根本性的制约因素,降水稀少而蒸发强烈使绿洲在水平衡中处于水资源亏损状态。一定的水资源量只能维持一定面积的绿洲,随着绿洲面积的扩大,水资源的净蒸发消耗也将扩大。当绿洲整体蒸发损失持续大于绿洲地表、地下水源输入时,绿洲的沙漠化过程就将产生。所以,绿洲开发应以绿洲保护为前提,绿洲经济体系的构建应侧重于绿洲开发的深度而不是广度。绿洲发展过程中的缺水现象主要来自耗水规模的扩大、耗水结构的不合理及用水水平的落后。资源的稀缺性是区域发展过程中的一种普遍现象,因此来自资源的限制在区域发展过程中具有一定的必然性,关键在于如何去缩小这种限制。

干旱绿洲区经济社会发展必须统筹社会发展、经济建设、生态保护与水资源的关系,从社会系统的高度规划区域经济社会发展,建立适用于区域水资源条件的经济和社会发展体系。优化经济社会结构与布局,建立节水型的宏观经济生态体系,提高水资源利用效率,通过产业和用水结构调整,提高单方水的经济效益。不断完善基础工程设施,推广新技术,加强管理,提升水资源管理水平,提高水资源利用率,保障生态环境用水需求和经济

社会用水需求。改革传统水管理体制,建立水资源、水务和水工程管理的有效组织形式。合理安排经济产业布局和生态建设重点,实现区域水量平衡、水土平衡、粮食平衡等,使区域经济社会系统在更高的发展水平上达到新的生态环境平衡。

方法篇

第四章　经济社会发展与需水预测模型

第一节　宏观经济社会发展预测模型

宏观经济社会预测模型由区域经济发展预测模型、水资源投入产出模型、虚拟水贸易计算三部分组成。区域经济发展预测模型侧重于区域经济发展的宏观分析,对国民经济的总体发展状况进行量化,最终得出经济社会发展的程度;而投入产出模型则侧重于产业结构方面的分析预测,体现的是国民经济体系中各个产业的关联关系以及各个产业的发展状况,特别是水资源的开发利用状况对经济发展的影响和关联关系;虚拟水是通过商品交易即贸易来实现的,它是根据水资源投入产出中的相关系数,结合水平年的货物进出口量,来计算虚拟水贸易量。

一、区域经济社会发展预测模型

经济社会发展预测的主要方法有两类:结构化预测法和非结构化预测法。结构化预测是指借助于物理原型或数学方法建立定量化模型进行预测,常用的方法有确定性预测法、回归预测法、马尔可夫预测法和灰色预测法。非结构预测主要是通过定性分析和经验判断给出预测结论的方法,主要方法有专家会议法、德尔菲(Delphi)预测法、交叉影响分析法等,这种预测方法适用于在找不到合适的物理原型和数学方法,或得不到足够的数据信息,无法建立定量预测模型的情况下采用。

在结构化预测方法中,结合资料收集情况,区域经济社会发展预测模型可以回归分析法为基础,建立经济社会发展预测模型,对区域经济发展状况进行预测。回归分析法用于分析、研究一个变量(被解释变量)与一个或多个其他变量(解释变量)的依存关系,其目的就是依据一组已知的或固定的解释变量之值,来估计或预测被解释变量的总体均值。建立经济发展预测模型,模型一般要经过四个步骤:建立理论模型、估计模型中的参数、检验估计的模型和应用模型进行定量分析,见图4-1。

(一)主要经济统计指标

1. 国内生产总值(GDP)

国内生产总值是一个国家(或地区)所有常住单位在一定时期内生产活动的最终成果。它有三种表现形态,从生产的角度看,国内生产总值是一国家(或地区)各经济部门在一定时期内所生产的全部最终产品的价值,也就是各部门生产创造的增加值的总和。

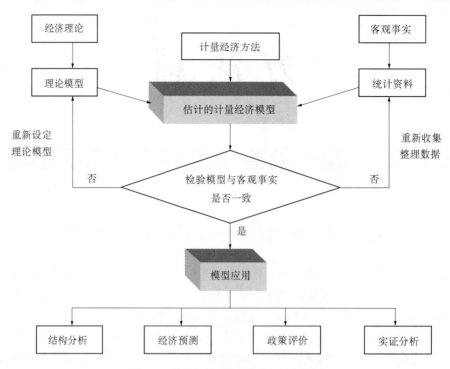

图 4-1 社会经济预测模型建立流程图

对应 GDP 的第一种计算方法——生产法:GDP = 总产出 - 中间投入。

从收入分配角度看,国内生产总值是由诸生产要素的收入构成的,也就是各部门生产要素的收入,即劳动报酬和资本报酬相加之和。对应 GDP 的第二种计算方法——收入法:GDP = 劳动者报酬 + 生产税净额 + 固定资产折旧 + 营业盈余。

从使用的角度看,国内生产总值是一定时期内全社会的最终产品是被用于同期全社会的最终使用、积累和消费。对应 GDP 的第三种计算方法——支出法:GDP = 总消费 + 总投资 + 净出口。

2. 国民总收入(GNI)

国民总收入即国民生产总值,指一个国家(或地区)常住单位在一定时期内收入初次分配的最终结果。一个国家(或地区)常住单位从事生产活动所创造的增加值在初次分配中主要分配给该国(或地区)的常住单位,但也有部分以生产税及进口税(扣除生产和进口补贴)、劳动者报酬和财产收入等形式分配给非常住单位,同时,国外(或非本地区)生产所创造的增加值也有部分以生产税及进口税(扣除生产和进口补贴)、劳动报酬和财产收入等形式分配给该国(或地区)的常住单位,从而产生了国民总收入的概念。它等于国内生产总值加上来自国外(或非本地区)的净要素收入。与国内生产总值不同是,国民总收入是个收入概念,而国内生产总值是个生产概念。

3. 三次产业

三次产业的划分是世界上较为常用的产业结构分类,但各国的划分不尽一致,我国的三次产业划分是:第一产业是农、林、牧、渔业;第二产业是指采矿业、制造业、建筑业、电力、煤气及水的生产和供应业;第三产业是指除第一、第二产业以外的其他行业。

4. 固定资产投资

固定资产投资是以货币形式表现的在一定时期内全社会建造和购置固定资产的工作量以及与此有关的费用的总称。该指标是反映固定资产投资规模、结构和发展速度的综合性指标，又是观察工程进度和考核投资效果的重要依据。按照管理渠道，可分为基本建设、更新改造、房地产开发投资和其他固定资产投资四个部分。

5. 支出法国内生产总值

支出法国内生产总值指从最终使用的角度反映一个国家（或地区）一定时期内生产活动最终成果的一种方法，包括最终消费、资本形成总额及货物和服务净出口三部分。计算公式为：支出法国内生产总值＝最终消费＋资本形成总额＋货物和服务净出口。

6. 最终消费

最终消费指常住单位为满足物质、文化和精神生活的需要，从本国经济领土和国外购买的货物和服务的支出。它不包括非常住单位在本国经济领土内的消费支出，最终消费分为居民消费和政府消费。

7. 资本形成总额

资本形成总额指常住单位在一定时期内获得减去处置的固定资产和存货的净额，包括固定资本总额和存货增加两部分。

8. 固定资产形成总额

固定资产形成总额指生产者在一定时期内获得的固定资产减去处置的固定资产的价值总额。固定资产是通过生产活动生产出来的，且其使用年限在一年以上，单位价值在规定标准以上的资产，不包括自然资产。可分为有形固定资本形成总额和无形固定资本形成总额。有形固定资本形成总额包括一定时期内完成的建筑工程、安装工程和设备工器具购置（或减置）价值，以及土地改良，新增役、种、奶、毛、娱乐用牲畜和新增经济林木价值。无形固定资本形成总额包括矿藏的勘探、计算机软件等获得减去处置。

9. 货物和服务净出口

货物和服务净出口指货物和服务出口减货物和服务进口的差额。出口包括常住单位向非常住单位出售或无偿转让的各种货物和服务的价值；进口包括常住单位从非常住单位购买或无偿得到的各种货物和服务的价值。由于服务活动的提供与使用同时发生，一般把常住单位从非常住单位得到的服务作为进口，非常住单位得到的服务作为出口。货物的出口和进口都按离岸价格计算。

（二）模型原理及结构

区域经济发展预测模型是以经济学和区域经济发展理论为基础，以计量经济学为工具而建立的一种模型，该模型通过分析经济社会运行过程中生产、分配、消费各个环节中人口和劳动力、增加值、财政金融、投资、居民收入和消费、进出口等经济要素的相互关联关系建立模型方程，利用线性分析软件，根据历史数据率定方程参数，经过对参数的检验得出预测模型，最后利用模型对经济社会发展状况进行预测。

国民经济的运转是一个复杂的系统，要想对国民经济发展进行定量的研究，必须把经济系统模型化，在考虑数据可获得性的情况下，把整个模型分成六个模块，即人口和劳动力模块、GDP及各产业增加值模块、财政与金融模块、投资模块、居民收入模块和居民消费模块,在各个模块中,GDP及各产业增加值模块是国民经济发展的重点,是推动国民经济各部门运转的中心环节,它由全社会固定资产投资及社会从业人员决定,在一定的社会生产率状况下,劳动力的多寡以及投资的额度直接决定了社会财富的增加,是GDP增长的直接动因;人是物质的生产者,也是物质的消费者,人口的增加使得社会劳动力随之增加,创造出更多的社会财富,GDP会有所增加,但是人口的增长也会导致更多的人来分享社会财富,导致人均占有的社会财富减少;社会财富(GDP)由固定资产折旧、企业盈余、劳动者报酬以及政府财政收入几部分组成,劳动者报酬即是模型中的居民收入模块。居民收入一部分用于消费,另一部分形成居民储蓄,政府财政收入中一部分为了保证机构的正常运转而形成消费,另一部分则形成政府财政储蓄,与居民储蓄共同组成社会金融部门的储蓄,通过金融部门,储蓄形成贷款,用于社会生产再投入,形成固定资产投资,用于扩大再生产,创造更多的社会价值。各个模块之间的具体关系如图4-2所示。每个模块又分别包含若干个变量,详见表4-1。

表4-1　模型变量

模块	变量
人口和劳动力模块	总人口($TPOP$)、城镇人口(TPT)、农村人口(TPR)、社会劳动力资源(LR)、第一产业劳动力(LRR)、第二产业劳动力(LI)、第三产业劳动力(LT)
GDP及各产业增加值模块	国内生产总值($GDPF$)、第一产业增加值($V1F$)、第二产业增加值($V2F$)、第三产业增加值($V3F$)
财政与金融模块	财政总收入(FIF)、金融机构资金来源合计($CFIF$)、中长期贷款($LOANF$)
投资模块	固定资产总投资(IIF)、第一产业固定资产投资(IRF)、第二产业固定资产投资($IINF$)、第三产业固定资产投资(ITF)、总固定资产(FA)、第一产业固定资产($FARF$)、第二产业固定资产($FAIF$)、第三产业固定资产($FATF$)
居民收入模块	农村居民纯收入($ICRF$)、城镇居民纯收入($ICTF$)
居民消费模块	农村居民消费(CRF)、城镇居民消费(CTF)

(三)模型方程的建立

应用计量经济学进行研究的第一步,就是用数学关系式表示所研究的客观经济现象,即构造数学模型方程。根据所研究的问题与经济理论,找出经济变量间的因果关系及相互间的联系。把要研究的经济变量作为被解释变量,影响被解释变量的主要因素作为解释变量,影响被解释变量的非主要因素及随机因素归并到随机误差项,建立计量经济数学模型。计量经济学中能反映被解释变量和解释变量解释关系的回归模型主要有三种:线性函数模型、半对数线性需求函数模型和对数线性需求函数模型。对数线性函数模型是运用比较广泛的一种模型,它的参数直观地反映了解释变量与被解释变量之间的弹性关系。通过对现有数据的分析和应用各种不同曲线类型对数据进行拟合,对数线性函数模型拟合的效果很好。构建的对数线性基本模型方程为:

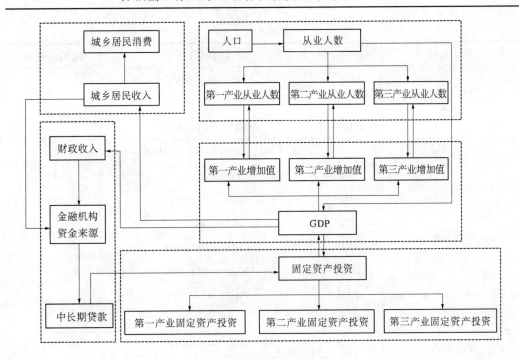

图 4-2 经济发展预测模型结构

$$\ln M = \beta_1 \ln K + \beta_2 \ln L + \cdots + \mu \tag{4-1}$$

式中:M 表示被解释变量;K、L…表示解释变量;β_1、β_2…都是参数;μ 是随机变量。

结合模型结构中各模块的相互关系以及具体情况,各个模型方程中被解释变量的解释变量见表4-2。表中的解释变量为暂定量,在参数确定的过程中还需要根据模型检验的条件对各被解释变量的解释变量进行调整。

表 4-2 模型方程变量解释关系

模块名称	被解释变量	解释变量	随机误差项
人口和劳动力模块	$TPOP$	$TPOP(-1)$、$TPOT(-2)$、$TPOP(-3)$	C
	TPT	$TPT(-1)$、$TPOP$、	C
	TPR	$TPOP$、TPT	C
	LR	$LR(-1)$、$TPOP$	C
	LRR	$LRR(-1)$、LR、$(V1F/GDPF)$	C
	LI	$LI(-1)$、LR、$(V2F/GDPF)$	C
	LT	LR、LRR、LI	
GDP 及各产业增加值模块	$GDPF$	$GDPF(-1)$、FA、LR	C
	$V1F$	$GDPF$、LRR	C
	$V2F$	$GDPF$、LI	C
	$V3F$	$GDPF$、LT	C

续表 4-2

模块名称	被解释变量	解释变量	随机误差项
财政与金融 模块	FIF	FIF(-1)、GDPF	C
	CFIF	CFIF(-1)、FIF	C
	LOANF	LOANF(-1)、CFIF	C
投资模块	IIF	IIF(-1)、LOANF(-1)、GDPF(-1)	C
	IRF	IRF(-1)、IIF	C
	IINF	IRF(-1)、IINF	C
	ITF	IRF(-1)、ITF	C
	FA	FARF、FAIF、FATF	
	FARF	FARF(-1)、IRF	
	FAIF	FAIF(-1)、IINF	
	FATF	FATF(-1)、ITF	
居民收入 模块	ICRF	ICRF(-1)、V1F	C
	ICTF	ICTF(-1)、V2F、V3F	C
居民消费 模块	CRF	CRF(-1)、ICRF	C
	CTF	CTF(-1)、ICRF	C

注:$TPOP(-1)$表示上年总人口数,以此类推;C指拟合模型参数时的常数项。

(四)参数率定及模型检验

采用 Eviews 计量经济软件包进行模型参数的预测,对方程进行模型方程的回归分析需要经过以下几个步骤:建立工作文件、建立对象、数据输入、模型方程参数预测、方程检验等。

1. 模型参数估计方法

利用样本数据估计回归模型中的参数时,为了选择适当的参数估计方法,提高估计精度,通常需要对模型的随机误差和解释变量的特性事先做出假定,此处所用的函数模型均采纳经济计量学中关于建立模型的假设。在进行回归模型的参数估计时,常用的方法有最小二乘估计(OLS)和极大似然估计(ML)。对模型参数估计量的评价标准有三点:无偏性、有效性和一致性。根据著名的高斯·马尔可夫定理:"在古典回归模型的若干假定成立的情况下,最小二乘估计是所有线性无偏估计量中的有效估计量",它表明:最小二乘估计与其他方法得到的任何线性无偏估计量相比,具有方差最小的特征,所以最小二乘估计是"最佳线性无偏估计量"。在进行回归模型的参数估计时,采用最小二乘法估计。

2. 模型检验

模型参数的预测与模型检验是一个交互的过程,利用样本数据估计得到的样本回归方程,只是对总体回归方程的一个近似估计模型,所估计的模型是否确切地反映了经济变量之间的相互关系还需要进行检验。因此,在得出模型参数之后,需要对模型的准确性和可靠性进行验证,如果检验项目未能通过,则应重新确定模型方程的解释变量,重新估计,直至模型参数符合检验要求。结合模型的理论要求以及客观实际,应对以下几个方面进行检验。

1)经济检验

主要检验参数估计值的符号以及数值的大小在经济意义上是否合理。例如在消费函数中,消费应该随着收入的增加而增加,但消费增长的幅度应低于收入增长的幅度,所以系数的估计值应该介于 0 ~ 1 之间。

2)统计检验

统计检验的目的是验证估计结果的可靠性,主要包括以下几个方面的检验:

(1)模型拟合优度检验。所谓拟合优度即模型对样本数据的近似程度由于实际观察得到的样本数据是客观事实的一种真实反映,因此模型至少应该能较好地描述这一部分客观实际情况。模型中通过判定系数 R^2 作为判定标准。判定系数不仅反映了模型拟合程度的优劣,而且有直观的经济含义:它定量地描述了被解释变量的变化中可以用回归模型来说明的部分,即模型的可解释程度。

(2)模型的显著性检验。判定系数检验只能说明模型对样本数据的近似情况,但建立计量经济模型的目的是为了描述总体的经济关系,因此需要进行模型的显著性检验。所谓模型的显著性检验就是检验模型对总体的近似程度。模型中通过 F 检验作为评价标准,保证 $F > F_a$。

(3)解释变量的显著性检验。模型通过了 F 检验,表明模型中所有的解释变量对被解释变量的“总影响”是显著的,但这并不保证模型中的每一个解释变量都对被解释变量有重要影响。在设定模型的时候,根据经济理论设定的解释变量有一些实际上并不重要、或其影响可以由其他变量代替。为了使模型更加简单、合理,应该剔除这些不重要的变量,因此要对模型中每个解释变量的显著性进行检验。模型中使用 t 检验作为判断标准,保证 $t > t_{\alpha/2}$。

3)预测性能检验

预测性能检验的主要目的是检验模型参数估计量的稳定性,以及模型对样本期以外客观事实的近似描述能力。

二、水资源投入产出模型

投入产出分析的创始者是美国经济学家列昂节夫。其投入产出分析的理论基础是法国经济学家里昂·瓦尔拉的全部均衡理论(又可译为一般均衡理论),全部均衡是与马歇尔的局部均衡相对而言的。它以边际效用价值论为基础,建立全面均衡的价格决定基础模型,用数量方法论证所谓纯粹的经济理论体系。

全部均衡论认为,各种经济现象之间的关系都可以表现为数量关系,这种数量关系全面地相互依存、相互影响,并在一定条件下达到均衡。例如,一种商品的供给、需求和价格都并不是独立的,而是相互作用的,当每种商品的供给和需求相等时,整个价格体系就形成全部均衡。因此,要确定某些经济变量的值,就不应只采用因果的方法去寻求每个经济变量的唯一决定因素,而必须把这些经济变量间的关系表现为函数关系,并用方程组来同时求得它们的解。即任何一种商品的需求和供给，不仅是这一商品价格本身的函数，而且也是所有其他商品价格的函数。

列昂节夫认为，投入产出分析是全部均衡方程体系的简化方案，即列昂节夫吸取了运用代数联立方程式这种数学工具来描述国民经济各个部门间错综复杂、相互依存关系的方法，并把全部均衡模型予以简化。

水资源投入产出模型是以区域经济发展理论为基础，利用数学模拟方法研究各部门产品的投入与产出之间的数量关系和数学规律，以棋盘式平衡表形式反映国民经济中各部门在产品的生产与消耗之间的相互联系，包括直接联系与间接联系。利用它可以计算部门关联度及各种乘数，通过这些乘数可以分析当地水资源与不同经济部门的关联状况。

（一）投入产出表

列昂节夫解释说，"一个表扼要地概括一个经济系统中所有部门各种投入的来源和所有各类产出的去向，这个表就叫做投入产出表"。若将整个国民经济划分为 n 个部门，利用投入产出原理，就可以编制一份全国性的价值投入产出表，如表4-3 所示。

表4-3　价值型投入产出表

		中间产品				最终产品							总产品
		部门1	部门2	…	部门 n	小计	固定资产更新大修理	增加库存及国家储备	消费	积累	出口	进口	小计	
劳动对象消耗	部门1	x_{11}	x_{12}	…	x_{1n}	$\sum_{j=1}^{n} x_{1j}$			C_1				y_1	x_1
	部门2	x_{21}	x_{22}	…	x_{2n}	$\sum_{j=1}^{n} x_{2j}$			C_2				y_2	x_2
	…	…	…	I	…	…		II	…				…	…
	部门 n	x_{n1}	x_{n2}	…	x_{nn}	$\sum_{j=1}^{n} x_{nj}$			C_N				y_n	x_n
	小计	$\sum_{i=1}^{n} x_{i1}$	$\sum_{i=1}^{n} x_{i2}$	…	$\sum_{i=1}^{n} x_{in}$	$\sum_{i=1,j=1}^{n} x_{ij}$			$\sum_{i=1}^{n} c_i$				$\sum_{i=1}^{n} y_i$	$\sum_{i=1}^{n} x_i$
固定资产折旧		D_1	D_2	…	D_n	$\sum_{j=1}^{n} D_j$			IV					
活劳动消耗	劳动报酬	v_1	v_2	…	v_n	$\sum_{j=1}^{n} v_j$								
	社会纯收入	m_1	m_2	III	m_n	$\sum_{j=1}^{n} m_j$								
	小计													
总投入		x_1	x_2	…	x_n	$\sum_{j=1}^{n} x_j$								

表4-3 中：x_{ij} 表示部门间的产品流量，从纵列看，它表示生产第 j 部门总产品 x_j 的过程

中对第 i 部门产品的消耗量,从横行看,解释为第 i 部门总产品 x_i 中用做劳动对象消耗的数额;x_i 表示第 i 部门的产品总量或总投入量;y_i 表示第 i 部门的最终产品总量,即在第 i 部门的产品 x_i 中可供社会最终需求的产品,用于增加固定资产、居民或团体消费、增加库存及国家储备以及出口需要等几方面;D_j 表示第 j 部门在生产过程中所消耗的固定资产价值,即固定资产折旧额;v_j 表示第 j 部门在生产过程中所支付的劳动报酬的数额,如工资、资金等;m_j 表示第 j 部门的劳动者所创造的社会纯收入的数额,如利润、税金等。

投入产出表可以分为四个象限。左上方第一象限由部门流量组成 x_{ij},反映部门之间的生产技术联系;第二象限由最终产品的使用去向组成;左下方第三象限由国民收入(增加值)组成,反映了国民经济生产效益及其结构;右下方的第四象限是最初投入和最终产出进一步细分的情况,在一定意义上表现了国民收入(增加值)从生产经过分配、再分配而达到最终使用的过程。第一象限和第三象限组成了投入表的竖表,表明各部门产品的投入来源和费用结构;第一象限和第二象限组成了投入产出表的横表,表明各部门产品的分配去向和使用结构。

(二)投入产出模型

根据投入产出表的平衡关系建立的数学模型称为投入产出模型,依据平衡关系的横行和纵行可以分别建立总的平衡关系。

$$\sum_{j=1}^{n} X_{ij} + Y_i = X_i \qquad i = 1, \cdots, n \tag{4-2}$$

式中:$\sum_{j=1}^{n} x_{ij}$ 为 i 部门提供的供各部门使用的中间产出;Y_i 为第 i 部门提供的最终产出;X_i 为第 i 部门的总产出。

1. 直接消耗系数

在投入产出方程式(4-2)中,是以流量的形式表示各部门之间的投入产出关系的。为了描述各经济部门间的生产技术联系关系,通常引入直接消耗系数指标。

$$a_{ij} = \frac{x_{ij}}{x_j} \qquad i,j = 1,2,\cdots,n \tag{4-3}$$

a_{ij} 为直接消耗系数,其经济意义为:第 j 部门生产单位直接消耗第 i 部门的产品的数量。显然 $0 < a_{ij} < 1$,将式(4-2)用矩阵形式表示为:

$$AX + Y = X \tag{4-4}$$

其中,$A = (a_{ij})_{n \times n}$,$X = (x_1, x_2, \cdots, x_n)^T$,$Y = (y_1, y_2, \cdots, y_n)^T$,称 A 为直接消耗系数矩阵(或投入矩阵),由式(4-4)可得:

$$Y = (I - A)X \tag{4-5}$$

下面简要证明 $I - A$ 为非异矩阵,由于每个部门在生产过程中所消耗的各部门的产品总量小于该部门总产出,从而有:

$$\sum_{i=1}^{n} x_{ij} < x_j \qquad j = 1,2,\cdots,n$$

即

$$\left(\sum_{i=1}^{n} a_{ij} \right) x_j < x_j \qquad j = 1,2,\cdots,n$$

经济生态系统广义水资源合理配置

由于 $x_j > 0$,故

$$\sum_{i=1}^{n} a_{ij} < 1 \qquad j = 1,2,\cdots,n \tag{4-6}$$

从而说明 $I-A$ 为严格对角占优阵,因此 $I-A$ 为非异阵,即 $(I-A)^{-1}$ 存在,故有

$$X = (I-A)^{-1}Y \tag{4-7}$$

称 $B \triangleq (I-A)^{-1}Y$ 为列昂节夫逆阵。

2. 完全消耗系数

在实际生产过程中,各部门之间的消耗关系往往相当复杂,除了直接消耗各部门的产品外,还要通过中间需求消耗某些产品,这种消耗称为间接消耗。只有将直接消耗和间接消耗一起考虑,才能充分反映各部门之间的联系,将直接消耗和间接消耗总和称为完全消耗。

由直接消耗系数的经济含义可知,为了提供数量为 Y 的最终产品,需要直接消耗的产量为:

$$W_1 = AY \tag{4-8}$$

而为了提供数量为 W_1 的产品,在生产过程中又要消耗 n 个部门的产品数量为:

$$W_2 = AW_1 \tag{4-9}$$

如此类推下去,为了提供数量为 Y 的最终产品,在生产过程中对各个部门的完全消耗量为:

$$W = W_1 + W_2 + \cdots = AY + A^2Y + \cdots = (A + A^2 + \cdots)Y \tag{4-10}$$

又因为矩阵 A 的列范数 $\|A\| = \max\limits_{1 \leqslant j \leqslant n} \sum\limits_{i=1}^{n} |a_{ij}| < 1$,所以矩阵级数 $\sum\limits_{k=1}^{w} A^K$ 收敛,且其各为 $(I-A)^{-1} - I$,于是完全消耗量为:

$$W = \left[(I-A)^{-1} - I \right] Y \tag{4-11}$$

而称 $C \triangleq (I-A)^{-1} - I \triangleq (c_{ij})_{n \times n}$ 为完全消耗系数矩阵,其中 c_{ij} 表示提供 j 部门单位产品对第 i 部门产品的完全消耗量。由完全消耗系数 C 矩阵与直接消耗系数矩阵 A 之间的关系式:

$$C = (I-A)^{-1} - I = \left[I - (I-A) \right](I-A)^{-1} = A(I-A)^{-1}$$

可得

$$C(I-A) = A \tag{4-12}$$

即

$$C = A + CA$$

或写成

$$c_{ij} = a_{ij} + \sum_{k=1}^{n} c_{ik}a_{kj} \qquad i,j = 1,2,\cdots,n \tag{4-13}$$

这说明单位产品的完全消耗 c_{ij} 由两部分组成:一部分是第 j 部门对第 i 部分的直接消耗 a_{ij},另一部分是第 j 部门单位产品在生产过程中通过中间环节对第 i 部门的间接消耗,即 $\sum\limits_{k=1}^{n} c_{ik}a_{kj}$,因此完全消耗系数反映了各个部门之间的直接消耗和间接消耗的总关系。

3. 完全需要系数(列昂节夫逆系数)

完全需要系数是指单位最终产品的生产对总产出的全部需要量。其计算公式为:

$$\bar{B} = (I - A)^{-1} \tag{4-14}$$

完全需要系数 $\bar{B}$ 与完全消耗系数 C 的差别仅在于前者包括被生产的最终产品本身(出现在对角线上),后者不包括。

(三)水资源投入产出表

将水资源作为产业部门直接纳入投入产出表进行核算,即可形成水资源投入产出表,进而可对水资源进行宏观分析。水资源投入产出表如表4-4所示。

表 4-4 水资源投入产出表

投入＼产出		中间使用					最终使用								调入	调出	合计	总产品
							消费				积累							
		行业1	行业2	…	行业n	合计	城居	农居	社会	合计	固定	流动	合计					
中间投入	行业1	X_{11}	X_{12}	…	X_{1n}	U_1	C_1^c	C_1^r	C_1^s	C_1	F_1^f	F_1^s	F_1		M_1	E_1	Y_1	X_1
	行业2	X_{21}	X_{22}	…	X_{2n}	U_2	C_2^c	C_2^r	C_2^s	C_2	F_2^f	F_2^s	F_2		M_2	E_2	Y_2	X_2
	…	…	…	I	…	…	…	…	…	…	…	…	…	II	…	…		…
	行业n	X_{n1}	X_{n2}	…	X_{nn}	U_n	C_n^c	C_n^r	C_n^s	C_n	F_n^f	F_n^s	F_n		M_n	E_n	Y_n	X_n
	合计	τ_1	τ_2	…	τ_n	τ	C^c	C^r	C^s	C	F^f	F^s	F		M	E	Y	X
最初投入	折旧	D_1	D_2	…	D_n	D												
	劳动者收入	V_1	V_2	III	V_n													
	利润和税金	Z_1	Z_2	…	Z_n	Z								IV				
	合计	N_1	N_2	…	N_n	N												
总投入		X_1	X_2	…	X_n	X												
用水量	行业1	W_1	0	…	0	W_1												
	行业2	0	W_2	…	0	W_2												
	…	…	…	V	…	…												
	行业n	0	0	…	W_n	W_n												
	合计	W_1	W_2	…	W_n													

与投入产出表不同之处在于,水资源投入产出表增加了第五象限,第五象限主要反映经济行业对水的占用情况,为对角矩阵。

引进第 j 行业用水定额(水占用系数,也称为直接用水系数) Q_j,设定矩阵 Q 是由 Q_j

组成对角矩阵,表 4-4 中第五象限的矩阵形式表示为:

$$W = XQ \tag{4-15}$$

式中:W 为各经济行业用水行向量,$W = W_1, W_2, \cdots, W_n$。

(四)投入产出方法分析国民经济用水模型的基本原理

1. 用水效率分析

经济行业用水效率可采用水的投入系数来反映,水的投入系数包括直接用水系数、完全用水系数及用水乘数。

1)直接用水系数

直接用水系数表示各部门在生产一单位产品的过程中所投入的自然形态的水资源量。可以用万元产值或万元增加值用水量表示,反映经济行业单位产品的生产对水资源的耗用水平。第 j 行业万元产值用水量公式为:

$$Q_j^x = W_j / X_j \qquad j = 1, 2, \cdots, n \tag{4-16}$$

第 j 行业万元增加值用水量公式为:

$$Q_j^N = W_j / N_j \qquad j = 1, 2, \cdots, n \tag{4-17}$$

2)完全用水系数

完全用水系数是指一个部门增产一单位产品整个经济体系总用水量的增加量,可用来分析经济行业发展用水量与整个经济系统用水量的关系。同样,完全用水系数可分为万元产值完全用水量和万元增加值完全用水量。

将矩阵 Q 左乘公式(4-7),则有:

$$QX = Q(I-A)^{-1} Y$$

设定完全用水矩阵为:

$$\bar{B}Q = Q(I-A)^{-1} = [\bar{b}q_{ij}]_{n \times n}$$

则完全用水系数为:

$$\bar{B}q_j = \sum_{i=1}^{n} cq_{ij} \tag{4-18}$$

根据产值与增加值之间的关系,则万元增加值完全用水量计算公式为:

$$\bar{B}q_j^N = \bar{B}q_j / r_j \tag{4-19}$$

式中:r_j 为第 j 经济部门增加值率。

3)用水乘数

用水乘数是指某一行业增加单位用水量整个经济系统所增加的用水量,用于反映经济行业发展的用水乘数效应。

第 j 行业万元产值用水量乘数计算公式为:

$$MW_j = \bar{B}q_j / Q_j = \bar{B}q_j^N / Q_j^N \tag{4-20}$$

2. 用水效益分析

1)直接产出系数

直接产出系数是指某一行业单用水量所生产的产值量或增加值量。其含义为某行业生产每增加或减少 1 m^3 水,该行业增加或减少的产值量或增加值量,该指标可反映经济行业生产用水的直接经济效益。

第 i 行业单方水产值产出系数为：

$$O_i = X_i / W_i = 10\ 000 / Q_i^X \quad i = 1, 2, \cdots, n \tag{4-21}$$

第 i 行业单方水增加值产出系数为：

$$O_i^N = N_i / W_i = O_i \times r_i \quad i = 1, 2, \cdots, n \tag{4-22}$$

2）完全产出系数

完全产出系数用以反映某一经济行业增加或减少单方用水量所引起的整个经济系统经济价值量的变化量。完全产出系数是从经济系统角度评价行业用水的效益。包括该行业本身的效益和其他行业的间接效益两部分。

引进对角矩阵 $O, O = [O_{ij}], O_{ij} = O_i = O_j (i = j)$，设定完全产出矩阵 $\overline{BO}$，则：

$$\overline{BO} = (I - A)^{-1} O = [\overline{BO}_{ij}]_{n \times n}$$

则对第 j 行业完全产出系数为：

$$\overline{BO}_j = \sum_{i=1}^{n} \overline{BO}_{ij} \tag{4-23}$$

根据产值与增加值之间的关系，水的增加值完全产出系数计算公式为：

$$\overline{BO}_j^N = \overline{BO}_j \times r_j \tag{4-24}$$

3）产出乘数

某一行业产出乘数为该行业每增加单位价值量所引起的整个经济系统经济产出价值增加量，用于反映经济行业用水的产出乘数效应。第 j 行业产出乘数计算公式为：

$$MO_j = BO_j / O_j = \overline{BO}_j^N / O_j^N \tag{4-25}$$

3. 经济用水特性综合评价指标

用水特性综合分析就是从行业用水的水投入系数和行业用水的水产出系数两方面，分析比较水的投入与产出关系及其对经济系统的影响程度，以判定和权衡节水高效型国民经济产业结构的调整方向。

1）耗用水特性指标

（1）相对用水系数。某经济行业相对用水系数为该行业直接用水系数和经济系统综合平均直接用水系数的比值。该指标可以分析比较不同经济行业用水水平的高低。计算公式为：

$$RQ_j^x = Q_j^x / Q_0^x \tag{4-26}$$

其中

$$Q_0^x = \sum_{j=1}^{n} W_j / \sum_{j=1}^{n} x_j$$

$$RQ_j^N = Q_j^N / Q_0^N \tag{4-27}$$

其中

$$Q_0^N = \sum_{j=1}^{n} W_j / \sum_{j=1}^{n} N_j$$

式中：RQ_j^x 和 RQ_j^N 分别为第 j 行业产值相对用水系数和增加值相对用水系数；Q_0^x 和 Q_0^N 分

别为系统产值和增加值综合平均用水系数。当某行业相对用水系数等于 1，表明该行业用水水平与整个经济系统用水水平持平；相对用水系数大于 1，则表明其用水水平高于平均水平，相对用水系数小于 1，则表明其用水水平低于平均水平。

（2）相对用水乘数。某经济行业相对用水乘数为该行业用水乘数与经济系统平均用水水平的比值。该指标主要反映各经济行业用水量的变化对经济系统用水总量的影响程度。相对用水乘数越大的行业，其生产用水对经济系统总用水量的增加贡献越大，反之则越小。其计算公式如下：

$$RMW_j = MW_j \Big/ \left(\sum_{j=1}^{n} MW_j/n \right) \qquad （n \text{ 为行业数}） \qquad (4-28)$$

相对用水系数与相对用水乘数是从经济系统的角度，比较分析各行业用水特性及其对系统影响程度，可以作为评价水量消耗规律的基本参考依据。

（3）相对用水结构系数。相对用水结构系数的计算公式为：

$$RS_j = (W_j/W_0) \Big/ \left[\sum_{j=1}^{n} (W_j/W_0)/n \right] \qquad （j \text{ 为行业序号}，n \text{ 为行业数}） \qquad (4-29)$$

式中：W_0 为总用水量，$W_0 = \sum_{j=1}^{n} W_j$。

由上述指标分析，相对用水结构系数或相对用水系数大于 1 的行业为高用水行业，相对用水结构系数大于 1，表明该行业用水水平大于系统的平均水平；相对用水系数大于 1，表明该行业生产单位产品所用水量大于经济系统的平均水平，这些行业定义为高用水行业，其判别标准为：

$$RQ_j^x \text{ 或 } RQ_j^N > 1 \quad \text{ 或 } RS_j > 1 \qquad (4-30)$$

一般用水行业：相对用水乘数和相对用水系数均小于 1 的行业可以定义为一般用水行业。其判别标准为：

$$RQ_j^x \text{ 或 } RQ_j^N < 1 \quad \text{ 或 } RS_j < 1 \qquad (4-31)$$

潜在高用水行业：相对用水乘数大于 1 的行业为潜在高用水行业，其判别标准为：

$$RMW_j > 1 \qquad (4-32)$$

潜在一般用水行业：相对用水乘数小于 1 的行业，其判别标准为：

$$RMW_j < 1 \qquad (4-33)$$

2）产出特性指标

（1）相对产出系数。某经济行业用水相对产出系数为该行业水的产出系数与经济系统平均产出系数的比值。其计算公式如下：

$$RO_j^x = O_j/O_0 \qquad (4-34)$$

其中

$$O_0 = \sum_{j=1}^{n} X_j \Big/ \sum_{j=1}^{n} W_j = 10\,000/Q_0$$

$$RO_j^N = O_j^N/O_0^N \qquad (4-35)$$

其中

$$O_0^N = \sum_{j=1}^{n} N_j \Big/ \sum_{j=1}^{n} W_j = 10\,000/Q_0^N$$

（2）相对产出乘数。相对产出乘数为该行业行业产出乘数与经济系统平均产出乘数的比值。经济系统平均产出乘数为各行业产出乘数的平均值。显然，相对产出乘数越大的行业，其用水对经济系统经济贡献越大，反之则越小。

（五）直接消耗系数矩阵预测与修订

使用投入产出表主要是利用它所反映的物质技术联系，而这种联系主要是通过直接消耗系数反映出来的。直接消耗系数在时间上有不稳定性，这是因为由于工艺的改进（如新材料的应用、生产过程的自动化、新技术的应用等）、相对价格的变动（如其他部门 W 产品提价、增加工资、提高税率等）和新工业的出现（如计算机产业、宇航工业等），都会使直接消耗系数发生变化。不过，由于对投入产出模型所作的同质性和比例性的假定，使得某一大类产品的生产过程、主要消耗结构不会经常、迅速地变动，部门间相互消耗的种类和数量，在一定时期内不会有太大的波动。其变化是缓慢、渐进的。因此，一张投入产出表所表明的实际消耗系数，在一定时期内是可以利用的，如果要提高其准确程度，可以采用将消耗系数看做时间的函数，用时间序列预测法来进行预测并用 RAS 法进行局部修订。

1. 时间序列预测法

所谓时间序列，是指按时间顺序排列的由样本值组成的离散有序集合。直接消耗系数时间序列 $Y(t)$，一般由趋势项 $A(t)$、周期项 $P(t)$、突变项 $B(t)$ 和随机项 $R(t)$ 组成，表达式如下：

$$Y(t) = A(t) + P(t) + B(t) + R(t) \tag{4-36}$$

趋势项反映的是直接消耗系数由于工艺的改进等因素而引起的多年变化趋势；周期项反映的是经济的周期性变化；突变项是表示直接消耗系数受到外部突变因素影响而形成的变化。趋势项、周期项、突变项这三项反映了直接消耗系数在时间序列中的确定性成分，把这三项分离出去，余下的就是随机项。随机项可用平稳的时间序列来分析，随机项 $R(t)$ 可分为两项：平稳时间序列项 $S(t)$ 和纯随机项 $N(t)$，即：

$$R(t) = S(t) + N(t) \tag{4-37}$$

将直接消耗系数时间序列分解成四个组成部分之后，就可按各组成项的变化规律对未来时刻进行外推，再将各项合成作为预测值。

2. RAS 法

RAS 法是英国著名经济学家斯通（Stone）及其助手提出的统计修正方法。这一方法基于这样的认识：消耗系数之所以发生变化，是因为受到了"替代效应"和"制造效应"的影响。比如，某一时期由于电力工业的发展，使得许多原来以煤为动力的部门改用电力作动力，于是在系数表上反映出来的是有关煤的这行系数均减少，而有关电的那一行系数都显著增加，这种效果就叫"替代效应"。某一时期，由于生产技术的进步和管理手段的完善，使得某个部门对各种物资的消耗都有所减少，或者由于制造工艺的变化、生产结构的变化，引起了该部门对各种物质消耗有增有减，这就会在系数表的某一列显示出来，这种对系数产生影响的效应称为"制造效应"。

RAS 法就是在这样的认识下，利用本期的已知数据，对前期的消耗系数矩阵作出修正，用来作为本期的直接消耗系数矩阵。修正的办法，是寻找反映替代效应的行乘数矩阵

R 和制造效应的列系数矩阵 S，使得在已知前期直接消耗系数矩阵 A_0 的条件下，能够求出本期的直接消耗系数矩阵 A_1，即

$$A_1 = RA_0S \tag{4-38}$$

这里 $R = diag(r_1, r_2, \cdots, r_n)$，度量了中间产品被其他产品替代或替代其他产品的程度，用替代乘数遍乘 A_0 的各行，意味着如果 i 行的一个中间产品以某种程度被其他行的产品替代，则 i 行的所有其他中间产品都按同一程度被其他行的产品替代，而 $S = diag(s_1, s_2, \cdots, s_n)$，度量了各部门在生产过程中对各种物质消耗的变动程度。同样，用制造系数乘各列，意味着如果 j 列的一个中间投入以某种程度增加的话，则所有 j 列的其他中间投入都按同一程度增加。

三、虚拟水贸易计算

（一）虚拟水与虚拟水贸易

虚拟水（Virtual water）的概念是由英国学者 Tony. Allan 于 20 世纪 90 年代首先提出的。经过不断完善，目前较精确的定义为：在生产产品和服务过程中所需要的水资源数量，被称为凝结在产品和服务中虚拟水量，它是以虚拟的形式存在的，同时也被称为"嵌入水"或外生水。

虚拟水的主要特征有三点：第一，非真实性。顾名思义，虚拟水不是真正意义上的水，而是虚拟的水，是以虚拟的形式包含在产品中的"看不见"的水。第二，社会交易性。虚拟水是通过商品交易即贸易来实现的，没有商品交易或服务就不存在虚拟水。第三，便捷性。由于实体的水贸易即跨流域调水距离较长、成本高昂，而虚拟水以"无形"的形式附在产品与服务中，相对于跨流域调水而言，其全球运输的特点使其成为提高全球或区域水资源效率、保障缺水地区水安全的有效工具。

实物贸易，从水资源利用的角度讲，也就是虚拟水贸易。如果一个地区或一个国家调出或出口水密集型产品给其他的地区或国家，实际上就是以虚拟的形式调出或出口水资源。事实上，当前国内很多水资源贫乏的地区和城市都以虚拟水的形式来解决水资源短缺问题。

（二）水资源投入产出中虚拟水贸易的计算方法

将虚拟水计算与水资源投入产出模型相结合，根据区域经济发展理论，把水量纳入国民经济行业价值型投入产出表中构造出价值型 – 实物型混合性投入产出表，通过计算分析得出经济贸易调水量。由于此方法是与本地区各行业的投入产出紧密相连的，因此真实地反映了各行业的用水水平。

1. 产品消费与水消费

产品的消费即潜含着水量的消费。从投入产出表可以看出，消费领域包括城镇居民消费、农村消费和社会消费（政府消费）三类。各类消费所耗用的水量计算公式如下：

城镇居民消费耗用水量

$$W_c^C = \bar{B}QC^C \tag{4-39}$$

农村居民消费耗用水量

$$W_r^C = \bar{B}QC^r \tag{4-40}$$

社会消费耗用水量

$$W_s^C = \bar{B}QC^s \tag{4-41}$$

消费领域所耗用总水量

$$W^C = W_c^C + W_r^C + W_s^C \tag{4-42}$$

2. 积累与水耗用

积累的过程也意味着对水量的耗用。积累包括固定资产积累和流动资产（库存）积累。生产活动形成的固定资产或库存，同样需要耗用水量。各类积累所耗用的水量计算公式如下：

固定资产积累耗用水量

$$W_f^F = \bar{B}QF^f \tag{4-43}$$

流动资产（库存）积累耗用水量

$$W_s^F = \bar{B}QF^S \tag{4-44}$$

积累领域耗用的总水量

$$W^F = W_f^F + W_s^F \tag{4-45}$$

3. 贸易与水调配

经济贸易也称物品的输入与输出，包括国内贸易与国际贸易。物品的输入和输出，潜含着水量的输入与输出，经济贸易也可以看成是通过经济手段实现区域间水调配的一种有效手段，也是一种调水的重要措施。各类贸易所调配的水量计算公式如下：

输出贸易与水量的输出

$$W^E = \bar{B}QE \tag{4-46}$$

输入贸易与水量的输入

$$W^M = \bar{B}QM \tag{4-47}$$

贸易净输出水量

$$W^{net} = W^E - W^M \tag{4-48}$$

第二节　需水与节水预测方法

全国水资源综合规划技术大纲将需水预测的用水户分为三类：生活需水、生产需水和生态环境需水，见表4-5。生活需水指城镇居民生活用水和农村居民生活用水；生产需水是指有经济产出的各类生产活动所需的水量，包括第一产业（种植业、林牧渔业）、第二产业（工业、建筑业）及第三产业（商饮业、服务业），生活和生产需水统称为经济社会需水；生态环境需水分为维护生态环境功能和生态环境建设两类，按河道内与河道外用水划分。

针对各部门、各行业的用水结构和用水特点，并结合水资源供给状况，对区域经济社会和生态环境需水进行定量分析计算，研究不同节水措施和节水工艺下的各部门节水潜力，通过节水前后水资源需用量的变化情况，对整个区域或流域的节水潜力进行分析探讨。

表4-5　需水门类分级表

一级	二级	三级	四级	备注
生活	生活	城镇生活	城镇居民生活	城镇居民生活用水(不包括公共用水)
		农村生活	农村居民生活	农村居民生活用水(不包括牲畜用水)
生产	第一产业	种植业	水田	水稻等
			水浇地	小麦、玉米、棉花、蔬菜、油料等
		林牧渔业	灌溉林果地	果树、苗圃、经济林等
			灌溉草场	人工草场、灌溉的天然草场、饲料基地等
			牲畜	大、小牲畜
			鱼塘	鱼塘补水
	第二产业	工业	高用水工业	纺织、造纸、石化、冶金
			一般工业	采掘、食品、木材、建材、机械、电子、其他(包括电力工业中非火(核)电部分)
			火(核)电工业	循环式、直流式
		建筑业	建筑业	建筑业
	第三产业	商饮业	商饮业	商业、饮食业
		服务业	服务业	货运邮电业、其他服务业、城市消防、公共服务及城市特殊用水
生态环境	河道内	生态环境功能	河道基本功能	基流、冲沙、防凌、稀释净化等
			河口生态环境	冲淤保港、防潮压碱、河口生物等
			通河的湖泊与湿地	通河的湖泊与湿地等
			其他河道内	根据具体情况设定
	河道外	生态环境功能	湖泊湿地	湖泊、沼泽、滩涂等
		生态环境建设	美化城市景观	绿化用水、城镇河湖补水、环境卫生用水等
			生态环境建设	地下水回补、防沙固沙、防护林草、水土保持等

一、生活需水与节水预测

生活需水分城镇居民用水和农村居民用水两类,可采用人均日用水量方法进行预测。计算公式如下:

$$LW_{ni}^t = Po_i^t \times LQ_i^t \times 365/1\ 000 \qquad (4-49)$$

$$LW_{gi}^t = LW_{ni}^t / \eta_{li}^t = Po_i^t \times LQ_i^t \times 365/(1\ 000\eta_{li}^t) \qquad (4-50)$$

式中:i 为用户分类序号,$i=1$ 为城镇,$i=2$ 为农村;t 为规划水平年序号;LW_{ni}^t 为第 i 用户

第 t 水平年生活净需水量，万 m^3；Po_i^t 为第 i 用户第 t 水平年的用水人口，万人；LQ_i^t 为第 i 用户第 t 年的生活用水净定额，$L/(人 \cdot d)$；LW_{gi}^t 为第 i 用户第 t 水平年生活毛需水量，万 m^3；η_{li}^t 为第 i 用户第 t 水平年生活供水系统水利用系数，由供水规划与节约用水规划成果确定。生活需水量年内分配相对比较均匀，按年内月平均需水量确定其年内需水量过程。

生活需水预测主要有以下几个步骤：①利用经济发展预测模型对预测年份的人口发展状况进行预测；②分析当地历史年份的需水资料，结合地区规划资料，通过专家决策制定生活需水定额标准，考虑到节水措施的实施，定额分为节水和不考虑节水两种定额；③根据规划资料，确定生活供水管网漏损率；④预测出最终的生活需水量；⑤根据现状年及预测年的供水管网利用系数计算生活节水量。

二、农业需水与节水预测

农业需水量一般包括农田（水田、水浇地）灌溉和林、牧、渔需水量。农业需水计算中最主要的是计算农业灌溉需水量、渔业需水以及牲畜需水，农业灌溉需水占的比重最大，计算相对复杂，而渔业需水和牲畜需水计算较为容易。

（一）农田灌溉需水计算

影响农田灌溉需水的因素有很多，在一定的区域、一定的灌溉条件、一定的种植结构组成情况下，农田灌溉需水量受降水影响较大，而降水量的大小是不确定的，有的年月丰，有的年月枯，年际、年内变化都很大。因此，在计算农田灌溉需水时，经常需要考虑不同降水频率的影响。按照水分供给的满足程度，农田灌溉需水量又分为充分灌溉需水量和非充分灌溉需水量，农田灌溉需水量是指灌溉水由水源经各级渠道输送到田间，包括渠系输水损失和田间灌水损失在内的毛灌溉需水量。可采用下式计算：

$$I_G = 0.667 \cdot \sum_{i=1}^{n} I_{Ni} \cdot A_i / \eta_g \tag{4-51}$$

其中，农田净灌溉定额亦即单位面积灌溉需水量 I_{Ni}，是采用大田的水量平衡原理进行计算的，该平衡方程式为：

$$I_{Ni} = f(ET, P_e, Ge, \Delta W) \tag{4-52}$$

对于旱田：

$$I_{Ni} = ET_{ci} - P_e - Ge_i + \Delta W$$

对于水稻：

$$I_{Ni} = ET_c + F_d + M_0 - P_e$$

式中：I_G 为农田用水定额（农田综合毛灌溉定额），$m^3/亩$❶；A_i 为第 i 种作物种植面积，亩；η_g 为灌溉水利用效率；I_{Ni} 为第 i 种作物净灌溉需水量，mm；ET_{ci} 为 i 作物的需水量，mm；ΔW 为生育期内逐月始末土壤储水量的变化值，mm；P_e 为作物生育期内的有效降水量，mm；Ge_i 为 i 作物生育期内的地下水利用量，mm；F_d 为稻田全生育期渗漏量，mm；M_0 为插秧前的泡田定额，mm；i 为作物种类。

---

❶ 1 亩 $= 1/15\ hm^2$。

(二)农田灌溉用水定额的参数确定

影响农田用水定额的主要参数有:作物需水量(ET_c)、有效降水量(P_e)、作物种植面积(A_i)、灌溉水利用效率(η_g)、作物生育期内的地下水利用量(Ge)、稻田全生育期渗漏量(F_d)、水稻插秧前的泡田定额(M_0)、生育期始末土壤储水量的变化值(ΔW)。其中生育期始末土壤储水量的变化值(ΔW)相对比较小,在此不予以考虑。其他参数中每一个参数还受很多因素影响,合理地分析确定每个参数是制定农田用水定额的关键。

1. 作物需水量的确定

作物需水量是指作物在适宜的土壤水分和肥力水平下,经过正常生长发育,获得高产时的植株蒸腾、棵间蒸发以及构成植株体的水量之和。

影响作物蒸腾过程和棵间蒸发过程的因子都会对作物需水量产生影响。因此,影响作物需水量的因素有很多,其中包括气象因子、作物因子、土壤水分状况、耕作栽培措施及灌溉方式等。由于影响作物需水量的因素多,所以作物需水量不可能用这些影响因素的某种线性或非线性的关系来准确地表达,对作物需水量的计算只能采用一些经验或半经验的公式来计算。目前估算作物需水量的方法有很多种,这些方法大致可以归结为以下三类:模系数法、直接计算法、参考作物法。

1)模系数法

这类方法的特点是首先利用"a 值法"、"积温法"和"产量法"或其他形式的经验公式推求作物全生育期的总需水量(ET_c),然后用阶段模比系数 K_i 分配求各阶段的需水量,即

$$ET_{ci} = K_i \cdot ET_c / 100 \tag{4-53}$$

式中:ET_{ci} 为某生育阶段的作物需水量,mm 或 m^3/亩;K_i 为某生育阶段的需水模数(%);ET_c 为作物全生育期的总需水量,mm 或 m^3/亩。

这类方法是通过多年平均模系数来计算某一具体年份各生育阶段的实际需水量,计算误差通常较大,使用的可靠性也经常受到质疑。

2)直接计算法

这类方法又称为经验公式法,此法是根据作物各生育阶段的需水量及其主要影响因素实测成果,用回归分析方法建立作物需水量随影响因素变化的经验公式。用此经验公式可直接计算作物各生育阶段的需水量,其中包括水汽扩散法、能量平衡法和综合法等。

3)参考作物法

这种方法是以高度一致、生长旺盛、完全覆盖地面而不缺水的绿色草地(8 ~ 15 cm)的蒸发蒸腾量作为计算各种具体作物需水量的参照。使用这一方法时,首先是计算参考作物的需水量(ET_0),然后利用作物系数(K_c)进行修正,最终得到某种具体作物的需水量。这类方法计算某一作物各生育阶段需水量的模式可用下式表达:

$$ET_{ci} = K_{ci} \cdot ET_{0i} \tag{4-54}$$

式中:ET_{ci} 为第 i 阶段的实际作物蒸发蒸腾量;K_{ci} 为第 i 阶段的作物系数;ET_{0i} 为第 i 阶段的参考作物需水量。

参考作物需水量(ET_0)采用彭曼 – 蒙特斯公式计算:

$$ET_0 = \frac{0.408 \cdot \Delta \cdot (R_n - G) + \gamma \cdot \dfrac{900}{T + 273} \cdot u_2(e_a - e_d)}{\Delta + \gamma \cdot (1 + 0.34 \cdot u_2)}$$

式中：ET_0 为参考作物蒸发蒸腾量，mm/d；Δ 为饱和水蒸气压对温度的导数；R_n 为净辐射量，MJ/（$m^2 \cdot$ d）；G 为土壤热通量，MJ/（$m^2 \cdot$ d）；γ 为温度表常数，kPa/℃；T 为平均温度，℃；u_2 为 2 m 高处风速，m/s；e_a 为饱和水汽压，kPa；e_d 为实际水汽压，kPa。

通过大量实践，对上述估算作物需水量的方法进行比较后认为，参考作物法具有较好的通用性和稳定性，估算精度也较高，可在各地推广使用。

2. 有效降水量 P_e 的计算

有效降水量是指总降水量中能够保存在作物根系层中用于满足作物蒸发蒸腾需要的那部分水量，它不包括地表径流和渗漏至作物根系吸水层以下的那部分需水量。

对于旱作物，有效降水 P_e 为保持在作物根系吸水层中供蒸发、蒸腾所利用的降水量，即生育期内降水量减去径流量和深层渗漏量。其值与一次降水量、降水强度、降水延续时间、土壤质地、结构、降水前的土壤湿度、作物种类和生育阶段以及田面条件（坡度、翻耕、平整情况）等有关，由灌溉试验站农田水量平衡实测资料确定。有效降水可以借助于时段内的水量平衡方程确定，即：

$$P_e = P - R - F_d \tag{4-55}$$

式中：P_e 为有效降水量，mm；P 为降水量，mm；R 为地面径流量，mm；F_d 为由于降水入渗超过土壤最大贮水能力后产生的深层渗漏量，mm。

当不考虑地面径流，且时段内无灌水时，若降水大于计算时段内允许最大土壤储水量（W_{max}）与降水时土壤实际储水量之差值，则有效降水为：

$$P_e = W_{max} - (W_0 + G - ET_c) \tag{4-56}$$

式中：W_0 为时段初的土壤储水量，mm；其余符号意义同前。

若时段内降水小于计算时段内允许最大土壤储水量（W_{max}）与降水时土壤实际储水量之差时，则有效降水为：

$$P_c = P \tag{4-57}$$

水稻生长期内，田面有水层，水层深浅随生育阶段不同而异，有其最大适宜水层深 $H_{适宜}$，降水中把田间水层深 H_t 补到深度 H 的部分（$H \leqslant H_{适宜}$），以及供作物蒸发、蒸腾利用的 ET 和改善土壤环境的深层渗漏 F_d 都是有效降水，形成的径流和无效的深层渗漏为无效降水。其有效降水量的计算方法为：当 $H_{t-1} > 0$，即降水前田面有水层时，其有效降水量为：

$$P_e = F_d + H + ET_c - H_{t-1} \tag{4-58}$$

式中：H 为水稻生长期内水层深度，mm；H_{t-1} 为 t 时段初的稻田水深，mm；ET_c 为时段 t 内的水稻需水量，mm；F_d 为时段内的稻田渗漏量，mm。

当 $H_{t-1} = 0$，即田面落干时，此时降水量把田面水层提高到最大适宜水深 $H_{适宜}$，把土壤水由降水前（晒田）的土壤储水量 W_0 增加到最大储水量 W_{max} 并满足作物需水和稻田渗漏，则有效降水为：

$$P_e = W_{max} + F_d + H + ET_c - W_0 \tag{4-59}$$

　　由上述可知,对于作物全生育期内的有效降水,无论是旱田还是水田,若历年分次计算,是一个极其复杂的问题。因此,在生产实践中常采用下列简化方法计算不同降水频率下的有效降水量,即:

$$P_e = \sigma \cdot P \tag{4-60}$$

式中:σ 为降水有效利用系数,其值与一次降水总量、降水强度、降水延续时间、土壤性质、作物生长、地面覆盖和计划湿润层深度等因素有关,一般应根据实测资料确定。

　　3. 作物生育期内的地下水补给量的确定

　　所谓作物对地下水的直接利用量,是指地下水借助于土壤毛细管作用上升至作物根系吸水层而被作物直接吸收利用的地下水水量。作物在生育期内所直接利用的地下水量与作物根系层深度、地下水位埋深、作物根系发育等因素有关。

　　在一定的土壤质地和作物条件下,地下水利用量主要与地下水埋深和大气蒸发力等条件有关。因此,可采用如下简单公式确定:

$$G = f(H_D) \cdot ET_c \tag{4-61}$$

式中:G 为地下水利用量,mm 或 m³/亩;ET_c 为相同时期内的作物需水量,mm 或 m³/亩,可采用公式计算;$f(H_D)$ 为地下水利用系数,即地下水利用量占相同阶段作物需水量的百分数。

　　从式(4-61)可看出,确定地下水利用量的关键是寻找地下水利用系数 $f(H_D)$ 随地下水埋深的变化规律。若已知地下水利用系数和地下水埋深的关系,则可根据埋深 H 计算出相应地下水埋深条件下的地下水利用系数 $f(H_D)$,代入式(4-61)中即可求得相应的地下水利用量。根据陕西省各灌溉试验站旱作物地下水利用量试验结果,总结出了一定埋深下地下水利用系数与地下水埋深的关系(见表4-6)。必须指出,在轻度盐渍化威胁的地区,应根据地下水埋深在临界深度以下的要求,来考虑地下水补给量;在盐渍化威胁严重的地区,不应考虑地下水补给量。

表 4-6　陕西省武功站冬小麦生育期地下水利用系数与地下水埋深的关系

生育阶段	$f(H_D)$ 与 H 关系式	相关系数	备注
分蘖—返青	$f(H) = 121.79 - 83.0H + 15.25H^2$	0.889 5	
返青—拔节	$f(H) = 126.85 - 97.42H + 18.71H^2$	0.993 0	
拔节—抽穗	$f(H) = 187.49 - 142.99H + 27.41H^2$	0.978 4	适用范围
抽穗—乳熟	$f(H) = 134.58 - 81.98H + 13.14H^2$	0.877 6	$H \geqslant 1.0$ m
乳熟—收获	$f(H) = 202.01 - 135.81H + 24.43H^2$	0.878 2	
全生育期	$f(H) = 103.37 - 63.62H + 10.44H^2$	0.969 7	

资料来源:康绍忠等,《农业水管理学》第 125 页,中国农业出版社 1996 年 12 月出版。

　　另外分析地下水利用量与地下水埋深的关系表明,多年试验资料表现出明显的规律,表4-7是陕西省两地区主要作物地下水利用量占需水量的比重。当地下水埋深 $H > H_j$ 时,地下水利用量随埋深增大而减小,当 H 到达一定值时地下水毛管上升作用微弱,其利用量趋于零,当地下水埋深 $H < H_j$ 时,随着埋深减小地下水利用量也降低。这是因为,此时的地下水位已上升至作物根系活动层,逐渐形成渍害,作物根系区土壤水分饱和,根系呼吸困难,作物生态环境恶化,水、肥、气、热关系失调,作物生长发育受到抑制,根系吸水能力明显降低,因而其地下水利用量减小。

表 4-7　陕西省主要农作物地下水利用量占需水量的比重

站名	土壤质地	作物	地下水埋深(m)					
			1.0	1.5	2.0	2.5	3.0	3.5
武功	粉沙壤土	冬小麦 夏玉米	31.93% 48.49%	24.89% 40.45%	21.22% 27.48%	17.70% 24.54%	14.58% 15.08%	4.99% 6.23%
泾惠	中壤	冬小麦 夏玉米	53.76% 39.20%	31.27% 28.03%	15.60% 8.45%	14.57% 3.00%	10.90% 2.50%	4.90%

资料来源:康绍忠等,《农业水管理学》第 125 页,中国农业出版社 1996 年 12 月出版。

4. 稻田全生育期渗漏量 F_d

由于水稻的栽培方法和灌水方法与旱作物不同,水稻田水分供需条件的评价方法亦与旱田不同,水稻是喜湿性作物,保持适宜的淹灌水层,能对稻作水分及养分的供应提供良好的条件,同时还能调节和改善温、热及气候状况。由于田面经常有水层存在,故不断有水分下渗,渗漏量可由区域实际观测值确定。

5. 作物种植结构

作物种植结构的变化受许多因素的影响,它不仅受农作物的市场需求、传统种植习惯、政府农业政策、农业新品种新技术的开发等因素的影响,而且还受灌溉水量的限制。一般情况下,如果降水多,灌溉供水比较有保障,耗水多的作物种植比例一般较高;反之则耗水多的作物种植比例就会下降,因此可供灌溉水量的多少也对种植结构变化产生影响。种植结构的预测可根据各地区不同水平年人口数量、人均农产品需求量、不同农产品的单位面积产量,并结合各地区的特点,预测出不同作物最终的灌溉面积。

6. 灌溉水利用效率

灌溉水的利用效率可用水的利用系数来衡量,是指单位面积农作物需要灌溉的净需水量与所引用的毛需水量之间的比值,两者的差值为灌溉时所损失的水量,包括渠系损失和田间损失。因此,灌溉水的利用效率应包括渠系水的利用效率和田间水的利用效率两部分,即:

$$\eta_g = \eta_t \cdot \eta_q \tag{4-62}$$

式中:η_t 为田间水利用效率;η_q 为渠系水利用效率;其他符号意义同前。

田间水的利用效率与灌溉的形式、灌溉系统的状况、灌溉技术和习惯、管理状况、地形、土壤特性等因素有关。渠系水利用系数与渠道系统状况(衬砌情况、渠道系统形式)及渠道管理方式等因素有关。

(三)林牧渔业需水计算

林牧渔业需水量中的灌溉(补水)需水量部分,根据现状典型调查,分别确定林果地和草场灌溉的净灌溉定额;根据灌溉水源及灌溉方式,分别确定渠系水利用系数;结合林果地与草场发展面积预测指标,进行林地和草场灌溉净需水量和毛需水量预测。牧业需水与生活需水类似,根据牲畜数量和单位用水定额计算需水。鱼塘补水量采用单位面积补水定额方法计算,主要考虑鱼塘水面蒸发和鱼塘渗漏两部分内容,计算公式如下:

$$W = \sum_{i=1}^{12} (E_i + F_{di} - P) \cdot S \tag{4-63}$$

式中:W 为鱼塘补水量,m^3;E_i 为第 i 月的水面蒸发量,mm;F_{di} 为第 i 月鱼塘渗漏量,mm;P 为降水量,mm;S 为鱼塘补水面积,亩。

三、第二、第三产业需水与节水预测

(一)第二产业需水与节水预测

第二产业需水依据预测水平年第二产业增加值和第二产业单位需水定额计算,公式如下:

$$IW_n^t = SeV^t \times IQ^t / 10\,000 \tag{4-64}$$

$$IW_g^t = IW_n^t / [\eta_s^t \times (1 + R^t)] = SeV^t \times IQ^t / [10\,000(\eta_s^t \times (1 + R^t))] \tag{4-65}$$

式中:IW_n^t 为第二产业第 t 水平年净需水量,万 m^3;SeV^t 为第二产业第 t 水平年的增加值,万元;IQ^t 为第二产业第 t 年的净用水定额,m^3/万元;IW_g^t 为第二产业第 t 水平年毛需水量,万 m^3;η_s^t 为第 t 水平年第二产业供水系统水利用系数,由供水规划与节约用水规划成果确定;R^t 为第 t 水平年工业用水重复利用率。

第二产业需水预测主要有以下几个步骤:①利用经济发展预测模型对预测年份的第二产业发展水平进行预测;②分析当地第二产业的需水资料,确定第二产业需水定额,考虑到节水措施的实施,定额分为节水和不考虑节水两种定额;③确定第二产业用水重复利用率;④预测出最终的第二产业需水量;⑤根据现状年第二产业供水系统利用系数和工业用水重复利用率与预测年份差计算第二产业节水量。

(二)第三产业需水与节水预测

与第二产业相似,第三产业需水依据预测水平年第三产业增加值和第三产业单位需水定额计算,公式如下:

$$TW_n^t = ThV^t \times TQ^t / 10\,000 \tag{4-66}$$

$$TW_g^t = TW_n^t / \eta_t^t = ThV^t \times TQ^t / (10\,000\eta_t^t) \tag{4-67}$$

式中:TW_n^t 为第三产业第 t 水平年净需水量,万 m^3;ThV^t 为第三产业第 t 水平年的增加值,万元;TQ^t 为第三产业第 t 年的需水净定额,L/万元;TW_g^t 为第三产业第 t 水平年毛需水量,万 m^3;η_t^t 为第 t 水平年第三产业供水系统水利用系数,由供水规划与节约用水规划成果确定。

第三产业需水预测主要有以下几个步骤:①利用经济发展预测模型对预测年份的第

三产业增加值进行预测；②分析当地第三产业的需水资料，确定第三产业需水定额，考虑到节水措施的实施，定额分为节水和不考虑节水两种定额；③确定城市供水管网的利用率；④预测出最终的第三产业需水量；⑤根据现状年第三产业供水系统利用系数与预测年份差计算第三产业节水量。

四、生态需水预测

生态需水量指流域内一定时期内存在的天然绿洲、河道内生态体系（河岸植被、河道水生态及河流水质）以及绿洲内防护植被体系等维持其正常生存与繁衍所需要的最低水量。区域生态需水可以分为自然生态系统需水和人工生态系统需水两大类。从耗水角度，人工生态系统需水包括人工绿洲系统用水、供水系统和城镇园林绿地耗水。自然生态系统需水则由天然绿洲系统耗水、荒漠植被生态耗水以及河湖生态耗水等组成，其中天然绿洲系统包括河岸林灌丛低湿草甸、河泛地及湖滩低湿草甸、盐化灌丛、杂类草以及河湖生态等。

（一）天然绿洲生态需水

1. 计算模型

天然绿洲生态需水包括植被蒸腾量和裸地蒸发量。

国内生态需水计算的方法有很多，常用的有直接计算方法、间接计算方法、土壤湿度法和潜水蒸发蒸腾法等。综合考虑这些方法的特点和适用范围，考虑到干旱平原区天然植被的生存与繁衍依赖于地下水的多寡，选用具有代表性的阿维里扬诺夫公式计算天然绿洲生态需水。

阿维里扬诺夫标定公式是通过大量干旱区的实地试验数据得出来的，符合干旱内陆区的基本状况，所以，本研究主要采用阿维里扬诺夫公式：

$$E = a(1 - H/H_{max})^b \times E_0 \tag{4-68}$$

式中：E 为潜水蒸发，mm；H 为地下水埋深，m；H_{max} 为极限地下水埋深，m；E_0 为水面蒸发，mm；a、b 为与植物有关的待定系数。

通过蒸发蒸腾模型的计算得到不同地下水埋深的潜水蒸发量，用某一地下水埋深下的植被生态系统的面积与该地下水埋深的潜水蒸发量相乘得到的乘积就是所求植被生态的生态需水量。即：

$$W = E \times A \times 10^{-3} \tag{4-69}$$

式中：W 为植被生态需水量，m^3；A 为绿洲（包括植被蒸腾、裸地蒸发）的计算面积，m^2。

2. 参数率定

潜水蒸发蒸腾模型中，H_{max} 是停止蒸发时的地下水埋深，在干旱有植被的地区，H_{max} 一般情况下以 5 m 为限，在荒漠区 H_{max} 取 4.5 m，大于这一深度的潜水蒸发量认为等于零，这也是目前水文地质计算中普遍采用的值。H 是地下水埋深，现状生态需水计算取实测地下水位埋深值，不同水平年根据生态保护目标选取现状年的地下水位埋深值为计算不同水平年生态需水的依据，采用地下水数值模拟模型模拟的地下水位埋深预测不同水平年对生态的供给量。E_0 采用 E_{601} 型蒸发器实测的额济纳地区蒸发量多年平均值。a、b 是与植被、土质有关的待定系数。

（二）河道、湖泊水域生态需水计算

1. 河道水面蒸发量计算

当水面蒸发量大于降水量时，如果河道有水面，那么河道水面蒸发与降水量的差值就为水域水面蒸发的生态需水量。当降水量大于蒸发量时，就认为蒸发生态需水量为零。因此，根据水面面积、降水量、水面蒸发量，可以求得相应各月的蒸发生态需水量。其计算公式为：

$$\begin{cases} W_E = A(E_0 - P) & E > P \\ W_E = 0 & E < P \end{cases} \tag{4-70}$$

式中：W_E 为水面蒸发生态需水量；A 为各月平均水面面积，km^2；E_0 为各月平均蒸发能力，mm。

2. 潜水蒸发量

潜水蒸发量仍然采用阿维里扬诺夫公式计算。a、b 参数值与河道土质相关，不同的土质其系数不同，毛晓敏等对叶尔羌河流域潜水蒸发规律进行了试验分析，得出了不同土质潜水蒸发公式参数的值（见表4-8）。

表4-8　不同土质潜水蒸发公式参数的取值

土质	a	b	H_{max}（m）
沙砾石	0.62	2.20	2.0
粉沙	0.62	2.60	2.58
粉沙土	0.62	2.80	4.5
沙壤土	0.62	3.10	3.5
轻壤土	0.62	3.20	5.0
中壤土	0.62	3.60	5.5

根据实际考察，该研究区河道土质以沙壤土为主，所以参数 a、b 依据表4-8 中的结果分别为 0.62、3.10，相应的最大限制水位 H_{max} 取 3.5 m。

综上所述，河道的生态需水应该等于河道有水时段的水面蒸发量与河道干涸时段潜水蒸发量之和。

第五章　多目标配置模型

在区域水资源规划中,往往涉及到大量的经济、环境、社会和资源开发利用等决策问题,这些问题的目标利益是相互矛盾、相互竞争的,各目标的度量又是不可公度的,构成了复杂的决策过程。选择具有代表性的指标,较全面地刻画这些问题并较清晰地找出其内在的联系,以水资源为约束条件,达到以水资源可持续开发利用促进社会、经济、环境可持续、协调发展,是建立多目标优化配置模型的关键。由此可见,基于宏观经济水资源规划系统是一个典型的复杂大系统,因而具有大系统的一般特征,如高维数、多目标、关联性、交互性、不确定性等。因此,需要从系统论的观点和方法出发,建立多目标优化配置模型来定量地描述这种关系,寻求区域经济可持续发展、生态环境质量改善和社会健康稳定等宏观水资源规划的目标,得到宏观最优的水资源配置方案,为区域水资源合理配置模型提供宏观总控条件,保证水资源合理配置的宏观可行性。

第一节　多目标选择

一、目标识别应遵循的原则

水资源规划涉及到社会、经济、资源、环境、生态整个大系统,对这样一个复杂的大系统,无论采用什么样的规划、决策技术,规划与决策都是不确定的,或叫有限理性的,特别是对于现实社会中的水资源规划。因此,很难用一个万能的、无所不包的数学模型来描述这个大系统,即使能够写出这个模型,也极有可能是无法求解的。同时,在实际的区域水资源优化配置决策问题中,由于区域的发展模式多种多样,相应于不同发展模式下的水资源开发利用保护治理策略也千差万别,为了克服模型的局限性,突出在区域可持续发展观念下水资源优化配置决策的内在统一性,对代表经济、环境与社会发展总目标指标的筛选应遵循以下原则:

(1)概念明确,简明易行,数据资料易得,计算方法简便,指标间含义不重复。

(2)指标不宜于过多、过细,要抓住社会、经济、资源、环境、生态整个大系统关键因素和本质特征。

(3)能反映各个子系统的演变与发展趋势,具有能控性。

(4)要客观综合地反映局部与全局利益、当前与长远利益,又能体现社会经济和科技进步等因素的影响。

二、目标的选择

大规模的区域水资源规划,特别是基于宏观经济系统的水资源规划,要求综合考虑社会、经济、环境等各方面的因素,因此规划模型应包括区域经济持续发展、生态环境质量的逐步改善和区域内社会健康稳定等目标。参考我国政府与联合国开发署(UNDP)合作的

"华北水资源管理"研究项目和国家自然基金"干旱区水资源利用模式与社会经济格局相互影响机制研究(50079009)"研究成果以及《牢固树立和认真落实科学发展观,全面推进节水型社会建设》(汪恕诚,2004),采用国内生产总值(GDP)作为经济方面目标,化学需氧量(COD)作为环境方面目标,粮食产量(FOOD)作为农业发展目标,城镇人口就业率(EMP)作为社会目标,绿色当量面积(GREEN)作为生态衡量指标。

这五个目标是模型进行规划的总目标,它们表现了整个模型的规划方向,在此基础上,又设置了一些与此相关的下层局部决策变量,主要有:

(1)经济决策变量:各行业产值、固定资产投资、固定资产存量、固定资产增量、各行业进出口量等;

(2)环境决策变量:污水排放量、污水处理量、标准污水处理厂个数等;

(3)粮食(农业)决策变量:农业各粮食作物种植面积和产量、林牧副渔产值等;

(4)城镇就业率决策变量:各行业单位产值就业人数、城镇人口;

(5)生态决策变量:参考作物腾发量、降水量、客水资源量。

这些决策变量相互影响、相互作用,构成模型的各个关键点,其模型目标与决策变量的框架图如图5-1所示。

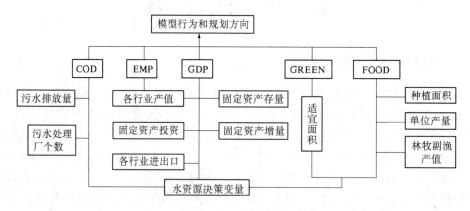

图 5-1 模型目标与决策变量间的关系

三、目标的竞争性

作为一个大系统,水资源优化配置时各目标之间是冲突并协调并存的,这也是其基本特征之一,即相互制约、相互依赖、相互促进的关系。特别是水资源作为一种稀缺性(scarcity)资源,已经成为经济、生态环境、社会发展诸多矛盾的焦点。

从上得知,各个目标之间相互依存与制约的关系是极为复杂的,一个目标的变化通过各种直接与间接的约束条件影响到其他各个目标的变化。这种变化具有竞争性,即某目标值的增加一般以其他目标值(至少一个)的减少为代价,所以多目标问题总是牺牲一部分目标的利益来换取另一些目标利益的改善。在实际进行水资源规划与水资源优化配置时,一是要考虑各个目标或属性值的大小,二是要考虑决策者的偏好要求。定量手段寻求使决策者达到最大限度地满足的均衡解。各目标之间竞争性如图5-2所示。

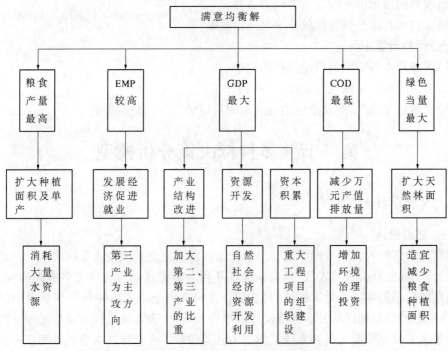

图5-2　多目标之间竞争性示意图

四、目标的约束条件

(一)国内生产总值(GDP)目标

(1)GDP与各部门产值的关系;

(2)经济结构,即国民经济各部门投入产出结构的关系;

(3)组成各部门最终需求的居民消费和社会消费,固定资产积累、进出口的上下限及在不同阶段间的发展变化规律;

(4)不同阶段附加值率/固定资产产出率的变化规律。

(二)COD值目标

(1)COD排放量与工业产值之间关系约束;

(2)COD排放量与农业产值之间关系约束;

(3)COD排放量与城镇生活关系;

(4)不同阶段COD排放削减量的发展变化关系;

(5)COD削减与污水处理措施之间的关系。

(三)粮食产量目标

(1)粮食作物的种植结构关系;

(2)粮食单位预算产量的变化情况;

(3)人均粮食占有量的期望水平。

(四)城镇就业率

(1)城镇就业率与城镇化率关系约束;

（2）农村向城市的允许迁移劳动力系数；

（3）人口增长速度与城镇就业率之间的关系。

（五）绿色当量面积

（1）区域降水量对绿色当量面积的约束；

（2）客水资源量对绿色当量面积的约束；

（3）区域内工业、农业及生活消耗水资源对绿色当量面积的影响。

第二节　多目标决策分析模型

一、模型设计与结构

（一）模型设计

水资源合理配置模型着眼于同时对于社会经济和生态环境两大系统之间和内部水资源配置展开，涵盖社会经济发展、生态系统修复和水资源规划与管理等多方面内容，所涉及的问题既包括能够定量计算的结构化问题，也包括大量不能单纯利用数学模型进行描述的半结构化问题，如区域社会经济发展的理想模式、生态系统最佳恢复格局等。但另一方面决策者和模型研制人员在实践工作当中已经积累了大量行之有效的处理这一类半结构化问题的决策经验，因此本次水资源合理配置模型构建和系统研制过程中，采用专家经验和模型计算相结合的方式，通过人机交互，综合了定量计算和定性判断两方面的优势，完成水资源合理配置的全过程决策（见图5-3）。

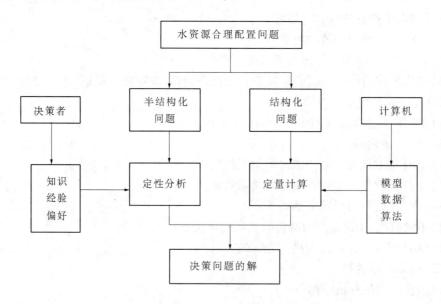

图5-3　人机交互优化配置模型

根据水资源合理配置问题的特点进行模型设计，应考虑的主要因素包括：①区域社会经济发展、生态环境保护和水资源开发利用策略的互动影响与协调；②水量供需、水环境的污染与治理、水投资的来源与分配之间的动态平衡关系,其中水量供需中,水资源供给考虑流域水资源演变和具体供水工程,水资源需求包括生态环境和社会经济两大用水需求,水环境污染与治理包括污水集中处理回用和水盐平衡关系,水投资主要是各项节水和调蓄措施之间的均衡分配;③决策过程中各地区、各部门之间的利用冲突协调,包括地区之间用水竞争、生态用水和经济用水竞争协调、各用水行业用水协调等;④已经批复的相关规划和约束性条件;⑤决策问题描述的详尽性和决策有效性之间的权衡;⑥有关政策性法规、水管理机构的运作模式和运行机制等半结构化问题的处理;⑦区域水资源长期发展过程不确定性和供水风险评估;⑧流域水资源系统配置与管理系统的物理设计。

(二)模型结构

水资源多目标决策分析模型的设计充分体现了综合集成的思想,将社会、经济、生态环境、水资源等子系统高度概括而得到一个数学模型,它描述了水资源与资金在"经济－环境－社会－资源－生态"复杂系统的各子系统中的分配关系及这种关系是如何决定社会发展模式的。其中宏观经济模型、工业用水模型、农业用水模型、生活用水模型、水质模型、绿色当量面积模型、城镇人员就业模型是其基础模型。在这些模型中,需要建立现状及预测状态下的国内生产总值、工农业生产总值、消费与积累的比例关系。其基本结构和组成如图5-4所示。

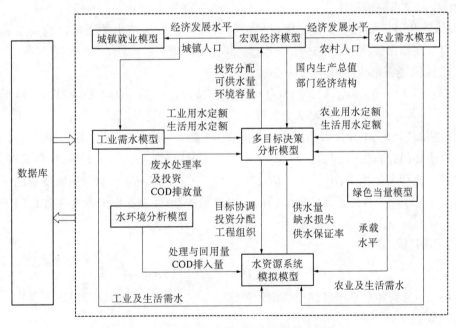

图5-4　多目标水资源系统组成结构示意图

二、数学模型构建

数学模型在水资源系统分析中起着十分重要的作用,通常由目标函数和约束两部分组成,数学模型的建立一般包括:

(1)定量化表示系统中的各个因素和它们之间的关系。

（2）确定系统结构，并进行数学描述。

（3）确定决策变量。决策变量即需要求解的未知变量。求解系统分析问题，就是确定使系统达到最优时决策变量的值。

（4）建立目标函数。因研究的问题不同，可能要求目标函数实现最大化或最小化。

（5）建立约束。约束表示了系统中的限制条件。推求系统达到最优时的决策变量，应是在约束条件下求得的。在水资源系统分析中，农业用水、工业用水、生活用水、生态用水以及当地总的水资源量的限制等就构成总的约束条件。

（一）经济目标

宏观经济预测模型为动态投入产出模型规划模型，其理论基础为投入产出分析技术和计量经济学方法；其数学形式为优化模型。宏观经济分析模型采用模块设计思想，构建计算模型。

1. 目标模块

选择规划水平年各地区国内生产总值（GDP）之和最大为主要经济目标，即：

$$\max\left\{TGDP = \sum_{s=1}^{3}\sum_{j=1}^{n} GDP(s,j)\right\} \tag{5-1}$$

式中：j 代表子区，$j = 1,2,\cdots,n$；$s = 1,2,3$ 代表规划水平年 2010、2020、2030 年。

2. 投入产出分析模块

投入产出分析模块主要描述国民经济各行业间的投入产出关系。这些关系是动态的，是建立在国民经济行业描述基础上的。其主要约束有：

（1）国民经济结构约束。

$$(I - A)X(s,j,k) = B_{HO}(s,j,k)X_{HO}(s,j) + B_{SO}(s,j,k)X_{SO}(s,j) + B_{FI}(s,j,k)X_{FI}(s,j)$$
$$+ B_{ST}(s,j,k)X_{ST}(s,j) + X_{EP}(s,j,k) - X_{IM}(s,j,k) \tag{5-2}$$

式中：I 是单位矩阵；A 是投入产出系数矩阵；$k = 1,2,\cdots,6$ 代表农业、工业、建筑、邮电、商业、非物质部门；$X_{HO}(\cdot)$、$X_{SO}(\cdot)$、$X_{FI}(\cdot)$、$X_{ST}(\cdot)$ 分别表示居民消费、社会消费、固定资产积累、流动资金积累；$B_{HO}(\cdot)$、$B_{SO}(\cdot)$、$B_{FI}(\cdot)$、$B_{ST}(\cdot)$ 分别为相应变量的分配系数；$X_{EP}(\cdot)$、$X_{LM}(\cdot)$ 为各地区各部门的进出口量；$X(\cdot)$ 为各水平各地区各部门的产值变量。

（2）GDP 值方程。

$$GDP(s) = \sum_{k=1}^{6} IOC(s,j,k)X(s,j,k) \tag{5-3}$$

式中：$IOC(\cdot)$ 为各水平年各部门的附加值率。

（3）居民消费方程。

$$X_{HO}(s,j) = HOMECR(s,j) \cdot GDP(s,j) \tag{5-4}$$

式中：$HOMECR$ 为居民消费系数。

（4）社会消费方程。

$$X_{SO}(s,j) = SOCIALCR(s,j) \cdot GDP(s,j) \tag{5-5}$$

式中：$SOCIALCR$ 为社会消费系数。

（5）社会积累上、下限约束方程。

$$X_{FI}(s,j) + X_{ST}(s,j) \geq INVESTR\text{-}LO(s,j) \cdot GDP(s,j) \tag{5-6}$$

$$X_{FI}(s,j) + X_{ST}(s,j) \leq INVESTR\text{-}UP(s,j) \cdot GDP(s,j) \tag{5-7}$$

式中:$INVESTR\text{-}LO$、$INVESTR\text{-}UP$ 为来自 GDP 的总投资率系数上、下限。

（6）流动资金方程。

$$X_{ST}(s,j) = STOCKCR(s,j) \cdot X_{FI}(s,j) \tag{5-8}$$

式中:$STOCKCR$ 为流动资金的投资系数。

（7）进出口上、下限约束。

$$\left.\begin{array}{l}
X_{EP}(s,j) \geq EXPCOELO(s,j) \cdot X(s,j) \\
X_{EP}(s,j) \leq EXPCOEUP(s,j) \cdot X(s,j) \\
X_{IM}(s,j) \geq IMPCORLO(s,j) \cdot X(s,j) \\
X_{IM}(s,j) \leq IMPCORUP(s,j) \cdot X(s,j)
\end{array}\right\} \tag{5-9}$$

3. 扩大再生产模块

扩大再生产分析模块主要描述经济活动年际间的关系,即描述扩大再生产过程。其主要约束方程包括:固定资产投资来源方程、固定资产形成方程、生产函数方程等。主要方程的数学描述为:

$$FI^t = \sum_{l=1}^{n} FI_l^t \tag{5-10}$$

式中:l 为固定资产投资来源项,包括自身投资和区外投资等;FI^t 为第 t 年固定资产总投资;FI_l^t 为第 l 来源的固定资产投资。

$$FI^t = \sum_{i=1}^{n} SI_i^t + OI^t \tag{5-11}$$

式中:SI_i^t 为第 i 行业的固定资产投资;OI^t 第 t 年其他部门非生产性投资。

$$FA_i^t = \sum_{t_0=1}^{T} \beta_i^{t_0} SI_i^t + \delta_i^t FA_t^{t-1} \tag{5-12}$$

式中:FA_i^t 为第 i 行业第 t 年的固定资产存量;T 为投资时滞;$\beta_i^{t_0}$ 为第 t_0 年投资形成固定资产的形成率;δ_i^t 为第 i 行业固定资产折旧系数。

$$X_i^t = A(FA_i^t)^a (L_i^t)^b \tag{5-13}$$

式中:A 为科技进步系数;a、b 分别为固定资产存量和劳动力生产弹性系数;L_i^t 为第 t 年第 i 行业劳动力数量。一般 a 和 b 分别取 0.25 和 0.75。在宁夏,因劳动力充裕,生产主要取决于固定资产投资和固定资产存量,故将式(5-13)改造为:

$$X_i^t = B \cdot FA_i^t \tag{5-14}$$

式中:B 为固定资产产出率,即为单位固定资产存量的生产能力。

（二）粮食产量目标

选择各规划水平年各地区粮食产量与其目标期望偏差之和最小:

$$\min\left\{ TFOOD = \sum_{s=1}^{3} \sum_{j=1}^{n} \left[TFOOD(s,j) - FOOD(s,j) \right] \right\} \tag{5-15}$$

式中:$TFOOD(\cdot)$、$FOOD(\cdot)$ 分别是各地区各规划水平年的粮食消耗量期望目标和实际粮食生产总量。粮食生产目标方程由下式确定:

$$TFOOD(s,j) = K_{FO}(s,j)PLO(s,j) \qquad (5-16)$$

式中:$K_{FO}(\cdot)$、$PLO(\cdot)$分别是各地区的人均粮食消耗量和人口总数。粮食产量方程为:

$$FOOD(s,j) = YD1(s,j)AR1(s,j) + \sum_{l=1}^{4} YD2(s,j,l)AR2(s,j,l) \qquad (5-17)$$

式中:$YD1(\cdot)$、$AR1(\cdot)$分别是各地区各规划年旱地作物单产和播种面积;$YD2(\cdot)$、$AR2(\cdot)$分别是灌溉作物单产和播种面积;l是作物种类,$l=1,2,3,4$,分别代表水稻、小麦、玉米和马铃薯。农业产值方程为:

$$X(s,j,l) = PR1(s,j)AR1(s,j) + \sum_{l=4}^{5} PR2(s,j,l) \cdot AR2(s,j,l) + \sum_{a=1}^{4} LMF(s,j,a) \qquad (5-18)$$

式中:$PR1(\cdot)$、$PR2(\cdot)$分别是各地区各规划年旱地单位面积产值和灌溉地单位面积产值;$LMF(\cdot)$为各地区的林、牧、副、渔总产值;$a=1,2,3,4$;$l=4,5$,分别代表蔬菜和经济作物。

（三）环境目标与约束条件

考虑到城市化带来的人口增加等环境压力,选择各规划水平年各地区城镇生物需氧量(COD)负荷排放量最小作为环境目标,即

$$\min\{TCOD = \sum_{s=1}^{3} \sum_{j=1}^{n} COD(s,j)\} \qquad (5-19)$$

式中:$COD(\cdot)$是各水平年各地区的COD负荷排放总量,可由下列方程确定:

$$COD(s,j) = \Big[\sum_{k=2}^{7} B(s,j,k)x(s,j,k) + UP(s,j)PU(s,j)\Big]K_{SE}(s,j)B_{SE}(s,j)$$
$$+ \Big[\sum_{k=2}^{7} B(s,j,k)X(s,j,k) + UP(s,j)PU(s,j)\Big][1 - K_{SE}(s,j)] \qquad (5-20)$$

式中:$B(\cdot)$是各地区单位产值的COD排放量;$UP(\cdot)$是城镇人均生活COD排放量;$PU(\cdot)$是城镇人口总数;$K_{SE}(\cdot)$是各地区污水处理百分率;$B_{SE}(\cdot)$是城镇污水处理后COD的剩余量。

污水排放量关系式为:

$$\left.\begin{array}{l} M(s,j)DB \leqslant \sum_{k=2}^{7} WX(s,j,k)X(s,j,k) + WPU(s,j)PU(s,j) \\[4mm] M(s,j)DB \geqslant K_{SE}(s,j)\Big[\sum_{k=2}^{7} WX(s,j,k)X(s,j,k) + WPU(s,j)PU(s,j)\Big] \end{array}\right\} \qquad (5-21)$$

式中:$M(\cdot)$、DB分别是各地区标准污水处理厂个数和每个厂的污水处理能力;$WX(\cdot)$是单位产值的污水排放量;$WPU(\cdot)$是城镇人均生活污水排放量。

（四）城镇就业率目标

城镇就业率最大:

$$\max \sum_{s=1}^{3} \sum_{j=1}^{n} EMP(s,j) \qquad (5-22)$$

劳动力方程：

$$LAB(s,j) = PU(s,j)KPU(s,j) + PV(s,j)KPV(s,j) \tag{5-23}$$

式中：$PU(\cdot)$ 为城镇人口总数；$KPU(\cdot)$ 为城镇人口中劳动力；$PV(\cdot)$ 为农村人口总数；$KPV(\cdot)$ 为农村向城市的允许迁移劳动力系数。

城市就业能力：

$$NEE(s,j) = \sum_{k}^{6} NEM(s,j,k) X(s,j,k)$$

$$EMP(s,j) = \frac{NEE(s,j)}{LAB(s,j)} \tag{5-24}$$

式中：$NEM(s,j,k)$ 为各部门单位产值的就业人数。

（五）生态目标

绿色当量面积最大：

$$\max \sum_{s=1}^{3} \sum_{j=1}^{n} GREEN(s,j) \tag{5-25}$$

生态绿色当量面积是将林草（包括人工林和天然林）、作物、水面和城市绿化等面积按其对绿洲保护的重要程度折算的标准生态面积。首先，这里涉及到绿洲生态稳定性指数 H_0：

$$H_0 = \frac{W - W' + A \cdot r}{ET_0 \cdot A} \tag{5-26}$$

式中：W 为区域内年均净客水资源量，即客水消耗量；W' 为区域内年均工业和人蓄净耗水量，对绿洲植被生长无贡献，应从水热平衡中扣除；r 为区域内年降水量；A 为区域面积；ET_0 为按彭曼公式计算的参考作物腾发量（reference crop evapotranspiration）。对于某一特定区域，ET_0 和 r 为定值，W' 的变化暂不考虑。当绿洲水热平衡即 $H_0 = 1$ 时，定义此时的绿洲面积为标准绿洲面积，有：

$$A_0 = \frac{W - W'}{ET_0 - r} \tag{5-27}$$

绿洲植被不等于"参考作物"，其不受水分胁迫的腾发量可能与参考腾发量不同，对参考腾发量进行修正，借鉴作物灌溉中的作物系数概念，引入植物系数 K_p。此外，研究表明，多数种植作物最佳产量时的腾发量均小于其最大腾发量，植物水分腾发量还应进一步修正，其适宜绿洲面积如下：

$$A = \frac{W - W'}{(ET_0 - r) \cdot K_p \cdot H_0^*} \tag{5-28}$$

式中：K_p 为绿洲内主要植物的综合植物系数；H_0^* 为绿洲设计"绿度"，主要考虑绿洲周围的自然环境、人工维护与干扰的程度，初步定为 0.75 左右。若自然环境恶劣，绿洲规模较小，宜采用较大值。

绿洲适宜灌溉耕地面积为：

$$A_c = A \cdot K_L \tag{5-29}$$

式中：A_c 为适宜灌溉耕地面积；K_L 为土地利用系数，是灌溉耕地占绿洲总面积之比。一般 K_L 不宜大于 70%，即约束条件：

$$AR1(\ \cdot\ ) + AR2(\ \cdot\ ) \leqslant A_c \tag{5-30}$$

（六）水资源约束方程

用水方程：

生活

$$W_{\text{liv}}(s,j) = WP(s,j) \cdot PU(s,j) + WPV(s,j) \cdot PV(s,j) \tag{5-31}$$

农业

$$W_{\text{agri}}(s,j) = \sum_{a=1}^{4} WL(s,j,a)LMF(s,j,a) \tag{5-32}$$

工业

$$W_{\text{indu}}(s,j,k) = \sum_{k=1}^{6} WX(s,j,k)X(s,j,k) \tag{5-33}$$

上述 5 个目标除相互促进、相互制约外,还同时都受水资源系统的控制与制约。城镇水供需平衡方程为:

$$\sum_{k=2}^{7} WX(s,j,k)X(s,j,k) + WP(s,j)PU(s,j) + WEA(s,j,4)AP2(s,j,4) +$$
$$WE(s,j) = WG(s,j) \tag{5-34}$$

式中:$WP(\cdot)$ 是城镇人均年供水量;$WEA(\cdot)$ 是每亩蔬菜灌溉定额;$WG(\cdot)$ 为各地区可利用水量;$WE(s,j)$ 是各地区水平环境用水量。

农村水供需平衡方程为:

$$\sum_{l=1}^{3} WEA(s,j)AR2(s,j,l) + WEA(s,j,5)AR2(s,j,5) + WPV(s,j)PV(s,j) +$$
$$\sum_{a=1}^{4} WL(s,j,a)LMF(s,j,a) \leqslant WAG(s,j) \tag{5-35}$$

式中:$WPV(\cdot)$ 是农村人均年供水量;$PV(\cdot)$ 是地区农村总人口;$WL(\cdot)(a=1,2,3,4)$ 分别是林、牧、副、渔单位产值耗水量;$WAG(\cdot)$ 是地区农村可利用水资源量。

第三节　多目标决策理论与求解方法

一、多目标决策理论

在多目标问题中,决策的目的在于使决策者获得最满意的方案,或取得最大效用的后果。为此,在决策过程中,必须考虑两个问题:一是问题的结构或决策态势,即问题的客观事实;二是决策规则或偏好结构,即人的主观作用。前者要求各个目标(或属性)能够实现最优,即多目标的优化问题。后者要求能够直接或间接地建立所有方案的偏好序列,借以最优择优,这是效用理论的问题。多目标决策问题的两个理论基础是向量优化理论与效用理论。

(一)向量优化理论

多目标决策问题,从数学规划的角度看,它是一个向量优化问题(vector optimization problem),或多目标优化问题。向量优化问题求解的是下述形式的优化问题:

$$\left.\begin{array}{l} \max f(x) = [f_1(x), \cdots, f_p(x)] \\ s.\,t.\ g(x) = [g_1(x), \cdots, g_m(x)] \leqslant 0 \end{array}\right\} \tag{5-36}$$

在向量优化问题中,用非劣解的概念代替了最优解,它是这样的解:在所有可行解集中没有一个解优于它,或者说,它不劣于可行解集中任一个解。多目标优化计算得不出同时满足各个目标的最优解,只能求得非唯一的一组解,称为非劣解集。向量优化理论主要就是研究非劣解的库恩—塔克(Kuhn-Tucker)充分、必要条件。设 x^* 是问题式(5-36)的一个非劣解,且约束为一规则点(regular point),则 x^* 是式(5-36)非劣解的必要条件是:存在 λ_j 与 u_i,使

$$\left.\begin{array}{l} \sum_{j=1}^{p} \lambda_j \nabla f_j(x^*) - \sum_{i=1}^{m} u_i \nabla g_i(x^*) = 0 \\ u_i g_i(x^*) = 0 \\ \lambda_j \geqslant 0 \quad j = 1, \cdots, p \end{array}\right\} \tag{5-37}$$

且至少有一个 $\lambda_j > 0, u_i \geqslant 0, i = 1, \cdots, m$ 成立。

非劣解的 Kuhn-Tucker 充分条件:设 $-f_j(j = 1, \cdots, p)$ 与 $g_i(i = 1, \cdots, m)$ 是连续可微的凸函数,且 $g_i(i = 1, \cdots, m)$ 是严格凸的,则 x^* 是式(5-36)非劣解的充分条件是存在 λ_j 与 u_i,使式(5-37)成立,λ_j 与 u_i 称为拉格朗日乘子。

(二)效用理论

向量优化理论是生成多目标问题非劣解的基础,但是,在非劣解生成之后,如何从中选出最终解(或方案),这在很大程度上取决于决策者对某个方案的偏好(喜欢)、价值观和对风险的态度。测度这种偏好或价值的尺度,就是所谓的效用值。它是能用实数表示决策者偏好程度的量化指标或量化的度量。在任何决策过程中,都直接或间接地含有能够排列方案的序列关系。它可按效用值的大小排列方案的先后次序。其一般形式可写为:

$$u(x) = u[f_1(x), \cdots, f_p(x)] \tag{5-38}$$

显然,决策者的偏好结构应能用实函数来表示,这个实函数便是效用函数(utility function)。对确定决策者问题,选取具有最大效用函数值的相应方案,便是决策者最满意的解;对于不确定性决策问题,具有最大期望效用值的相应方案,也就是最终的决策方案。

效用理论是符合人类思维规律的一种公理化的理论,是多目标决策评价技术的基础。效用理论的研究一般从序列关系入手,研究确定性和非确定性效用函数的存在性、效用函数的表现形式和构造方法等,从而为多目标问题的决策服务。

二、多目标问题的求解技术

(一)非劣解的生成

Kuhn-Tucker 条件是很多非线性规划的基础。在 MATLAB 优化工具箱中 fgoalattain 函数也是利用这个条件的思想,凭借 Hessian 矩阵更新,Hessian 矩阵总是保持正定,使得在搜索方向 d 总是下降的,目标函数值总是在不断减小,随着足够精度的线性搜索,能取得预想的理想值。以二维为例,如图 5-5 所示。

已知目标值为 $P = \{F_1^*, F_2^*\}$，权重向量 $\Lambda(\gamma)$ 定义了从目标点 P 到可行函数空间的搜索方向。在优化过程中，γ 的值不断变化，因而优化解的可行区域不断变小，最终收敛到优化解 F_{1S}、F_{2S}，改变权重系数可生成不同的非劣解。

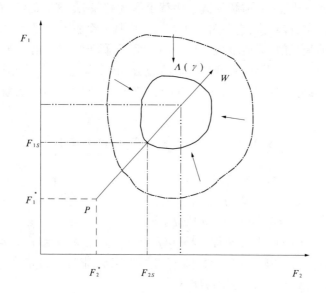

图 5-5　目标空间逼近方法的几何意义

(二) 非劣解的选择

许多非劣解没有实际意义，使决策者满意的解还需与决策者交互实现。从理论上讲，任何一个多目标问题，均可能看成是一个单目标的目标效用求优问题。

一般效用函数式为：

$$\max V(g) \qquad \text{S. T} \qquad g \in Q \tag{5-39}$$

根据效用函数 V 在决策分析过程中的作用，可以将多目标问题的各种求解原理分成以下三类：①假设存在决策者的效用函数 V，并且可以用数学公式表达；②假设存在一个稳定的效用函数 V，但并不试图将它明确地表达出来，只假设该函数的一般形式；③不假设存在一个稳定的效用函数，无论是显式的还是隐式的。

这三种求解原理可引出以下三类不同的求解方法：

（1）决策者偏好的事先估计。这是多重效用分析中的一种经典的方法。其做法是先确定反映决策者偏好的效用函数，然后利用这一效用函数或者有限的方案进行排序，或者在无限个方案中寻优。这类方法典型的有加权法（weighting method）、目标规划法（Charnes，et al，1955，1977）、约束法（constraint method）。这类方法的缺点在于决策者的事先偏好只能得到决策者在此偏好下的有效解，限制了在更大范围内的寻优。

（2）决策偏好的事后估计。这种方法的思路是尽可能地将非劣解集空间内的所有信息提供给决策者，决策者通过对比、评估，挑选出其中最满意的解，并不要求假设决策者的效用函数。这种方法在理论上不会漏掉潜在的"最优解"，属于完全理性决策（Raiffa，1985），但在实践上却有极大的困难。一是求解时间或许超过时效期限；二是即使可能找到所有非劣解,由于本身非劣解很多,加上其附带的其他信息,使得决策者在这样庞大的信息中很难作出选择。

（3）决策者的偏好在求解过程中通过交互逐步明确。根据假设效用函数的有无,这种方法又可以分成两种:①假设存在隐式的效用函数。在20世纪70年代,这是多目标分析的一种基本方法,根据对效用函数的假设,再通过决策者对某些问题的回答而引入决策偏好,最终求出最优或最满意解,决策者并没有意识到其效用函数的存在。②假设没有效用函数。这种情况下,最典型的方法就是目标规划,由决策者给出在非劣解集内各目标的期望水平,然后寻找距目标期望水平最近的点。在这里 V 表示效用函数,该效用函数体现了决策者在非劣解集中的偏好。决策者效用函数 V 在多目标求解过程中的作用导致了求解多目标规划问题的不同方法。

综上所述,无论是效用函数的事前偏好还是事后偏好,都需要决策者在多目标优化求解中,将自己对各目标的偏好反映进去。不同的偏好选择,会得到多目标问题不同的寻优结果。

第六章　广义水资源合理配置模型

第一节　广义水资源合理配置模型概述

广义水资源合理配置是在天然系统和人工系统之间合理配置包括土壤水在内的广义水资源,以维持区域经济社会的可持续发展和生态系统稳定。根据广义水资源合理配置的目标和要求,建立了广义水资源合理配置模型(Generalized Water Resources Rational Allocation Model,GWRAM),该模型由水资源合理配置、水循环模拟和水环境模拟模块组成,水循环和水环境模拟模型动态提供水资源配置需要的参数,并在水资源配置过程中,实时模拟广义水资源配置过程中区域水循环和水环境的响应状况,实现区域水资源 – 水环境 – 水循环过程的动态配置与模拟。广义水资源合理配置模型结构如图 6-1 所示,具有以下特点:

(1)采用层层嵌套、逐步细化的模拟机制。水循环模拟模型在大时空尺度的水资源配置单元的基础上,以灌域、土地利用和作物种植结构将配置单元进一步细化,保证水循环模拟的精度和配置响应的合理性。

(2)广义水资源合理配置模型动态耦合了水资源配置模型和水循环模拟模型,在定量识别水资源与宏观经济系统、生态系统之间的驱动关系以及生态用水和社会经济用水之间的互动关系的基础上,实现了在社会经济和生态两大系统之间以及两大系统内部水资源合理配置。

(3)在水资源供需平衡过程中,供需水可以随着经济社会和生态系统的响应而发生相应变化,是一个动态变化过程。供水项考虑了区域水资源演变过程,以及水平年供水工程规划;在需水项,经济社会需水考虑了用水结构调整和用水水平的提高等因素,以及人工生态和天然生态修复过程的需水动态差异,同时考虑了不同水资源配置方案下的生态需水动态变化。

(4)将水资源配置模型与分布式水循环模型相互耦合,实现信息的反馈与交互,使水资源配置更为精细和合理,同时也将配水信息按照模拟的时间步长分解输入到水循环模型当中,不仅使配置的水循环效应被模拟和认知,而且配置方案可在全口径供需平衡指标下相互灵活转换,有效拓展了传统集总式配置模型的功效。

(5)水资源合理配置模型将配水对象扩展到降水和土壤水,配水范围拓展到天然生态系统,并进行生态空间优化决策和微观配水,通过不同优化目标,综合分析和评价各个水资源配置方案的差异,可以给出不同方案的自然 – 人工系统水资源供需态势。

(6)以生态稳定响应和经济效益响应为广义水资源配置方案的合理性检验标准,可以及时反馈和调整广义水资源合理配置方案,保证广义水资源配置的合理性。

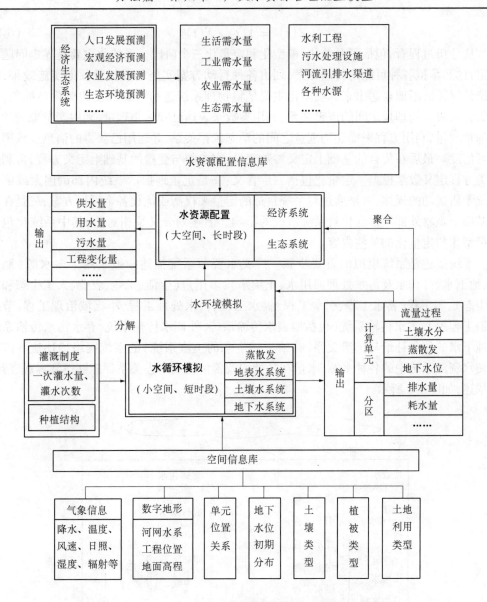

图 6-1　广义水资源合理配置模型结构图

第二节　水资源合理配置模型

一、广义水资源系统分析与概化

（一）广义水资源系统分析

广义水资源系统将分析对象划分为系统输入 $X(t)$、系统转换 $Y(t)$ 和系统输出 $Z(t)$ 三个单元。用数学方程式表示为：

$$Z(t) = Y(t) \cdot X(t) \tag{6-1}$$

从分析过程看,包括了系统化、模型化和定量化三个阶段。系统化主要是界定问题和确定目标,草拟各种可能的行动方案,列出各种行动方案实施的前提及预期实施效果,将系统分解并清晰地表达出来。模型化主要是将物理系统进行一定程度的概化与抽象,利用集合来表达物理量之间的逻辑关系,利用参数来表达已知的物理量,利用变量来表达未知的物理量,利用方程来描述物理量之间的动态依存关系,并运用已获得的信息校核模型的可信度。最后在集合的基础上定义参数变量,在参数与变量的基础上定义方程,再利用各类方程定义数学模型。定量化包括三层含义:一是定量地揭示系统内部诸因素或诸子系统矛盾运动的规律;二是通过对系统目标的定量来权衡或优化各个可行方案;三是在定量基础上观察外部条件变化对系统造成的影响。上述划分又是相对的,其中系统化包含了模型化与定量化的某些内容。

系统描述是系统模拟的首要步骤。广义水资源系统描述一般采用了多水源(地表水、地下水、外调水及污水处理回用水、土壤水)、多用户(生活、工业、农业、人工生态和天然生态)、多工程(蓄水工程、引水工程、提水工程、污水处理工程、小流域治理工程、节水改造工程等)、多水传输系统(包括地表水传输系统、外调水传输系统、弃水污水传输系统和地下水的侧渗补给与排泄关系、补给天然生态的土壤系统)的系统网络描述法。该方法使水资源系统中的各种水源、水量在各处的调蓄情况及来去关系都能够得到客观、清晰的描述,如图 6-2 所示。

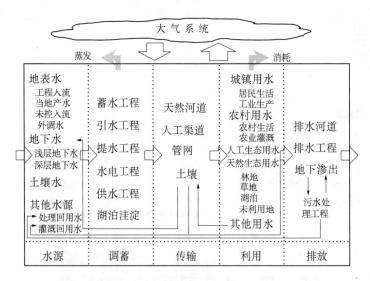

图6-2　广义水资源系统概念图

(二)广义水资源系统概化

对一个真实系统就所研究的问题进行抽象概化,实质上是要分析影响该问题的各主要因素,揭示它们的内在联系,从而使该问题的圆满解决成为可能。水资源配置研究主要是从供需平衡角度探讨水资源系统的概化,基于这一概化后的逻辑系统,实现水资源的合理配置。广义水资源系统概化主要分为供水水源、需水部门、计算单元的划分和输水系统等。

1. 供水水源分类

在可供利用的各种水资源中,除滨海城市可利用部分海水作为工业冷却用水外,统指淡水资源,相对于传统地表水资源和地下水资源,广义水资源配置还包括土壤水资源,以及降水产生的植被截留和地表填洼水。

地表水资源是指存在或运动于地球表面的不同形态的自然水体,包括河流水、湖泊水(水库、洼地)、冰川水、沼泽水和海洋水等,由大气降水、冰川融水和地下水补给,经河川径流、水面蒸发、土壤入渗等形式排泄,是工农业生产最主要的水源,主要包括当地可利用地表径流、山区径流、再生利用水、外调水等。当地可利用地表径流,泛指所在地域星罗棋布的中小型水利工程可以提供的能被直接利用的地表径流,带有概化性质;山区径流指流经所在地域的河流在上游入口处的河川径流,这部分径流是平原区地表水资源的主要部分,对系统内每个要考虑其调蓄作用的大中型水库,均应有相应于不同规划水平年的入流系列;再生利用水主要取决于污水处理厂的处理能力,并受当地可能提供的污水量的约束;外调水指由所在流域以外的其他流域可能调入的水量,这部分水量和山区径流一样,按工程项目分类以不同规划水平年的系列来水形式给出。

地下水资源是指储存于地下含水层中的水量,包括深层地下水和浅层地下水,由降水和地表水的下渗补给,以河川径流、潜水蒸发、地下潜流等形式排泄。深层地下水的补给十分缓慢,通常视为静态资源,如果大量开采会造成环境问题严重恶化。随着水资源条件的逐步改善,深层地下水要限制开采。浅层地下水一般是一种可再生资源,有多种补给来源,在计算浅层地下水补给量时应对各种补给源分别计算。与补给作用相反的是潜水蒸发,它是一种无效消耗,随地下水埋深增加呈指数递减。在多年运行期内,浅层地下水应维持采补平衡,避免超采,以防止环境恶化。

土壤水资源是一种可以直接被利用和消耗而人工难以抽取和转移的资源,它来源于大气降水、人工灌溉、地下水在毛细管作用下上升补给和进入土壤孔隙中的水汽凝结等。土壤水主要通过土壤蒸发、植物吸收蒸腾而耗散,一般只有在土壤含水量超过持水量的情况下,才下渗补给地下水或形成壤中流汇入河川,具有供给植物水分并连通地表水和地下水的作用。土壤水资源是介于土壤凋萎含水量和田间持水量之间的土壤水量,由土壤水的补给量和调节量组成。按传统观点,水资源只包括地表水和地下水,但对天然植被和农作物来说,土壤水是水资源的主要组成部分,地表水和地下水只有通过灌溉和天然入渗转为土壤水后才能被植物根系吸收。

2. 需水部门分类

对于不同的用水户,根据其内部对水源的不同要求和供用水方式,将需水部门概化为生活、工业、农业、人工生态和天然生态,不同需水类型对应不同的水源来源,通过建立广义水资源与不同用水部门的配置关系(见图6-3),实现广义水资源在配置系统中的真实模拟。

生活需水包括城镇居民日常生活需水、公共设施需水和城市环境需水,以及农村居民生活需水和大小牲畜饮水等。在某一规划水平年下,这类需水只考虑年内变化而不涉及年际之间的变化。

工业需水指工矿企业在生产过程中用于制造、加工、冷却、洗涤等方面的用水。在某一规划水平年下,它也只考虑年内变化。

农业需水包括种植业灌溉需水、渔业需水等。种植业灌溉需水占比例最大,其年内分配和年际间均有显著变化。所以,对农业需水要给出不同规划水平年的相应需水系列。

生态需水包括人工生态需水和天然生态需水两部分,考虑不同的生态保护目标,生态需水量有所不同,应以维持生态可持续发展来确定。根据土地利用类型,将天然生态需水分为林地需水、草地需水、天然湖泊需水和未利用地需水。

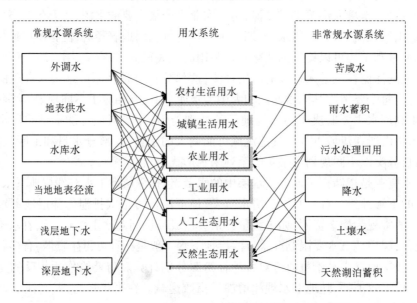

图6-3　广义水资源与用水系统配置关系图

3. 计算单元划分

一个较大的系统其内部会有各种各样的差异,衡量系统的整体情况应当建立在分析其内部差异性的基础上。水资源供需平衡不仅重视分析系统的整体,有时要着重分析系统内某些地区的情况。这就要求将系统按地域划分为若干计算单元,在对每个计算单元逐个进行供需平衡计算后,再综合概括得到所要分析的特定地区和整个系统的计算成果。只有这样,计算结果才能较为真实合理。当然,考虑系统内部的差异性要有一定限度,它应服从所研究问题的要求与深度。实际上,划分有限个单元来反映系统内部的差异只具有相对的意义。将系统划分为若干计算单元后,各项需水要求按计算单元提出;地下水资源、当地可利用径流和处理后可再生利用污水也按计算单元给出;山区径流和跨流域可引水量要结合单元划分明确它们的供水范围,并应给出各计算单元间的水力联系。

4. 输水系统

输水系统除了包括人工系统的输水工程之外,还包括天然系统的水分运移输送,各种水源传输转化工程联系着水源和用水户,共同组成水资源系统网络。输水工程包括天然河道、人工供水管道、引提水渠道、污水排水渠道和灌溉退水渠道等,如图6-4所示。天然水分传输可以通过下垫面各种土地利用和土壤进行输送运移。

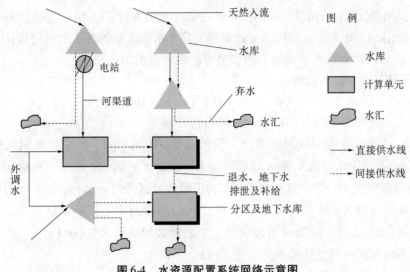

图 6-4　水资源配置系统网络示意图

二、配置模型构建

(一)目标函数

根据水资源合理配置研究区域的特点,水资源合理配置目标可以是以供水的净效益最大为基本目标,也可以考虑以供水量最大、水量损失最小、供水费用最小或缺水损失最小等为目标函数。如选取系统缺水总量最少的目标函数:

$$\min Z = \sum_{m=1}^{M} \sum_{u=1}^{U} \sum_{k=1}^{K} QSH(m,u,k) \tag{6-2}$$

式中:$QSH(m,u,k)$ 表示第 m 时段第 u 个计算单元第 k 用水类型的缺水量。

(二)约束条件

系统约束条件主要包括水量平衡约束、水库蓄水库容约束、引提水能力约束、地下水使用量约束、地下水埋深约束、当地可利用水资源量约束、最小供水保证率约束、河湖最小生态需水约束、生态稳定性约束、经济效益约束、非负约束等。

1. 水量平衡约束

(1)区域耗水总量约束。

$$\sum_{1}^{12} QTCon(m) \leqslant QYHL(p) \tag{6-3}$$

式中:$QTCon(m)$ 表示区域每一个时段可消耗水资源量;$QYHL(p)$ 表示来水频率为 p 时区域可消耗的水资源量。

(2)计算单元水量平衡约束。

$$QSH(m,u,k) = QDM(m,u,k) - QYHS(m,u,k) - QRS(m,u,k) - $$
$$QGS(m,u,k) - QRUS(m,u,k) - QFS(m,u,k) \tag{6-4}$$

式中:$QSH(m,u,k)$ 表示第 m 时段第 u 计算单元第 k 用水类型的缺水量;$QDM(m,u,k)$ 表示第 m 时段第 u 计算单元第 k 用水类型的需水量;$QYHS(m,u,k)$ 表示第 m 时段第 u 计算单元第 k 用水类型的河道供水量;$QRS(m,u,k)$ 表示第 m 时段第 u 计算单元第 k 用水类型的水库供水量;$QGS(m,u,k)$表示第 m 时段第 u 计算单元第 k 用水类型的地下水使用量;$QRUS(m,u,k)$表示第 m 时段第 u 计算单元第 k 用水类型的再生水回用量;$QFS(m,u,k)$表示第 m 时段第 u 计算单元第 k 用水类型的山区洪水供用量。

(3)河渠节点水量平衡约束。

$$H(m,n) = H(m,n-1) + QH(m,r) + QRX(m,i) + QRec(m,n) - $$
$$QRC(m,i) - QI(m,n) - QL(m,n) \tag{6-5}$$

式中:$H(m,n)$表示第 m 时段河渠节点 n 的过水量;$H(m,n-1)$表示第 m 时段河渠节点 $n-1$ 的过水量;$QH(m,r)$表示第 m 时段河渠上下断面区间第 r 河流汇入水量;$QRX(m,i)$表示第 m 时段河渠上下断面区间第 i 水库的下泄水量;$QRec(m,n)$表示第 m 时段河渠上下断面区间的回归水汇入量;$QRC(m,i)$表示第 m 时段河渠上下断面区间第 i 水库的存蓄水变化量;$QI(m,n)$表示第 m 时段河渠上下断面区间的引水量;$QL(m,n)$表示第 m 时段河渠上下断面间的蒸发渗漏损失水量。

(4)水库枢纽水量平衡约束。

$$VR(m+1,i) = VR(m,i) + QRC(m,i) - QRX(m,i) - QVL(m,i) \tag{6-6}$$

式中:$VR(m+1,i)$表示第 m 时段第 i 个水库枢纽末库容;$VR(m,i)$表示第 m 时段第 i 个水库枢纽初库容;$QRC(m,i)$表示第 m 时段第 i 水库枢纽的存蓄水变化量;$QRX(m,i)$表示第 m 时段第 i 个水库枢纽的下泄水量;$QVL(m,i)$表示第 m 时段第 i 个水库枢纽的水量损失。

(5)河渠回归水量平衡约束。

$$QRec(m,n) = \sum_{u=u_0}^{u_T} QRECD(m,u) + \sum_{u=u_0}^{u_T} QRECI(m,u) + \sum_{u=u_0}^{u_T} QRECA(m,u) + QFL(m) \tag{6-7}$$

式中:$QRec(m,n)$表示第 m 时段河渠上下断面区间的回归水汇入量;$QRECD(m,u)$表示第 m 时段河渠上下断面区间生活退水量;$QRECI(m,u)$表示第 m 时段河渠上下断面区间工业退水量;$QRECA(m,u)$表示第 m 时段河渠上下断面区间灌溉退水量;$QFL(m)$表示第 m 时段河渠上下断面区间山洪水量。

2. 水库蓄水库容约束

$$V_{\min}(i) \leqslant V(m,i) \leqslant V_{\max}(i) \tag{6-8}$$
$$V_{\min}(i) \leqslant V(m,i) \leqslant V'_{\max}(i) \tag{6-9}$$

式中:$V_{\min}(i)$表示第 i 个水库的死库容;$V(m,i)$表示第 i 个水库第 m 时段的库容;$V'_{\max}(i)$表示第 i 个水库的汛限库容;$V_{\max}(i)$表示第 i 个水库的兴利库容。

3. 引提水能力约束

$$QP(m,u) \leqslant QP_{\max}(u) \tag{6-10}$$

式中:$QP(m,u)$表示第 u 计算单元第 m 时段引提水量;$QP_{\max}(u)$表示第 u 计算单元的最大引提水能力。

4. 地下水使用量约束

$$G(m,u) < P'_{\max}(u) \tag{6-11}$$

$$\sum_{m=1}^{M} G(m,u) < G_{\max}(u) \tag{6-12}$$

式中：$G(m,u)$ 表示第 m 时段第 u 计算单元的地下水开采量；$P'_{\max}(u)$ 表示第 u 计算单元的时段地下水开采能力；$G_{\max}(u)$ 表示第 u 计算单元的年允许地下水开采量上限；M 表示时段总数。

5. 地下水埋深约束

$$L_{\min}(m,u) \leqslant L(m,u) \leqslant L_{\max}(m,u) \tag{6-13}$$

式中：$L_{\min}(m,u)$ 表示第 m 时段第 u 单元的最浅地下水埋深；$L(m,u)$ 表示第 m 时段第 u 单元的地下水埋深；$L_{\max}(m,u)$ 表示第 m 时段第 u 单元的最深地下水埋深。

6. 当地可利用水资源量约束

$$N(i,t) \leqslant N_{\max}(i) \tag{6-14}$$

式中：$N(i,t)$、$N_{\max}(i)$ 分别表示第 i 个计算单元使用的当地天然来水和当地天然来水可利用量。

7. 最小供水保证率约束

$$\beta(m,u,k) \geqslant \beta_{\min}(m,u,k) \tag{6-15}$$

式中：$\beta(m,u,k)$ 表示第 u 计算单元第 m 时段第 k 类用户的供水保证率；$\beta_{\min}(m,u,k)$ 表示第 u 计算单元第 m 时段第 k 类用户要求的最低供水保证率。

8. 河湖最小生态需水约束

$$QRVE(i,t) \leqslant QREVE_{\min}(i) \tag{6-16}$$

式中：$QRVE(i,t)$、$QREVE_{\min}(i)$ 分别表示第 i 条河道实际流量和最小需求流量，最小需求流量可根据水质、生态、航运等要求综合分析确定。

9. 生态稳定度约束

$$\lambda(u) \leqslant \lambda_{\min}(u) \tag{6-17}$$

式中：$\lambda(u)$ 表示第 u 计算单元的生态稳定度；$\lambda_{\min}(u)$ 表示第 u 计算单元的最小生态稳定度。

10. 经济效益约束

$$i \geqslant \theta \tag{6-18}$$

式中：i 表示区域总体工程内部收益率；θ 表示预期的最小内部收益率。

11. 非负约束

三、模型运行策略

合理配置模型在模拟系统运行方式时，要有一套运行规则来指导，这些规则的总体构成了系统的运行策略。实际运行时，根据面临时段所能得到的系统信息，依据运行策略的指导，确定系统在该时段的决策，运行策略包括以下几部分。

(一)需水满足优先序

需水满足优先序主要包括供水优先次序、宽浅式破坏和分质供水等。

供水优先次序即需水满足的先后次序，需水中最优先满足的是生活需水和基本生态需水，另外专门的菜田灌溉需水可作为生活需水考虑，予以优先满足。在此基础上，大致按照单位用水量效益从高到低的次序进行供水，依次为工业需水、农业需水、其他生态需水、发电需水和航运需水等。在调度操作上,供水高效性原则的定量实施还要受到供水公平性原则的制约。

宽浅式破坏是指在来水不足条件下,在调度过程中应在时段之间、地区之间、行业之间尽量比较均匀地分配缺水量,防止个别地区、个别行业、个别时段的大幅度集中缺水,做到实际缺水损失最小。另外,宽浅式破坏还隐含了兼顾供水的均衡性原则,防止经济效益好的地区和行业优先配水,不利于地区、行业和人群均衡发展。

不同行业对供水水质的要求不同,按照现阶段的用水质量标准,Ⅴ类或劣Ⅴ类的水资源只能用于发电、航运以及河口生态系统供水或作为弃水;Ⅴ类水可以供农业及一般生态,也可以用于发电、航运等;Ⅳ类水可以供工业、农业及一般生态系统;Ⅲ类水及优于Ⅲ类的水可以供各行各业使用。在优质水水量有限的条件下,在调配过程中为了满足各行各业的需水要求,需要实行分质供水。即优质水优先满足水质要求高的生活和工业用水的需要,然后满足农业和生态环境用水的需要。

(二)水源的供水次序

在水资源配置过程中,各种水源供水次序的合理确定对于进行系统调节计算和保证调配结果的最优性和正确性具有重要的作用,但确定水源利用顺序是一项复杂的工作,受到历史传承、实际情况和决策者需求的影响。根据各种水源特点和专家调度经验,拟定各种水源的利用优先序为:

(1)降水、土壤水优先;

(2)非常规水源优先;

(3)处理后的污水优先;

(4)地表水、水库蓄水优先;

(5)地下水的正常开采优先;

(6)灌溉退水、等级外的污水、地下水中的超量开采量、蓄水水库死水位以下的可利用水量等作为紧急备用水量,在一般情况下,只有当系统的缺水量达到较大的程度,符合启动水资源应急措施条件时才使用。

地表水与地下水的利用要考虑它们之间的补偿作用,其利用优先序有时要调整。

(三)各种水源的运用规则

在广义水资源配置系统中,降水和土壤水是优先使用的水源,但不能人工直接配置,人工可以直接配置的地表水、地下水和污水处理回用三类水源运用规则如下。

1. 地表水水源运用规则

(1)上游没有调节水库的提水和引水工程的可供水量要优先利用。

(2)上游有调节水库的提水和引水工程,应优先利用水库来水进行供水。如果引、提工程的区间来水量和水库来水量不够用时,就动用水库的可用蓄水量;当水库的蓄水位达到当前时段允许的下限水位时,就不能再增加水库供水。

(3)一个蓄、引、提工程能够同时向多个用水对象供水的情况,如果有规定的分水比例,便优先按照规定的比例供水;如果事先没有规定分水比例,依照配置准则分配。

2. 地下水运用规则

(1)将地下水的总补给量分为不受人类活动影响的天然补给量和受人类活动影响的工程补给量,前者不考虑工程方案和配置运用方式的影响,后者必须要考虑工程方案和配置运用方式的影响。

（2）根据水循环模拟结果,将地下水供水量分为三部分:① 最小供水量(潜水以上的地下水量按照最小供水量对待);②最小供水量与可供水量之间的机动供水量;③允许的超采量。地下水利用的优先次序分别是:最小供水量、机动供水量、超采量。

（3）地下水最小供水量要优先于当地地表径流量和水库需水量利用。

（4）机动供水量与地表水供水进行联合调节运用。

（5）地下水超采量只有当缺水达到一定深度、地表水供水难以保障时,才允许动用。超采的地下水量,在其后时段要通过减少地下水开采量等方式予以回补。

（6）当前时段的补给量按照上一时段的补给条件计算,并滞后到下一时段才能算做地下水量供开采使用。

3. 污水处理回用规则

（1）面临时段的污水量、处理量、处理回用量、各行业的回用量,按照上一时段的城镇生活用水量和工业用水量计算,即要滞后一个时段退水和回用。

（2）各行业的回用量要优先于地表水供水和地下水供水利用。

（3）回用水量优先供本单元回用,有外单元回用,系统网络图中必须有相应的供水渠道。

（4）经计算单元排水渠道排走的未处理污水和未回用的处理后水,如果被下游计算单元间接利用,不算做污水处理回用量。

（四）水库运行调度策略

每个水库都有一个以年为周期的调度图指导其运行,调度线将水库分为若干区域,一般形式是在水库兴利水位(汛期为防洪限制水位)和死水位之间,依次有防弃水线和防破坏线控制,从而将水库运行区域分成防弃水区、正常工作区和非正常工作区三部分,如图6-5所示。根据确定的不同优先级用水户,设定生活调度线、工业调度线和农业调度线。当水库水位落在防弃水区时,水库应尽可能多地供水,减少未来时期出现弃水的可能性;水位落在正常工作区时,水库按正常需要供水,除满足生活、工业需水外,还满足农业用水要求;水位落在非正常工作区时,限制水库供水,首先保证生活用水,其次是工业用水,最后是农业用水。

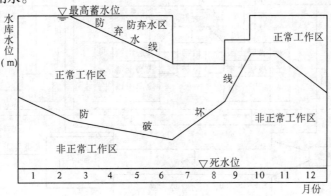

图6-5　水库调度示意图

第三节　水循环模拟模型

一、平原区分布式水循环模拟

(一)模型结构与特点

1. 模型结构

图6-6描述了平原区陆地水循环系统的结构和水循环的主要路径。平原区复合水循环系统的主体部分是自然－人工复合型的地表水系统、土壤水系统和地下水系统。地表水系统包括引水干流(主干渠)、支渠渠系、排水系统以及河流湖泊。引水干渠从河流引水,引水过程中的水量损失包括渠系渗漏和水面蒸发;支渠渠系从干渠中导流引水,并将水量引向灌溉区域进行农业灌溉活动,部分多余的引水则直接退入排水沟;排水系统则接受渠系的直接退水,并在潜水埋深超过排水沟的底面高程时接受潜水的排泄;湖泊接受排水沟和渠系的补水,并和潜水发生水量交换。土壤水系统包括不同的土壤层和植物根系,土壤表层是人类农业活动发生的主要场所,同时也是整个灌区水循环过程中水分运动最活跃的部分,该层中发生的水文过程主要为降水/灌溉入渗、土表蒸发以及作物根系吸水蒸腾,也可能包括较少量的超渗产流。浅层土壤在表层和深层土壤之间起土壤水分的传递连接作用。深层土壤是土壤非饱和渗流层与潜水含水层之间发生水量交换的主要场所。受地理环境和人类土地利用方式控制,土壤水系统可以分为不同特征的土壤区块,人工灌溉区域(主要是农田)接受渠系的引水灌溉和降水补给,以及大气的蒸发蒸腾作用;与人工灌溉区域不同,非灌溉区域(自然区域或居工地等)的地表补给来源只有自然降水。

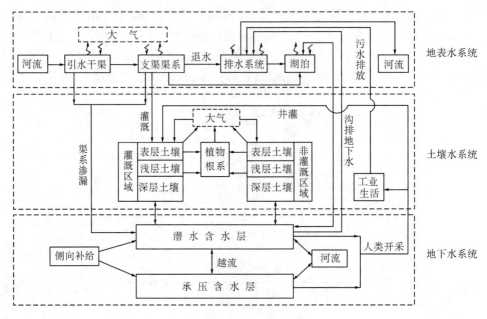

图6-6　平原区水循环模型结构

土壤水与区域内的潜水联系紧密,通过土壤水的下渗补给和潜水蒸发进行水量交换。考虑到区域的宏观特征,地下水系统可粗略分为潜水含水层(具有自由水面)和承压含水层两类,与区域含水盆地的补给区和排泄区发生水量交换,同时,当潜水含水层和承压含水层存在上下的水头差异时,两层之间将会发生越流作用。人类开采地下水作为水资源,其中大部分用于平原灌区的农业灌溉,另外还用于工业和生活用水。此外,人类还是渠系工程和排水工程的控制者,并通过对土地的利用影响土壤水系统。因此,人类活动、地球重力作用、太阳辐射是平原区水循环的三个主要驱动因素,而人类活动可以贯穿在水循环系统的每个环节中。

2. 模型特点

目前在模型的设计中,以网格的形式将整个灌区在空间上进行离散,对于地表水系统,初步考虑把引水渠系分成两级,即干渠级和支渠渠系级。干渠在空间分布上为线状分布。对于数量巨大且反复交叉的支渠渠系,描述每条渠道存在技术和资料方面的双重困难,因而在灌区的空间范围内可以按照灌溉引水条件和灌溉制度分成不同区块,目的是适应灌区地表水工程和行政分区(影响到观测信息的收集)的一般特点,可以根据用户的需要和数据的准备程度制定分区尺度描述,这些区块统称为灌域。在同一个灌域内,支渠渠系假设为均匀分布,而且具有相同的工程参数。对于土壤水系统,在以灌区为尺度的范围内认为是以一维垂向运动为主,以网格为界,各土壤土柱相互之间不发生水量交换,这实际上是忽略了壤中流,但对于平原区这种简化是适合的。土壤水的垂向运动利用一维Richard方程进行求解。对于地下水系统,由于要考虑潜水和承压水的交互作用,因此需要以三维地下水运动方程加以描述。模型的框架如图 6-7 所示。

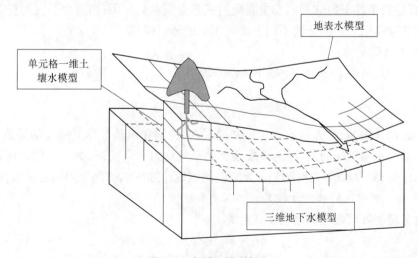

图 6-7 水循环模型框架

(二)计算单元与时段

下垫面因素(地形、土壤类型、植被覆盖)和气象因素的空间非均匀性非常明显,为了反映这些因素的影响以及人类活动和气象条件对区域水循环过程的干扰,将研究区分成子区以实现对空间分异性的描述,可以根据灌区自身的特点、所在的行政区域、灌区土地利用类型、作物种植结构、灌溉制度等对研究区进行子区划分,得到最后的水循环计算单元,此时该计算单元即有明确的地理位置、灌溉区域和作物种植类型等特征。

区域水循环过程不单在空间上表现出不均匀状态,而且在时间上表现出连续的、不均匀的、非线性的变化。为了表达水循环过程的时间分异性,模型应将时间划分为一定长度的时段,并假定在每一个时间段内,水循环过程是均匀变化的,在划分时间段的同时,还需要考虑与水资源配置模型的连接。

(三)蒸发蒸腾模拟

蒸发蒸腾在参与"四水"转化的同时,也是生态用水和农业节水等应用研究的重要着眼点,所以要求尽可能准确地计算蒸发蒸腾量。考虑区内的土地利用变异问题,每个分区单元的蒸发蒸腾可能包括植被蒸腾、植物截留蒸发、土壤蒸发和水域蒸发等多项,并按照土壤 – 植物 – 大气通量交换方法,采用 Noilhan-Planton 模型、Penman 公式和 Penman-Monteith 公式等进行详细计算。

蒸发的形成及蒸发率的大小受到很多因素的影响,归纳起来有以下四方面:一是受辐射、气温、湿度、气压、风速等气象因素影响。这些因素虽是蒸发的外界条件,但它既决定着水分在蒸发过程中的能量供给,又影响着蒸发的水汽向大气中进行扩散的过程。二是受土壤含水率的大小及其分布的影响。这是提供蒸发水源的条件。三是受植物生理特性的影响。土壤中的水分主要经植物根系吸收,并由叶面向大气散失。散发强度与叶面指数有密切关系。植物种类不同,叶面指数不同,叶面的扩散功能也不同。相同植物在不同的生长阶段,叶面指数也不同。四是受土壤岩性、结构和潜水埋深影响。水面蒸发主要受第一方面因素的影响;裸土(无植物土地)条件下的蒸发主要受第一方面和第二方面因素的影响;有植被条件下的陆面蒸发主要受前三方面因素的作用;而潜水蒸发则受以上各方面因素的共同作用。下面分述不同土地利用下的蒸发模型。

1. 水域的蒸发量计算

水域的蒸发量由 Penman 公式(Penman,1948)计算:

$$E_W = \frac{(RN - G)\Delta + \rho_a C_p \delta e / r_a}{\lambda(\Delta + \gamma)} \tag{6-19}$$

式中:RN 为净放射量;G 为传入水中的热通量;Δ 为饱和水蒸气压对温度的导数;δe 为水蒸气压与饱和水蒸气压的差;r_a 为蒸发表面的空气动力学阻抗;ρ_a 为空气的密度;C_p 为空气的定压比热;λ 为水的汽化潜热;γ 为空气的定压比热与水的汽化潜热的比值,即 C_p/λ。

2. 裸地 – 植被域蒸散发量计算

裸地 – 植物域蒸发蒸腾量由下式计算:

$$E_{SV} = Ei_1 + Ei_2 + Etr_1 + Etr_2 + Es \tag{6-20}$$

式中:Ei 为植被截留蒸发(来自湿润叶面);Etr 为植被蒸腾(来自干燥叶面);Es 为裸地土壤蒸发;下标 1 表示高植被(森林、都市树木);下标 2 表示低植被(草、作物)。

(1)植被截留蒸发用 Noilhan-Planton 模型(Noilhan 和 Planton,1989)计算:

$$Ei = Veg \cdot \delta \cdot Ep \tag{6-21}$$

$$\frac{\partial Wr}{\partial t} = Veg \cdot P - Ei - Rr$$

$$Rr = \begin{cases} 0 & Wr \leqslant Wr_{max} \\ Wr - Wr_{max} & Wr > Wr_{max} \end{cases}$$

$$\delta = (Wr/Wr_{max})^{2/3}$$

$$Wr_{max} = 0.2 \cdot Veg \cdot LAI$$

式中:Veg 为裸地–植被域的植被面积率;δ 为湿润叶面的面积率;Ep 为潜在蒸发量(由 Penman 公式计算);Wr 为植被截留水量;P 为降水量;Rr 为植被流出水量;Wr_{max} 为最大植被截留水量;LAI 为叶面积指数。

(2)植被蒸腾由 Penman-Monteith 公式(Monteith,1973)计算:

$$Etr = Veg \cdot (1 - \delta) \cdot E_{PM} \tag{6-22}$$

$$E_{PM} = \frac{(Rn - G)\Delta + \rho_a C_p \delta e / r_a}{\lambda [\Delta + \gamma(1 + r_c/r_a)]}$$

式中:Rn 为净辐射量;G 为传入植被体内的热通量;r_c 为植物群落阻抗;其他符号意义同前。关于蒸腾受光合作用、大气湿度、土壤水分等的制约影响由植物群落阻抗来考虑。

(3)裸地土壤蒸发由修正 Penman 公式(Jia,1997)计算:

$$Es = \frac{(Rn - G)\Delta + \rho_a C_p \delta e / r_a}{\lambda(\Delta + \gamma/\beta)} \tag{6-23}$$

$$\beta = \begin{cases} 0 & \theta \leqslant \theta_m \\ \frac{1}{4}\{1 - \cos[\pi(\theta - \theta_m)/(\theta_{fc} - \theta_m)]\}^2 & \theta_m < \theta < \theta_{fc} \\ 1 & \theta \geqslant \theta_{fc} \end{cases}$$

式中:β 为土壤湿润函数或蒸发效率;θ 为表层(一层)土壤的体积含水率;θ_{fc} 为表层土壤的田间持水率;θ_m 为土壤单分子吸力(1 000 ~ 10 000 个大气压)对应的土壤体积含水率(Nagaegawa,1996)。

3. 不透水域的蒸发计算

不透水域的蒸发用下式计算:

$$E_u = cE_{u1} + (1 - c)E_{u2} \tag{6-24}$$

式中:E_u 为蒸发量;c 为都市建筑物在不透水域的面积率;下标 1 表示都市建筑物;下标 2 表示都市地表面。

都市建筑物和都市地表面的蒸发由下式计算:

$$\frac{\partial H_{u1}}{\partial t} = P - E_{u1} - R_{u1} \tag{6-25}$$

$$E_{u1} = \begin{cases} E_{u1max} & P + H_{u1} \geqslant E_{u1max} \\ P + H_{u1} & P + H_{u1} < E_{u1max} \end{cases}$$

$$R_{u1} = \begin{cases} 0 & H_{u1} \leqslant H_{u1max} \\ H_{u1} - H_{u1max} & H_{u1} > H_{u1max} \end{cases}$$

$$\frac{\partial H_{u2}}{\partial t} = P - E_{u2} - R_{u2}$$

$$E_{u1} = \begin{cases} E_{u2\max} & P + H_{u2} \geqslant E_{u2\max} \\ P + H_{u2} & P + H_{u2} < E_{u2\max} \end{cases}$$

$$R_{u1} = \begin{cases} 0 & H_{u2} \leqslant H_{u2\max} \\ H_{u2} - H_{u2\max} & H_{u2} > H_{u2\max} \end{cases}$$

式中:P 为降水量;H_u 为洼地储蓄;R_u 为表面径流;$H_{u\max}$ 为最大洼地储蓄深;$E_{u\max}$ 为潜在蒸发(由 Penman 公式计算);其他符号意义同前。

4. 蒸发计算公式中一些具体参数的推求

1) 空气密度的计算

$$\rho_a = 3.486 \frac{P}{275 + T_a} \tag{6-26}$$

式中:ρ_a 为空气密度,kg/m^3;P 为大气压力,kPa,标准大气压为 101 kPa;T_a 为气温,℃。

水蒸气压与饱和水蒸气压差的计算公式如下:

$$\delta e = \left(\frac{e_s(T_{\max}) + e_s(T_{\min})}{2} \right) \frac{100 - RH}{100} \tag{6-27}$$

$$e_s = 0.6108 \exp\left(\frac{17.27 T_a}{237.3 + T_a} \right)$$

$$\Delta = \frac{4098 e_s}{(237.3 + T_a)^2}$$

式中:$e_s(T_{\max})$ 为最高气温对饱和水汽压,kPa;$e_s(T_{\min})$ 为最低气温时饱和水汽压,kPa;e_s 为饱和水汽压,kPa;RH 为相对湿度(%);其他符号意义同前。

2) 潜热的计算

潜热由下述公式计算:

$$\lambda = 2.501 - 0.002361 T_s \tag{6-28}$$

式中:λ 为水的潜热,MJ/kg;T_s 为地表温度。

3) 地中热通量的计算

地中热通量由下式计算:

$$G = c_s d_s (T_2 - T_1) / \Delta t \tag{6-29}$$

式中:c_s 为土壤热容量,MJ/(m^3·℃);d_s 为影响土层厚度,m;T_1 为时段初的地表面温度,℃;T_2 为时段末的地表面温度,℃;Δt 为时段,d。

4) 空气动力学阻抗的计算

空气动力学阻抗可由下式(Jia,1997)计算:

$$r_a = \frac{\ln[(z_u - d)/z_{om}] \cdot \ln[(z_e - d)/z_{ox}]}{\kappa^2 U} \tag{6-30}$$

式中:z_u、z_e 为风速和湿度观测点离地面的高度;κ 为 von Karman 常数;U 为风速;d 为置换高度;z_{om} 为运动量紊流扩散对应的地表粗度;z_{ox} 为地表粗度(计算运动量紊流扩散时 $z_{ox} = z_{om}$,计算水蒸气紊流扩散时 $z_{ox} = z_{ov}$,计算热紊流扩散时 $z_{ox} = z_{oh}$)。根据 Monteith

（1973）理论，若植被高度为 h_c，则 $z_{om}=0.123h_c$，$z_{ov}=z_{oh}=0.1z_{om}$，$d=0.67h_c$。

5）植物群落阻抗的计算

植物群落阻抗是各个叶片的气孔阻抗之和，忽视 LAI 对叶气孔阻抗的影响，植物群落阻抗可用下式（Dickinson，1991）计算：

$$r_c=\frac{r_{smin}}{LAI}f_1f_2f_3f_4 \tag{6-31}$$

$$f_1^{-1}=1-0.0016(25-T_a)^2$$

$$f_2^{-1}=1-VPD/VPD_c$$

$$f_3^{-1}=\frac{\dfrac{PAR}{PAR_c}\dfrac{2}{LAI}+\dfrac{r_{smin}}{r_{smax}}}{1+\dfrac{PAR}{PAR_c}\dfrac{2}{LAI}}$$

$$f_4^{-1}=\begin{cases}1 & \theta\geqslant\theta_c\\[2mm]\dfrac{\theta-\theta_w}{\theta_c-\theta_w} & \theta_w\leqslant\theta\leqslant\theta_c\\[2mm]0 & \theta\leqslant\theta_w\end{cases}$$

式中：T_a 为气温，℃；VPD_c 为叶气孔闭合时的 VPD 值（约为 4 kPa）；PAR_c 为 PAR 的临界值（森林为 30 W/m²、谷物为 100 W/m²）；r_{smin} 为最小气孔阻抗；r_{smax} 为最大气孔阻抗（5 000 s/m）；θ 为根系层的土壤含水率；θ_w 为植被凋萎时的土壤含水率（凋萎系数）；θ_c 为无蒸发限制时的土壤含水率（临界含水率）。

（四）地表水径流模拟

在自然水循环过程中，地表水系统是人类控制程度最高的一个环节。平原区地表水系统既包括天然的泉口、沟槽、河道、湖泊，又包括人工建设的水库、渠道、排水沟、输水管道等。地表水系统是一种以重力势能和人工势能为驱动力的快速水分输运体系，形成网络状的几何结构分布在陆地表面，一般具有自由表面与大气直接相通。地表水系统的自然发育特征是通过支流（branches）汇集水分到干流（trunk stream），以湖泊或海洋为排泄终点。但是在平原型农业灌区，被人工改造后，地表水经主干渠道（main cannel）进入分支渠道（distributed cannels），以农田为排泄区，这是逆汇流过程，而一部分地表水经过转化后通过分支排沟（distributed trenches）汇集到主干排沟（main trench）重新进入自然循环过程。

1. 渠系径流模型

渠系包括进入灌区的天然河道，人工建设的干渠、支渠、斗渠、农渠和田间输水工程，从平原型灌区的宏观尺度出发，本模型并不具体的描述每一级每一条渠道的径流过程，而是把渠系简化为两级系统，即干渠系统和支渠渠系系统。

1）干渠系统模型

干渠系统在模型中为分布式，对于特定的干渠，在模拟计算区域平面范围内为线状分布，一些引水规模较大的分支渠也可提升到干渠系统。按照预先剖分的分布式计算网格，对于干渠系统中每条特定的干渠,可以根据干渠在空间上通过的计算网格将干渠分成若干渠段,并且按照从渠首到渠尾的顺序进行编号。对于每一个干渠渠段,可以用图6-8所示的分配框架来描述其径流关系。需要指出的是,根据目前资料分析的结果,虽然干渠在研究区域空间上所占面积比例并不大,然而作为区域地表水的主要输水路径,由于流量相对集中而且引水规模较大,干渠的渗漏量在整个渠系系统对地下水的渗漏补给总量中占有相当大的比例。由于干渠的空间分布具有明显特征,干渠的渗漏量很大程度上影响着研究区域的地下水流场形态,这也是本模型考虑将干渠系统概化成分布式系统的重要原因。

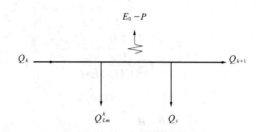

图6-8　干渠系统径流分配框架

渠段的径流方程可描述为:

$$Q_{k+1} = Q_k - Q_c - Q_{Lm,k} - L_k B_k (E_0 - P) \tag{6-32}$$

式中:Q_k 为干渠进入渠段 k 的流量;Q_{k+1} 为干渠经过渠段 k 后剩余流量;Q_c 为支渠灌域在该渠段的引水流量;$Q_{Lm,k}$ 为渠段 k 的引水渗漏损失量;E_0 为水面蒸发强度;P 为降水强度;L_k 和 B_k 是干渠在该渠段的长度和平均宽度。

根据考斯加可夫(Kostiakov)公式,渠道单位长度的输水渗漏损失可计算如下:

$$q = \alpha \cdot Q^m \tag{6-33}$$

式中:q 为单位长度的输水渗漏损失,$m^3/(d \cdot km)$;Q 为渠道的平均流量,m^3;α 为渗漏系数,与渠床的渗透系数、地下水顶托修正系数有关;m 为与渗漏量相关的经验指数。

因此渠段 k 的输水渗漏损失量可近似计算为:

$$Q_{Lm,k} = L_k \cdot \alpha \cdot Q_k^m \tag{6-34}$$

2)支渠渠系系统模型

对于模拟区域范围内不计其数的支、斗、农、毛渠,如采取干渠的径流描述方式,对于资料获取和数据的整理都十分困难。为了避免过于细致的描述并结合一般资料收集的详细程度,考虑用分片常数的方式来描述支渠渠系系统的径流关系。

考虑到平原灌区范围内灌溉制度、种植结构以及渠系特征等差异性,可在平原区内部将灌区分为不同的灌域,在同一灌域范围内认为该区渠系具有均匀的分布特征和相同的工程参数。对于每一个灌域,可以用图6-9所示的分配框架描述其径流关系。

灌域的径流方程可描述为:

$$\sum Q_c = Q_r + Q_{Lc} + Q_i + A_c (E_0 - P) \tag{6-35}$$

式中:$\sum Q_c$ 为从不同干渠渠段进入该灌域的流量总和;Q_{Lc} 为灌域支渠渠系系统的渗漏

量;Q_r 为灌域支渠渠系的退水量;Q_i 为灌域的净灌溉流量;A_c 为灌域渠系的占地面积。

　　灌域支渠渠系系统的渗漏量根据经验公式进行计算。如前所述,对于单独的一条渠道,其渗漏量的计算经验公式为 $q = \alpha Q^m$,本书对该经验公式的应用进行了推广,即认为对于灌域内的支渠渠系系统,其总渗漏量与进入该灌域的流量符合以下计算关系:

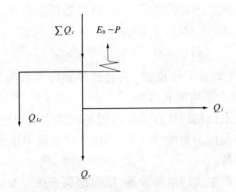

图 6-9　灌域内渠系径流分配框架

$$Q_{Lc} = \alpha_c \left(\sum Q_c \right)^m \tag{6-36}$$

支渠渠系系统的退水量用灌域退水系数 π_r 进行参数化:

$$Q_r = \pi_r \sum Q_c \tag{6-37}$$

灌域范围内的净灌溉总量(进入灌域田间的水量) 为:

$$Q_i = (1 - \pi_r) \sum Q_c - \alpha_c \left(\sum Q_c \right)^m - A_c (E_0 - P) \tag{6-38}$$

2. 排水系统模型

　　在平原的大型灌区,排水系统也是和渠系一样形成复杂的结构网络,包括田间排水沟、斗沟、支沟、干沟和主排干沟等。不过,两者在径流特点上存在一些差别,渠系存在渗漏问题,从主干渠道到分支渠道径流量逐步减少,而排水系统接受地下水的排泄和地表排水,从分支排沟到主干排沟径流量逐步增大。

　　为了描述排水沟系统的径流过程,模型在空间上将模拟区域按各排水干沟的排水范围划分为不同的排水区域。为了避免从细节上描述数量巨大的各级分支排水沟所带来的技术困难,对于每个排水区域模型只模拟排水干沟的径流过程,对于支沟以下的各级排水沟由于汇流时间较短,假设在日计算时段内所排水量能够完全进入排水干沟。对于每一条排水干沟,排水径流关系如图 6-10 所示。

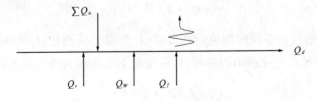

图 6-10　排水区域径流框架

图 6-10 中符号的含义为: Q_d 为排水区域总的排水流量; $\sum Q_u$ 为排水区域内各计算单元地下水向排水系统的排泄流量; Q_r 为从渠系进入排水区域的灌溉退水流量; Q_W 为工业生活污水排放量; $\sum Q_f$ 为排水区域内各计算单元的地表排水量; E_0 为水面蒸发强度; P 为降水强度; A_d 为排水区域内排水系统的占地面积。

计算单元内地下水向排水沟的排泄流量 Q_u 可以近似用高程差计算, 即

$$\begin{cases} Q_u = T_g(h_g - d) & h_g > d \\ Q_u = 0 & h_g \leqslant d \end{cases} \tag{6-39}$$

式中: h_g 为计算单元内的平均地下水位; T_g 为计算单元内排水沟与地下水之间的排水系数; d 为计算单元内的排水沟平均沟底高程。

当计算单元内的地下水位超出计算单元内的平均排水沟沟底高程时, 该单元的地下水排水强度与两者之间的高程差为线性关系; 当地下水位低于排水沟的平均沟底高程时, 该计算单元无地下水排泄量。

对于排水区域内的工业生活污水排放量, 则根据调查统计和规划资料分析生活和工业的耗水率进行计算:

$$Q_W = \sum_{i=1}^{2} (1 - \lambda_i) \cdot Q_{oi} \tag{6-40}$$

式中: Q_D 表示生活和工业耗水量; Q_W 表示污水排放量; λ 表示耗水率; Q_o 表示生活和工业用水量; i 表示生活和工业(1 为生活, 2 为工业)。

排水干沟的汇流过程通过一维运动波方程进行模拟计算, 计算模型为:

$$\frac{\partial A}{\partial t} + \frac{\partial Q}{\partial x} = q_L \qquad \text{(连续方程)} \tag{6-41}$$

$$S_f = S_0 \qquad \text{(运动方程)} \tag{6-42}$$

$$Q = \frac{A}{n} R^{2/3} S_f^{1/2} \qquad \text{(曼宁公式)} \tag{6-43}$$

式中: A 为排水干沟流水断面的面积; Q 为该断面的流量; q_L 为该断面上垂直沟道的单宽入流量, 模型中包括排水流域的地下水排出量、渠道弃水、排水区域的蒸发／降水量、支流汇入的水量、污水排放量; n 为干沟的曼宁糙率系数; R 为沟道断面的水力半径; S_0 为沿河道纵向的坡降; S_f 为摩擦坡降。

3. 湖泊模型

模型中区域内的湖泊接受地下水的排泄以及向地下水补给, 并考虑湖面蒸发以及地表径流系统的补水等水循环要素。其径流方程为:

$$A_l \frac{\partial b_l}{\partial t} = Q_l + A_l(P - E_0) + Q_p \tag{6-44}$$

式中: Q_p 为灌域地表径流系统向湖泊的补水量; A_l 为湖泊的面积; b_l 为湖泊的水深; Q_l 为地下水向湖泊排出的水量或湖泊的渗漏量, 可按地下水排水的经验公式计算, 有:

$$Q_l = T_l(D_l + b_l - h_g) \tag{6-45}$$

其中, D_l 为湖泊的底面高程; T_l 为湖泊与地下水之间的排泄补给系数; h_g 为地下水位高程。

4. 河流径流模型

河流通常是平原区主要的引水来源,大量的水通过引水渠道输送到平原内的灌区进行人工灌溉活动,经过水面蒸发、作物蒸腾等区域内部循环消耗过程,一部分水量以地表径流和地下径流的形式进入灌区内排水沟系统,再由排水干沟回归到河道。除此之外,河流还与区域内的地下水存在着水力联系,随着地下水位以及河水位的变化,河道与区域地下水之间也会发生相应的水量交换。平原区内河道的径流框架如图 6-11 所示。

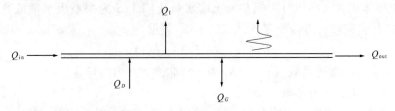

图6-11　平原区内黄河径流框架

图 6-11 中的符号含义如下:Q_{in} 为进入平原区时的河道流量;Q_{out} 为离开平原区时的河道流量;Q_I 为引水干渠引水流量;Q_D 为排水沟向河道的排泄流量;Q_G 为河道与平原区地下水之间的交换量。

与排水干沟相同,模型中通过一维运动波的方式对黄河的径流过程进行模拟。对于引水干渠引水,引水口所在计算单元将干渠引水量从河道流量中予以扣除;对于排水干沟,则在排水口对应计算单元中将排水流量加入河道流量中;河道的水面蒸发按照计算单元内的河面面积乘以水面蒸发强度进行扣除。对于河道与平原区地下水之间的水量交换,则根据地下水位有无越过河床底部的底积层(见图 6-12),分别由下式计算:

$$Q_{Riv} = \begin{cases} C_{Riv}(h_{Riv} - h_g) & h_g \geq R_{Bot} \\ C_{Riv}(h_{Riv} - R_{Bot}) & h_g \geq R_{Bot} \end{cases} \tag{6-46}$$

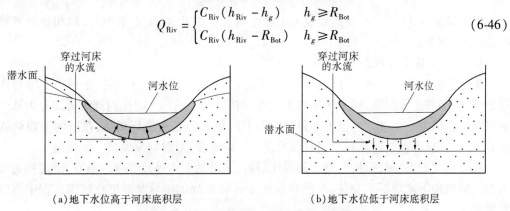

（a）地下水位高于河床底积层　　　　　　（b）地下水位低于河床底积层

图6-12　地下水与河流之间补排关系示意图

式中:Q_{Riv} 为河流与地下水计算单元之间的流量;C_{Riv} 为河流与地下水计算单元间的导水系数;h_g 为计算单元内的地下水高程;h_{Riv} 为河流水位高程;R_{Bot} 为河床淤积层的底部高程。

（五）土壤水系统模拟

对于农田尺度和实验室尺度的土壤水非饱和渗流,已经发展了比较成熟的数值模拟方法,一维和二维的土壤水模型应用较多,三维较少。由于强烈的空间变异性和庞大的计算工作量,二维以上的精细数值模拟方法在流域尺度即区域性的水循环分析方面还不太实用。本书在土壤水模型中,考虑到灌区的尺度,土壤水渗流简化成一维垂向运动并用土壤水运动方程描述,通过与地下水的耦合来补充地下水的作用。

1. 控制方程

以垂直向上为正,一维土壤水的运动方程(Richard 方程)可表达如下:

$$\frac{\partial \theta}{\partial t} = \frac{\partial}{\partial z}\left[K(h)\left(\frac{\partial h}{\partial z} + 1 \right) \right] - S \tag{6-47}$$

式中:θ 为土壤体积含水率$[L^3L^{-3}]$;h 为土壤水负压$[L]$;S 为根系吸水项或其他源汇项$[T^{-1}]$;$K(h)$是非饱和水力传导度,可由式(6-48)表示:

$$K(h,z) = K_s(z)K_r(h,z) \tag{6-48}$$

其中,K_s 为土壤饱和渗透系数$[LT^{-1}]$;K_r 为相对非饱和水力传导率$[-]$。

2. 非饱和土壤的水力参数

土壤含水率以及非饱和土壤水力传导率与土壤负压的关系采用 Van Geneuchten 模型来描述:

$$\theta(h) = \begin{cases} \theta_r + \dfrac{\theta_s - \theta_r}{[1 + |\alpha h|^n]^m} & h < 0 \\ \theta_s & h \geq 0 \end{cases} \tag{6-49}$$

$$K(h) = \begin{cases} K_s K_r(h) & h < 0 \\ K_s & h \geq 0 \end{cases} \tag{6-50}$$

$$K_r = S_e^{1/2}\left[1 - (1 - S_e^{1/m})^m \right]^2$$

$$S_e = \frac{\theta - \theta_r}{\theta_s - \theta_r}$$

该模型共有 5 个参数,测量参数为土壤饱和含水率 θ_s、风干含水率 θ_r、饱和渗透系数 K_s,拟合参数为 α 和 n,$m = 1/n$。

3. 土壤分层方案和离散化方程

土壤采取如下方案进行分层(见图 6-13):在垂向上土层分为三层,分别为土壤耕作层、土壤浅层和土壤深层,同一层中的土壤性质相同。不同的土层在内部可再细分为几个亚层以提高模拟的精度。土壤水方程在空间上以单元中心法进行离散,在时间上以隐式差分的形式进行离散,这样对空间离散来说是二阶精度,对时间来说是一阶精度。

离散单元的编号按照从上到下的顺序进行,土壤的上边界接受降水蒸发,下边界为潜水面。随着地下水埋深的变化,与潜水面相接的第 N 层的编号和厚度在模拟过程中可以发生变化。

4. 土壤水边界条件

土壤水系统是地面以下水分运动最频繁的区域,这个水分运动最活跃的区域控制着地表水和地下水的交换,通过非饱和渗流区的再分配,降水/灌溉量在这个区域被分为入渗量、地表径流、地下水补给量和蒸发蒸腾量。在地下水浅埋带,由于土壤水分的强烈蒸发和蒸腾,土壤含水率迅速降低,在水势驱动下,地下水通过毛细作用上升补给土壤水,可以起到缓解土壤墒情的作用。因此,土壤水系统作为联系地表水和地下水的关键所在,在整个水循环系统中的地位非常重要。对于土壤水系统来说,上边界接受降水、灌溉、蒸发,下边界为变动的潜水面。

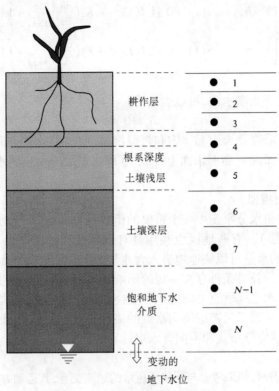

耕作层
根系深度
土壤浅层
土壤深层
饱和地下水
介质
变动的
地下水位

图 6-13　土壤水方程的空间离散

1)上边界条件

上边界主要接受降水/灌溉,以及土表蒸发。根据不同的外界条件,其边界条件有不同的形式。

(1)流量边界条件。当灌溉/降水强度或蒸发强度并未超出土壤入渗/蒸发能力时,上边界条件为流量边界条件(二类边界条件)。

$$-K_r\left(\frac{\partial h}{\partial z}+1\right)=I(t)\qquad h_A<h\leqslant0 \tag{6-51}$$

式中:K_r 为饱和/非饱和渗透系数;h 为土壤水负压;h_A 为蒸发极限时的土壤水负压,由土质而定;$I(t)$ 为外界的降水/灌溉或蒸发强度,取 z 轴向上为正,则蒸发时 $I(t)$ 为正值,降水/灌溉时 $I(t)$ 为负值。

(2)积水边界条件。当降水/灌溉强度超出土壤入渗能力时,地表将会出现积水现象,积水深度在没有超出地表最大滞留深度(对于田间灌溉则可以理解为田埂高度)之前,超渗的水量将会在土表面随时间积累。

$$-\frac{\partial h}{\partial t}=I(t)+K_r\left(\frac{\partial h}{\partial z}+1\right)\qquad 0<h<h_S \tag{6-52}$$

式中:h_S 为地表最大滞留深度。

(3)水头边界条件。当积水深度超出地表最大滞留深度,或外界蒸发强度超过土壤的输水能力时,上边界条件可以用水头边界条件(一类边界)描述。

$$\begin{cases} h = h_A & I(t) > 0 \text{ 且 } I(t) > -K_r\left(\dfrac{\partial h}{\partial z}\Big|_{h=h_A} + 1\right) \\ h = h_S & I(t) < 0 \text{ 且 } I(t) < -K_r\left(\dfrac{\partial h}{\partial z}\Big|_{h=h_S} + 1\right) \end{cases} \tag{6-53}$$

2）下边界条件

下边界条件为地下水潜水面,可以表示为:

$$h_g = 0 \tag{6-54}$$

然而潜水面的升降变动会引起非饱和带厚度的变化,因此在空间离散上需要对土壤水系统采取某种动态策略。当潜水面上升或下降时,最后一个土壤水单元 N 的厚度以及编号产生相应的变化。

（六）地下水数值模拟

浅层地下水是农田水分平衡中一个重要的组成部分,其所属含水层类型一般为潜水含水层(非封闭含水层)。有些地区也利用具有承压性质的深层地下水进行农业灌溉。在平原区,渠系渗漏的水量可以快速地进入含水层,引起局部潜水面的抬升,而承压水含水层的存在又对潜水的补排条件存在一定的影响,承压水的工业和生活开采形成的局部漏斗将使潜水和承压水之间垂直方向的水量交换加剧,同样会引起局部潜水水位的变化。水循环模型对土壤水采取了只考虑垂向水流的简化模式,但是对于地下水模型则在空间上采用三维模式,以适应分布式和不同含水层计算的需要。

1. 潜水

对于研究区内的潜水,如果考虑与下伏承压水的越流交互,其运动方程可以描述如下:

$$\begin{cases} \dfrac{\partial}{\partial x}\left[k_1(H_1 - H_b)\dfrac{\partial H_1}{\partial x}\right] + \dfrac{\partial}{\partial y}\left[k_1(H_1 - H_b)\dfrac{\partial H_1}{\partial y}\right] + \sigma'(H_2 - H_1) + f_1(x,y)R_s - \\[2mm] \sum_i Q_{1i}\delta(x - x_{1i}, y - y_{1i}) - f_2(x,y)S_o - E + W = \mu\dfrac{\partial H_1}{\partial t} \quad (x,y) \in G, t > 0 \\[2mm] H_1(x,y,t) = H_{10}(x,y) \quad (x,y) \in G, t = 0 \\[2mm] K_1(H_1 - H_b)\dfrac{\partial H_1}{\partial n}\Big|_{\Gamma_1} = q_{b1}(x,y) \quad (x,y) \in \Gamma_1, t > 0 \end{cases} \tag{6-55}$$

$$f_1(x,y) = \begin{cases} 1 & (x,y) \in \text{河湖} \\ 0 & (x,y) \in \text{非河湖} \end{cases}$$

$$f_2(x,y) = \begin{cases} 1 & (x,y) \in \text{排水沟} \\ 0 & (x,y) \in \text{非排水沟} \end{cases}$$

$$R_s = \gamma(H_r - H_1)$$

$$S_o = \begin{cases} \alpha(H_1 - H_S) & H_1 > H_S \\ 0 & H_1 \leqslant H_S \end{cases}$$

$$E = \begin{cases} E_0\left(1 - \dfrac{\Delta}{\Delta_0}\right)^2 & H_1 > H_S \\ 0 & H_1 \leqslant H_S \end{cases}$$

式中:H_1、H_2、H_b、H_{10}、H_r、H_S 分别为潜水水位、下伏承压水位、潜水底板高程、潜水初始水位、黄河水位、排水沟系统排水高程;k_1 为潜水含水层渗透系数;σ' 为越流系数,如果不考虑承压水,则 $\sigma' = 0$;μ 为潜水含水层给水度;Q_{1i} 为潜水含水层开采量;q_{b1} 为潜水含水层边界单宽流量;n 为边界外法线方向;G 为计算区域;Γ_1 为潜水含水层边界;R_s、S_o、W 分别为黄河与含水层水量交换强度、排水沟溢出地下水强度、渠系灌溉入渗与大气降水综合入渗补给强度;x_{1i}、y_{1i} 为潜水开采井位置坐标;$f_1(x,y)$、$f_2(x,y)$ 分别为黄河空间分布函数、排水沟系统分布函数;γ、α 为黄河河床渗漏系数,排水沟溢出系数;E、E_0、Δ、Δ_0 分别为潜水蒸发强度、水面蒸发能力(强度)、潜水水位埋深、潜水蒸发极限深度。

2. 承压水

对于研究区内的承压水,如果以单层问题考虑,并考虑与上伏潜水含水层的越流补给作用,其运动可以用以下偏微分方程描述:

$$
\begin{cases}
\dfrac{\partial}{\partial x}\left(T\dfrac{\partial H_2}{\partial x}\right) + \dfrac{\partial}{\partial y}\left(T\dfrac{\partial H_2}{\partial y}\right) + \sigma'(H_1 - H_2) - \sum_i Q_{2i}\delta(x - x_{2i}, y - y_{2i}) \\
\quad = \mu^* \dfrac{\partial H_2}{\partial t} \qquad (x,y) \in G, t > 0 \\
H_2(x,y,t) = H_{20}(x,y) \qquad (x,y) \in G, t = 0 \\
T\dfrac{\partial H_2}{\partial n}\bigg|_{\Gamma_2} = q_{b2}(x,y) \qquad (x,y) \in \Gamma_2, t > 0
\end{cases}
\tag{6-56}
$$

式中:H_1、H_2、H_{20} 分别为上伏潜水水位、承压水位和承压水初始水位;T 为潜水含水层渗透系数,承压水导水系数;σ' 为越流系数,如果不考虑越流,则 $\sigma' = 0$;μ^* 为承压水含水层贮水系数;Q_{2i} 为潜水含水层开采量、承压含水层开采量;q_{b2} 为承压水含水层边界单宽流量;x_{2i}、y_{2i} 为承压水开采井位置坐标;n 为边界外法线方向;G 为计算区域;Γ_2 为上部潜水与承压水含水层边界。

二、非平原区耗水量模拟

平原区水循环模拟主要用于分析人类干扰频繁的平原区水循环转化关系,对于以当地降水消耗为主的山区,或者是灌溉为主并有少量回归水的扬水灌区等非平原区,广义水资源配置模型采用简单的均衡法模拟其耗水量。

(一)农田耗水量

模型研究以配置单元为计算单元,每一单元的耗水量根据水量平衡原理计算,农田耗水量计算公式为:

$$W_H = E + R + Q_g - P - Q_o \tag{6-57}$$

式中:W_H 为农田耗水量,mm;E 为田间蒸散量,mm;P 为降水量,mm;R 为降水径流量,mm;Q_g 为入渗量,mm;Q_o 为灌溉回归水量,mm。

1. 径流量

模型没有考虑灌溉水产流部分,仅考虑降水产流量,计算公式为:

$$R = \alpha \cdot P \tag{6-58}$$

式中:α 为年径流系数;P 为年降水量,mm;R 为年径流量,mm。

2. 入渗量

入渗量分为渠系、田间灌溉水和降水入渗量,各入渗量的计算方法如下。

1)渠系入渗量

渠系入渗量根据灌区引水量及渠系入渗系数推求,计算公式如下:

$$Q_q = m \cdot Q_Y \tag{6-59}$$

式中:m 为渠系入渗系数;Q_Y 为灌区引水量,mm;Q_q 为渠系入渗量,mm。

2)田间灌溉水入渗量

田间灌溉水入渗量根据田间灌水量及灌水入渗系数推求,计算公式如下:

$$Q_I = \beta \cdot I \tag{6-60}$$

式中:β 为灌水入渗系数;I 为田间灌水量,mm;Q_I 为灌水入渗量,mm。

3)降水入渗量

降水入渗量根据降水量及降水入渗系数推求,计算公式如下:

$$Q_P = \gamma \cdot P \tag{6-61}$$

式中:γ 为降水入渗系数;P 为降水量,mm;Q_P 为降水入渗量,mm。

4)总入渗量

根据灌溉水和降水入渗量计算方法的叙述,则总入渗量 Q_g 为:

$$Q_g = Q_q + Q_I + Q_P \tag{6-62}$$

3. 灌溉回归水量

灌溉回归水量根据地下水补给量、排泄量和地下水的蓄变量计算,从总补给量中扣除排泄量和地下水储蓄量即为回归水量。即:

$$Q_o = Q_g - Q_D - Q_X \tag{6-63}$$

式中,排泄量 Q_D 主要是垂直排泄量和侧向排泄量,垂直排泄量指潜水蒸发量,而侧向排泄量则主要为地下水侧向排泄补给河道水量与灌区灌溉回归水量。在地下水位埋深较深地区,潜水蒸发量不予考虑。地下水蓄变量 $Q_X = 1\,000 \cdot \mu \cdot \Delta H$,式中:$\mu$ 为地下水给水度;ΔH 为地下水位变化,m。

(二)工业生活耗水量

工业生活耗水量计算公式如下:

$$W = \lambda_1 W_1 + \lambda_2 W_2 \tag{6-64}$$

式中:λ_1 为生活耗水系数;W_1 为生活用水量;λ_2 为工业耗水系数;W_2 为工业用水量。

三、山区水循环通量变化模拟

小流域综合治理措施实施以后,水循环通量变化表现为降水产生的地表水资源量减少和土壤水、地下水增加。水土保持措施总减水量为各单项水土保持措施减水量之和,即:

$$\Delta W = \Delta W_1 + \Delta W_2 + \Delta W_3 + \Delta W_4 \tag{6-65}$$

式中:ΔW 为各项措施减少的年径流量,万 m^3;ΔW_1 为坝地措施减少的年径流量,万 m^3;ΔW_2 为林地措施减少的年径流量,万 m^3;ΔW_3 为草地措施减少的年径流量,万 m^3;ΔW_4 为梯田措施减少的年径流量,万 m^3。

各项水土保持措施减水量计算公式如下:

$$\Delta W_i = \begin{cases} k_i \eta_i P S_i & k_i S_i B_i \geqslant P S_i \\ k_i B_i S_i & k_i S_i B_i < P S_i \end{cases} \tag{6-66}$$

式中：ΔW 为各项水土保持措施的减水量，m^3；k_i 为各项水土保持措施减水系数，主要取决于当地工程措施的质量、工程布置的位置以及工程的管理水平；η_i 为水土保持措施减水效益指标（%）；P 为降水量，mm；S_i 为各项水土保持措施的治理面积，万亩；B_i 为各项水土保持措施单位面积的减水效果，$m^3/$万亩。

减少的地表水资源有三个去向：蒸散发消耗、增加地下水和增加土壤水，即：

$$\Delta W = \Delta E_s + \Delta U_g + \Delta S_w \tag{6-67}$$

式中：ΔW 为各项水土保持措施的减水量，m^3；ΔE_s 为蒸散发增量，m^3；ΔU_g 为地下水增量，m^3；ΔS_w 为土壤水增量，m^3。

第四节　模型耦合研究

一、信息交互

广义水资源合理配置模型是水资源配置、水循环和水环境模拟耦合模型，根据不同水资源配置方案，在自然系统和人工系统分配广义水资源，将水资源配置结果传递给水循环模拟过程，模拟自然和人工系统"四水"循环转化过程和水环境状况，得到不同水资源配置情景下水资源、水环境和水循环响应，提供水资源配置参数，检验水资源配置的合理性，反馈并修正配置方案，得到合理的水资源结果。

水资源配置模拟模型和水循环模拟模型的信息传递是双向的、交互式的，两模型之间存在着时间和空间尺度上的耦合。水资源配置模型通常以月或旬为时间尺度，以大空间尺度为配置单元；而水循环模拟以日为时间尺度，以配置单元套灌域、土地利用和种植结构为空间尺度。广义水资源配置模型采用分解和聚合的方法模拟水资源配置和水循环模拟的信息交互，水资源配置模型将大尺度的生活、工业、农业和生态供水量，以及不同类型水源的用水量和污水排放量等信息分解到小尺度的水循环模拟模型；水循环模拟模型需要将小尺度耗水量、土壤水变化量、河道径流量、天然湖泊水量、地下水位等信息聚合到大尺度的水资源配置模型，如图 6-14 所示。

二、信息分解

广义水资源合理配置信息分解主要是大时空尺度配置结果向小时空尺度水循环模拟模型的分解过程，以模拟水资源配置结果的水循环响应。主要数据信息为水资源配置的供用水信息和污水排放信息，其中，农业供用水历史信息的分解是根据历史实际灌溉水量和灌溉制度分解离散到每个水循环单元，未来年份通过水循环模拟不同作物灌溉需水分解离散到每个水循环单元。

（1）生活供用水。生活用水分为城镇生活用水和农村生活用水，生活用水空间分布与人口分布直接相关，将研究区城市人口和农村人口空间化，根据城市和农业人口数量和

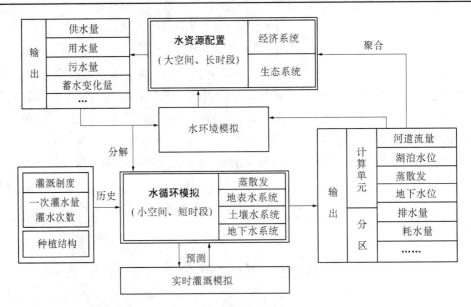

图 6-14　广义水资源合理配置信息耦合示意图

用水定额,得到每个计算单元内的城市人口和农村人口数量,得到该网格单元的生活用水量。生活耗水量根据城镇生活和农村生活分别计算,认为农村生活用水全部消耗,城镇生活耗水根据生活耗水率计算。

(2)工业供用水。工业用水分为一般工业用水和重点工业用水,重点工业用水将在水循环计算单元明确标明,单独计算。一般工业用水将根据实际或规划水平年水资源配置中各行政区的工业用水量分解水循环单元。工业耗水根据工业耗水率计算,未来随着工业用水情况变化而调整。工业地下水的使用考虑深层承压水和潜水开采。工业地表水使用将根据调查和未来规划的工业地表水集中供水量分解到水循环单元。

(3)农业供用水。水循环模拟需要将实际灌溉使用的地表水、地下水使用量真实客观地分配到每一个计算单元上,才能够真实可靠地进行水循环过程模拟。在进行研究区历史水循环模拟时,采用引水干渠逐日实际引水资料,以及各灌域对应计算单元的实际灌溉面积、种植结构、灌溉制度等信息,得到水循环单元作物日尺度的灌溉水量。规划水平年水资源合理配置方案的日尺度灌溉分解,根据水循环模拟土壤墒情信息,预测田间需灌水量,根据灌域对应计算单元的实际灌溉面积和种植结构等信息,分解到水循环单元日尺度的灌溉水量。农田灌溉地下水使用量、实际和规划地下水开采量,根据灌区农用机井分布分解到各个网格单元。

三、信息聚合

信息聚合主要为水循环模拟将耗水、排水、湖泊湿地蒸散发、河道径流等小尺度信息积分到大尺度水资源配置单元。例如,水循环尺度的计算单元耗水量采用下式积分到水资源配置尺度上:

$$P_A = \iint_{S\,T} P_h(S,T)\,\mathrm{d}S\mathrm{d}T \tag{6-68}$$

式中:P_A 为配置尺度的耗水量;P_h 为水循环尺度的耗水量;S 为面积;T 为时间。

第七章 广义水资源合理配置
后效性评价模型

第一节 生态稳定性评价模型

一、评价指标体系的构建

绿洲生态稳定性评价指标体系必须具备解释功能、评价功能和预测功能，并具有高度的综合性和可评价性。据此，选择指标体系须遵循以下原则：

(1)科学性原则。绿洲生态稳定性评价指标体系应建立在充分认识、系统研究绿洲的科学基础上，能客观地反映绿洲发展的状态，并能较好地量度绿洲生态稳定性主要目标实现的程度。

(2)整体性原则。指标体系应是一个有机整体，不但应该从不同角度反映出被评价系统的主要特征和状况，而且还要反映系统的动态变化，并能体现出系统的发展趋势。

(3)可操作原则。指标体系中的指标取舍要考虑到指标量化及数量取得难易程度和可靠性，指标内容应简单明了、容易理解、可比性强、容易获取等。

(4)层次性原则。绿洲生态系统是一个复杂的系统，应根据系统的结构分解出若干个亚系统，亚系统再分为若干个子系统，使指标体系结构清晰，层次分明，便于操作。

(5)前瞻性原则。绿洲生态稳定性评价指标体系应反映绿洲发展的趋向性，它不但能揭示历史的发展情况，并且能为未来的绿洲演变提供间接信息，如预测指标等。

指标体系的建立主要是指标选取及指标之间结构关系的确定。对于复杂系统，指标的选取和指标间关系的确定并不是一件容易的事，既要求对理论(包括所涉及专业领域的知识、系统评价理论等)有深邃的把握，也要求必须具备丰富的经验。因此，复杂系统指标体系的建立过程应该是定性分析和定量研究的相互结合。定性分析主要是从评价的目的和原则出发，考虑评价指标的充分性、可行性、稳定性、必要性以及指标与评价方法的协调性等因素，由系统分析人员和决策者主观确定指标和指标结构的过程。定量研究则是指通过一系列检验，使指标体系更加科学和合理的过程。根据绿洲生态稳定性评价指标体系的构建原则以及最后确定的各评价指标，其总体框架如图7-1所示。

二、生态稳定性评价模型

(一)指标等级划分及单指标分级标准

基于绿洲生态稳定性评价理论，将绿洲生态稳定性等级划分为五级，即：优、良、一般、差、极差五个等级。根据绿洲生态稳定性划分的等级以及相应各指标的特点，将各单项指标按稳定性等级进行分级。具体各单项指标的分级标准见表7-1。

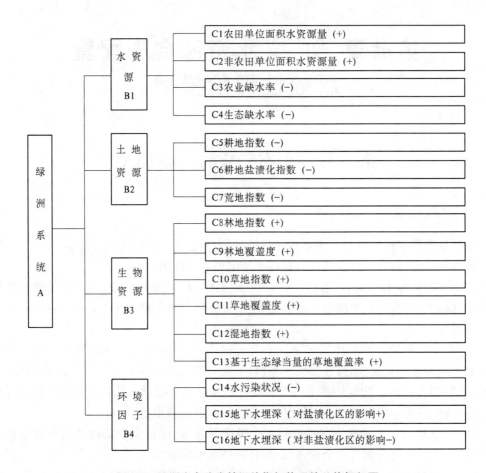

图 7-1 绿洲生态稳定性评价指标体系的总体框架图

注:图中各指标在本项研究中的含义如下(+ 为正指标, − 为逆指标):

农田单位面积水资源量:农田上的水资源量/农田面积,m³/亩;

非农田单位面积水资源量:非农田上的水资源量/非农田面积,m³/亩;

农业缺水率:农业缺水量/农业需水量;

生态缺水率:生态缺水量/生态需水量;

耕地指数:耕地面积/绿洲总面积;

耕地盐渍化指数:各盐渍化程度的面积加权值/耕地总面积;

荒地指数:荒地面积/绿洲总面积;

林地指数:林地面积/绿洲总面积;

林地覆盖度:用绿洲区内各林地覆盖度的加权值表示;

草地指数:草地面积/绿洲总面积;

草地覆盖度:用绿洲区内各草地覆盖度的加权值表示;

湿地指数:湿地面积/绿洲总面积;

基于生态绿当量的草地覆盖率:基于生态绿当量转换后的标准草地面积/绿洲总面积;

水污染状况:用每年面污染源排放污水入河量表示,t/a;

地下水埋深:用单元平均地下水埋深表示,m。

表 7-1　各单项指标分级标准

指　标	优	良	一般	差	极差
农田单位面积水资源量(m³/亩)	>520	440~520	360~440	280~360	<280
非农田单位面积水资源量(m³/亩)	>250	200~250	130~200	70~130	<70
农业缺水率	<0.1	0.1~0.2	0.2~0.3	0.3~0.4	>0.4
生态缺水率	<0.05	0.05~0.1	0.1~0.15	0.15~0.2	>0.2
耕地指数	<0.5	0.5~0.6	0.6~0.7	0.7~0.8	>0.8
耕地盐渍化指数	<0.05	0.05~0.2	0.2~0.35	0.35~0.5	>0.5
荒地指数	<0.2	0.2~0.3	0.3~0.4	0.4~0.5	>0.5
林地指数	>0.1	0.06~0.1	0.04~0.06	0.02~0.04	<0.02
林地覆盖度	>0.3	0.2~0.3	0.1~0.2	0.05~0.1	<0.05
草地指数	>0.3	0.2~0.3	0.1~0.2	0.05~0.1	<0.05
草地覆盖度	>0.8	0.5~0.8	0.2~0.5	0.05~0.2	<0.05
湿地指数	>0.1	0.05~0.1	0.06~0.05	0.04~0.03	<0.01
基于生态绿当量的草地覆盖率	>0.8	0.5~0.8	0.2~0.5	0.05~0.2	<0.05
水污染状况(t/a)	<4 000	4 000~6 000	6 000~8 000	8 000~10 000	>10 000
地下水埋深(m)(对盐渍化区的影响)	>2.5	2.0~2.5	1.5~2.0	1.0~1.5	<1.0
地下水埋深(m)(对非盐渍化区的影响)	<1.0	1.0~2.0	2.0~4.0	4.0~5.0	>5.0

(二)指标转换函数

应用绿洲生态稳定性评价指标体系及单项指标划分标准,对绿洲生态系统稳定性进行评价,为了达到用不同的指标来划分绿洲生态稳定性等级的标准统一,可引入相应的转换函数对各单项指标进行量化。对单项指标转换函数不同学者应用不同的转换标准,根据实际情况及各单项指标的特点,建立相应的转换函数,叙述如下:

(1)农田单位面积水资源量转换函数(x 单位为 m³/亩):

$$y = \begin{cases} 1 & x > 600 \\ -0.5 + 0.002\ 5\ x & 200 < x \leqslant 600 \\ 0 & x \leqslant 200 \end{cases} \tag{7-1}$$

(2)非农田单位面积水资源量转换函数(x 单位为 m³/亩):

$$y = \begin{cases} 1 & x > 315 \\ 0.002\ 1 x^{1.071\ 8} & 0 < x \leqslant 315 \\ 0 & x = 0 \end{cases} \tag{7-2}$$

(3)农业缺水率转换函数:

$$y = \begin{cases} 1 & x = 0 \\ 1 - 2\ x & 0 < x \leqslant 0.5 \\ 0 & x > 0.5 \end{cases} \tag{7-3}$$

(4)生态缺水率转换函数:

$$y = \begin{cases} 1 & x = 0 \\ 1 - 4\ x & 0 < x \leqslant 0.25 \\ 0 & x > 0.25 \end{cases} \tag{7-4}$$

（5）耕地指数转换函数：

$$y = \begin{cases} 1 & x \leqslant 0.4 \\ 1.8 - 2x & 0.4 < x \leqslant 0.9 \\ 0 & x > 0.9 \end{cases} \qquad (7\text{-}5)$$

（6）耕地盐渍化指数转换函数：

$$y = \begin{cases} 1 & x = 0 \\ 0.8667 - 1.3333x & 0 < x \leqslant 0.65 \\ 0 & x > 0.65 \end{cases} \qquad (7\text{-}6)$$

（7）荒地指数转换函数：

$$y = \begin{cases} 1 & x \leqslant 0.1 \\ 1.2 - 2x & 0.1 < x \leqslant 0.6 \\ 0 & x > 0.6 \end{cases} \qquad (7\text{-}7)$$

（8）林地指数转换函数：

$$y = \begin{cases} 1 & x > 0.127 \\ -0.0709 + 14.4091x - 56.818x^2 & 0.005 < x \leqslant 0.127 \\ 0 & x \leqslant 0.005 \end{cases} \qquad (7\text{-}8)$$

（9）林地覆盖度转换函数：

$$y = \begin{cases} 1 & x > 0.367 \\ -0.3818 + 6.6727x - 9.0909x^2 & 0.063 < x \leqslant 0.367 \\ 0 & x \leqslant 0.063 \end{cases} \qquad (7\text{-}9)$$

（10）草地指数转换函数：

$$y = \begin{cases} 1 & x > 0.478 \\ 0.0432 + 3.6482x - 3.8191x^2 & 0 < x \leqslant 0.478 \\ 0 & x = 0 \end{cases} \qquad (7\text{-}10)$$

（11）草地覆盖度转换函数：

$$y = \begin{cases} 1 & x = 1 \\ 0.8729\, x^{0.04919} & 0 < x < 1 \\ 0 & x = 0 \end{cases} \qquad (7\text{-}11)$$

（12）湿地指数转换函数：

$$y = \begin{cases} 1 & x > 0.11 \\ 0.0638 + 13.6203x - 62.434x^2 & 0 < x \leqslant 0.11 \\ 0 & x = 0 \end{cases} \qquad (7\text{-}12)$$

（13）基于生态绿当量的草地覆盖率转换函数：

$$y = \begin{cases} 1 & x = 1 \\ 0.8729\, x^{0.4919} & 0 < x < 1 \\ 0 & x = 0 \end{cases} \qquad (7\text{-}13)$$

（14）水污染状况转换函数（x 单位为 t/a）：

$$y = \begin{cases} 1 & x \leqslant 2\,000 \\ 1.2 - x/10^4 & 2\,000 < x \leqslant 12\,000 \\ 0 & x > 12\,000 \end{cases} \quad (7\text{-}14)$$

（15）地下水埋深（对盐渍化区的影响）转换函数（x 单位为 m）：

$$y = \begin{cases} 1 & x > 3.0 \\ -0.2 + 0.4x & 0.5 < x \leqslant 3.0 \\ 0 & x \leqslant 0.5 \end{cases} \quad (7\text{-}15)$$

（16）地下水埋深（对非盐渍化区的影响）转换函数（x 单位为 m）：

$$y = \begin{cases} 1 & x \leqslant 0.5 \\ 0.92 - 0.14x & 0.5 < x \leqslant 6.57 \\ 0 & x > 6.57 \end{cases} \quad (7\text{-}16)$$

引入转换函数后，可求得与绿洲生态稳定性等级对应的单项指标转换函数关系为：优（0.8~1.0）、良（0.6~0.8）、一般（0.4~0.6）、差（0.2~0.4）、极差（0~0.2）。

（三）指标权重的确定

选定指标后，确定各指标的权值，有些方法是利用专家或个人的知识或经验，所以有时称为主观赋权法，但这些专家的判断本身也是从长期实际中来的，不是随意设想的，应该说有客观的基础；另一些方法是从指标的统计性质来考虑，它是由调查所得的数据决定，这样确定的权重多属于信息量权重，不需征求专家们的意见，所以有的书上称为客观赋权法。但客观赋权法没有充分考虑指标本身的相对重要程度，更容易忽视评价者的主观信息，因此不论其数学理论如何完善，对于有大量人为因素存在的复杂系统评价，客观赋权法同样有其缺陷。在实际应用中，应根据情况选择适宜的指标权重。

（四）指标综合评价方法

目前国内外使用的系统评价方法很多，基本类型有三类：第一类是专家评价法，主要包括评分法、综合评分法、优序法等；第二类是经济分析法，包括用于一些特定情况、有特定形式的综合指标和一般费效分析法；第三类是运筹学和其他数学方法，包括多目标决策方法、DEA 方法、AHP 方法、模糊综合评价、可能满意度方法和数理统计方法等。实际应用中常把各类方法综合起来使用。

前面分析了绿洲生态稳定性评价指标体系是一个多指标、多层次系统评价问题，多指标综合评价合成方法的选择是非常重要的步骤。合成是指通过一定的算式将多个指标对事物不同方面的评价值综合在一起，得到一个整体性的评价。根据绿洲生态稳定性指标体系的特点，选用加权线性和法来完成各指标的综合合成，方法如下：

$$OSI = \frac{\sum_{i=1}^{n} \omega_i x_i}{100 \times \sum_{i=1}^{n} \omega_i} \quad (7\text{-}17)$$

式中：OSI（Oasis Stability Index）为被评价对象得到的综合评价值（即绿洲生态稳定性指数）；ω_i 为各评价指标的权重；x_i 为单个指标标准化后的值；n 为评价指标的个数。

根据指标综合方法可以计算出评价单元的综合评价值,在此基础上进行加权可以得到整个研究区的综合评价值,与综合评价标准进行比较,以评价单元和整个研究区的绿洲生态稳定性状况。这样,就需要划分一个综合评价标准,根据各单项指标的划分标准以及各指标相应的转换函数分析,对综合评价标准的划分可以采用五个等级,相应标准见表7-2。

表7-2 绿洲生态稳定性状况评价的综合评价标准

绿洲生态稳定性状况	综合评价标准
优	$OSI \geqslant 0.8$
良	$0.6 \leqslant OSI < 0.8$
一般	$0.4 \leqslant OSI < 0.6$
差	$0.2 \leqslant OSI < 0.4$
极差	$OSI < 0.2$

(五)基于生态绿当量的草地覆盖率的计算

区域水资源对绿洲生态环境起着至关重要的作用,林木、草地等不同生态环境因素对绿洲生态环境存在不同的影响力。以区域草地面积为标准值,将林地、耕地、水域、交通及居工地等面积按表7-3所示折算系数折算为草地面积,由此构成区域总的标准草地面积,定义为"绿色当量面积"。折算系数及计算方法如下:

表7-3 绿洲因子面积折算系数

名称	草地	林地	耕地	水域	交通及居住地	荒地
折算系数	1.0	2.0~4.0	0.7~1.0	1.0	0.8~1.3	0.5
本书取值	1.0	3.0	0.85	1.0	1.0	0.5

$$S = A_1\alpha_1 + A_2\beta\alpha_2 + A_3\gamma\alpha_3 + A_4\alpha_4 + A_5\alpha_5 + A_6\alpha_6 \tag{7-18}$$

式中:$A_i(i=1,2,\cdots,6)$分别为耕地、林地、草地、水域、居工地(含交通)和荒地面积;α_i为当量折算系数;β、γ分别为林地和草地覆盖率。

基于生态绿当量可计算出区域的标准草地面积,之后即可计算出基于生态绿当量的草地覆盖率的值,即:

基于生态绿当量的草地覆盖率 = 基于生态绿当量转换后的标准草地面积/绿洲总面积

三、生态稳定性评价指标预测

(一)植被群落盖度的预测

当地下水埋深在一定范围内变化时,不会导致群落类型的变化,但会直接导致植被盖度的变化,因此需对地下水埋深与植被群落盖度的变化进行定量分析。具体分析方法叙述如下。

1. 空间单元的确定

为定量分析地下水埋深对植被盖度的影响,突出水分作用的空间分异特征,依据地下水模拟区的空间尺度划分网格,如 1 km × 1 km。

2. 基础数据准备与整理

对地下水埋深对植被群落盖度影响分析的基础数据包括地下水埋深数据和植被群落盖度数据。地下水埋深数据是通过对地下水埋深图进行数字化后再进行插值而得;植被群落盖度数据是通过对影像图进行影像校准、投影变换、图像增强等遥感处理后提取的信息。

将地下水埋深数据与植被盖度数据联合,生成一个"地下水埋深 - 植被盖度"图层,使其属性表内包括地下水埋深信息和植被盖度信息。由于地下水埋深对不同植被类型的影响程度不同,将"地下水埋深 - 植被盖度"图层与景观分布图层相叠加,在此基础上生成一个"地下水埋深 - 植被盖度 - 景观分布"图层,使其包括地下水埋深信息、植被盖度信息以及植被类型信息。输出"地下水埋深 - 植被盖度 - 景观分布"图层的属性表,并剔除异常值,生成用于数学模拟的基础数据。

3. 数学模型及计算平台的选取

从理论上说,水分 - 植被盖度的动态关系应符合 LOGSTIC 式的变化,因此采用 LOGSTIC 模型进行拟合。由于人工植被受到人类活动干扰的强度过大,不能满足天然植被的演变规律,故只对天然植被区植被盖度 - 水分之间的关系进行拟合和分析。即使是天然植被,因植被类型的不同,植被盖度 - 水分之间作用强度的差异也非常大,在研究中可将天然植被进一步归并为草地和林地进行分析。

曲线拟和可采用 SPSS 数值分析软件进行。

(二)盐渍化面积预测

关于盐渍化的发生机理前人已有过许多的探讨和论述,但定量地解释盐渍化发生机理的工作尚不多见。尽管导致盐渍化发生的因素很多,其发生的过程也很复杂。但经分析可清楚看出主要与地下水位、地面蒸散、土壤结构、降水强度直接有关。此处的地下水位指的是与地表生态环境演变密切相关的地下水埋深;地表蒸散是指裸地的蒸发和植被的蒸腾;土壤结构主要是指与土壤孔隙度有关的性状,它直接影响到土壤毛细管作用的强弱;降水强度与淋溶过程有关,而后者影响到地表脱盐。

通过对盐渍化发生机理的讨论,同时对影响盐渍化发生的主要因子进行分析,盐渍化面积与地下水位埋深、地面蒸散发量、土壤结构和降水强度等因子之间的关系可以描述成下列函数:

$$S = F(H_w, E, C, R) \tag{7-19}$$

式中:H_w 为地下水位埋深;E 为地面蒸散发量;C 为土壤结构;R 为降水强度;S 为盐渍化面积。

第二节　水环境模拟模型

一、设计流量分析

在确定河道设计流量时,根据本研究功能区划的具体情况,可选用重要断面近30年最枯水期,保证率为90%的月平均流量,作为现状水平年纳污能力计算的设计流量。

排水沟不同于一般的河流,其流量的多少受灌溉季节的影响十分显著,因此各排水沟分别采用近10年灌期(5～9月、11月)和非灌期(1～4月、10月)的月平均流量计算纳污能力。

由于不同水平年的来水量和用水量不同,河道和排水沟的流量和流速将会发生变化。因此,在计算未来水平年的纳污能力时,考虑到这些因素,并根据水量统一调度的结果,对流量、流速和污染物衰减系数做了相应的调整,以使计算结果更符合现实。

二、控制标准和主要控制污染物

控制标准以《地表水环境质量标准》(GB 3838—2002)为依据。根据地区或流域历年水污染统计资料和水环境质量现状,确定指标。

三、纳污能力计算数学模型

(一)排水沟

对于纳污能力计算区段而言,其入河排污口分布千差万别,当排污口分布较均匀时,可推算得最大纳污量;当排污口分布较集中时,水域的纳污量就相应减小。为简化因排污口分布所带来的纳污能力计算的复杂性,将排污口在功能区上的分布加以概化。对于排污控制区,认为排污量在同一功能区内沿河是均匀分布的;对于其他功能区则将排污口概化为功能区下断面排污,以此选用不同的计算模型。

若各排水沟的二级区划功能为排污控制区,则选用计算模型为:

$$W = (QkL/u) \frac{c_s - c_0 K'}{1 - K'} \tag{7-20}$$

式中:$K' = \exp(-kL/u)$;W为纳污能力,g/s;Q为功能区段计算流量,m³/s;k为污染物衰减系数,L/d;L为排水沟长,km;u为排水沟平均设计流速,km/d;c_s为规划排水沟水质标准浓度,mg/L;c_0为排水沟上游来水水质浓度,mg/L。

(二)河流

河道污染物主要为岸边排放。若河流均直、河道宽阔,排放口对岸边污染物的扩散影响较小,则排污口至控制点连线与岸线包围的水域,其允许纳污量按下列二维模型计算:

$$W = (S - C_p) H \sqrt{\pi D_y UX} \exp\left(\frac{UY}{4D_y X} + k \frac{X}{U}\right) \tag{7-21}$$

式中:W为纳污能力,g/s;S为控制点水质标准,mg/L;C_p为上游来水水质浓度,mg/L;H为河段平均水深,m;D_y为横向扩散系数,m²/s;U为河流平均设计流速,m/s;X为排污口

至控制边界纵向距离,m;Y 为排污口至控制边界横向距离,m;k 为污染物衰减系数,L/s;
π 为圆周率。

四、污染物背景浓度 C_0 值的确定

对于可降解的污染物质而言,一条河流如果污染较轻,上、下河段之间的污染还没有
"链接"起来,在计算纳污能力时,C_0 一般选取计算河段上游断面的实测污染物浓度年平
均值或季平均值等。然而,如果河流污染严重,上游河段的污染严重影响下游河段的背景
浓度,那么上断面污染物浓度值的选取有两种方法:一种是仍然利用上游断面的实测浓度
平均值;另一种是利用上游河段的水质规划目标值或者天然情况下的河段背景值等。

对于受上游污染影响的河段,选用上游断面的实测浓度平均值,将直接导致计算河段
的纳污能力减少和治理费用增加,因而选用上游河段的水质规划目标值或天然情况下污
染物浓度背景值显然是被普遍接受的。这就是"河流零污染原理"和上游污染不影响下
游水质的规划方法。

五、污染物排放量预测

进行污染源预测应视拥有的资料来确定预测方法。一般来说,当资料较多时应用较
为广泛的方法主要有回归分析法、弹性系数法和投入产出法等;当资料少时常用排污系数
法、直觉法、因果法和外推法等。具体计算时,可在区域或流域水环境资料的基础上,结合
社会经济发展预测结果,采用以下几种计算模型对其污染物排放量进行预测。

(一)生活污水量和污染物量预测

根据区域或流域经济社会发展预测成果中各市县未来不同水平年人口增长率预测成
果,同时考虑本地区社会经济发展规划,考虑城镇化率,以此为依据,选用以下模型计算生
活污水和污染物排放量。

生活污水量(污染物量)预测模型为:

$$P_n = P_0(1 + \alpha)n \tag{7-22}$$

式中:P_n 为预测年份的生活污水量(污染物量);n 为规划年数;P_0 为基准年生活污水量
(污染物量);α 为预测时段内城市人口增长率。

(二)工业废水量和污染物量

工业废水预测采用产值排污系数法,模型如下:

$$Q_i = q_n M_j(1 - \Delta P)^{j-n} \tag{7-23}$$

式中:Q_i 为预测年份的废水排放量,m^3/a;q_n 为基准年废水排放系数,m^3/万元产值;M_j 为
预测年份的工业产值,万元;ΔP 为预测年份工业用水循环利用年增强率。

不同水平年工业污染物排放量模型为:

$$W_i = (q_i - q_0)C_0 \times 10^2 + W_0 \tag{7-24}$$

式中:W_i 为预测年份某污染物排放量,t;q_i 为预测年份工业废水排放量,万 m^3;q_0 为基准
年工业废水排放量,万 m^3;C_0 为含某污染物废水工业排放标准,mg/L;W_0 为基准年某污
染物排放量,t。

根据各地区对水环境保护工作采取的措施与投资规划,确定不同地区预测年份工业

用水循环利用年增强率。

(三)面污染源

面源污染主要来自暴雨径流对地面污染物的冲刷,弥漫性进入河流湖库而导致水体污染,污染物主要包括悬浮物、营养盐、耗氧物质、细菌、重金属等,污染源涉及农田、林地、城镇、工矿企业等,其中农田径流较为普遍,其带来的面源污染也是地表水水质恶化的重要原因。

由于面源污染具有复杂性、不连续性和涉及面广等特点,污染物与负荷量因时间空间表现的差异很大,其野外实地调查和精确计算较为困难,所以现有的最好办法就是对区域或流域有关部门进行调查、统计。确定污染物入河系数时,可根据区域或流域统计年报和水利部门的有关统计数据,并结合当地实际情况确定污染物入河系数。

六、污染物排放总量控制

以水功能区为单元,将污染物入河量与纳污能力相比较,当污染物入河量大于水功能区纳污能力时,需要计算入河削减量和相应的排污削减量,即入河削减量等于污染物入河量减去纳污能力;当污染物入河量小于相应水功能区纳污能力时,则制定入河控制量和排放控制量。其中:

$$功能区排放削减量 = 污染物入河削减量/入河系数$$
$$功能区排放控制量 = 污染物入河控制量/入河系数$$

各地区环境主管部门可将污染物排放削减量分配到该区各主要污染源,根据各污染源的现状排放量及其对水功能区水体污染的贡献,企业的生产规模、经济效益、产品的重要性、目前治理现状、治理能力、治理水平及具体采取的措施等来综合考虑。

由于污染物的削减和控制量与水功能区的纳污能力相关,因此不同水平年排水量的变化导致排水沟流量的改变,进而引起相应功能区纳污能力的变化。根据水量统一调度的结果,为了确保水环境保护的有效性,选择最不利的方案作为控制方案,对各功能区在不同水平年必控指标的入河量、排放控制量和排放削减量进行预测。

第三节　工程经济效益分析

一、工程经济效益分析一般原则

(1)采用"有无对比法",计算出有项目与无项目对应的增量效益和增量费用,并以此计算各种经济评价指标;

(2)经济评价以动态分析为主,采用动态评价指标,即净现值、内部收益率、效益费用比,适当增加静态指标并做定性的描述;

(3)国民经济评价把税收和国内银行的贷款利息作为国家收入,属于资金的转移支付,因此在做国民经济评价时,将税金和国内银行贷款利息扣除。

二、评价依据

(1)《水利建设项目经济评价规范》(SL 75—94);

（2）《建设项目经济评价方法与参数》（第二版）；

（3）当地实际调查资料。

三、主要参数

（1）社会折现率取12%；

（2）基准点的选择；

（3）项目计算期，包括建设期、运行期和正常运行期；

（4）影子价格；

（5）分摊系数。

四、评价方法

研究工程项目国民经济评价分为单项工程效益分析和项目组合效益分析两部分，单项工程效益分析主要参考各项目的可行性研究报告，并结合实际情况对投资和效益进行适当调整，做出各个项目的经济效益分析；项目组合效益分析是在单项工程效益分析的基础之上，结合水资源配置的配水状况以及各个工程的实际发生情况，确定项目的投资和效益形成情况，做出配置水平年组合项目的效益分析。

第四节 水资源承载能力计算

一、水资源承载能力的含义

对于水资源承载力的概念认识，已有研究工作给出的定义大致可以归为两大类，一类观点认为水资源承载能力就是水资源允许开发的最大规模或是最大容量；第二类观点认为水资源承载能力是水资源对于区域社会经济的可持续支撑能力。

第一类观点，即水资源开发规模或容量论认为，水资源承载能力是不对区域生态环境造成破坏的前提下，基于一定的社会经济技术条件，地区可持续供给的最大水资源量。可以看出，这里的水资源承载能力相当于区域水资源允许且能够被开发利用的水资源总量。第二类观点，即水资源持续支持能力论认为，水资源承载能力是指不对区域生态环境造成破坏的前提下，基于一定的经济技术条件，通过合理配置和高效利用，区域水资源所能够支撑的最大人口数量或经济规模。

通过对比分析，可以看出上述两类观点存在一些异同点。相同点包括两方面，一是水资源承载应是可持续的，即供给的水量是可以循环再生的，而超采地下水量、超水权引水量、水质未达标量等都不应当纳入到常规承载资源的范畴当中；二是以不对生态环境造成危害为前提，具体表现在水资源开发利用中应考虑基本生态用水的保障、水环境容量约束等。不同点集中表现在水资源承载力表征方式的差异，前者认为水资源承载力仅与水资源系统相关，应以水资源系统主体的最大开发规模或是可供水量进行表征；后者认为水资源承载能力不仅与可供开发利用的水资源量有关，而且还与水资源开发利用的方式和社会经济结构等因素有关,是水资源系统和社会经济系统共同耦合的结果,应从水资源能够承载的客体规模方面进行界定。

二、水资源承载能力的基本研究内容

综合而言,区域水资源承载能力的计算必须至少完成 5 项研究内容,即水资源及相关基础率定、边界条件预测、水资源配置和生产能力计算、承载标准设定以及承载能力计算分析等。

(一)水资源及相关基础率定

水资源及相关基础率定的目标是确定区域国民经济可供水量,具体包括以下 4 方面研究内容:①水资源基础评价;②区域生态环境保护目标和河道内外生态需水计算;③区域多水源的联合调配和区内外水资源开源潜力分析;④水利工程经济评价、国民经济可供水量和规划供水量预测分析。

(二)情景边界条件预测

水资源承载能力的情景边界条件主要是对未来区域水资源开发利用和社会发展水平的预测分析,具体包括以下 4 方面内容:①区域水资源开发利用水平分析,包括农业、工业、生活和生态用水和节水水平分析,可采用定额来表示;②城市化水平预测,由于农村人口和城镇人口用水标准的差异,必须进行城镇化率的预测分析;③经济结构和发展水平预测,包括三产比例以及第一、第二产业内部结构和发展水平,尤其是种植业结构和发展水平,如粮-经-草及各项作物的种植比例和发展水平,在经济结构预测中考虑了水资源条件的约束;④自给程度和贸易状况预测分析。

(三)水资源配置和生产能力计算

基于区域水资源规划供水量和用水、节水水平分析结果,集合区域城市化、社会经济结构和发展水平预测,计算未来不同水平年的各业需水量,提出水资源合理配置方案。然后基于水资源合理配置方案,结合区域各项产品自给程度和贸易状况分析,预测基于水资源的各项产品生产能力和社会经济发展水平。

(四)承载标准设定

承载能力包括承载数量和承载质量两方面内容,承载的人口数量直接与人口的生活质量和生存状态相关。为此承载标准的设定直接影响到承载人口数目,本次研究设定了小康和富裕两类标准,作为期望标准,其中考虑城市人口、农村人口的相对标准不同,应综合确定相应的表征指标的标准值。指标的达标可以通过自给和贸易两种途径来实现。

(五)承载能力计算

依据水资源合理配置方案下的区域生产能力的计算结果,结合所确定的不同承载标准,即可计算流域水资源承载能力,以人口为最终表征指标。

三、水资源承载能力的主要研究方法

目前国内外对于区域水资源承载力的研究尚处于不断探索阶段,未形成统一和成熟的研究方法,已有的研究大多根据地区经济发展状况,遵循社会可持续发展和水资源可持续利用的原则,参考决策者的需要,从水资源自然属性、经济属性和社会属性出发,借助相关学科和领域的理论,应用已有的或是创新提出的相关方法来解决区域水资源承载力。就方法而言,应用于水资源承载能力常见的研究方法有背景分析法、多目标决策分析方法、模糊综合评判法、主成分分析方法、系统动力学方法等,现简介如下。

(一)背景分析法

背景分析法就是将一定历史长度下,世界范围内的经济发展、水资源利用、生产力水平、生活水平及生态环境演化情景,以及其相应的自然和社会背景相同的研究区域的实际情况进行对比,得到该区域可能的承载能力。最直观、最简单的水资源承载能力的背景分析例子来自于河西走廊石羊河流域与以色列全国的比较。背景分析法只采用一个和几个承载因子分析,因子之间相互独立,简单易行。但其分析多局限于静态的历史背景,割裂了资源、社会、环境之间的相互作用的联系,难以解决对水资源承载能力这一复杂的系统问题。

(二)多目标分析方法

多目标方法分析承载能力是将研究区域作为整体系统来研究,通过对系统内部各要素之间关系的剖析,用数学约束进行描述,通过数学规划,分析系统在追求目标最大情况下的系统状态和各要素分布。多目标方法实质上就是通过数学规划的方法得到系统在一定背景条件下的最佳状态,其对系统的调节体现在对目标的追求上。当然多目标仍然存在外生变量即参变量选择问题。

区域水资源承载能力问题是一个典型的复合系统问题,为多目标分析方法的应用提供了理论依据。尤其是近年来随着计算机技术的发展以及数学规划工具的日臻完善,分析人员可以将精力集中在模型建立、方案构成和目标选择上,特别是由于经济、社会、资源、环境综合分析具有的决策内涵,因此多目标方法在水资源承载能力研究中的应用较为广泛,并不断得到新的发展。

(三)模糊综合评判方法

模糊综合评判的实质就是对主观产生的“离散”过程进行综合的处理,方法上存在一定缺陷,体现在取小取大的运算法则使大量有用的信息遗失,模型的信息利用率低,当评价因素越多,遗失的有用信息就越多,信息利用率也越多,误判的可能性就越大。将模糊综合评判运用于区域水资源承载力的评价中,无论是在评判因素的选取上,还是因素对承载力的影响程度上,都存在一定的局限性。

(四)主成分分析方法

主成分分析法的原理主要是利用数理统计的方法找出系统中的主要因素和各因素的相互关系,然后将系统的多个变量(或指标)转化为较少的几个综合指标的一种统计分析方法。主成分分析法的缺点一方面在于评价参数分级标准的选定和对主成分的取舍上,另一方面主成分是多维目标的单指标复合形式,物理概念不明确,难以在水资源调控中选择合适的控制点,不利于区域水资源承载力的理解和活动控制。

(五)系统动力学方法

水资源承载力是基于可持续准则下区域水资源系统与社会经济系统耦合的综合体现,具有高阶次、非线性、多重反馈、复杂时变等特性。系统动力学方法以模拟仿真为指导思想,通过调节系统的人为控制要素和各子系统内部和之间的反馈强度,达到在不同方案下的系统状态,能够适应宏观长期动态趋势分析研究。目前在水资源承载能力研究中也有较为广泛的应用。系统动力学的缺点在于如果对系统行为的动态水平认识不准确,则系统的参变量不好掌握,容易导致不合理结论的出现。

四、水资源承载能力的表征指标选取

(一)承载能力的影响因子与层次化表征

1. 影响因子分析

区域水资源承载力影响因子主要包括以下几方面:

(1)水资源条件及开发利用程度。包括以下几项:①水资源数量,包括地表水、地下水和有效土壤水的数量及其时空分布;②水资源质量,包括天然本底状况和人为污染情况;③水资源的开发利用条件、程度、方式以及水利工程状况;④生态环境本底和生态用水状况;⑤水资源开源与节流潜力以及水资源开源与节流的单方经济投入。

(2)水资源利用效率。包括各业用水效率和效益,其中水资源利用效率一般认为可以用用水定额、灌溉水利用系数、工业用水重复利用率等表示,水资源利用效益可以用单方水的经济产出表示,如单方水的粮食产量、单方水 GDP 产值等。

(3)资源本底与生产力发展水平及其结构。主要指与生产力发展相关的其他类型资源的本底状况,以及区域三产的生产力现状发展水平、未来时期的发展速率和结构调整状况,此外还包括三产内部各业生产水平及其结构。

(4)社会消费水平及其结构。主要包括三类,一是以农产品为主的食物消费水平及其结构;二是以工业品为主的生活消费水平及其结构;三是以服务为主的社会消费水平及其结构。

(5)市场与政策法规因素。商品市场的存在决定了产地与销地之间的调出调入,生产单位产品所耗用的水资源也随之调入调出。政策法规因素对区域产业结构和市场格局均会产生影响,从而对水资源承载力产生影响。例如,对粮食自给和区域之间互补的不同考虑,会影响到水资源承载能力的大小。

(6)科学技术。现代历史进程已经证明了科学技术是推动生产力进步的重要因素,未来的水资源高效利用技术、替代水源开发利用技术以及高新技术将对提高工农业生产水平具有不可估量的作用,进而对提高水资源承载能力产生重要影响。

2. 层次化表征

水资源系统承载的直接客体是区域社会经济系统和生态环境系统,而两大系统服务的终极对象是区内人口,因此水资源承载力应当以承载的人口数作为最顶层的表征指标,由于农村人口和城镇人口在生产、消费和用水等方面都有较大差异,因此还需要对承载人口的结构进行描述。

相同数量的人口如果生存状态和生活质量不同,对于各种产品和服务的需求也不相同,从而影响总量控制下的区域水资源承载能力。因此,关于承载人口的生活质量描述是流域水资源承载能力的次一级表征,根据对区域现状和未来社会经济发展水平,提出了"小康"和"富裕"两级生活质量状态描述方式,具体包括三方面表征变量,即食物结构及其消费水平、工业产品消费水平、生态环境和相关服务消费水平。

水资源的基础支撑是承载能力最基础的表征,本次研究从三方面来进行描述,一是水资源本底描述,包括降水量、地表和地下水资源量、水质状况等;二是水开发利用状况的描述,包括开发利用程度、开源节流潜力、现状供需状况等;三是生态需水,包括区域生态环境系统对水资源(尤其是径流性水资源)的依赖程度、生态环境保护目标和生态环境需水量等。

水资源承载能力表征的层次化结构如图 7-2 所示。

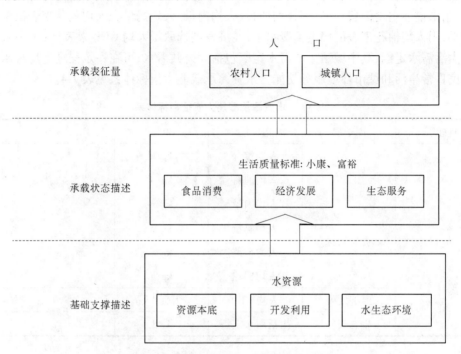

图 7-2 水资源承载能力表征的层次化结构

(二)水资源承载能力表征指标体系构建

1. 指标选取原则

区域水资源承载力指标体系是用来刻画和评价承载能力基本特征的一组参量,在选取指标和制定指标体系时,必须坚持以下一些原则:

(1)科学性原则。必须科学、客观、公正地选取指标,以真实反映区域水资源对社会的支撑能力。

(2)系统性原则。区域水资源承载力指标的选取应当从不同方面、不同层次来反映区域水资源状况,不能局限于单一方面的评价指标。

(3)可操作性原则。构建区域水资源承载力指标的目的是为了度量区域水资源对人类系统的支持能力,作为度量标准,指标一方面要易于比较,另一方面也要考虑指标信息统计的可行性。

(4)简单灵活性原则。指标是用来刻画事物和现象的,其数量的多少服务于被描述系统的特征,过多往往会有失重点,过少则难以体现系统性原则,因此应选取一些具有代表性且相对独立的指标,且含义要明确。

2. 指标体系构建

根据前面水资源承载能力层次化表征的描述,承载能力指标体系分为三层结构,分别为目标层、因子层和指标层,其中目标层就是承载能力的最终目标指标,即人口指标;因子层是用以描述人口生存状态或是生活质量的指标类型,如食物、工业产品因子等;指标层是指标体系的基本单元。经过对指标比选分析,目标层指标为人口,其中包含城镇化比例;因子层选取食品消费、经济发展和生态服务水平。到具体的指标,食品消费选取人均粮食,用来描述主食消费水平,用人均油料、人均肉量、人均奶量和人均蔬菜来表征副食消费水平,用人均棉花来表征棉类消费水平;经济发展选取了人均 GDP 来表征;生态服务选取了生活需水定额,其中城镇生活需水定额包括大公共需水,可在一定程度上反映水资源的居民日常生活和城市环境服务功能。水资源承载能力指标体系见表7-4。

表7-4　水资源承载能力表征指标体系

目标层	因子层	指标层	单位	备注
人　口	食品消费	人均粮食	kg/a	
		人均油料	kg/a	
		人均肉量	kg/a	
		人均奶量	kg/a	
		人均蔬菜	kg/a	
		人均棉花	kg/a	
	经济发展	人均 GDP	万元/人	
	生态服务	生活用水定额	L/d	

　　在进行具体的承载力分析计算时,并不要求农产品的人均指标都超过预定期望值,可以允许某些指标低于期望值,但必须建立农产品的市场交换机制,即可以用超出期望值的农产品在国际或国内市场上去等价交换低于指标期望值的农产品,使总的农产品人均占有量与指标期望值达到总体平衡。具体的农产品交换平衡公式为:

$$R = \sum_i a_i (P_i - D_i) \geq 0 \qquad (7\text{-}25)$$

式中:R 为总体平衡指标;P_i 为农产品人均占有量;D_i 为农产品人均期望值;a 为农产品的交换比;i 为农产品指标。

　　农产品交换比受市场、政策、国际国内政治形势等多种因素的影响与干扰,综合考虑上述因素,分析未来主要农产品之间的交换比价如表7-5所示。表中价格以粮食价格为基本单位,其他都是相对价格。

表7-5　各类农产品相对交换比价

农产品	粮食	棉花	油料	肉	奶	蔬菜	水果
交换比价	1.0	6.0	3.5	6.0	1.5	0.7	1.0

实 践 篇

第八章　宁夏经济生态系统现状

第一节　宁夏概况与实践需求

一、宁夏概况

宁夏回族自治区是我国五个少数民族自治区之一,位于西北地区的东部,黄河中上游,与甘肃、内蒙古、陕西等省(区)毗邻,总面积6.6万 km²。黄河干流自中卫县南长滩入境,流经卫宁灌区到青铜峡水库,出库入青铜峡灌区至石嘴山头道坎以下麻黄沟出境,区内河长397 km,占黄河全长5 464 km的7%。多年平均过境水量306.8亿 m³(1956~2000年),是宁夏主要的供水水源,对宁夏的社会经济发展和生态环境保护具有举足轻重的意义,素有"天下黄河富宁夏"的美誉。习惯上把黄河以南,包括南部、中部称为宁夏南部山区,面积38 687 km²,黄河两岸及以北地区称为宁夏引黄灌区,也称为宁夏平原区。

宁夏地处内陆,降水稀少,蒸发强烈,干燥度大。降水量由北向南递增,变化幅度在170~800 mm。降水量年际变化剧烈,多年平均降水量为293 mm。降水量年内分布极不均匀,多集中在7~9月份,汛期6~9月份降雨量一般占全年总降水量的70%左右。全区年水面蒸发能力1 254 mm,为降水量的4.3倍,其变化趋势与降水量相反,由北向南递减,变化幅度在800~1 600 mm。

宁夏水资源总量为11.6亿 m³,其中地表水资源量9.5亿 m³,地下水资源量30.75亿 m³,重复计算量28.6亿 m³。宁夏地表水资源可利用量40亿 m³(包括宁夏支流地表水资源可利用量),山丘区地下水资源量是地表水的重复计算量,不作考虑。平原区(引黄灌区和贺兰山倾斜平原)地下水资源量26.6亿 m³,重复量即地表水体补给量24.1亿 m³,剩余平原区地下水资源不重复量即引黄灌区和贺兰山倾斜平原降水入渗、山前侧向补给形成的地下水资源量为2.6亿 m³,则宁夏全区可利用量为42.6亿 m³。

宁夏回族自治区现辖银川市、石嘴山市、吴忠市、中卫市和固原市5个地级市,共2个县级市、14个县、7个县级市辖区和1个开发区(红寺堡开发区)。近年来,宁夏的经济发展很快,2002年国内生产总值已达329.3亿元(按当年价计算),其中工业总产值为372.0亿元,90%以上集中在引黄灌区,宁南山区由于电力、水源、交通等条件所限,骨干工业较少。2002年宁夏农业总产值92.5亿元,粮食产量301.9万 t;引黄灌区2002年实际灌溉面积653.24万亩,占全区耕地面积1 857.5万亩的35.2%,粮食产量228.7万 t,

占全区总产量的75.8%,宁南山区因水资源短缺等条件限制,虽然耕地多,但粮食总产、单产、人均占有粮食均较少,而且人口增长速度较快,农民家庭纯收入低。

二、面临的主要问题

宁夏目前所面临的主要问题包括三个方面:水资源、社会经济和生态环境,而社会经济和生态环境中所出现的问题与水资源的开发利用密切相关。

(一)水资源及其开发利用问题

宁夏水资源及其开发利用所面临的问题主要包括以下几个方面:

(1)水资源严重短缺,生态用水与经济用水矛盾突出。宁夏由于所处地理位置的特殊性,多年平均降水稀少,蒸发强烈,因此降水产生的当地地表水资源极其有限,区域经济社会的发展和生态环境的维护完全依赖于黄河水量的有效供给。随着社会经济的发展,对水资源的需求越来越大,农业灌溉的发展、工业化进程的加快以及人们生活水平的改善都需要大量的黄河水作为支撑条件,而引黄指标的控制无疑限制了宁夏对黄河水量的使用,因此造成了工业用水挤占农业用水、农业用水挤占生态用水的紧张局面,水资源供应不足已经成为制约宁夏经济社会发展的主要瓶颈。

(2)水资源浪费严重,节水亟待实施。尽管宁夏水资源严重短缺,但水资源利用效率很低。2000年,宁夏田间水利用系数仅为0.44,工业用水重复率为45%,不合理的用水结构和落后的水资源管理方式造成用水浪费严重。单方水经济效益产出十分低下。未来宁夏灌溉面积不断扩大,工业化发展水平不断提高,而宁夏水资源量又十分有限,因此急需全面实施节水,保证水资源的合理有效供给。

(3)用水结构不合理。目前,在宁夏各用水部门中,农业是用水大户,2000年农业用水、产业用水和生活用水的比例为93.8:4.9:1.3,用水量多的农业经济效益产出要比相同水量下的工业经济效益产出差几倍,甚至几十倍。这种不合理的用水结构造成宁夏水资源利用的经济效益十分低下,一方面浪费了大量宝贵的水资源,另一方面又限制了宁夏社会经济的发展速度。

(4)南部山区小流域综合治理工程需要进一步加强。宁夏南部山区不但降水稀少,而且无大型河流经过,因此水资源短缺形势尤为严峻。南部山区农业基本为雨养农业,人畜饮水完全依靠集雨工程,因此降水资源成为该区经济和生活的主要水源。目前,在南部山区已修建部分小流域综合治理工程,为山区的经济发展和生活改善起到了积极、重要的作用,但是从长远来看,除进行移民外,还必须进一步加大治理规模,加深治理力度,以期早日实现脱贫致富。

另外,在宁夏水资源开发利用过程中,还存在着水污染严重、水利工程老化失修等问题,同时南部山区由于社会经济以集雨用水为主,因此饮水安全问题也十分重要。这些都严重阻碍着宁夏水资源的可持续利用。

(二)社会经济问题

宁夏社会经济问题主要表现在:地区缺水严重,且供水不足,加上黄河分水指标的限制,使得各行业用水竞争激烈,大大限制了经济社会发展的速度;人口增长过快,在增加就业压力的同时,导致生活用水进一步增大;用水结构中,农业用水比例较大,工业用水比例较小,应进一步将农业用水向工业用水转移;产业结构不合理,三产结构比例失调,尤其是高耗水的粮食作物种植比例有待进一步降低;区域整体工业化水平低,高新技术产业发展相对落后,缺乏对支柱产业的资金投入;部分地区缺少地表供水工程,造成供水严重不足,尤其是南部山区,饮水问题还未得到有效解决,经济社会发展速度极为缓慢,目前仍处于解决温饱问题阶段。

(三)生态环境问题

宁夏生态环境问题的产生主要是由于水资源的开发利用不当所造成的。由于地区缺水严重,工农业生活用水需求的不断增长加强了对生态用水的挤占程度,另一方面,人们又缺乏必要的生态环境保护意识,造成引黄灌区湖泊萎缩、湿地消失;农田大引大排的灌溉方式在产生用水浪费的同时,也造成灌区地下水位抬升,产生土地盐碱化;黄河和排水沟沿岸城镇大量工业废水和农业污水未达标排放,加剧了水体污染,造成水质恶化,野生动植物生长栖息地逐渐消亡;南部山区生态环境恶化的原因主要是人类对山区植被的破坏造成水土流失严重,天然植被大面积退化,土地沙化严重。

三、实践需求

由于宁夏地理位置和气候特征的特殊性,水资源成为制约宁夏经济社会发展的重要"瓶颈"。21世纪正是宁夏全面建设小康社会、实现经济社会顺利转型的关键时期,为促进经济社会和生态环境健康发展,宁夏必须全力做好"水"这篇文章,实现对区域水资源的合理配置和可持续利用。深层次分析宁夏所面临的三大问题,其核心纽带是国民经济用水和生态环境用水两大系统之间,以及系统内部各用水部门强烈竞争背景下,流域水资源配置不当所引起的经济、生态后果。

水资源合理配置是根据区域经济社会发展和生态环境保护目标,协调各行业、各部门的用水需求,保障有限的水资源在不同部门之间的合理分配,对宁夏地区而言,由于水资源量十分稀少,降水已成为区域经济社会和生态环境协调发展的一个重要组成部分,为此建立与宁夏水资源条件相适应的合理的生态保护格局和高效的经济结构体系,合理配置包括降水和土壤水在内的广义水资源,是实现宁夏经济社会和生态环境协调发展的根本出路。

宁夏经济生态系统广义水资源合理配置是指在宁夏区域范围内,遵循高效、公平和可持续发展原则,通过工程和非工程措施以调节各种水资源的天然时空分布,在开源与节流并重、开发利用与保护治理并重的同时,合理抑制需求,有效增加供给,积极保护水资源与生态环境,兼顾当前利益和长远利益、局部利益和整体利益,利用系统分析方法、决策理论和计算机技术,统一调配可控的地表水、地下水、处理后可回用水、外调水及微咸水等和半可控的降水资源,注重兴利与除弊的结合,协调好各地区及各用水部门间的利益矛盾,尽可能地提高区域整体的用水效率,对多种可利用的水源在区域间和各用水部门间进行配置,寻求最优和可持续的发展模式,促进区域可持续发展和维持水资源可持续利用。

宁夏经济生态系统广义水资源合理配置模型动态耦合了社会经济系统、生态环境系统与水资源系统的模型系统,其模型结构是以水资源合理配置模拟模型为核心,嵌套了区域宏观经济发展预测模型、宏观经济多目标决策模型、水资源承载力模型、水循环模拟模型、水资源配置模拟模型、工程经济效益分析模型和生态恢复模拟模型等。各模型之间层层相扣,可以分为四层体系,第一层为水资源配置模型的预测层,进行区域经济生态系统预测;第二层为宏观调控层,是指建立多目标优化配置模型,在宏观层次上配置社会经济和生态环境用水,为水资源合理配置提供总体控制;第三层为模拟层,建立水资源供需平衡模拟模型、区域水循环模型、水环境模拟模型、生态稳定性评价模型等,进行不同方案下的区域经济生态系统的模拟分析;第四层为响应层,是指在经济生态系统广义水资源合理配置的基础上,建立社会经济生态系统的配置响应模型,即在水资源合理配置模型提供的方案基础上,进行社会经济发展预测、工程经济效益的分析、生态环境模拟、水环境状况分析,为水资源合理配置方案的选择提供社会效益、经济效益和生态效益依据,确定水资源合理配置的合理性,提出符合可持续发展的社会经济和生态系统方案。

第二节　水资源开发利用评价

一、水利工程现状

宁夏的供水系统由当地地表水、地下水、引扬黄河水组成。地表水供水系统主要由水库、塘坝及河道构成;地下水供水系统主要由机电井组成;引黄供水系统主要由引黄闸、渠组成,主要是卫宁、青铜峡两个引水灌区,直接从黄河引水的总干渠 17 条;扬黄供水系统由泵站组成,主要是指陶乐扬水灌区和固海、盐环定、红寺堡及个别企业等直接从黄河扬水的泵站。现有供水工程可分为蓄、引、提和地下水工程。

(一)蓄水工程

宁夏黄河干流上现有大型水库 1 座,即青铜峡水库,总库容 7.35 亿 m^3,有效库容 0.25 亿 m^3。除渠道引走部分水量外,青铜峡河道年下泄径流量 233.5 亿 m^3。其供水主要用于青铜峡灌区灌溉和青铜峡电厂水力发电。灌溉用水作为渠道引水工程供水量,水力发电用水 202.4 亿 m^3,算河道内用水,不计入供水总量中。

宁夏蓄水工程共有中小型水库 195 座,水保骨干坝 89 座,总库容 15.50 亿 m^3,有效库容 5.20 亿 m^3,设计灌溉面积 54.57 万亩,实灌面积 27.38 万亩。其中中型水库 16 座,主要分布在固原市清水河上中游及葫芦河流域。小型水库 179 座(含小一、小二型),水土保持骨干坝 89 座。

(二)引水工程

黄河干流引水灌溉工程始建于公元前 214 年(秦渠),引黄灌区是我国古老的大型灌区之一,灌区盛产稻麦,素有"天下黄河富宁夏"、"塞上江南"之称。灌区位于自治区北部,属黄河冲积平原,南起中卫县美利渠口,北至石嘴山,南高北低,长 320 km,东西宽约 40 km。全灌区包括中卫、中宁、青铜峡、利通区、灵武、永宁、银川、贺兰、平罗、惠农、石嘴山等 11 个市(县、区)及 15 个国营农林牧场,土地总面积 6 573 km^2。新中国成立前,宁夏引黄灌区已具相当规模,新中国成立后,进一步扩建、更新和改造,新建了一批水利工程,逐步形成了比较完善的灌排系统,灌区水利事业有了空前的发展,经过 50 多年的建设,灌溉面积已由新中国成立初的 192 万亩发展到 580 万亩,水利效益极为显著,为促进宁夏经济社会的发展发挥了重要作用。

按地理位置和引水方式的不同,以青铜峡为界,南部为卫宁灌区,北部为青铜峡灌区。这两大灌区现有大中型引水总干渠、干渠 17 条,设计灌溉面积 427 万亩,2002 年实灌面积 585.1 万亩(包括从渠道扬水面积 71.4 万亩),设计供水能力 816 m³/s,现状供水能力 812 m³/s(包括直接从干渠扬水的扬水工程供水量,如南山台子扬水、同心扬水等),总干渠引水能力 757 m³/s。在固原市,尚有小型引水工程 73 处,有效灌溉面积 18.1 万亩。

(三)扬水工程

(1)固海扬水:固海扬水工程包括原同心扬水工程、固海扬水主体工程和世行扩灌工程,是目前宁夏最大的电力扬水灌区。同心扬水工程设计扬水 5 m³/s,总扬程 253.1 m,净扬程 205.6 m,渠道全长 93.75 km。固海扬水主体工程设计灌溉面积 50 万亩(包括同心扬水和世行扩灌),有效灌溉面积达 57 万亩,设计供水能力 25.0 m³/s,现状供水能力 20.0 m³/s。世界银行扩灌工程分为固海扬水扩灌和同心扬水扩灌工程两部分。同心扬水世界银行扩灌工程设计流量 3.5 m³/s,扩灌 7 万亩,从七星渠取水建大战场泵站。固海扬水世界银行扩灌工程扩灌面积 7 万亩。

(2)盐环定扬水:陕、甘、宁三省共用的大型扬水灌区,设计引水流量 11 m³/s,分配给盐池 5 m³/s,同心、环县、定边各 2 m³/s,设计灌溉面积 33 万亩(其中宁夏 20.4 万亩),2003 年实灌面积 14.6 万亩。

(3)宁夏扶贫扬黄灌溉工程:是自治区为从根本上改变宁南山区发展条件、实现脱贫致富的一项大型工程。规模宏大,周期较长,涉及面广,任务艰巨。一期工程规模为 100 万亩,设计引水流量 25.0 m³/s,其中红寺堡灌区发展灌溉面积 55 万亩,设计引水流量 12.7 m³/s,2003 年实际灌溉面积 17.0 万亩。固海扩灌发展灌溉面积 45 万亩,已于 2003 年 10 月 26 日通水。

(4)陶乐扬水:为独立扬水灌区,由多处小型提水泵站从黄河提水供灌溉之用,设计供水能力 9.4 m³/s,现状供水能力 11.9 m³/s,2003 年实灌面积 10.0 万亩。

(5)边缘扬水:在灌区边缘,有甘城子、五里坡、扁担沟、狼皮子梁、南山台子等中小型扬水灌区,扬水能力 15 m³/s。目前灌溉面积已达 50 万亩,均从渠道中抽水。在卫宁灌区边缘尚有小型提水工程 8 处,供两岸台地灌溉和厂矿用水。

(6)在固原地区尚有小型提水 176 处,此类多为临时流动小泵,在灌溉期拦河堵坝抽水灌溉,主要分布在清水河、葫芦河及茹河两岸。

(7)石嘴山电厂核心泵房:设计供水能力 3 亿 m³,供电厂直冷式冷却水。

(四)地下水工程

地下水供水工程主要有城市自来水井、厂矿企业自备水井及农村机电井。据统计,全区 2000 年共有地下水井 8 795 眼,其中城市自来水井 269 眼,厂矿企业自备井 1 380 眼,农村机电井 7 146 眼。另有观测井(地下水位监测)209 眼。

(五)集雨工程

宁夏南部山区水资源匮乏,为缓解农村人畜饮水困难,近年来在南部山区修建了大量水窖和土圆井以解决当地人畜的生活用水问题。2000 年全区水窖 36.772 万眼,蓄水量共计 760 万 m³,主要分布在固原市的原州区、西吉县、隆德县、彭阳县,吴忠市的同心县、盐池县以及中卫市的中卫县、海原县。

二、供水量

根据水利部门统计及补充调查,2000 年各类供水工程年总供水量 86.553 亿 m³,其中当地地表水 0.870 亿 m³,引黄河水 72.253 亿 m³,扬黄河水 7.457 亿 m³,开采地下水 5.897 亿 m³,其他集雨工程 0.076 亿 m³。按供水工程分,蓄水工程供水 0.590 亿 m³,主要在南部山区的清水河、葫芦河及泾河。引水工程供水 72.323 亿 m³,其中引黄河水 72.253 亿 m³,全部集中在平原区 11 个县的引黄灌区。另有引当地水 0.070 亿 m³。扬水工程供水 7.667 亿 m³,其中扬黄河水 7.457 亿 m³,除石嘴山电厂核心泵扬水供冷却用水、大坝电厂及陶乐扬水灌区扬水 2.080 亿 m³ 外,其他主要为固海(包括同心、大战场、红寺堡)盐环定及南山台子等边缘小扬水供水。另有山区葫芦河及清水河流域有临时小扬水泵从河道扬当地水 0.210 亿 m³ 供灌溉之用。地下水工程供水 5.897 亿 m³,其中城市自来水供水 1.039 亿 m³,厂矿企业自备井供水 2.836 亿 m³,农村机电井(泵)供水 2.022 亿 m³,其他集雨工程供水 0.076 亿 m³。2000 年供水量见表 8-1。

表 8-1　2000 年供水量　　　　　　　　　　　　　(单位:亿 m³)

供水来源	当地地表水	引黄河水	扬黄河水	地 下 水	其他	合 计
水量	0.870	72.253	7.457	5.897	0.076	86.553
供水工程	蓄水工程	引水工程	扬水工程	地下水工程	其他	合 计
水量	0.590	72.323	7.667	5.897	0.076	86.553

三、用水量

2000 年全区各行业共计用水量 86.553 亿 m³,其中工业用水 4.586 亿 m³,占 5.3%;农业用水 80.275 亿 m³,占 92.8%;城镇生活用水 1.061 亿 m³,占 1.2%;农村人畜用水 0.631 亿 m³,占 0.7%。

(一)工业用水量

2000 年全区工业总用水量 4.586 亿 m³。工业用地表水 1.472 亿 m³,占工业取水量的 32.1%,地下水开采量 3.114 亿 m³,占工业取水量的 67.9%。工业用水取用城市自来水 0.268 亿 m³,除灵武市及陶乐外,各县(市)均有取用自来水供工业之用,但以银川市、石嘴山市两城市为最,工业自来水约占到总取水量的 64%。厂矿企业自备水源是工业用水的主要水源,取水量 2.468 亿 m³,约占全部工业用水的 53.8%,若扣除火电用地表水则占到 76.3%,尤以平原区各县为最。黄河水主要为火电行业作冷却用水,现状取水 1.47 亿 m³,其中石嘴山电厂取水 1.100 亿 m³,大坝电厂取水 0.250 亿 m³,此外还有青铜峡造纸厂从东干渠提水 0.120 亿 m³。

(二)农业灌溉用水量

2000 年全区农业灌溉总取水量 80.275 亿 m³,实际灌溉面积 703.23 万亩,平均亩均毛灌水量 1 142 m³。在取水量中,蓄水 0.520 亿 m³,占农业总取水量的 0.7%,灌溉面积

21.45万亩,亩均毛灌水量242 m³,定额最小。引水72.203亿m³,占农业总取水量的89.9%,灌溉面积523.04万亩,亩均毛灌水量1 380 m³。提水6.317亿m³,占农业总取水量的7.9%,灌溉面积122.86万亩,亩均毛灌水量514 m³;地下水1.235亿m³,占农业总取水量的1.5%,灌溉面积35.88万亩,亩均毛灌水量344 m³。蓄水全部为当地地表水,引提水中有78.240亿m³是黄河水,占农业总取水量的97.5%。

(三)城镇生活用水量

2000年全区城镇用水人口159.226万人,总取水量1.061亿m³,大生活用水标准为183 L/(人·d),居民小生活用水标准为114 L/(人·d),公共事业用水占城镇生活用水的32.7%。

黄河灌区城镇生活用水包括城镇环境用水和公共用水,总用水量0.83亿m³,占全区城镇生活用水的78.6%,大生活用水定额为177 L/(人·d),小生活用水定额为100 L/(人·d),引黄灌区定额基本大于100 L/(人·d),扬黄灌区较引黄灌区偏小,一般在70~90 L/(人·d)之间,其中用地下水0.83亿m³,可以看出用水全部来自地下水。

(四)农村生活用水量

据2000年现状调查,农村居民生活用水定额平原区30 L/(人·d),山区20~25 L/(人·d),大牲畜用水定额为30 L/(头·d),猪10~15 L/(头·d),羊6~8 L/(只·d)。2000年全区农村生活总取水量0.631亿m³。

灌区农村人畜用水主要来自蓄水、地下水和集雨,其中蓄水82万m³,地下水3 734万m³,集雨245万m³,农村人口用水定额30 L/(人·d),与全区定额相差不大;大牲畜、小牲畜定额相对较稳定,分别为30 L/(头·d)、9 L/(头·d)。

第三节 经济社会发展评价

一、经济社会发展现状

(一)人口及劳动力状况

宁夏1980~2000年以来,人口一直呈高速增长趋势,年均增长率达到了19.91‰,但随着计划生育工作的开展,人口出生率和自然增长率逐年下降,2000年分别下降到16.5‰和11.9‰,人口过快增长的势头得到了有效的遏制。由于宁夏人口数量过多,导致劳动力供大于求的矛盾十分突出,而另一方面,尽管宁夏劳动力市场就业机制正在逐步形成,但是劳动力市场化程度低,劳动力资源不能得到有效的合理配置,社会保障制度不完善,失业保险覆盖范围窄,造成劳动者流动就业机会减少,而经济结构调整和产业转移将进一步加剧劳动力市场的动荡,结构性失业更加严峻。

(二)城镇化状况

2000年宁夏总人口548.6万人,其中城镇人口180.4万人,城镇化率为32.9%,低于全国平均水平。同时宁夏设市设镇的标准比东部发达省市要低,所以城镇化率与东部省市、全国平均水平存在不可比因素。

衡量城镇化水平高低,除城镇化率之外,还有城镇经济发展水平、区域城镇体系完善程度、城镇功能特别是中心城市功能、城镇质量(规划、设计、管理水平)、城镇环境等方面指标。在这些方面,宁夏均处于落后状态。总的说来,宁夏城镇化现状如下:①中心城市已有一定基础,但开放功能、龙头作用薄弱;②大多数城镇规模偏小,尚未形成较完善的城镇等级规模结构体系;③除少数城镇外,多数建制镇职能单一,即多数职能类型为政治和农村商贸中心;④城镇布局地域差异显著。

(三)农业发展现状

到2000年,宁夏的农村经济取得了显著成效,主要表现在以下几个方面:

(1)农村经济总量持续增长,结构逐步优化;2000年宁夏全省农业增加值46亿元,是1980年的3.2倍。农业生产中,种植业比重下降,林牧渔业比重上升,种植业、林、牧、渔各业构成由1993年的70.7:2.9:23.6:2.8调整为2000年的66:3.4:28.5:2.1。

(2)粮食产量稳步增加,种植业结构调整力度加大;宁夏作为农业生产省份,粮食产量稳步提高,2000年粮食总产量达到252.7万t,比1990年增加31.8%,宁夏种植面积总体呈增长趋势,但结构在逐步优化,2000年粮、油、蔬菜、瓜果总播种面积为1210.5万亩,比1990年增加127.4万亩,种植结构由1990年的86.0:11.6:0.2:0.05调整为2000年的85.3:8.3:5:1.2,蔬菜和瓜果的比重有了显著的提高。

(3)林业向生态保护方向发展。2000年,宁夏造林面积122.37万亩,其中人工造林97.59万亩。育苗面积11.19万亩,其中新增育苗面积9.06万亩。当年封山育林面积92.45万亩,比1999年增长2.7倍。山区5个试点县退耕还林16.89万亩,还草4.14万亩,生态建设全面展开。

(4)畜牧业持续增长。2000年,宁夏牧业产值27.75亿元,畜牧业产值占农林牧渔业的比重达到33.1%,比1990年增加11.3个百分点,以可比价格计算,是1990年的2.68倍,畜牧业逐渐向农业支柱产业发展。

(5)渔业生产向数量与质量结合的方向发展。2000年,宁夏水产品产量3.7万t,比1995年1.87万t增加了97.7%,翻了近一番,优质品率超过80%,其中"名、特、新"产品占到15%以上,档次和规模都有了明显的提高。

(四)第二、第三产业发展现状

经过40多年的建设发展,宁夏工业化取得了巨大进步,现已形成包括煤炭、电力、冶金、石化、建材、机电、轻纺、医药等行业较齐全的工业体系。2002年,宁夏拥有规模以上工业企业390个,其中大中型企业115家;规模以下(年平均销售收入500万元以下非国有企业和个体经营单位)工业企业33108个。工业企业从业人数40.31万人,规模以上工业企业拥有固定资产原值416亿元,定额流动资金224.9亿元。2002年,全部工业总产值372亿元,完成工业增加值114.8亿元,工业对GDP的贡献率达到44%。

虽然宁夏工业发展成效显著,但工业经济基础薄弱,还处在工业化发展初期阶段,在向工业化中期转变过程中,还存在着许多亟待解决的问题:

(1)发展速度慢。与全国相比,宁夏工业化进程明显缓慢。近年来,宁夏工业增长速度不仅低于沿海发达省区,甚至低于全国平均水平。2002年,工业增加值全国平均增速12.6%,沿海发达省区16.4%,而宁夏是13%,略高于全国平均水平,比较发达省区低3.4个百分点。

（2）工业品初级产品多，附加值不高，产品结构层次低。宁夏的工业发展是建立在资源开发和初级产品加工的基础上，带有明显的初级型特点。从轻工业内部看，以农产品原料加工为主，而高附加值、深加工产品明显处于劣势；从重工业内部结构看，又以原材料工业为主，多为劳动密集型的传统产业。

（3）信息化程度低，高新技术产业发展相对滞后。宁夏除了机电制造业的信息化水平在全国处于较好水平外，其他行业企业和社会管理系统、物流、商流等全社会信息化水平还处于起步阶段。2002年宁夏高新技术产业增加值占宁夏GDP比重仅为7.46%。

（4）工业结构不合理，轻工业偏轻、重工业偏重的失衡格局尚未打破。2002年宁夏轻工业比重为24.3%，重工业比重占75.7%，重工业高于轻工业53.4个百分点，同年我国轻工业和重工业的比重分别为39.1%和60.9%，虽然地区轻工业比重有所增加，但是仍不合理。

（5）工业经济整体运行质量不高。2002年，宁夏工业经济综合效益指数为89.9，比全国平均水平130.0低40.1个百分点，计算综合经济效益指数的七项指标中有四项低于全国平均水平，在全国排位29名，仅好于新疆。其中总资产贡献率、成本费用利润率分别低于全国4.2个百分点和3.8个百分点，全员劳动生产率低于23 841元/人。

（6）工业竞争力总体处于下游水平。2002年，根据自治区统计资料分析，宁夏工业企业竞争力在全国31个省（市、区）中排第29位，仅好于青海，处于下游水平。

（7）企业管理水平低下。一是经营管理者素质不高，知识老化，决策经营能力差，失误多；二是管理思想陈旧，跟不上市场经济发展的潮流，不重视对市场的调研，产品与市场脱节，致使产品滞销，积存严重；三是企业改制不彻底，机制还不灵活。

二、地区发展总体评价

虽然该区产业结构调整取得了一定的成效，但面对新的形势和任务，与国际、国内经济社会发展的大背景比较，该区产业结构和发展与十六大提出的全面建设小康社会的目标还有很大差距，与周边地区，特别是沿海发达地区相比差距更大，在许多方面还有待提高。虽然地区产业结构较为合理，与我国当前水平大致相当，但地区内部经济总量小，人均占有水平低，2000年地区人均GDP为4 839元，而我国同期为7 081元，是宁夏的1.46倍。宁夏经济运行的质量和效益不高，财政增长后劲不足，城乡居民收入增长相对缓慢，就业压力大，社会保障能力弱。所有这些问题，必须用发展的办法来加以解决，通过产业结构调整优化来加以解决。

通过对该区域发展的比较分析和诊断，认为该地区发展特征与面临的问题如下：

（1）宁夏人民生活水平有了很大的改善，但与全国发展差距有进一步扩大的趋势。2000年宁夏人均GDP为4 839元，是1980年的3.8倍，居民生活水平有了显著的提高，但该地区总体还处于区域性落后状态，20世纪80年代以来，宁夏人均GDP均低于全国平均水平，1980年为全国平均水平的88.1%，而2000年仅为68.4%，原因是虽然宁夏GDP发展速度高于全国平均水平，但由于人口增长相对较快，抵消了GDP的增长。

（2）人口增长太快，城镇化水平较低。宁夏人口增长速度较快，1980～2000年年均增长速度为19.91‰，而我国同期年均增长率是12.52‰，比宁夏低7个千分点；宁夏城镇化进程缓慢,1980、2000 年城镇化率分别为 18.2% 和 28.7%,20 年仅增长了 10.5 个百分点,而我国同期增长了 18.8 个百分点,2000 年我国城镇化率为 36.2%,比宁夏高 7.5 个百分点。

(3)经济结构矛盾突出,传统工业和国有企业比重大,新兴产业发展滞后。"二元"结构特征明显,如城市工业与以自给半自给农业产业为主要特征的传统经济并存,少量较为先进的产业同大量落后产业并存,一部分较为富裕的地区同另一部分极端贫困的地区并存。产业内部结构不相协调,农业中种植业比重过高,牧业、林业发展缓慢;工业中轻、重工业比例不协调,重工业以采掘业和原材料工业占据主导地位;第三产业第一、第二层次中的相关产业发展较快,新兴产业发展缓慢,金融、保险、通讯、房地产、社区服务等新兴第三产业还处于起步阶段。因此,扶持第三产业的发展,将是宁夏扩大就业的重要举措。其中,应特别注意发展劳动密集型的第三产业,如商业零售、交通运输、各种信息咨询、社区服务、家庭服务业等投资少、见效快、就业潜力大的第三产业。

第四节　生态景观格局分析

一、生态环境特征

宁夏地处西北干旱区域和东部季风区域,地理环境具有明显的过渡性,加之地貌类型多、地形起伏大、自然条件恶劣、生态环境脆弱,生态环境特征可具体归纳为以下四个方面。

(一)环境条件复杂,生态类型多样

宁夏因处于中温带内陆过渡地带的特殊地理位置,以及区内水平地带性、垂直地带性、非地带性自然因素和人类活动影响的错综交织,构成复杂多样的环境条件,形成多种生态类型,包括草原、森林、荒漠、水域、农田、城市等各类生态系统。在水平方向上,自南向北为中温带半湿润区森林草原、半干旱草原、干旱区荒漠草原和草原化荒漠。在垂直方向上(如六盘山)自下而上为低山草甸草原带、阔叶混交林带、针阔混交林带、阔叶矮林带、高山草甸带。还有非地带性、半人工和人工的各种生态类型。

(二)主要环境因素组合不够协调,自然生态系统功能偏低

宁夏雨量稀少,水分条件与光热的组合不够协调,北中部光热多而水分少,南部相反。在水分条件不足的制约下,大部分地区土壤微生物活动微弱,土壤有机质含量低,限制了物质能量循环的速度和强度。多数自然生态系统结构单一,外部输入少,导致系统整体功能偏低。本区草原、森林天然系统,水域、旱作农田等生态系统的生物生长量均低于全国平均水平。

(三)环境容量较小,生态平衡脆弱

干旱区和半干旱区、荒漠与草原的过渡地带(农牧交错地带)是我国北方的环境脆弱带,是对气候波动反应最敏感,环境变化频率高、幅度大,多灾易灾的地带,宁夏多数地区正处在这个地带上。水资源贫乏、干旱多风(中部地区风速大于等于 17 m/s 的年大风日数平均为 24~30 d)、植被稀少、水蚀风蚀活跃等特点,决定了其环境容量较小,生态系统的稳定性差,大气、水、土壤的自然净化功能低,部分地区几乎没有可供利用的污染负载能力。稀疏

的自然植被对降尘、工业废气的净化作用很小,环境极易受到污染和破坏,抗御自然灾害和人为破坏的能力薄弱,多数地区一旦遭受污染破坏,要恢复到原有水平十分困难。

（四）人类活动对环境影响强烈,部分地区环境退化严重,局部地区改善显著

宁夏土地开发历史久远,全区自然环境都在不同程度上打下了人类活动的烙印。原本自我调节能力较强的森林、草原生态系统,由于千百年来人为干扰（战争破坏、滥伐林木、滥垦、过牧）不断积累,在整个区域生态系统中的比重日趋缩小,次生性显著,自我修复能力下降。清代初期（18世纪初）宁夏原始森林基本上已荡然无存,土地、草原退化,野生生物种类和数量锐减。近数十年,由于人口失控和沿用历史上掠夺式的土地利用方式,中部干旱风沙区和南部黄土丘陵区土地利用结构不合理,生产方式粗放,倒山种地、广种薄收、靠天养畜,导致继续滥垦、过牧、乱樵采,植被退缩、土地沙化、水土流失等问题无法控制,原已脆弱的生态系统进一步恶化。

宁夏另一部分地区,由于黄河过境等有利条件和采取人为措施改变生态系统的环境因素和内部结构,形成了独特的人工生态系统。如宁夏河套平原的引黄灌区、中部的扬黄灌区,以及一些城镇,因稳定投入大量水分和长期经营,形成人工绿洲生态系统,结构复杂化、有序化、系统功能和环境质量比原自然生态系统大大提高,人类合理的活动使原来脆弱的生态环境得到改造,使系统稳定、协调、高效地运行发展。正是由于人类对宁夏生态的这种强烈干预和主导作用导致宁夏绿洲生态景观格局发生显著变化。

二、研究方法

对宁夏绿洲生态景观格局进行分析的基本数据为覆盖宁夏地区的 Landsat – TM 影像数据。图像1（见图8-1（a））的成像时间为1985年6~10月份;图像2（见图8-1（b））的成像时间为2000年6~10月份。

采用的方法为:收集和处理景观数据（如野外考察、测量、遥感、图像分析等）,将景观数字化,得到研究区两期景观格局图。在上述基础上,利用地理信息系统技术进一步分析研究区景观空间格局的变化特征,从而获得研究结果。

对宁夏绿洲景观类型进行划分,并参考有关辅助图件,借助专家目视判读对分类图像进行精度检验。宁夏绿洲1985年和2000年的分类结果精度均较高,分别达到81.88%和83.13%。

三、1985~2000年绿洲景观格局分析

（一）景观类型的结构与变化

宁夏绿洲1985年和2000年的土地利用覆盖如图8-1所示。

从1985年和2000年的TM影像解译结果看,1985~2000年间,研究区草地面积变化最为剧烈,减少了38.65%,其斑块个数也减少了34.69%,水田和居工地面积分别增长了19.18%和33.55%,林地和水域面积变化不大,分别增长了6.9%和减少了3.61%,而随着经济发展,未利用土地减少了17.35%。

（二）景观斑块面积等级构成与变化

1985年和2000年宁夏绿洲景观斑块面积构成如图8-2所示。

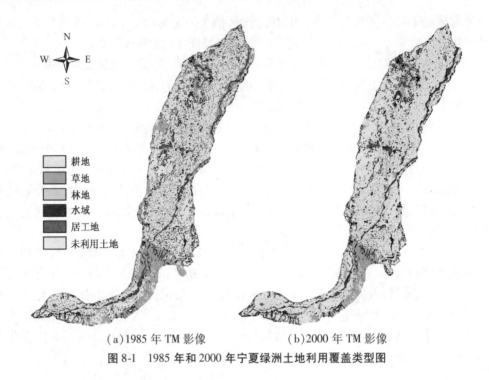

（a）1985 年 TM 影像 　　　　（b）2000 年 TM 影像

图 8-1　1985 年和 2000 年宁夏绿洲土地利用覆盖类型图

图例：耕地　草地　林地　水域　居工地　未利用土地

1985 年和 2000 年的耕地斑块大小等级中以 0.1～1 km² 和 ≥1 km² 的斑块占优势，其所占比例约为 50%。在各类斑块等级中，<0.01 km² 的斑块所占的比例很少，0.01～0.05 km² 和 0.05～0.1 km² 斑块所占比例也不足 15%。从 1985～2000 年，耕地景观的 0.1～1 km² 和 ≥1 km² 的斑块平均面积有逐渐增大的趋势。林地斑块等级的构成中，0.1～1 km² 的斑块所占的比例最高，0.05～0.1 km² 的斑块所占比例其次，其余等级斑块所占比例很少。

草地、未利用土地斑块等级的构成与耕地非常相似，而且从 1985～2000 年期间斑块等级构成变化不明显。在斑块等级中，始终是以面积为 0.1～1 km² 的斑块占优势，其次为面积 ≥1 km² 的斑块。从整体结构变化看，比例最大的斑块有向面积较大的等级方向缓慢移动的趋势。

水域的变化与林地景观具有或多或少的相似之处。总体趋势表现为面积较大的景观趋于增大，面积较小的水体趋于减少。在所有面积等级构成中，面积为 0.1～1 km² 的斑块占有最高比例。

居工地的斑块等级构成中，1985 年和 2000 年均以 0.05～0.1 km² 和 ≥1 km² 的斑块占优势。0.05～0.1 km² 的斑块所占比例减少，而 0.1～1 km² 的斑块比例增大。总体来看，1985～2000 年间斑块的整体变化不明显。

（三）景观类型的动态转移

整体上看，宁夏绿洲景观以耕地景观和草地景观为主，分别占流域总面积的 63.81% 和 13.17%。相比之下，耕地对于维护绿洲生态稳定的作用比较弱，耕地生态系统更多的是经济生产功能，称之为灰色景观。在绿色景观中，草地景观抵抗外界干扰的能力较弱，

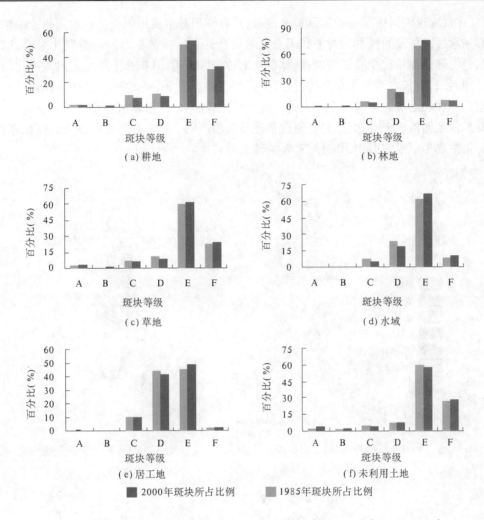

斑块等级:A.≤0.005 km²;B.0.005~0.01 km²;C.0.01~0.05 km²;D.0.05~0.1 km²;E.0.1~1 km²;F.≥1 km²

图 8-2　研究区各景观类型斑块等级结构及其变化

这也反映出宁夏绿洲脆弱的生态背景特征。从景观的动态转移来看,耕地、林地和居工地呈扩张趋势,而草地、水域和未利用土地呈退缩趋势。

　　研究区中耕地、草地、居工地和未利用土地这四种景观类型在 1985~2000 年间景观转移的数量较大,如图 8-3 所示。以 1985~2000 年耕地扩张图为例,图 8-3 中所有土地类型之和为 2000 年的耕地面积,不同图例表示的是 1985~2000 年间扩张的耕地在 1985 年的土地利用状况,而景观退缩图正与此相反,表示的是 1985~2000 年间退缩的景观在 2000 年的土地利用状况。

　　从扩张景观的动态变化来看,耕地景观的扩张面积最大,净扩张面积为 642.80 km²;居工地和林地的净扩张面积较小,其净扩张面积仅为 55.11 km² 和 29.18 km²。从退缩景观的动态变化来看,草地的退缩面积最大,净退缩面积达到 611.38 km²;其次为未利用土地景观,其退缩面积达到 111.04 km²。从人工景观来看,居工地的扩张主要是占用了耕地,且在耕地退缩区中所占的比重最大,而这是有悖于基本耕地保护法规的。耕地的扩张主要是通过对草地的侵占和对未利用土地的综合开发。从林草地的动态变化来看,退缩区的绝大部分都是转变成了耕地;从林草地的扩张区来看,其扩张主要是通过荒漠化的综合治理而来,但较之荒漠化对其的侵蚀,扩张程度略显微弱,同时林地还有一部分是通过修建防护林和退耕的措施转变而来的。就水域景观而言,其退缩区主要也是转变成耕地;从其扩张区的构成来看,则主要是通过草地转变而来的。从未利用土地的动态变化来看,其扩张主要是草地的退化,其退缩主要是转变成耕地。

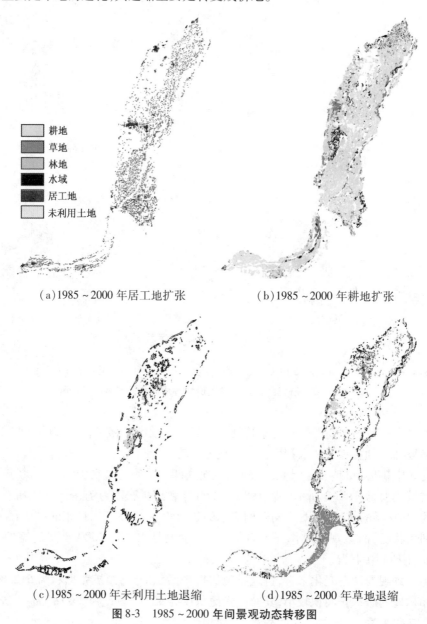

　　耕地
　　草地
　　林地
　　水域
　　居工地
　　未利用土地

(a)1985～2000 年居工地扩张　　　　　　　(b)1985～2000 年耕地扩张

(c)1985～2000 年未利用土地退缩　　　　　(d)1985～2000 年草地退缩

图 8-3　1985～2000 年间景观动态转移图

(四)总体景观格局指数变化

利用所选择的景观格局指数进行计算,结果如表 8-2 和图 8-4 所示。

表 8-2　宁夏绿洲景观格局指数特征及其变化

年份	多样性	优势度	均匀度	破碎度
1985 年	1.30	0.49	0.73	0.79
2000 年	1.20	0.59	0.67	0.72

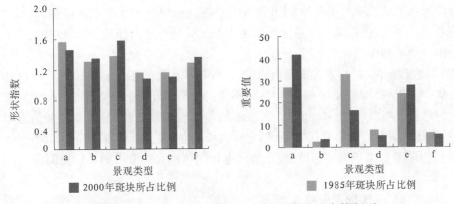

景观类型:a.耕地;b.林地;c.草地;d.水域;e.居工地;f.未利用土地

图 8-4　研究区各景观类型的景观空间格局指数

2000 年研究区内景观的多样性、均匀度和破碎度均低于 1985 年,这个分析结果表明宁夏绿洲景观异质性在不断降低,各种土地利用类型所占的比例在数值上相对差异增加,同时也反映出景观斑块面积总体不断增加的变化趋势。

研究区各景观类型形状指数和重要值及其变化特征表现为:耕地和草地的形状指数明显大于其他类型,其他景观类型的形状指数差异不大,均在 1.2~1.5 之间。对比 1985 年和 2000 年的分析结果,可以看出,耕地、林地和未利用土地的形状变化正趋向于规则化,这是人类不断对土地综合开发的结果,而草地和水域的形状变化趋向于不规则化。研究区中,耕地、草地和居工地具有相对较高的重要值,林地的重要值最小,各景观类型重要值的大小顺序在 1985 年为:草地 > 耕地 > 居工地 > 水域 > 未利用土地 > 林地,而到了 2000 年,耕地和居工地的重要值明显上升,草地的重要值急剧下降,各个景观类型的重要值排序改变为:耕地 > 居工地 > 草地 > 未利用土地 > 水域 > 林地。

(五)景观类型生态作用的基本判定

由于宁夏地处黄河上游,该地区生态环境变化对全流域都将产生影响,从全流域整体管理和生态建设需要出发,作为一个流域的上水、上风地区,水源涵养、控制水土流失、减少风沙源和其他污染源等是其最主要的生态保护和生态建设目标。

(六)生态变化趋势分析

由于不同的景观类型具有不同的生态效应,因此当景观类型发生变化时,对区域生态过程必然产生影响。根据宁夏绿洲 1985~2000 年间景观在类型组成、斑块等级结构、景

观类型的动态转移以及景观空间格局等方面的变化,可以推断,该地区的生态环境具有以下变化趋势:

(1)水资源消耗增加,湖泊湿地不断萎缩。耕地面积尤其是水田面积的增加,是宁夏绿洲景观变化的突出特征之一。从1985~2000年耕地景观无论是在总面积还是在斑块数量上都有很大程度上的增加,形状系数趋于规则化,景观重要值在六种景观类型中占据绝对优势地位。由此带来的生态影响为:水资源消耗数量增大,在非生长季节,由于土地表面疏松裸露,在大风天气下,易于成为地表沙尘源,同时灌溉不当也容易导致土壤盐渍化。

水资源和水域景观对于干旱、半干旱地区发展生产和保护生态系统而言,都具有非常重要的意义。因此,该景观类型总面积的减少和破碎化程度的加强,对于维持当地生态系统平衡将产生不利影响。

(2)草地总面积减少,景观重要值降低,过牧超载程度趋于增强。1985~2000年草地总面积减少了36%,景观重要值也由1985年的32.83降低到2000年的16.50。草地景观变化的趋势表明20世纪80年代以来当地超载过牧现象日趋严重,草畜矛盾在不断增加,虽然草地斑块平均面积有所增加,稳定性有所增强,但是草场退化程度非常严重,研究区90%以上的草地属于退化草地,属于重度退化的草地大约要占到草地总面积的50%以上。

(3)耕地和居工地景观面积增加,斑块平均面积整体增大,景观重要值增大。在所有景观类型中,耕地景观和居工地景观的总面积和斑块平均面积都有所增加,这种景观类型是人为景观。该类景观面积的增加及其对生态过程影响作用的加强,将会对研究区域的水源涵养、控制水土流失和防治风沙等从整体上产生负面影响。

通过以上对宁夏绿洲景观变化过程的分析,1985~2000年间,宁夏绿洲生态演化历程表明其干旱化增强、水土流失和风沙危害趋于增强、生物多样性降低、草场退化加剧的变化趋势,以及生态状况"局部有所改善,整体仍在恶化"的发展趋势。同时,其演化历程还充分表明其演化是人类活动和自然要素综合作用的结果。

第九章　区域水循环模拟
验证与分析

第一节　基础数据与模型参数

一、计算单元与时段划分

下垫面因素(地形、土壤类型、植被覆盖)和气象因素的空间非均匀性非常明显,为了反映这些因素的影响以及人类活动对区域水循环过程的干扰,水循环模型将研究区分成子区,以实现对空间分异性的描述。平原区水循环模拟的第一层划分为研究区相应的水资源配置单元;在此基础上,以引水干渠和排水干沟覆盖的灌溉区域作为第二层划分标准,然后根据土地利用(引水渠道、农田、林、草、灌木、未利用地、居工地、湖泊湿地、排水渠道)剖分每一个灌域;第四层是以农作物种植种类(包括小麦、水稻、玉米单种、玉米套种、豆类油料、瓜菜、枸杞、经果林、草)作为划分标准,将农田域细化,得到水循环计算单元,每个计算单元都明确地对应所在行政区、引水干渠灌溉区域、排水干沟排水区域、土地利用形式和作物种植结构。若采用此种水循环计算单元剖分形式,宁夏平原区第二层计算单元划分为390个灌域,如图9-1所示,水循环计算单元为7 630个。

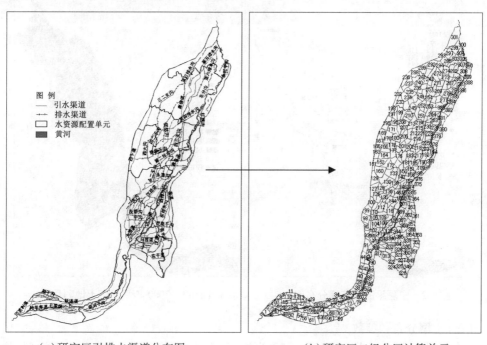

　　　　(a)研究区引排水渠道分布图　　　　　　　(b)研究区二级分区计算单元

图9-1　区域水均衡计算单元的划分

考虑到区域水循环模拟与集总式水资源配置模型的耦合,模型选择以日为计算时段进行平原区水循环的模拟。

二、自然地理

(一)地形

图 9-2 为宁夏平原区高程分布。

(二)土地利用

宁夏平原区内土地利用状况是重要的数据信息,涉及到灌溉水量的分配,并且与区域蒸发蒸腾量的计算紧密相关。研究采用的宁夏平原区土地利用数据为 Landsat – TM 影像数据(见图 9-3),成像时间为 2000 年 6～10 月份。Landsat – TM 影像数据类型划分采用两级分类系统,包括耕地、林地、草地、水域、居工地、未利用地等 6 类,这 6 类又划分为 23 个亚类。其中,耕地包括 2 个亚类;林地包括有林地、灌木林、疏林地和其他林地等 4 个亚类;草地包括高覆盖度草地、中覆盖度草地和低覆盖度草地 3 个亚类;水域包括河流渠道、湖泊、水库坑塘、滩地、沼泽等 5 类;居工地进一步划分为城镇用地、农村居民点、其他用地等 5 个亚类;未利用土地划分为沙地、盐碱地和其他未利用土地。研究根据宁夏水循环模拟的需要将土地利用再分类,分为引水渠道、农田、林地、草地、灌木地、未利用地、居工地、湖泊湿地、排水渠道和黄河 10 类,见表 9-1,其中引水渠道和排水沟面积根据调查统计资料得到。

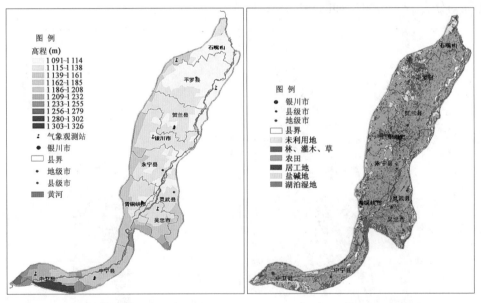

图 9-2　宁夏平原区高程分布图　　　　　图 9-3　2000 年平原区土地利用图

(三)土壤分布和参数

平原区水循环模型中考虑了砂、砂卵砾石、沙黏土、黏土、黏沙土 5 种土壤类型,其分布情况如图 9-4 所示。模型选定的土壤水分特征参数见表 9-2。

表 9-1 2000 年宁夏平原区土地利用再分类

编号	水循环模拟再分类	原始划分（二级类型）		面积（km²）	所占比例（%）
		编号	名称		
1	引水渠道	未利用地、草地		111	1.3
2	农田	111	山地水田	3 750	45.0
		121	山地旱地		
		122	丘陵旱地		
		123	平原旱地		
3	林地	21	有林地	207	2.5
		23	疏林地		
		24	其他林地		
4	草地	31	高覆盖度草地	1 117	13.4
		32	中覆盖度草地		
		33	低覆盖度草地		
5	灌木地	22	灌木林	10	0.1
6	未利用地	61	沙地	2 154	25.8
		62	戈壁		
		63	盐碱地		
		65	裸土地		
		66	裸岩石砾地		
		67	其他		
7	居工地	51	城镇用地	393	4.7
		52	农村居民点		
		53	其他建设用地		
8	湖泊湿地	42	湖泊	224	2.7
		43	水库坑塘		
		46	滩地		
		64	沼泽地		
9	排水渠道	未利用地、草地		55	0.7
10	黄河	41	河渠	318	3.8
合计				8 339	100

三、湖泊湿地

引黄灌区湖泊湿地的形成是历史上黄河改道、贺兰山山洪倾泄、引黄灌溉造成排水不畅、地下水位抬高的结果，湿地的存在及维持的最主要条件是黄河水的补给，二者关系十分密切。表 9-3 为典型湖泊情况调查表，其他湖泊的有关参数选取参考调查资料。

四、气象条件

宁夏主要气象站点有石嘴山、银川、陶乐等 10 个站点，气象站观测资料包括降雨量、风速、最高气温、最低气温、地表温度、净放射量、相对湿度等。表 9-4 为研究区及其周边气象站点信息。

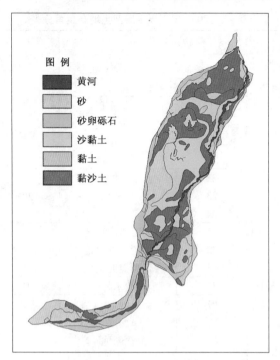

图 9-4　研究区内土壤分布图

表 9-2　土壤水分特性参数

土壤类型	砂	砂卵砾石	沙黏土	黏土	黏沙土
饱和土壤含水率(%)	0.43	0.43	0.38	0.38	0.41
凋萎系数(%)	0.045	0.045	0.1	0.068	0.095
饱和导水系数 ks(m/d)	5	10	0.1	0.05	0.15
Havercamp 公式参数	0.14	0.145	0.027	0.008	0.12
Havercamp 公式参数	2.52	2.68	1.23	1.09	2.31

表 9-3　引黄灌区典型湖泊湿地特性

湖泊名称	隶属	面积(hm²)			湖面水位 (m)	湖底高程 (m)	水深 (m)
		小计	水面	鱼池			
北月海	西湖农场	1 152	444	708	1 105.70	1 104.30	1.4
西湖	丰登乡	148	88	60	1 106.60	1 105.10	1.5
北塔湖	红花乡	109	60	49	1 106.50	1 104.90	1.6
华雁湖	良田乡	19	16	3	1 109.20	1 108.60	0.6
宝湖	良田乡	36	32	4	1 110.30	1 109.20	1.1
七十二连湖	良田乡	261	243	18	1 110.20	1 109.40	0.8
沙湖	前进农场				1 097.00		

注:1 hm² = 15 亩,下同。

表 9-4 研究区及其周边气象站点信息

区站号	站号	北纬	东经	观测场海拔(m)
53519	石嘴山	39°12′	106°45′	1 091.0
53614	银川	38°29′	106°13′	1 111.5
53615	陶乐	38°49′	106°41′	1 101.6
53704	中卫	37°32′	105°11′	1 225.7
53705	中宁	37°29′	105°40′	1 183.3
53723	盐池	37°47′	107°24′	1 347.8
53806	海源	36°34′	105°39′	1 853.7
53810	同心	36°59′	105°55′	1 343.9
53817	固原	36°00′	106°16′	1 753.2
53903	西吉	35°58′	105°43′	1 916.5

五、引排水信息

由于长时期的人类活动,宁夏平原区形成错综复杂的引排水网络。平原区现有大中型引水干渠 17 条(见图 9-5(a)),现状供水能力 812 m³/s。宁夏平原区排水体系以明沟为主,主要排水沟 24 条(见图 9-5(b)),总排水能力 600 m³/s。引水干渠和排水干沟基本情况见表 9-5 和表 9-6。

(a)引水干渠分布

(b)排水沟分布

图 9-5 宁夏平原区引水干渠与排水沟分布图

表9-5 宁夏平原区引水渠系基本情况

干渠名称	引水能力 (m³/s)	干渠长度 (km)	设计灌溉面积 (万亩)	实灌面积 (万亩)	干渠水利用系数	支渠渠系水利用系数
总干渠	450	47.1	—	4.0	0.83	0.63
西干渠	60.0	113	33	60.0	0.76	0.63
唐徕渠	152	145.7	101	120.0	0.78	0.63
汉延渠	80	86	50	57.0	0.79	0.63
惠农渠	97	139	70	114.0	0.78	0.63
大清渠	25	25	10	10.5	0.83	0.63
泰民渠	19	44	6	8.5	0.83	0.63
秦渠	65.5	83	36	40.3	0.79	0.63
汉渠	33.3	40	14	20.0	0.83	0.63
马莲渠	21	28	7	9.2	0.80	0.63
东干渠	45	54	17	44.6	0.80	0.63
美利渠	47	114	25.4	26.0	0.70	0.65
跃进渠	28	88	11.2	13.4	0.72	0.60
七星渠	58	121	28.4	24.2	0.80	0.60
羚羊寿渠	12.5	12	5.84	11.5	0.80	0.60
羚羊角渠	1.5	1	0.84	1.0	0.80	0.60

表9-6 平原区排水系统基本情况

沟名	长度(km)	排水能力(m³/s)	排水面积(km²)	开始观测时间(年-月)
中卫第一排水沟	36.5	11.5	164.0	1959-04
南河子	35.0	40.0	117.0	1962-02
北河子	18.0	15.0	46.4	1962-02
金南干沟	13.5	16.0	72.0	1971-05
清水沟	26.5	30.0	192.0	1956-05
苦水河	33.8		119.0	1954-01
灵南干沟	9.0	8.3	69.4	1969-05
东排水沟	30.8	12.6	91.4	1956-05
西排水沟	21.0	8.0	61.4	1956-05
中沟	20.9	10.0	79.6	1956-04
反帝沟	17.2	15.0	60.0	1972-05
中滩沟	24.5	10.0	62.8	—
胜利沟	7.8	5.0	25.6	1978
第一排水沟	26.4	35.0	206.0	1956-03
中干沟	24.5	11.0	55.6	—
永清沟	22.5	18.5	52.8	1969-05
永二干沟	26.2	15.5	124.0	1971-05
第二排水沟	32.5	25.0	287.0	1956-04
银新沟	33.8	45.0	126.0	1974-05
第四排水沟	43.7	54.3	744.0	1957-05
第五排水沟	87.2	56.5	592.0	1958-07
第三排水沟	80.0	31.0	974.0	1956-04

六、种植结构和灌溉制度

模型根据主要引水干渠的灌溉制度和模型中考虑的 9 种作物生育期,进行灌溉区域历史日水量的分配模拟,表9-7 为西干渠渠系灌溉制度表,表9-8 为 9 种作物生育期表,其中,经果林和牧草为灌溉期。

表9-7　西干渠系灌溉制度　　　　　　　　　（单位:m³/亩）

灌水时间（月-日）	灌水天数	种植业								林业		牧业
		小麦	水稻	玉米	套种	油料	瓜菜	甜菜	复种	经果林	防护林	
04-25～05-04	10	60								60		
05-05～05-10	6		70	60			60				55	
05-11～05-19	9	45	50			60		60				40
05-20～05-26	7		50				45			40		
05-27～06-07	12	45	50			40						
06-08～06-19	12	45	50	50			40	45				
06-20～06-30	11	45	50			45	40					
07-01～07-06	7		50	60				40		40		
07-07～07-17	11		50		45	40	40				45	
07-18～07-26	9		50				40	45	45			40
07-27～08-06	11		50	50	45						40	
08-07～08-10	4		50					40	45			
08-11～08-16	6		45				40					40
09-01～09-03	3		45									
生育期小计	117	240	660	220	90	185	305	230	90	140	140	120
合计	147	305	660	290	90	245	365	230	90	200	200	180

注:来源于宁夏水电勘探设计院《宁夏青铜峡灌区续建配套与节水改造》2004 年10 月。

表9-8　宁夏平原区 9 种作物生育期

月　份	1	2	3	4	5	6	7	8	9	10	11	12
小麦			──────	──────	──────	──────	──					
水稻					────	──────	──────	──────	──			
玉米单种				────	──────	──────	──────	──────	──			
玉米套种			──────	──────	──────	──────	──────	──────	──			
豆类油料				────	──────	──────	──────	──────	──			
瓜菜				────	──────	──────	──────	──────	──			
枸杞				────	──────	──────	──────	──────	──────	──		
经果林			──────	──────	──────	──────	──────	──────	──			
草				────	──────	──────	──────	──────	──			

注:来源于宁夏水科所、世行办,《宁夏河套灌区主要作物需水量和需水规律》,1989 年4 月。

七、地下水系统参数

由于地理位置的特殊性,宁夏区域地下水系统可以分为银川平原地下水系统和卫宁平原地下水系统。

(一)地下水含水层结构概化

银川平原第四系沉积地层最厚处可达上千米,目前仅300 m以内有较系统的勘探试验资料。就地下水循环速率而言,浅层潜水循环强度比承压水大,而承压水的循环量又以浅部承压水为主(银川市主要开采层),估计占承压水总循环量的70%以上。鉴于模型的主要目的是分析不同的水资源配置方案对浅层潜水的影响及城市主采含水层(浅部承压水组)资源的可靠性,考虑到该地区地下水的研究程度,将含水层结构近似概化为"双含水层"模型结构,其第一模型层为浅部潜水含水层,下部为"等效承压水含水层",简称下部承压水,该层的模拟效应包括浅部承压水组、深部承压水组以及更深部含水层的总体水循环效应。两模型含水层之间,由弱透水层分割,两层之间地下水的越流强度受两层水头差及弱透水层渗透性的控制。概化后的含水层分布情况如图9-6所示。

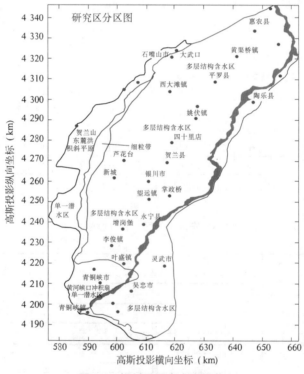

图9-6　银川平原含水层概化

卫宁平原第四系沉积总厚度100~200 m,浅层潜水含水层主要为黄河冲积砂砾卵石层,导水能力强,岩性比较稳定,为该盆地最主要的含水层,地下水的各种循环交换量90%以上发生在该层。其下伏的承压含水层(组)以黏性土夹砂层或砂砾石层、砂卵石层为主,其中的相对隔水层(弱透水层)不稳定,空间分布不连续,个别呈透镜体状,上下含水层的水头差别不大。考虑到建立该盆地平原区地下水模型的主要目的是研究节水灌溉后对浅层地下水的影响,结合该地区地下水资料的拥有程度,将含水层系统近似概化为"单层含水层",该模型含水层不仅模拟浅部潜水的地下水径流,深部承压含水层(组)的径流循环效应也包括其中。

(二)地下水系统相关参数

地下水给水度不仅与岩性有关,同一岩性的岩土,由于容重、裂隙程度、颗粒级配不同,给水度亦有较大差异。由于毛管水的影响,给水度与地下水埋深有关,对于相同岩性,当地下水埋深小于毛管水上升高度时,埋深增加,给水度随之增大。地下水给水度分布图见图9-7,图9-8为模型采用的平原区地下水初始埋深(起始日为1月1日)。地下水开采量与开采井分布和城镇分布密切相关,图9-9和图9-10分别为开采井分布和平原区城镇分布图。

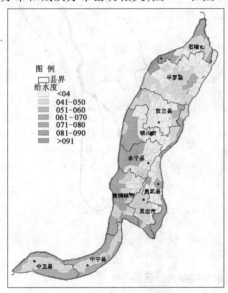
图9-7　平原区给水度分布图

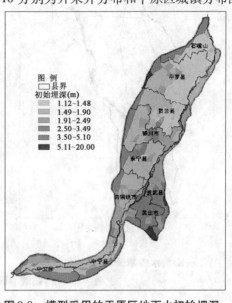
图9-8　模型采用的平原区地下水初始埋深

图9-9　平原区开采井分布图

图9-10　平原区城镇分布图

为了使所建的地下水数值模型能刻画地下水循环特征,需要对模型进行调试和校验。利用已掌握的地下水信息修正模型的失真部分,使数值模型能对水文地质原型达到较好的仿真。拟合依据和约束条件主要是地下水流场,以其他有关水循环信息作为参考。

经过模型校验,青铜峡灌区所得含水层参数分布及地层参数见图9-11及表9-9。

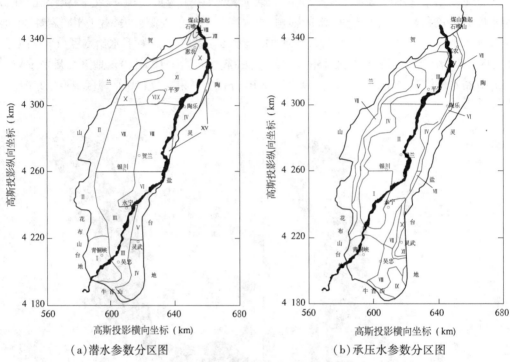

（a）潜水参数分区图　　　　　　　　（b）承压水参数分区图

图9-11　青铜峡灌区含水层参数分区图

表9-9　银川平原含水层模型参数

参数分区号	潜水		承压水		
	等效导水系数(m^2/d)	给水度	等效导水系数(m^2/d)	储水系数	越流系数(1/d)
I	2 800	0.04 ~ 0.1	2 500	0.006	0.000 025
II	2 000	0.04 ~ 0.2	2 200	0.006	0.000 025
III	600	0.03	2 000	0.006	0.000 025
IV	300	0.025	1 600	0.005	0.000 03 ~ 0.000 04
V	250	0.02	1 500	0.005	0.000 03
VI	400	0.025	150	0.001	0.000 03
VII	550	0.025	800	0.004	0.000 03 ~ 0.000 08
VIII	300	0.02	600	0.004	0.000 2
IX	120	0.02	350	0.004	0.000 5
X	400	0.025	1 000	0.005	0.000 1
XI	250	0.015	1 200	0.005	0.001
XII	250	0.02			
XIII	150	0.02			
XIV	150	0.015			
XV	50	0.02			

模型经过校验后的卫宁平原含水层参数分布及地层参数见图 9-12 和表 9-10。

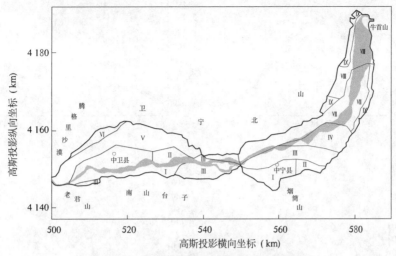

图 9-12　卫宁平原含水层模型参数分区图

表 9-10　卫宁平原含水层模型参数

参数分区号	等效导水系数(m^2/d)	给水度
Ⅰ	4 000 ~ 5 000	0.035
Ⅱ	3 000 ~ 4 000	0.035
Ⅲ	2 000 ~ 3 000	0.035
Ⅳ	1 500 ~ 2 000	0.03
Ⅴ	1 000 ~ 1 500	0.03
Ⅵ	500 ~ 1 000	0.025
Ⅶ	300 ~ 500	0.025
Ⅷ	200 ~ 300	0.02
Ⅸ	< 200	0.02

第二节　模型验证与分析

一、蒸散发量验证

（一）水域

水域蒸发模块率定是通过 2000 年惠农站、平罗站、永宁站和吴忠站四个站点的水面蒸发与相应站点的多年平均水面蒸发量进行模拟的,通过对比分析模拟的与观测的水面蒸发量变化过程,对模型参数进行率定,开展模型验证。图 9-13 分别给出了惠农站、平罗站、永宁站和吴忠站四个站点的水面蒸发模拟结果与试验资料的对比图,根据两者间的拟合状况分析模拟结果的精度及选取模型参数的合理性,并对模型进行验证。

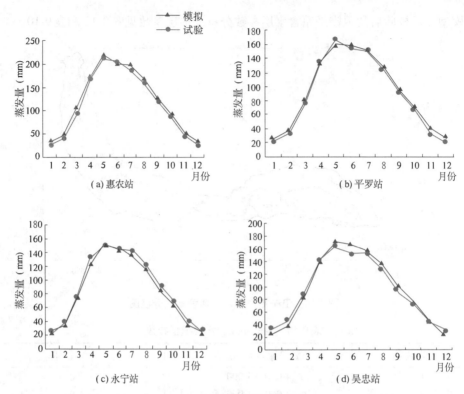

图9-13　不同站点水域蒸发模拟结果与试验资料对比图

从模拟结果来看,在惠农站、平罗站、永宁站和吴忠站四个站点的水面蒸发的模拟过程中,各个月份及总体趋势均与试验资料拟合得较好。同时,惠农站、平罗站、永宁站和吴忠站四个站点模拟的年水面蒸发总量分别为1 457、1 109、1 023、1 171 mm,试验资料中各站点的总量分别为1 377、1 071、1 066、1 151 mm,从总量上看各站点的模拟结果均较好。因此,水域蒸发模块在模拟过程中具有较好的精度,选用的模型参数合理,可以用来计算各水平年的水域蒸发量。

(二)农田

受试验资料的限制,本次对蒸发蒸腾量计算模型中的农田蒸散发模块仅根据某一试验点的试验资料进行部分率定。本次农田蒸散发模块率定是通过2000年永宁县农田蒸散发量与永宁县农业试验场开展的多年试验资料的平均值进行模拟的,通过对比分析模拟的与观测的农作物耗水量变化过程,对模型参数进行率定,开展模型验证。图9-14分别给出了春小麦、玉米和水稻的蒸散发模拟结果与试验资料的对比图,根据两者间的拟合状况分析模拟结果的精度及选取模型参数的合理性,并对模型进行验证。

从模拟结果来看,在春小麦、玉米和水稻蒸散发的模拟过程中,各个月份及总体趋势均与试验资料拟合得较好。同时,春小麦、玉米和水稻生育期内模拟的总蒸散发量分别为435、593、886 mm,试验资料中各作物的总量分别为440、605、915 mm,从总量上看各作物的模拟结果均较好。农作物蒸散发量受气象、下垫面及灌溉制度等因素的影响,灌溉制度对蒸散发量的影响尤其显著。因此,在农作物蒸散发模拟过程中,由于灌溉制度及气象等因素导致的部分月份模拟情况相对要差一点是可以解释的,可以认为模拟结果满足精度的要求。另外,其他农作物在模拟过程中,由于缺乏逐时段的数据,所以没有进行逐时段的拟合,但总量上均能满足精度的要求。因此,农田蒸散发模块在模拟过程中具有较好的精度,选用的模型参数是合理的,可以用来计算各水平年的农田蒸散发量。

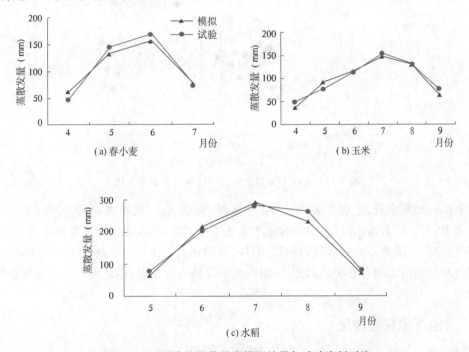

图9-14　不同农作物蒸散发模拟结果与试验资料对比

(三)天然林草

由于缺乏试验和实测资料,目前关于天然林草的实际耗水量很难用一定的指标来确定,多采用参考数据。Baird 等汇总了欧洲地区不同森林蒸散量的测定数据,欧洲各地森林年蒸散量多在 300 mm 左右,变化于 241 ~ 427 mm 之间。尽管欧洲地区湿度大,湿度差比较小,而我国西北地区湿度差大,但有关森林蒸散量的数据仍可供我们参考。我国各地缺乏植被蒸散量的测定资料,但从多年的调查分析,尚有可供参考的蒸散量估计数字:适宜森林地区的年降水量大于 400 mm,蒸散量 360 mm;适宜草地生长的年降水量大于等于300 mm,蒸散量约 200 mm。

本次根据 2000 年天然林草蒸散发量的模拟值进行模型验证,宁夏平原区 2000 年虽然降水量比较小,但由于地下水位埋深较浅,所以 2000 年基本可以满足天然林草对水量的需求。由天然林草蒸散发模块模拟的结果得,全区森林年蒸散量平均值为 352 mm,草地年蒸散量平均值为 235 mm,与可供参考的蒸散量数据比较接近,所以天然林草蒸散发模块模拟的结果满足精度要求,可以用来计算各水平年的天然林草蒸散发量。

二、土壤水变化验证

由于缺乏其他可供参考的资料,土壤水参数只能通过某些土壤水试验点的试验资料进行部分率定,主要是来自 2000 年惠农试验区的土壤水试验资料。校验时取埋深 1 m 以上厚度包气带的平均含水量进行对比。图 9-15 显示了实测结果和模拟结果之间的对比情况。

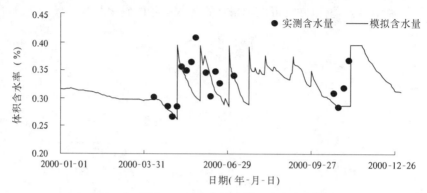

图 9-15　埋深 1 m 以上土壤中的平均含水率变化

从模拟结果来看,土壤含水率的变化与灌溉、降水、农田腾发密切相关。灌前土壤初始含水率较低,随着灌水开始,土壤含水率迅速增加,灌后受农田蒸腾蒸发的影响,土壤含水率逐渐减小,随着不同的灌溉周期有明显的波动现象。通过与观测值之间的比较,认为模拟值和观测值之间有着相似的变化规律,能够反映实际情况,因此模型中的土壤参数设置合理。

三、地下水模型验证

银川盆地青铜峡灌区与沙坡头灌区都是具有很长灌溉历史的老灌区,地下水循环已不是天然状态,而是自然－人工复合循环系统,并达到周期性"拟稳定"状态。两灌区地下水均衡的共同特征为:地下水排泄方式以蒸发和排水沟排泄为主,两者占地下水总排泄量的 60% 以上。由于潜水蒸发与排水沟排水具有被动自适应的特点,在蒸发与排水沟占有较大比例的情况下,地下水流场具备"拟稳定"条件。从平均意义上说,现状条件下的地下水流场是一个拟稳定流场。用现状条件下(2000 年)的各种地下水均衡要素作为水环境输入数据,进行稳定流场模拟。调整地下水模型结构与含水层参数,用现状地下水实测流场对稳定模拟流场进行校验,通过修正模型结构与参数,控制并再现了地下水径流条件,使地下水流场达到了较好的拟合(见图 9-16、图 9-17)。

通过与实测流场的比较,可以得出模拟还原的潜水流场在分布规律和实测流场宏观相似的结论,因此可以认为模型中的参数设定和输入数据具有可靠性和合理性。

经过"拟稳定"流场的拟合校验,虽能够对模型结构、含水层参数的空间分布进行较好的识别,却不能校验含水层的储存调节能力。因此在稳定流场识别的基础上,维持模型结构与含水层参数及含水层间越流参数系统不变,进一步调整校验潜水含水层的给水度与承压水的弹性储水系数,使地下水模拟动态与实际地下水动态进行趋势性拟合。

通过地下水流场与地下水动态的模型校验(见图 9-18)表明,所建立的地下水模型能够较好地模拟银川平原与卫宁平原地下水运动规律。

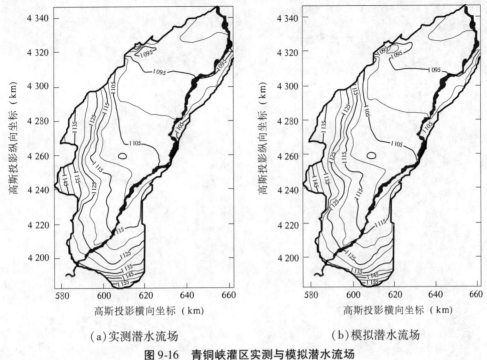

（a）实测潜水流场　　　　　　　　（b）模拟潜水流场

图 9-16　青铜峡灌区实测与模拟潜水流场

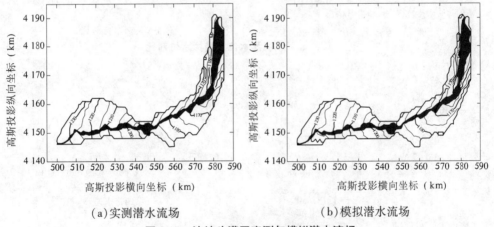

（a）实测潜水流场　　　　　　　　（b）模拟潜水流场

图 9-17　沙坡头灌区实测与模拟潜水流场

四、排水沟排水验证

图 9-19 为 2000 年平原区主要排水沟模拟与实测对比,模型同时进行了卫宁灌区和青铜峡灌区的年排水总量校核,结果表明,由于排水沟的排水中有很大部分来自于引水渠道直接退水,这部分水量受人为干扰、降水过程和实际灌溉情况所控制,灌溉期排水沟月排水量误差最大不超过 6%,并且年总量误差最大不超过 4%,满足模拟要求。

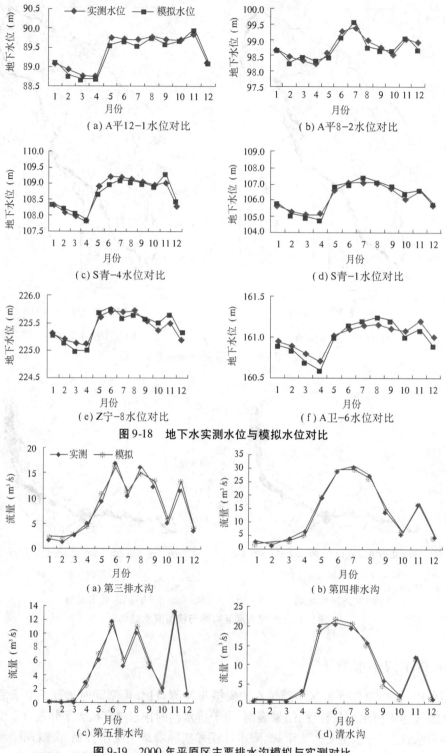

图 9-18　地下水实测水位与模拟水位对比

图 9-19　2000 年平原区主要排水沟模拟与实测对比

第三节　现状水循环模拟分析

一、平原区水均衡模拟分析

根据平原区 2000 年实际的气象、土地利用、日干渠引水流量、种植面积、种植结构和生活工业引用水等实际资料,模拟平原区水循环过程,可以得到 2000 年宁夏平原区实际水均衡状况,以及平原区 2000 年当地降水产生的地表水资源、地下水资源和土壤水资源,如表 9-11 和表 9-12 所示。

表 9-11　2000 年实际情况下水均衡计算成果　　　　　　（单位:亿 m³）

平衡项目	补给项	补给量	消耗项	消耗量
引水渠道	降水	0.17	蒸发	0.93
	引黄河水	76.45	进入农田	34.11
	地下水补给	0.01	渠系入渗	15.28
			渠系水直接退入排水沟	25.63
			渠系退水补给湖泊湿地	0.63
			引水补给湖泊湿地	0.05
	总计	76.63	总计	76.63
农田	降水	5.60	蒸发	33.71
	渠道引黄供水	34.11	田间地表排水	4.55
	开采地下水	0.58	入渗	11.28
	地下水补给	9.25		
	总计	49.54	总计	49.54
未利用地	降水	3.20	蒸发	4.31
	地下水补给	1.33	入渗	0.22
	总计	4.53	总计	4.53
林草灌木地	降水	1.99	蒸发	3.97
	地下水补给	2.18	入渗	0.20
	总计	4.17	总计	4.17
城镇居工地	降水	0.59	蒸发	0.18
			地表排水	0.41
	城乡使用地下水	3.84	工业生活消耗	1.37
	城乡使用引黄水	1.47	污水排放	3.94
	总计	5.90	总计	5.90
湖泊湿地	降水	0.33	蒸发	2.32
	引水渠系退水补给	0.63	总蓄变量	−0.07
	地下水补给	0.40		
	山洪	0.84		
	人工引水补给	0.05		
	总计	2.25	总计	2.25

续表 9-11

平衡项目	补给项	补给量	消耗项	消耗量
排水沟	降水	0.08	蒸发	0.47
	田间地表排水	4.55	排入黄河	42.81
	不透水面积	0.41		
	地下排泄补给	8.68		
	引水渠系直接退入	25.62		
	污水	3.94		
	总计	43.28	总计	43.28
平原区地下水均衡	农田入渗	11.28	进入排水沟	8.68
	渠道入渗	15.29	地下水补给渠道	0.01
	荒地入渗	0.22	地下水侧排入黄河	1.89
	林草灌木地入渗	0.20	补给农田	9.26
	周边来水入渗	1.16	补给荒地	1.32
			补给林草灌木地	2.18
			补给湖泊湿地	0.40
			人工开采	4.42
			蓄变量	−0.01
	总计	28.15	总计	28.15
平原区水均衡	引黄河水	77.92	蒸发	47.25
	降水	11.96	排水沟入黄河	42.82
	周边地下侧渗	1.16	地下水侧排入黄河	1.89
	周边山洪来水	0.84	地下水蓄变量	−0.01
			湖泊蓄变量	−0.07
	总计	91.88	总计	91.88

表 9-12　宁夏平原区降水循环转化量　　　　　　（单位:亿 m³）

项目	降水量	降水形成地表径流	降水形成地下径流	蒸发消耗降水	降水转化为土壤水
渠道	0.17	0	0	0.17	0
农田	5.60	0.80	0.42	4.37	4.37
未利用地	3.20	0	0.22	2.98	2.98
林草灌木地	1.99	0	0.20	1.79	1.79
城镇居工地	0.59	0.41	0	0.18	0
湖泊湿地	0.33	0	0	0.33	0
排水沟	0.08	0	0	0.08	0
小计	11.96	1.21	0.84	9.91	9.15

　　2000 年平原区总引黄灌溉水量为 76.45 亿 m³,城乡工业引用黄河水量为 1.47 亿 m³,周边山洪来水 0.60 亿 m³,周边地下侧渗 1.16 亿 m³,水资源供给总量为 91.64 亿 m³。蒸发和生活工业消耗 47.25 亿 m³,通过排水沟排入黄河为 47.25 亿 m³,地下水侧排入黄河为 1.89 亿 m³,湖泊和地下水蓄存量减少 0.08 亿 m³。

　　2000 年平原区降水属于特枯年份,降水量仅为 143 mm,比多年平均少 21%,2000 年平原区降水资源总量为 11.96 亿 m^3，其中 1.21 亿 m^3 转变为地表水，0.84 亿 m^3 转变为地下水，0.92 亿 m^3 被植被截留和填洼消耗，8.23 亿 m^3 转化为土壤水资源。

二、平原区地下水交换量

根据平原区水循环计算的结果，可以得到宁夏平原区各县地下水交换量的的详细信息，见表 9-13。表中各县地下水交换量是综合包括潜水和承压水的统计计算结果。

表 9-13　宁夏平原区各县地下水交换量计算结果　　　　　　（单位:万 m^3）

流出 ＼ 流入	石嘴山			银川市				吴忠市		中卫市		合计
	惠农区	平罗县	大武口	银川市	贺兰县	永宁县	灵武市	利通区	青铜峡	中宁县	中卫县	流出量
石嘴山　惠农区	0	270	971	0	0	0	0	0	0	0	0	1 241
石嘴山　平罗县	392	0	1 265	0	80	0	0	0	0	0	0	1 737
石嘴山　大武口	80	17	0	0	0	0	0	0	0	0	0	97
银川市　银川市	0	25	0	0	1 845	574	16	0	0	0	0	2 460
银川市　贺兰县	0	1 387	0	1 706	0	0	0	0	0	0	0	3 092
银川市　永宁县	0	0	0	4 439	0	0	363	0	785	0	0	5 587
银川市　灵武市	0	0	0	42	0	29	0	1 163	0	0	0	1 234
吴忠市　利通区	0	0	0	0	0	0	426	0	877	0	0	1 303
吴忠市　青铜峡	0	0	0	0	0	946	0	2 797	0	0	0	3 742
中卫市　中宁县	0	0	0	0	0	0	0	0	0	0	423	423
中卫市　中卫县	0	0	0	0	0	0	0	0	0	113	0	113
合计流入量	472	1 699	2 235	6 186	1 926	1 548	805	3 960	1 662	113	423	

从表 9-13 中的数据来看，宁夏平原区地下径流缓慢，按照 2000 年的水循环输入数据进行模拟的结果，所有县（市）之间的地下水交换量不超过 5 000 万 m^3。2000 年从永宁县流入银川市的地下水径流量为 4 439 万 m^3，而从银川市流入到永宁县的地下水径流量为 574 万 m^3，因此银川市从永宁县净获得地下水资源量 3 865 万 m^3，成为所有县（市）之间最大的分区交换量。银川市袭夺的地下水资源量主要来自永宁县和贺兰县。2000 年银川市的地下水流入量为 6 186 万 m^3，流出量为 2 460 万 m^3，净获得地下水资源量 3 726 万 m^3，据模型分析的结果，其中净获得的承压水资源量占 80% 以上。

三、平原区承压地下水分析

根据地下水模型参数率定后的模拟结果，现状条件下（2000 年）银川市承压地下水流场分布和承压地下水流向如图 9-20 所示。

银川市是银川盆地开采深部承压水最大最集中的区域，漏斗中心地下水位低于地表 20 余米（曾达到 28 m），浅层地下水由于接受灌溉系统的补给，水位埋深较浅，没有下降趋势。据市区地下含水层结构及地下水数值模型分析结果，下部承压含水层与上部浅层水水力联系较弱，有连续的黏性弱透水层相隔，在如此大的开采强度下，形成了大面积的降落漏斗，大于 0.5 m 的漏斗范围达 1 400 km^2，大于 5 m 的漏斗范围近 400 km^2。银（川）、贺（兰）、永（宁）漏斗已有相连之态势。

银川开采深层地下水的来源由两部分组成，一是上部浅层地下水向下部承压水的渗漏越流，二是周围地区向地下水漏斗中心汇流，在约 177 km^2 的银川城区（与部分郊区），浅层水向下的越流量为 5.4 万 m³/d,仅占开采量 25.9 万 m³/d 的 20.8%,表明大部分来自周围的径流补给,见表 9-14。

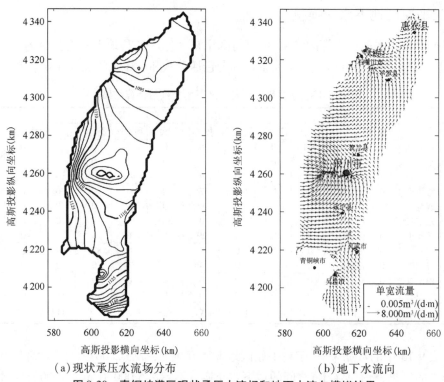

(a)现状承压水流场分布　　　　　　　　(b)地下水流向

图 9-20　青铜峡灌区现状承压水流场和地下水流向模拟结果

表 9-14　银川市承压漏斗地下水均衡分析

区域	面积 (km²)	开采量 (万 m³/d)	越流量 (万 m³/d)	越流占开采 百分比(%)	外围径流占 开采百分比(%)
>0.5 m 承压水漏斗	1 400	30.6	26.2	85.6	14.4
>5 m 承压水漏斗	391	25.9	9.2	35.5	64.5
银川市区	177	25.9	5.4	20.8	79.2

　　需要指出的是,银川及周边地区的承压含水层有黏性弱透水层的保护,使下部承压水水源与上部水质较差并易污染的潜水含水层相分隔,成为银川市优质生活饮用供水水源。银川市西部贺兰山前戈壁带潜水区与南部青铜峡地区,是市区承压水的上游补给区,一旦上游区受到污染,将会在未来波及到市区承压水水质安全,污染水质的推进速度,与银川市开采地下水的强度成正比。因此,在现状水循环条件下,不宜扩大对承压水的开采量,对部分工业耗水大户,应逐步以浅层水源或引用地表水源代替,减少承压水的开采量,使优质的承压地下水作为可持续的生活饮用及水质要求较高的产业的供水水源。

四、宁夏全区耗水量分析

　　由于宁夏平原区的复杂性,长期以来,平原区耗水量研究已经作了大量的工作,取得了一些重要成果,但仍没有给出清晰和明确的答案。目前主要用三种方法进行宁夏耗水量的核定:黄河入出宁夏河段水量差(河段差)、区域引排水量差(引排差)和区域蒸发量法,但三种方法都存在着明显的缺陷。由于黄河控制断面测量误差和对当地降水考虑较少,河段差法计算的数据误差太大;相对于河段差法,引排差法测量精度有所提高,但由于只能进行部分排水量的监测,以及排水沟组成的复杂,引排差法还停留在监测数据外延的阶段;相对于引排差法,蒸发量法试图从耗水机理解决区域耗水量问题,但目前的研究仅仅考虑了区域作物的蒸散发,没有计算区域天然生态消耗水量。采用水循环法,利用开发的 PDWCM 模型,从区域整体水循环的角度,分析宁夏平原区消耗水量。

根据宁夏平原区水循环模拟、扬黄耗水和南部山区耗水结果分析,可以得到 2000 年实际情况下宁夏全区消耗水量和消耗黄河水量,如表 9-15 所示。宁夏全区广义水资源消耗量 53.19 亿 m^3(平原区为广义水资源消耗量,扬黄和南部山区仅包括人工系统生活、工业和农业灌溉消耗地表地下水资源量,以下同),除去消耗降水形成的植被截流量和土壤水量外,消耗地表地下水资源量为 41.15 亿 m^3,其中平原区消耗 37.34 亿 m^3,扬黄灌区消耗 3.13 亿 m^3,支流消耗 0.68 亿 m^3。如果认为周边地下侧渗补给 1.16 亿 m^3、降雨形成的地表径流 1.21 亿 m^3、降水形成的地下水 0.84 亿 m^3 和周边洪水 0.6 亿 m^3 消耗于天然生态中,则 2000 年实际消耗黄河干流水量为 36.66 亿 m^3,加上支流消耗 0.68 亿 m^3,消耗黄河水总量为 37.34 亿 m^3,若考虑黄河干流宁夏段的河段蒸发消耗,则全区消耗黄河水资源量为 40.70 亿 m^3。

表 9-15　区域耗水量分析　　　　　　　　　(单位:亿 m^3)

分区	分项	广义水资源消耗量	地表地下水资源消耗量	黄河水资源消耗量
平原区	渠道	0.93	0.76	0.76
	农田	33.71	29.34	27.65
	未利用地	4.31	1.32	0.81
	林草灌木地	3.97	2.18	1.34
	城镇居工地	0.18	0	0
	城乡消耗	1.37	1.37	1.37
	湖泊湿地	2.31	1.98	1.21
	排水沟	0.47	0.39	0.39
	小计	47.25	37.34	33.53
扬黄灌区	农田	4.19	2.99	2.99
	城乡消耗	0.14	0.14	0.14
	小计	4.33	3.13	3.13
南部山区	农田	1.42	0.49	0.49
	城乡消耗	0.19	0.19	0.19
	小计	1.61	0.68	0.68
黄河干流河道		3.83	3.36	3.36
合计(不含黄河干流)		53.19	41.15	37.34
合计(包含黄河干流)		57.02	44.51	40.70

五、1991~2000 年平原区水均衡模拟

从 1991 年以来,宁夏平原区的人工系统有了较大的变化,灌溉面积、生活和工业用水不断增加。为了研究 1991 年以来宁夏平原区的水循环转化规律,通过采用 1991~2000 年 10 年实际灌溉面积、气象、逐日干渠灌溉引水量、种植结构、土地利用状况和生活工业用水量等资料,模拟了 1991~2000 年 10 年水循环变化过程,10 年系列水量均衡结果见表 9-16。

表 9-16   1991~2000 年平原区水循环模拟结果

年份	灌溉面积(万亩)	降水量(mm)	灌溉引水量(亿m³)	排水量(亿m³)	引排差(亿m³)	排引比(%)	总蒸发量(亿m³)	农田蒸发量(亿m³)	未利用地蒸发量(亿m³)	林草灌木地蒸发量(亿m³)	平原区消耗黄河干流水量(亿m³)	全区消耗黄河干流水量(亿m³)	全区消耗黄河水量(不包括黄河)(亿m³)	全区消耗黄河水量(包括黄河)(亿m³)
1991	442.9	167.5	76.2	47.2	29.0	61.9	43.3	27.5	6.1	5.0	27.6	30.7	31.4	34.6
1992	451.4	210.7	78.2	49.3	28.9	63.0	45.9	28.1	7.2	5.7	26.6	29.6	30.3	33.4
1993	462.9	145.5	82.9	51.0	31.9	61.5	43.3	28.3	5.4	4.6	29.4	32.5	33.2	36.5
1994	466.3	167.8	80.2	49.4	30.8	61.6	44.7	28.9	6.0	4.9	29.0	32.0	32.7	36.0
1995	478.9	233.3	80.9	49.7	31.2	61.4	49.2	31.3	7.4	5.5	28.0	31.1	31.8	34.8
1996	483.8	186.7	81.2	49.7	31.5	61.2	45.8	29.4	6.3	5.1	28.5	31.5	32.2	35.4
1997	490.6	148.5	85.0	51.3	33.7	60.3	44.4	30.0	5.2	4.4	30.3	33.3	34.0	37.4
1998	547.2	211.0	84.9	50.7	34.2	59.7	51.9	35.5	6.2	5.2	32.5	35.6	36.3	39.4
1999	551.9	161.1	86.1	50.5	35.6	58.6	49.5	35.1	5.0	4.4	34.3	37.4	38.1	41.4
2000	561.9	143.4	76.6	43.6	33.0	56.9	47.3	34.0	4.3	3.9	33.5	36.6	37.3	40.7

通过模拟 1991~2000 年 10 年宁夏水循环转化历史可以发现以下规律:

(1)灌溉面积增加是宁夏平原区耗水量增加的主要因素。灌溉面积与平原区蒸散发消耗水量具有显著的相关关系(见图 9-21),1991~2000 年 10 年间,宁夏平原区灌溉面积逐渐增加,引黄灌溉水量也逐渐增加(见图 9-22)。由于 2000 年宁夏引黄水量受到限制,引水量大幅度减少,出现了明显的拐点,表明区域用水效率有了显著的提高。

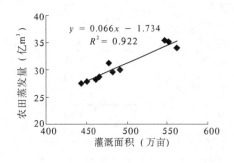

$$y = 0.066x - 1.734$$
$$R^2 = 0.922$$

图 9-21   灌溉面积与农田蒸发量相关关系   图 9-22   平原区灌溉面积与灌溉引水变化趋势

(2)宁夏平原区蒸散发变化显著。由于农田蒸散发消耗水量的增加(见图 9-23),区域总蒸散发量呈现增加趋势(见图 9-24),但天然土地利用的减少导致了区域天然生态系

统耗水量逐渐减少,未利用地和天然林草地蒸散发量呈下降趋势(见图9-25、图9-26)。

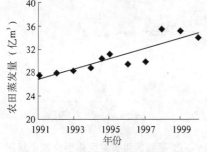

图9-23　平原区农田蒸发量变化趋势

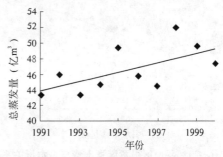

图9-24　平原区总蒸发量变化趋势

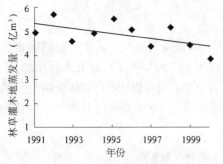

图9-25　平原区林草灌木地蒸发量变化趋势

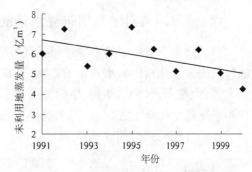

图9-26　平原区未利用地蒸发量变化趋势

(3)平原区消耗黄河干流水量逐渐增加。10 年间宁夏平原区消耗黄河干流水量不断增加(见图9-27),从 1991 年的 27.6 亿 m³ 增加到 2000 年的 33.5 亿 m³。考虑到扬黄灌区和南部山区耗用水量,全区耗用黄河水量亦不断增加(见图9-28),到 1999 年全区消耗黄河水量最大为 38.1 亿 m³。

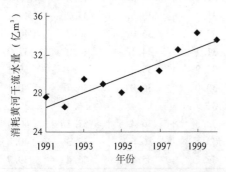

图9-27　平原区消耗黄河干流水量变化趋势

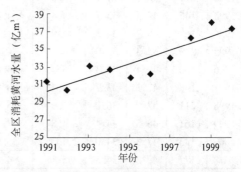

图9-28　宁夏全区消耗黄河水量变化趋势

(4)宁夏平原区引排水量变化规律:2000 年以前,宁夏平原区引排水变化规律非常明显,排水量随着引水量的增加而增加(见图9-29)。但 2000 年以来,黄河流域实行全流域统一调度,宁夏引水量受到严格限制,宁夏平原区引排水量规律发生了变化,2000 年引黄灌溉水量同 1991 年相差无几,但排水量大幅度减少,表明 2000 年大引大排的情况有所缓解,区域引黄灌溉的效率呈现提高趋势(见图9-30)。

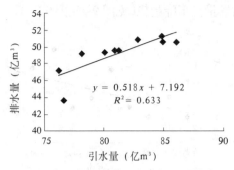

图 9-29　平原区引黄灌溉水量与排水量关系

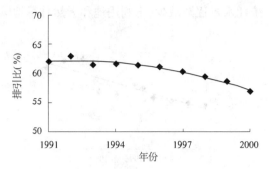

图 9-30　平原区引黄灌区排引比变化规律

六、气象因素对宁夏引排耗水量的影响

当地降水资源是宁夏平原区维持区域生态稳定的重要基础,为了分析包括降水在内的气象因素变化对区域水均衡的影响,本次研究在采用 2000 年实际的土地利用、日干渠引水量、灌溉面积、种植结构、生活工业用水量等资料情况下,以 1991 ~ 2000 年气象数据模拟平原区水循环过程,并以降水量作为气象因素的典型,分析降水量与水循环转化的关系。水循环模拟结果如表 9-17 所示。

表 9-17　气象因素与宁夏引排耗水量关系　　　　　（单位:亿 m³）

年份	降水量（mm）	总耗水量	农田耗水量	未利用地耗水量	林草灌木地耗水量	平原区消耗黄河水量	宁夏总消耗黄河干流水量	宁夏消耗黄河水量（包括黄河）	宁夏消耗黄河水量（不包括黄河）
1991	168	49.2	35.1	4.8	4.2	33.5	36.5	37.2	40.5
1992	211	50.6	34.7	5.8	4.8	31.2	34.3	35.0	38.1
1993	145	47.3	33.7	4.4	4.0	33.4	36.5	37.2	40.5
1994	167	48.7	34.3	4.9	4.2	33.0	36.0	36.7	40.0
1995	233	52.3	35.9	6.2	4.8	31.1	34.1	34.8	37.9
1996	186	49.4	34.3	5.4	4.6	32.2	35.2	35.9	39.1
1997	148	47.1	33.7	4.4	3.9	33.0	36.0	36.7	40.1
1998	211	52.0	36.0	5.9	5.0	32.7	35.7	36.4	39.6
1999	161	48.5	34.4	4.8	4.2	33.3	36.4	37.1	40.4
2000	143	47.3	34.0	4.3	3.9	33.5	36.6	37.3	40.7
平均	177	49.2	34.6	5.1	4.4	32.7	35.7	36.4	39.7

通过模拟气象因素变化对研究区水循环转化规律的影响可以看出:

(1)区域的农田蒸发量、未利用地蒸发量、林草灌木地蒸发量、总蒸发量等与降水量有着较高的相关关系,随着降水量的增加,区域蒸发量增加(见图 9-31)。由于未利用地、天然林草灌木地的水源主要来自降水和地下水补给,所以降水量的增加提高了区域天然生态的耗水量(见图 9-32、图 9-33)。

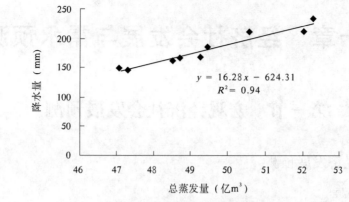

图 9-31 降水量与总蒸发量关系

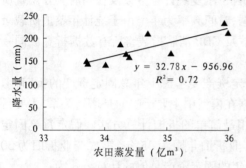

图 9-32 降水量与农田蒸发量关系

图 9-33 降水量与天然生态蒸发量关系

（2）随着降水量的增加，宁夏平原区耗用黄河干流水量随之减少（见图9-34），宁夏全区耗用黄河水量亦随之减少（见图9-35）。10 年系列中，2000 年降水量最少，仅为 143 mm，平原区消耗黄河干流水量最大，为 33.6 亿 m³，对应于宁夏全区消耗黄河水量为 37.3 亿 m³。模拟发现：若降水量为 143 mm，平原区消耗黄河干流水量为 33.5 亿 m³；若降水量为 233 mm，则平原区消耗黄河干流水量为 31.1 亿 m³，两种情况下，降水量相差 7.5 亿 m³，消耗黄河水量相差 2.5 亿 m³。

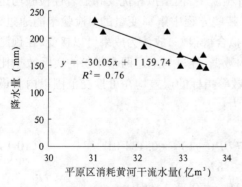

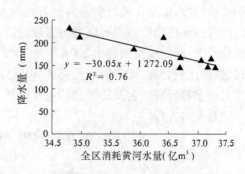

图 9-34 降水量与平原区消耗黄河干流水量关系　　图 9-35 降水量与宁夏全区消耗黄河水量关系

第十章　经济社会发展与需水预测

第一节　宏观经济社会发展预测

一、区域经济发展预测

(一) 数据来源

宏观经济社会发展预测模型所需数据均来自于宁夏统计年鉴以及在当时实际调查所得,数据确实可信。统计数据采用时间序列数据,时间频率为年。由于统计年鉴上所载录的数据大部分为当年价,需要根据各种价格指数及 GDP 消胀指数将所有数据折算成同一基准年的价格,基准年设置为 2000 年。

同时,对于固定资产投资模块,每年的总固定资产要考虑上年总固定资产的折旧,考虑到统计资料的可获得性因素,同时该系列数据在模型中主要反映的是增量关系,主要目的是得到其不同年份的相对数量关系,因此采用最简单的折旧计算方法。假定每笔固定资产的残值为零,折旧采用平均年限法,第一产业折旧年限为 35 年,第二产业折旧为 30 年,第三产业折旧为 25 年。最后得出各产业当年的固定资产总值的计算公式为:

$$固定资产 = 上年度固定资产 \times (1 - \frac{1}{固定资产折旧年限}) + 本年度固定资产投资$$

汇总整理的数据成果包括人口和劳动力模块历史数据、三产增加值模块历史数据、居民收入与消费模块历史数据、固定资产投资模块历史数据、财政金融模块历史数据。

(二) 模型方程

根据宁夏历史资料,运用 Eviews 计量软件包拟合各模型方程参数,并对模型参数进行检验,结果表明,模型通过了经济检验,在统计检验中,模型拟和优度和显著性检验均达到检验标准,但是在解释变量的显著性检验中,某些方程中解释变量的 t 检验未能通过,但经过预测性能检验表明模型与客观经济发展拟合得很好,故认为成果可以接受;在预测性检验中,利用模型预测出 2001 年及 2002 年的数据,经过与上述两个年份的实际数据比较,数据比较合理,固定资产投资、GDP、总人口数等指标的误差均在可接受范围以内。最终可得宁夏经济社会发展预测的主要模型方程为:

总人口方程

$$TPOP = \exp\{0.998\,091 \cdot \ln[TPOP(-1)] + 0.134\,01\} \tag{10-1}$$

$$t = 168.0 \quad 3.87$$

$$R^2 = 0.999 \quad F = 28\,231 \quad D.W = 1.81$$

城镇人口方程

$$TPT = \exp\{0.493\,55 \cdot \ln[TPT(-1)] + 1.123\,736 \cdot \ln(TPOP) - 4.470\,27\} \tag{10-2}$$

$$t = 2.24 \quad 2.26 \quad 2.18$$

$$R^2 = 0.994 \quad F = 1\,812 \quad D.\,W = 1.32$$

社会劳动力总资源方程

$$LR = \exp\{0.914\,217 \cdot \ln[LR(-1)] + 0.079\,21 \cdot \ln(TPOP)\} \tag{10-3}$$

$$t = 22.93 \quad 2.29$$

$$R^2 = 0.993 \quad F = 2\,655 \quad D.\,W = 3.08$$

第二产业从业人口方程

$$LI = \exp\{0.579\,824 \cdot \ln[LI(-1)] + 0.477\,805 \cdot \ln(LR) - 1.004\,088\} \tag{10-4}$$

$$t = 3.86 \quad 2.68 \quad 2.34$$

$$R^2 = 0.986 \quad F = 665 \quad D.\,W = 1.16$$

第三产业从业人口方程

$$LT = \exp\{0.448\,238 \cdot \ln[LT(-1)] + 0.219\,493 \cdot \ln(LR) + 0.246\,323 \cdot V3F(-1)\}$$

$$\tag{10-5}$$

$$t = 2.16 \quad 3.15 \quad 2.28$$

$$R^2 = 0.987 \quad F = 695 \quad D.\,W = 1.9$$

国内生产总值方程

$$GDPF = \exp\{0.859\,904 \cdot \ln[GDPF(-1)] + 0.088\,474 \cdot \ln(IIF) + 0.083\,269 \cdot \ln(LR)\}$$

$$\tag{10-6}$$

$$t = 19.06 \quad 2.96 \quad 3.71$$

$$R^2 = 0.998 \quad F = 4\,370 \quad D.\,W = 1.43$$

第一产业增加值方程

$$V1F = \exp\{0.555\,301 \cdot \ln[V1F(-1)] + 0.189\,409 \cdot \ln(LRR)\} \tag{10-7}$$

$$t = 15.36 \quad 5.43$$

$$R^2 = 0.957 \quad F = 463 \quad D.\,W = 1.49$$

第三产业增加值方程

$$V3F = \exp\{0.874\,444 \cdot \ln[V3F(-1)] + 0.459\,641 \cdot \ln(LT) - 2.194\,501\} \tag{10-8}$$

$$t = 10.16 \quad 3.91 \quad 32.36$$

$$R^2 = 0.998 \quad F = 4\,230 \quad D.\,W = 1.51$$

农村居民收入方程

$$ICRF = \exp\{0.641\,579 \cdot \ln[ICRF(-1)] + 0.428\,616 \cdot \ln(V1F)\} \tag{10-9}$$

$$t = 4.10 \quad 2.72$$

$$R^2 = 0.958 \quad F = 467 \quad D.\,W = 1.31$$

城镇居民收入方程

$$ICTF = \exp\{0.535\,854 \cdot \ln[ICTF(-1)] + 0.531\,777 \cdot \ln(GDPF) - 0.906\,767\}$$

$$\tag{10-10}$$

$$t = 2.67 \quad 2.37 \quad 2.20$$

$$R^2 = 0.992 \quad F = 1\,166 \quad D.\,W = 1.69$$

农村居民消费方程

$$CRF = \exp\{0.605\ 667 \cdot \ln[CRF(-1)] + 0.299\ 389 \cdot \ln(ICRF) + 0.341\ 772\}$$
(10-11)

$$t = 6.20 \quad 3.00 \quad 2.64$$
$$R^2 = 0.973 \quad F = 341 \quad D.W = 1.26$$

城镇居民消费方程

$$CTF = \exp\{0.315\ 974 \cdot \ln[CTF(-1)] + 0.588\ 530 \cdot \ln(ICTF) + 0.336\ 659\}$$
(10-12)

$$t = 2.47 \quad 5.41 \quad 4.40$$
$$R^2 = 0.994 \quad F = 1\ 627 \quad D.W = 2.28$$

财政总收入方程

$$FIF = \exp\{0.487\ 838 \cdot \ln[FIF(-1)] + 0.422\ 142 \cdot \ln(GDPF) - 0.775\ 775\}$$
(10-13)

$$t = 2.62 \quad 2.89 \quad 2.02$$
$$R^2 = 0.871 \quad F = 64 \quad D.W = 1.54$$

固定资产投资方程

$$IIF = \exp\{0.784\ 335 \cdot \ln[IIF(-1)] + 0.289\ 697 \cdot \ln(GDPF) - 0.412\ 672\}$$
(10-14)

$$t = 4.15 \quad 2.13 \quad 2.24$$
$$R^2 = 0.958 \quad F = 218 \quad D.W = 1.44$$

上述各方程式中的变量含义可参考方法篇中的表4-2。

(三) 模型结果分析

考虑到模型预测精度、一些未考虑到的因素以及将来政策变化对模型的影响,根据模型预测结果增加和下浮一定比例,拟定宁夏社会经济发展高、中、低三套预测方案。通过对比分析发现,各类预测结果中的中方案比较符合宁夏未来经济社会发展实际,因此可作为推荐方案,其他方案可作为相应的参考方案。最终预测结果如下。

1. 人口发展预测

根据宁夏人口增长状况、人口结构变化以及计划生育执行力度等对宁夏人口发展进行预测,结果见表10-1。

预测结果表明,在中方案下,2000~2010年人口年均增长率为14.24‰,年均增长8.55万人,到2010年人口将达到631.9万人;2010~2020年、2020~2030年人口年均增长率分别为9.74‰和7.96‰,2020年和2030年的总人口分别为696.2万人和753.6万人。

2. 城镇化进程预测

结合经济社会发展预测模型以及宁夏具体政策,未来预测水平年宁夏城镇化水平预测结果见表10-2。随着宁夏工业化的继续推进,将促进城镇化进程,在中方案下,预计2010年城镇化率将达到45.3%,年均增长1.24个百分点;2020年、2030年将分别达到55.0%和60.7%。

表 10-1　宁夏人口发展预测

方案	地区	2000 年人口（万人）	增长率(‰)			总人口(万人)		
			2000～2010 年	2010～2020 年	2020～2030 年	2010 年	2020 年	2030 年
低方案	全区	548.6	13.58	9.22	7.46	627.8	688.1	741.2
	银川市	144.2	13.16	7.76	6.62	164.3	177.5	189.6
	石嘴山市	66.0	6.54	4.39	3.88	70.5	73.6	76.5
	吴忠市	108.5	13.75	13.00	9.75	124.5	141.7	156.1
	中卫市	91.5	13.80	6.98	3.64	104.8	112.4	116.5
	固原市	138.4	16.94	11.18	10.17	163.7	182.9	202.5
中方案	全区	548.6	14.24	9.74	7.96	631.9	696.2	753.6
	银川市	144.2	13.91	8.52	7.31	165.6	180.2	193.8
	石嘴山市	66.0	6.95	4.60	4.08	70.8	74.1	77.2
	吴忠市	108.6	14.44	13.81	10.49	125.4	143.8	159.6
	中卫市	91.4	14.62	7.01	3.78	105.6	113.3	117.7
	固原市	138.4	17.51	11.69	10.61	164.5	184.8	205.3
高方案	全区	548.6	14.69	10.24	8.20	634.7	702.8	762.6
	银川市	144.2	14.46	9.02	7.56	166.5	182.1	196.3
	石嘴山市	66.0	7.50	5.10	4.33	71.1	74.9	78.2
	吴忠市	108.5	14.95	14.50	10.79	126.0	145.5	162.0
	中卫市	91.5	15.05	7.20	3.94	106.1	114.0	118.6
	固原市	138.4	17.79	12.22	10.86	165.0	186.3	207.5

表 10-2　宁夏城镇化水平预测

方案	行政区	城镇化水平(%)			
		2000 年	2010 年	2020 年	2030 年
低方案	全区	32.9	45.5	55.1	60.7
	银川市	51.1	64.9	74.9	80.6
	石嘴山市	73.6	85.4	93.5	99.3
	吴忠市	13.8	27.0	38.0	43.0
	中卫市	26.8	39.5	49.5	54.5
	固原市	22.6	37.8	50.8	55.8
中方案	全区	32.9	45.3	55.0	60.7
	银川市	51.1	64.8	74.8	80.8
	石嘴山市	73.6	85.2	93.3	99.3
	吴忠市	13.8	26.8	37.8	42.8
	中卫市	26.8	39.3	49.3	54.3
	固原市	22.6	37.6	50.6	55.6
高方案	全区	32.9	45.1	54.8	60.6
	银川市	51.1	64.6	74.6	80.6
	石嘴山市	73.6	85.0	93.1	99.1
	吴忠市	13.8	26.6	37.6	42.6
	中卫市	26.8	39.1	49.1	54.1
	固原市	22.6	37.4	50.4	55.4

3. 经济社会发展预测

区域经济发展在很多方面表现出一定的规律性,如区域经济发展速度的变化规律是:区域经济发展初期,水平低,规模小,速度慢;伴随着工业化、城市化的过程,区域经济进入快速发展阶段,规模迅速扩大,水平迅速提高;经过一段高速发展时期,区域经济进入成熟阶段,水平已经很高,规模已经很大,再提高、再扩大都不容易,经济发展速度进入稳定、缓慢增长阶段。

经济发展速度取决于很多因素,在资源供应有保障的前提下,投资强度越大,发展速度越快。当产业结构协调时,投资的作用可以得到充分发挥,此时的经济发展速度为:

$$v = t/\lambda \tag{10-15}$$

式中:v 为经济发展速度;t、λ 分别为投资率和直接消耗系数矩阵 A 的弗罗比尼斯特征根。此式说明,经济最大可能发展速度是由投资直接消耗系数 A 决定的,与投资率成正比,与直接消耗系数矩阵 A 的最大特征根成反比。

宁夏 2002 年投资率达到 70.10%,弗罗比尼斯特征根为 0.641 4,最大可能发展速度为 10.93%,与目前发展水平大致相当。

根据宁夏投资率以及最大经济发展速度,结合区域经济社会发展预测模型,对宁夏经济发展进行预测,见表 10-3。

表 10-3　宁夏经济发展预测

方案	地区	2000 年 GDP (亿元)	增长率(%)			GDP(亿元)		
			2000～2010 年	2010～2020 年	2020～2030 年	2010 年	2020 年	2030 年
低方案	全区	265.6	10.31	8.90	6.80	708.4	1 661.9	3 209.1
	银川市	115.3	11.05	9.56	6.61	328.8	819.3	1 554.2
	石嘴山市	48.9	9.40	7.41	6.39	120.0	245.3	455.6
	吴忠市	57.4	9.92	8.77	7.27	147.8	342.7	691.4
	中卫市	25.9	9.10	8.01	7.16	62.0	134.0	267.5
	固原市	18.1	10.65	9.25	7.15	49.8	120.6	240.4
中方案	全区	265.6	10.61	9.20	7.10	727.8	1 754.8	3 485.1
	银川市	115.3	11.35	9.86	6.91	337.7	864.7	1 687.2
	石嘴山市	48.9	9.70	7.71	6.69	123.3	259.3	495.3
	吴忠市	57.4	10.22	9.07	7.57	151.9	361.9	750.8
	中卫市	25.9	9.40	8.31	7.46	63.7	141.6	290.7
	固原市	18.1	10.95	9.55	7.45	51.1	127.3	261.1
高方案	全区	265.6	10.91	9.50	7.40	747.7	1 852.7	3 783.9
	银川市	115.3	11.65	10.16	7.21	346.9	912.6	1 831.3
	石嘴山市	48.9	10.00	8.01	6.99	126.8	274.0	538.2
	吴忠市	57.4	10.52	9.37	7.87	156.1	382.1	815.2
	中卫市	25.9	9.70	8.61	7.76	65.5	149.6	315.8
	固原市	18.1	11.25	9.85	7.75	52.4	134.4	283.4

结果表明,2000～2010 年宁夏 GDP 年均增长率为 10.61%,到 2010 年 GDP 总量将达

到 727.8 亿元;2010 年后,GDP 增长速度有所下降,2010～2020 年和 2020～2030 年的年均增长速度为 9.20% 和 7.10%,在此增长速度下,2020 年和 2030 年宁夏的 GDP 总量分别为 1 754.8 亿元和 3 485.1 亿元。人均 GDP 据宁夏第十个五年规划,计划到 2008 年宁夏国内总产值比 2000 年翻一番,2010 年人均国内生产总值翻一番,目前的宁夏发展的速度已经超过这一速度,目标基本能实现。

4.产业结构预测

1)最优产业结构的确定

美国多夫曼、萨谬尔森和索洛等发现,在一定经济发展水平下,当资源配置最优时,存在着最优经济均衡增长途径,即大道定理,并可以证明均衡增长率由结构关联技术水平矩阵(即直接消耗系数阵)A 所决定,均衡增长的增长率和均衡增长产出结构分别等于非负矩阵的 A 的弗罗比尼斯特征根(即最大特征根)和相对应的弗罗比尼斯向量(最大特征根所对应的特征向量)。据此,可以构造产业结构偏离度:

$$K_i = 1 - \min(x_i, u_i)/\max(x_i, u_i) \tag{10-16}$$

式中:x_i 是实际的生产结构;u_i 为最优的生产结构(弗罗比尼斯向量)。K_i 越大,i 部门偏差越大。产业结构的总体协调情况可以用实际的生产结构向量与最优的生产结构向量之间夹角的余弦表示,即:

$$k = \cos\alpha = \frac{\sum_{i=1}^{n} x_i \times u_i}{\sqrt{\sum_{i=1}^{n} x_i^2 \times \sum_{i=1}^{n} u_i^2}} \tag{10-17}$$

k 越大,结构优化协调性越好。

根据宁夏 2002 投入产出表,计算宁夏 2002 年产业优化结构见表 10-4。

表 10-4　宁夏产业结构优化分析

行业	农业	工业	建筑业	交通邮电业	商饮业	服务业	总协调度
优化生产结构	0.051	0.593	0.040	0.152	0.062	0.102	—
实际生产结构	0.103	0.463	0.178	0.076	0.051	0.129	—
k	0.502	0.217	0.774	0.500	0.186	0.210	0.946 3

结果说明宁夏经济总协调性较好,但具体部门的偏离度差别大,尤其是农业与建筑业偏离度较大,农业和建筑业在产业结构中占的比例偏高。

2)产业结构预测

在经济发展过程中,产业比重也在不断调整,通过数据分析发现,产业结构与人均 GDP 之间存在着一定的线性关系,根据世界主要国家的人均 GDP 和与之对应的产业比重可知,随着人均 GDP 的提高,第一产业比重降低,第三产业比重逐渐增加,最终趋于稳定。我国产业比重与人均 GDP 之间的关系表明,我国由工业起步阶段向全面工业化过渡的过程中,第一产业下降,第二产业急速增长,第三产业变化不大。从总体趋势看,宁夏三产比重与全国大致相当。

未来30年,三大产业将逐步调整,由于宁夏处于全面工业化建设时期,第二产业发展较为迅速,第三产业相对较慢,总体来说,宁夏第一产业比重将持续降低,第二产业比重增长较快,而第三产业上升幅度不是很大。中方案下,2001~2010年,第二产业比重增长较快,第三产业比重基本保持稳定,由2000年的17.3:45.2:37.5转变为2010年的10.9:51.3:37.8;2011~2030年第二产业比重持续稳定,2020年三产比重为7.2:54.6:38.2,2030年三产比重为5.7:55.2:39.1。之后,随着工业化的逐步推进,全面工业化实现之后,宁夏将进入后工业化阶段,工业的比重将逐渐降低,第三产业开始迅速发展,预测结果见表10-5。

表10-5 宁夏三次产业结构预测

方案	行政分区	2000年			2010年			2020年			2030年		
		一产	二产	三产	一产	二产	三产	一产	二产	三产	一产	二产	三产
低方案	全区	17.3	45.2	37.5	11.4	51.0	37.6	7.7	54.4	37.9	6.2	55.0	38.9
	银川市	13.0	41.3	45.8	7.6	49.1	43.3	4.7	52.1	43.2	3.7	50.1	46.1
	石嘴山市	13.1	58.1	28.8	9.4	60.1	30.5	7.1	62.5	30.4	5.7	62.3	32.0
	吴忠市	19.5	52.3	28.2	13.8	57.0	29.2	9.7	61.4	28.9	7.6	65.6	26.7
	中卫市	31.0	34.7	34.3	23.4	38.0	38.6	17.1	41.5	41.4	13.5	46.2	40.3
	固原市	29.6	27.9	42.5	18.9	40.4	40.7	12.9	48.7	38.4	10.5	51.2	38.3
中方案	全区	17.3	45.2	37.5	10.9	51.3	37.8	7.2	54.4	38.1	5.7	55.2	39.1
	银川市	13.0	41.3	45.8	7.1	49.4	43.5	4.2	52.4	43.4	3.2	50.4	46.3
	石嘴山市	13.1	58.1	28.8	9.1	60.3	30.6	6.8	62.2	31.0	5.4	62.5	32.2
	吴忠市	19.5	52.3	28.2	13.3	57.3	29.4	9.2	61.7	29.1	7.1	65.9	26.9
	中卫市	31.0	34.7	34.3	22.9	38.3	38.8	16.6	41.8	41.6	13.0	46.5	40.5
	固原市	29.6	27.9	42.5	18.4	40.7	40.9	12.4	49.0	38.6	10.0	51.5	38.5
高方案	全区	17.3	45.2	37.5	10.6	51.4	38.0	6.9	54.8	38.2	5.4	55.4	39.2
	银川市	13.0	41.3	45.8	6.8	49.5	43.7	3.9	52.5	43.6	2.9	50.5	46.5
	石嘴山市	13.1	58.1	28.8	8.9	60.4	30.7	6.6	62.8	30.6	5.2	62.6	32.3
	吴忠市	19.5	52.3	28.2	13.0	57.4	29.6	9.0	61.8	29.3	6.8	66.1	27.1
	中卫市	31.0	34.7	34.3	22.6	38.4	38.9	16.3	42.0	41.7	12.7	46.6	40.7
	固原市	29.6	27.9	42.5	18.1	40.8	41.1	12.1	49.1	38.7	9.7	51.6	38.7

5. 消费与积累水平预测

积累在最终产品中所占比例(积累率)的大小反映了社会再生产能力的大小。要加速发展经济,就必须保证必要的积累率。经济起飞过程中,积累率不能太低。但从长远的角度看,积累率过大不利于社会需求的增长。宁夏总消费和总积累水平预测结果见表10-6,随着国民经济的持续发展,消费水平提高很快,消费率(消费总量占GDP的比例)总体上呈逐步提高态势。

表 10-6 消费与积累预测 （单位:亿元）

行业	消费总量						积累总量					
	1992 年	1997 年	2000 年	2010 年	2020 年	2030 年	1992 年	1997 年	2000 年	2010 年	2020 年	2030 年
农业	14.3	32.5	38.5	62.4	108.1	127.5	2.7	11.1	13.8	23.9	47.8	82.4
工业	17.2	45.6	68.2	228.4	460.4	848.1	17.3	32.4	49.6	115.4	217.0	306.7
建筑业	0	0	0	0	0	0	23.7	50.6	89.5	273.6	691.0	1 362.5
交通邮电业	0.7	3.2	6.3	31.7	70.8	106.4	0.7	1.2	1.9	5.3	11.8	20.8
商饮业	6.5	7.1	10.3	73.0	158.1	307.0	2.3	6.6	9.8	24.5	51.8	80.5
服务业	20.8	42.3	63.3	121.6	466.2	1 190.0	0	2.0	3.1	8.5	15.9	29.0
合计	59.5	130.7	186.6	516.7	1 263.6	2 579.0	46.7	103.9	167.7	451.2	1 035.3	1 881.9
占 GDP 比例	0.72	0.62	0.70	0.71	0.72	0.74	0.56	0.49	0.63	0.62	0.59	0.54

6. 输入与输出贸易预测

根据宁夏 1978～2002 年统计资料分析,宁夏资本形成率一直在 60%～70%,而消费率也保持在 60%～80%,其区域经济发展属于典型的国家投入型。2000 年输出贸易占 GDP 比重高达 52%,而输入贸易额占当年 GDP 比重高达 85%,贸易逆差达 33%。根据表 10-7 预测结果,未来宁夏贸易逆差呈持续增长态势,2010 年预计达到 332 亿元,约占当年 GDP 的 52.4%,2020 年预计达到 513 亿元,约占当年 GDP 的 34.8%。

表 10-7 输出与输入贸易额预测 （单位:亿元）

行业	输出						输入					
	1992 年	1997 年	2000 年	2010 年	2020 年	2030 年	1992 年	1997 年	2000 年	2010 年	2020 年	2030 年
农业	3.1	7.8	9.4	15.6	43.1	83.8	1.2	3.6	5.9	14.6	29.8	56.2
工业	38.1	98.7	118.6	198.0	545	1 060.8	60.7	110.4	180.1	448.8	914.2	1 723.0
建筑业	0	0	0	0	0	0	0	0	0	0	0	0
交通邮电业	1.9	3.2	3.8	6.4	17.7	34.4	2.8	8.4	13.7	34.1	69.6	131.10
商饮业	5.2	5.1	6.1	10.2	28.1	54.8	6.7	4.5	7.3	18.3	37.3	70.23
服务业	0.04	0.07	0.08	0.14	0.4	0	2.6	11.6	18.9	47.2	96.1	181.0
合计	48.3	114.9	138.0	230.3	634.3	1 234.6	74.0	138.5	225.9	563.0	1 147.0	2 161.5

二、水资源投入产出分析

根据宁夏 1985 年、1987 年、1992 年、1997 年的投入产出表推求 2002 年各个部门直接消耗系数,见表 10-8,推得的 2002 年投入产出表见表 10-9,2002 年用水状况见表 10-10。

表 10-8 宁夏 2002 年 6 个部门直接消耗系数表

项 目	农业	工业	建筑业	运输邮电业	商 业	非物质生产部门	编号
编 号	01	02	03	04	05	06	
农业	0.236 48	0.033 06	0.001 26	0.000 12	0.016 08	0.001 36	01
工业	0.096 6	0.456 89	0.639 79	0.338 93	0.121 13	0.189 37	02
建筑业		0.011 8	0.015 64	0.094 95	0.003 33	0.033 74	03
运输邮电业	0.017 37	0.123 86	0.014 37	0.094 99	0.063 49	0.044 72	04
商业	0.070 4	0.045 02	0.033 17	0.029 38	0.010 08	0.032 82	05
非物质生产部门	0.007 91	0.053 47	0.068 05	0.068 31	0.231 65	0.056 29	06
中间投入合计	0.428 76	0.724 1	0.772 28	0.626 68	0.445 76	0.358 26	07
固定资本折旧	0.013 67	0.031 84	0.016 4	0.161 55	0.044 9	0.140 56	08
劳动者报酬	0.535 59	0.163 06	0.170 94	0.175 02	0.191 28	0.409 4	09
生产税净额	0.009 04	0.072 52	0.025 02	0.034 66	0.054 23	0.072 48	10
营业盈余	0.012 94	0.008 48	0.015 36	0.002 09	0.263 83	0.019 26	11
增加值合计	0.571 24	0.275 9	0.227 72	0.373 32	0.554 24	0.641 7	12
总投入	1	1	1	1	1	1	13

表 10-9 宁夏 2002 年 6 个部门投入产出表 （单位:亿元）

项 目	农业	工业	建筑业	运输邮电业	商业	非物质生产部门	中间产品	最终产品	总产出
编 号	01	02	03	04	05	06	07	08	09
农业	21.87	13.76	0.20	0.01	0.73	0.15	36.72	55.78	92.5
工业	8.94	190.11	102.16	23.22	5.53	21.96	351.92	64.18	416.1
建筑业	0	4.91	2.50	6.51	0.15	3.91	17.98	141.69	159.67
运输邮电业	1.61	51.54	2.29	6.51	2.90	5.19	70.04	-1.53	68.51
商业	6.51	18.73	5.30	2.01	0.46	3.81	36.82	8.81	45.63
非物质生产部门	0.73	22.25	10.87	4.68	10.57	6.53	55.63	60.32	115.95
中间投入合计	39.66	301.30	123.32	42.94	20.34	41.55	569.11	329.26	898.37
固定资本折旧	1.26	13.25	2.62	11.07	2.05	16.30	46.55		
劳动者报酬	49.54	67.85	27.29	11.99	8.73	47.47	212.87		
生产税净额	0.84	30.18	3.99	2.37	2.47	8.40	48.25		
营业盈余	1.20	3.53	2.45	0.14	12.04	2.23	21.59		
增加值合计	52.84	114.81	36.35	25.57	25.29	74.40	329.26		
总投入	92.50	416.11	159.67	68.51	45.63	115.95	898.37		

表 10-10 宁夏 2002 年国民经济行业用水量统计 （单位:亿 m³）

行业	农业	工业	建筑业	运输邮电业	商业	非物质生产部门
用水量	76.032	3.156	0.61	0.32	0.21	0.547

采用2002年的宁夏投入产出表并结合当地用水资料,运用水资源投入与产出系数的计算方法,计算得出宁夏国民经济行业用水投入产出系数表及国民经济行业用水综合指标,见表10-11、表10-12。

表10-11 宁夏2002年国民经济行业用水投入产出系数

项目		农业	工业	建筑业	运输邮电业	商业	非物质生产部门
投入系数	$Q(m^3/万元)$	8 219.68	75.85	38.20	46.70	46.02	47.18
	$\bar{BQ}(m^3/万元)$	10 954.0	1 022.0	765.0	557.0	468.0	341.0
	$Q^N(m^3/万元)$	14 389.10	274.91	167.77	125.10	83.04	73.51
	$\bar{BQ}^N(m^3/万元)$	19 175.72	3 704.30	3 359.39	1 492.01	844.40	531.37
	MW	1.33	13.47	20.02	11.93	10.17	7.23
产出系数	$O(元/m^3)$	1.22	131.84	261.75	214.13	217.29	211.97
	$\bar{BO}(元/m^3)$	59.2	1 145.5	338	442.9	314.3	423.6
	$O^N(元/m^3)$	0.69	36.38	59.61	79.94	120.43	136.03
	$\bar{BO}^N(元/m^3)$	33.82	316.04	76.97	165.34	174.20	271.84
	MO	48.66	8.69	1.29	2.07	1.45	2.00

表10-12 宁夏2002年国民经济行业用水综合分析

行业	耗用水特性分析					产出特性分析			
	RQ^N	RS	RMW	耗用水程度	潜在耗用水程度	RQ^N	RMO	产出程度	潜在产出程度
农业	5.86	5.64	0.12	高	一般	0.17	4.55	一般	高
工业	0.11	0.23	1.26	一般	高	8.94	0.81	高	一般
建筑业	0.07	0.05	1.87	一般	高	14.64	0.12	高	一般
运输邮电业	0.05	0.02	1.12	一般	高	19.63	0.19	高	一般
商业	0.030	0.02	0.95	一般	一般	29.58	0.14	高	一般
非物质生产部门	0.03	0.04	0.68	一般	一般	33.41	0.19	高	一般

结果分析如下:

(1)用水效率评价。

完全用水系数:农业每增加1万元产值,使整个经济系统每万元产值新增10 954.0 m³用水量,其中农业本身增加8 219.68 m³用水量,2 734.32 m³的用水量为间接用水量。从比较角度讲,完全用水系数大的部门,其生产发展需新增的用水量也相应要大,反之则小。在宁夏,如农业每新增1万元产值,经济系统需新增10 954.0 m³的用水量,而工业每新增1万元产值,系统需要增加1 022.0 m³用水量,建筑业、商业相应值为765.0 m³、468.0 m³。

用水乘数:农业万元产值和增加值用水量在所有行业中均是最大,但其用水乘数仅1.33,建筑业万元产值和增加值用水量分别为38.20 m³/万元和167.77 m³/万元,仅为农业的0.46%和1.17%,但用水乘数却是农业的15.05倍,是所有行业中的最高值。这表明宁夏农业每增加1 m³用水量,经济系统则增加1.33 m³用水量,而建筑业每增加1 m³

用水量,经济系统则增加 20.02 m³ 用水量,这说明用水乘数大的部门新增用水量对带动整个经济系统总用水量的增加影响最大。

（2）产出效率评价。

完全产出系数:农业直接产出系数为 1.22 元/m³,完全产出系数为 59.2 元/m³,工业直接产出系数为 131.84 元/m³,完全产出系数为 1 145.5 元/m³,分别是农业的 108.06 倍和 19.34 倍。显然,完全产出系数高的行业,其用水的经济效益高,对经济系统总的产出量贡献率大,反之,其用水效益小。

产出乘数:虽然宁夏农业直接产出系数、完全产出系数在整个国民经济系统较小,但农业产出乘数却为 48.66,在各部门中最高。这说明宁夏农业对国民经济系统的带动作用比较大。

三、虚拟水贸易调配

根据虚拟水贸易计算方法,对宁夏虚拟水贸易进行计算,结果见表 10-13 ~ 表 10-15。

表 10-13　2002 年宁夏各部门虚拟水净输出量

项目	农业	工业	建筑	货运	商业	非物质产业	合计
各部门经济净输出量(亿元)	22.48	- 81.55	0	- 36.10	4.29	- 74.12	- 165.00
直接用水系数(m³/万元)	8 220	102	38	47	46	47	—
完全用水系数(m³/万元)	10 954	1 022	765	557	468	341	—
直接虚拟水净输出量(亿 m³)	18.48	- 0.83	0	- 0.17	0.02	- 0.35	17.15
完全虚拟水净输出量(亿 m³)	24.62	- 8.32	0	- 2.01	0.20	- 2.53	11.78

表 10-14　2002 年宁夏水的最终使用

项目	农居消费	城居消费	政府消费	消费合计	资本形成总额	输出 - 输入	GDP
经济量(亿元)	56.30	90.27	102.69	249.26	245.22	- 165.20	329.28
直接水量消耗量(亿 m³)	15.34	14.23	1.8	31.37	33	17.15	81.52
完全水量消耗量(亿 m³)	19.28	18.01	2.29	39.57	47.00	11.94	98.52

表 10-15　宁夏 1998 ~ 2002 年虚拟水净输出量

项目	1998 年	1999 年	2000 年	2001 年	2002 年
GDP(亿元)	227.46	241.49	265.57	298.38	329.28
年用水量(亿 m³)	96.39	96.88	87.19	84.23	81.52
净出口(亿元)	- 41.50	- 54.87	- 88.65	- 132.83	- 165.20
虚拟水净输出量(亿 m³)	3.00	3.97	6.41	9.60	11.94

水资源是宁夏最宝贵、最稀缺的自然资源,已成为长远发展的重要制约因素。从经济贸易中隐含虚拟水输出输入来看,宁夏净虚拟水输出量由 1998 年的 3.0 亿 m³ 增加至 2002 年的 11.94 亿 m³,由此可见,宁夏不仅是虚拟水净输出省区,并且输出量还在逐渐增加。进一步具体分析,宁夏农业部门虚拟水输出量 2002 年高达 24.62 亿 m³,而工业部门虚拟水是输

入区内,输入量达 8.32 亿 m³,从贸易经济量来看,2002 年宁夏农业输出 22.48 亿元,工业输入 81.55 亿元。这说明宁夏 2002 年农业贸易输出量虽远小于工业贸易输入量,但输出都是水资源密集型农产品。高耗水的水稻、枸杞是其重要的输出农产品。2002 年宁夏水稻种植面积 114.6 万亩,每亩水稻灌水定额高达 1 800 m³,输出大米近 30 万 t,这对水资源短缺的地区来说,大量水资源密集型农产品的输出间接地加剧了水资源供需矛盾。虚拟水净输出逐渐转向净输入是个渐进的过程,这需要产业结构的调整。从目前来看,宁夏农业还停留于初级产品生产、初级产品贸易阶段,经济能力制约了宁夏采用虚拟水战略,但在银川、石嘴山、吴忠市可以率先尝试虚拟水战略,适度压缩水稻种植面积,利用贸易逐步缓解水资源压力。因此,应在"开源"没有重大进展、"节源"效果又不明显的情况下,逐步应用虚拟水战略来平衡区域水资源利用赤字,这为水资源极度贫乏的宁夏以及西北干旱地区真正做到以水资源的可持续利用支撑经济社会的可持续发展拓宽了思路。

第二节 需水与节水预测

一、生活需水与节水预测

在生活需水预测时仅考虑推荐方案的人口预测结果。

(一)计算参数的确定

1. 人口发展预测

根据宏观经济社会发展预测模型结果,宁夏推荐方案情况下人口发展状况见表 10-16。

表 10-16 宁夏人口发展状况 (单位:万人)

地区	城镇人口				农村人口			
	2000 年	2010 年	2020 年	2030 年	2000 年	2010 年	2020 年	2030 年
全区	180.4	286.3	383.3	458.2	368.3	345.6	312.9	295.4
银川市	73.6	107.2	134.8	156.6	70.6	58.3	45.4	37.2
石嘴山市	37.0	47.6	53.9	58.6	29.1	23.2	20.2	18.6
吴忠市	30.4	50.3	71.0	88.1	78.2	75.2	73.7	72.4
中卫市	18.7	35.1	51.2	62.3	72.8	70.6	60.9	54.1
固原市	20.7	46.1	72.4	92.6	117.6	118.3	112.7	113.1

2. 生活需水定额

宁夏属于缺水地区,人均生活用水水平较低,1980～1995 年 15 年中,由于社会经济的发展、城镇化水平的提高以及居民生活水平的改善,城镇生活人均日用水量急速增长,由 40.7 L 增长到 108.6 L;之后由于节水意识的提高及水价等因素,用水量逐渐下降,到 2000 年人均日用水量为 76.7 L;2000 年以后,随着生活水平的进一步提高,人均用水量又开始逐渐增长。农村生活人均日用水量主要体现在两个阶段,1980～1999 年 20 年的时间里,一直维持在 15 L 左右,到 2000 年发生了一个大的跳跃,达到了 22.8 L,之后两年一直处于增长的趋势。总体来说,宁夏属于生活用水水平较低的省份,尤其是农村生活用水水平。结合生活用水习惯、近年来生活用水趋势、现状用水水平,参考国内外同类地区或城市生活用水定额水平,参照建设部门制定的居民生活用水定额标准制定宁夏的生活用水定额标准。考虑到地区节水对生活用水定额的影响,用水定额分为节水和不考虑节水两种方案,由于农村生活需水定额较低,只定一个标准,宁夏预测水平年的用水定额见表10-17、表10-18。

表 10-17　宁夏人均生活需水定额(不节水)　　　　(单位:L/(人·d))

行政分区	城镇生活				农村生活			
	2000 年	2010 年	2020 年	2030 年	2000 年	2010 年	2020 年	2030 年
全区	81.2	85.3	90.0	95.7	29.9	37.2	42.5	47.8
银川市	106.6	111.6	116.6	121.6	29.3	37.3	42.3	47.3
石嘴山市	73.1	83.1	93.1	103.1	30.8	38.8	43.8	48.8
吴忠市	76.7	81.7	86.7	91.7	32.1	40.1	45.1	50.1
中卫市	59.4	66.4	73.4	80.4	32.4	40.4	45.4	50.4
固原市	31.9	45.1	53.5	61.6	27.0	33.0	39.0	45.0

表 10-18　宁夏人均生活需水定额(节水)　　　　(单位:L/(人·d))

行政分区	城镇生活				农村生活			
	2000 年	2010 年	2020 年	2030 年	2000 年	2010 年	2020 年	2030 年
全区	81.2	83.4	86.1	89.8	29.9	37.2	42.5	47.8
银川市	106.6	108.6	110.1	111.6	29.3	37.3	42.3	47.3
石嘴山市	73.1	82.1	91.1	100.1	30.8	38.8	43.8	48.8
吴忠市	76.7	78.7	80.7	82.7	32.1	40.1	45.1	50.1
中卫市	59.4	65.4	71.4	77.4	32.4	40.4	45.4	50.4
固原市	31.9	45.1	53.5	61.6	27.0	33.0	39.0	45.0

3. 供水利用系数

宁夏现状年管网漏损率为20%,随着节水器具的不断推广和普及以及城市供水管网的改造,城市生活用水的利用率将会不断提高。根据《宁夏节水型社会纲要》,到2010年供水管网漏损率将降低到15%,2015年达到13%。在宁夏节水型社会建设的推动下,宁夏供水系统的供水效率必将有显著的提高,结合先进国家及地区的节水状况以及我国的实际情况,确定宁夏2010年、2020年和2030年城市供水系统的利用效率为85%、87%和88%,见表10-19。

表 10-19　供水系统利用系数

行政分区	2000 年	2010 年	2020 年	2030 年
全区	80.0	85.0	87.0	88.0
银川市	82.0	86.0	88.0	89.0
石嘴山市	81.0	85.0	87.0	88.0
吴忠市	79.0	84.0	86.0	88.0
中卫市	78.0	82.0	84.0	86.0
固原市	75.0	80.0	83.0	86.0

（二）预测结果分析

1. 不考虑节水状态下的生活需水量

不考虑节水状态的生活需水量指在预测水平年不节水的需水定额下,供水系统利用系数保持基准年不变所计算得出的需水量。不考虑节水状态下的需水量见表10-20。

表10-20　生活需水预测结果（不考虑节水）　　　　（单位:万 m³）

行政分区	城镇生活需水				农村生活需水			
	2000 年	2010 年	2020 年	2030 年	2000 年	2010 年	2020 年	2030 年
全区	6 628.4	11 104.7	15 724.3	20 012.9	4 017.0	4 689.9	4 859.3	5 166.2
银川市	3 491.4	5 323.4	6 992.4	8 471.5	754.4	793.9	701.1	642.7
石嘴山市	1 217.1	1 782.2	2 261.0	2 721.5	326.3	327.6	322.2	330.5
吴忠市	1 079.4	1 897.1	2 825.7	3 700.2	914.9	1 098.4	1 204.9	1 320.8
中卫市	519.6	1 089.1	1 758.4	2 342.2	859.7	1 041.0	1 028.9	1 018.7
固原市	320.9	1 012.9	1 886.8	2 777.5	1 161.7	1 429.0	1 602.2	1 853.5

在不考虑节水状态下,城镇居民需水由 2000 年的 0.66 亿 m³ 增长到不同预测水平年的 1.11 亿 m³、1.57 亿 m³ 和 2.0 亿 m³,2030 年需水量是 2000 年的 3 倍,增长较快。而农村生活需水变化不大,由 2000 年的 0.402 亿 m³ 增加到三个预测水平年的 0.47 亿 m³、0.49 亿 m³ 和 0.52 亿 m³。城镇及农村生活需水总量在三个预测年段中的平均增长速度分别为 4.02%、2.68% 和 2.02%,增长率总体呈下降趋势。

2. 宁夏生活用水节水量

生活节水主要是降低城市管网的漏损率以及由于管理和价格措施而使人均用水定额降低而获得的节水量,与 2000 年的管网漏损率相比,宁夏生活用水的节水效果见表10-21。

表10-21　宁夏生活需水节水量　　　　（单位:万 m³）

行政分区	2010 年	2020 年	2030 年
全区	798.9	1 802.9	2 954.7
银川市	384.1	840.1	1 308.4
石嘴山市	104.3	201.2	289.4
吴忠市	178.4	409.6	704.4
中卫市	68.7	170.1	297.2
固原市	63.4	181.9	355.3

表中数据表明,随着节水的实施,节水效果比较明显,与 2000 年用水水平相比,2010 年、2020 年、2030 年生活需水将分别节约 798.9 万 m³、1 802.9 万 m³ 和 2 954.7 万 m³,分别占城镇需水的 7.19%、11.47% 和 14.76%。

3. 节水状态下的需水量

节水状态下的需水量指在预测水平年节水的需水定额下,在规划供水系统利用系数的水平下,所计算得出的需水量。根据人口预测结果、需水预测定额以及供水管网的供水效率,得出宁夏生活需水总量,见表10-22。

表 10-22　宁夏生活需水预测结果（考虑节水）　　　　（单位：万 m³）

行政分区	城镇生活需水				农村生活需水			
	2000 年	2010 年	2020 年	2030 年	2000 年	2010 年	2020 年	2030 年
全区	6 628.4	10 305.8	13 921.4	17 058.2	4 017.0	4 689.9	4 859.3	5 166.2
银川市	3 491.4	4 939.3	6 152.3	7 163.1	754.4	793.9	701.1	642.7
石嘴山市	1 217.1	1 677.9	2 059.9	2 432.2	326.3	327.6	322.2	330.5
吴忠市	1 079.4	1 718.7	2 416.1	2 995.7	914.9	1 098.4	1 204.9	1 320.8
中卫市	519.6	1 020.3	1 588.3	2 045.0	859.7	1 041.0	1 028.9	1 018.7
固原市	320.9	949.6	1 704.8	2 422.2	1 161.7	1 429.0	1 602.2	1 853.5

预测结果表明，随着城镇化率的提高以及人均用水的增加，城镇生活需水增长较快，从 2000 年的 0.66 亿 m³ 增加到 2010 年的 1.03 亿 m³，增加了 50% 左右，年均增长 4.5%，之后增长速度相对减缓。2020 年和 2030 年需水总量分别是 1.39 亿 m³ 和 1.71 亿 m³，年均增长分别为 3.1% 和 2.1%。由于农村人口逐渐向城市转移，农村生活需水增长相对较慢，2000 年、2010 年、2020 年和 2030 年农村生活需水分别为 0.40 亿 m³、0.47 亿 m³、0.49 亿 m³ 和 0.52 亿 m³。2000～2030 年三个十年段生活需水年均增长率分别为 3.49%、2.28%、1.70%。

二、农业需水与节水预测

由于宁夏地处西北干旱、半干旱区，林地（包括经果林、农田防护林）、牧草都是在农田内部或者农田周围，和农作物一样靠灌溉而生存，没有灌溉就没有生命。因此，研究宁夏农业需水时，将林地、草地与农作物需水统一考虑，统称为农田灌溉需水；渔业需水作为一个独立的用水部门，单独考虑，主要指靠人工补水的鱼塘，二者的和为农业需水。

在西北半干旱半湿润地区，由于供水水源不足，往往要考虑非充分灌溉。对于宁夏平原灌区，由于引黄便利，供水水源较为充足，基本可以实现充分灌溉，而对于南部山区，水资源缺乏，要考虑非充分灌溉。对于降水则主要考虑 25%、50%、75%、95% 四种降水频率情况下的农田灌溉需水。

由于宁夏各行政区气候条件、土壤条件、地形、地貌存在不同，降水由南向北逐渐递减，地势南高北低，南部是山区，北部是平原。因此，各地的种植习惯存在差异，在进行农业需水计算时，将全区划分成若干个小区，使每个小区内部的气候、土壤、种植等条件基本一致。采用水资源配置的计算分区，共分为 33 个计算单元。

（一）农田灌溉需水计算

宁夏农田灌溉需水计算按照方法篇中所提出的需水计算公式进行，式中所需确定参数如下。

1. 作物需水量

在估算农作物需水量时应用参考作物法，对于参考作物需水量 ET_0 和作物系数 K_c 采用宁夏灌区试验测定的数值，对于个别缺乏资料的地区，移用与其条件相似地区的资料。

2. 有效降水量 P_e 的计算

根据宁夏的实际情况并结合试验资料分析研究确定出宁夏旱作物各月降水有效利用系数,见表 10-23。由于宁夏降水量比较少,如果降水量大于 5 mm,生育期内几乎所有的降水都可被水稻田利用,降水量小于 5 mm,则没有有效降水。

表 10-23　有效降水利用系数

降水量(mm)	<5	5~30	30~50	50~100	100~150	>150
降水有效利用系数	0	0.85	0.8	0.75	0.65	0.55

3. 作物生育期内的地下水补给量的确定

根据有关地下水利用量试验资料,建立了宁夏地下水利用量与地下水埋深之间的关系式,见表 10-24。

表 10-24　不同作物生育期地下水利用量与地下水埋深的关系

作物	生育期	$G(h)\sim h$ 关系式	适用范围
冬小麦	10 月下旬	$G(h)=7h^2-34.7h+43.3$	
	11 月	$G(h)=11h^2-81.7h+43.3$	
	12 月	$G(h)=-21h^2+71.7h+147.3$	
	1 月	$G(h)=-1.6h^2-3.2h+18$	
	2 月	$G(h)=24h^2-111.8h+130.3$	
	3 月	$G(h)=-17.8h^2-30.3h+45.1$	
	4 月	$G(h)=3h^2-26.7h+91.2$	
	5 月	$G(h)=-21.8h^2+74.3h-1.4$	
	6 月	$G(h)=-2.6h^2+6.1h+5.9$	
春小麦	3 月	$G(h)=15.5h^2-73.25h+86.8$	
	4 月	$G(h)=-17.8h^2-30.3h+45.1$	
	5 月	$G(h)=3h^2-26.7h+91.2$	
	6 月	$G(h)=-21.8h^2+74.3h-1.4$	
	7 月	$G(h)=-2.6h^2+6.1h+5.9$	
夏玉米	6 月	$G(h)=1.2417h^2-7.9384h+13.478$	0.5 m$\leqslant h\leqslant$2.5 m
	7 月	$G(h)=3.673h^2-23.481h+39.866$	
	8 月	$G(h)=4.2833h^2-27.383h+46.49$	
	9 月	$G(h)=1.601h^2-10.235h+17.376$	
春玉米	4 月	$G(h)=0.2469h^2-1.5783h+2.6795$	
	5 月	$G(h)=1.2066h^2-7.7134h+13.096$	
	6 月	$G(h)=4.5319h^2-28.912h+49.188$	
	7 月	$G(h)=4.435h^2-28.352h+48.136$	
	8 月	$G(h)=2.9269h^2-18.712h+31.768$	
	9 月	$G(h)=0.1515h^2-0.9688h+1.6448$	
大豆	4 月	$G(h)=0.5768h^2-3.6874h+6.269$	
	5 月	$G(h)=3.4255h^2-21.899h+37.179$	
	6 月	$G(h)=3.067h^2-19.607h+33.288$	
	7 月	$G(h)=33.0185h^2-19.297h+32.763$	
	8 月	$G(h)=2.4298h^2-15.534h+26.373$	
	9 月	$G(h)=0.9812h^2-6.2727h+10.65$	

注:h 单位为 m,$G(h)$ 单位为 mm。

其通用数学表达式:

$$G_i(h) = \sum_{t=j}^{m} \sum_{n=0}^{k} a_{n,t} h_{i,t}^n \qquad 0.5 \leqslant h_{i,t} \leqslant 2.5 \qquad (10\text{-}18)$$

式中:$G_i(h)$ 为第 i 种作物在整个生育期内在地下水埋深为 h 时直接利用的地下水量;$h_{i,t}$ 为第 i 种作物在生育期内第 t 月份的地下水埋深;j 为第 i 种作物生育期的初始月份;m 为第 i 种作物生育期的期末月份;$a_{n,t}$ 和 k 为系数。

从模型式中可以看出,作物直接利用的地下水量与地下水埋深密切相关,地下水埋深浅,作物利用的多,灌溉需水量相应就少。

4. 稻田全生育期渗漏量 F_d

宁夏稻田渗漏量采用其实际观测值(宁夏灌溉资料汇编),其观测点比较少,资料缺乏,所以对于宁夏各分区水稻田渗漏量粗略的采用同样的数值,见表 10-25。

表 10-25　不同生育阶段水稻田渗漏量

生理阶段	栽种—分蘖	分蘖—拔节	拔节—抽穗	抽穗—灌浆	灌浆—蜡熟	合计
日期(月-日)	05-20 ~ 06-30	07-01 ~ 07-17	07-18 ~ 08-04	08-05 ~ 08-21	08-22 ~ 09-15	05-20 ~ 09-15
渗漏量(mm)	585.24	155.55	143.9	67.15	75.35	1 027.2

5. 作物种植结构 A_i

宁夏各分区的种植结构主要考虑以下几种:小麦、单种玉米、套种玉米、水稻、大豆、瓜菜、经果林、牧草等。根据宏观经济社会发展预测模型,宁夏农田灌溉面积及种植结构见表 10-26 ~ 表 10-28。

表 10-26　2010 年宁夏作物种植结构及灌溉面积　　　　　　(单位:万亩)

地区	合计	粮食作物				经济作物、林、果、牧				
		小麦	水稻	玉米	麦套玉米	豆类	瓜菜	牧草	林果	枸杞
全区	753.6	111.9	80.0	123.1	110.1	97.1	92.0	16.0	92.9	30.5
银川市	259.8	39.0	40.9	42.6	41.6	20.4	24.7	2.4	48.2	0
石嘴山市	119.9	12.0	9.5	23.4	26.8	14.5	21.2	0	3.4	9.1
吴忠市	190.9	19.5	17.0	46.7	26.7	33.2	21.5	12.1	14.2	0
中卫市	121.1	5.5	12.6	8.3	15.0	18.4	13.9	0.9	25.1	21.4
固原市	61.9	35.9	0	2.1	0	10.6	10.7	0.6	2.0	0

表 10-27　2020 年宁夏作物种植结构及灌溉面积　　　　　　(单位:万亩)

地区	合计	粮食作物				经济作物、林、果、牧				
		小麦	水稻	玉米	麦套玉米	豆类	瓜菜	牧草	林果	枸杞
全区	803.6	121.2	80.1	176.4	59.9	109.6	96.6	29.2	95.6	35.0
银川市	261.8	39.4	40.6	58.7	22.5	21.0	25.6	4.7	49.3	0
石嘴山市	121.8	12.1	9.7	34.3	14.6	15.2	22.1	0	3.5	10.3
吴忠市	222.2	23.9	16.9	66.6	14.6	42.1	22.1	21.4	14.6	0
中卫市	126.2	5.0	12.9	14.5	8.2	18.7	14.5	1.8	25.9	24.7
固原市	71.6	40.8	0	2.3	0	12.6	12.3	1.3	2.3	0

表 10-28　2030 年宁夏作物种植结构及灌溉面积　　　（单位：万亩）

地区	合计	粮食作物				经济作物、林、果、牧				
		小麦	水稻	玉米	麦套玉米	豆类	瓜菜	牧草	林果	枸杞
全区	838.6	141.6	59.9	180.8	59.9	120.8	102.9	31.6	100.4	40.7
银川市	266.9	45.4	30.8	59.8	22.7	22.8	28.0	5.3	52.1	0
石嘴山市	121.8	13.6	7.0	33.5	14.2	15.8	22.8	0	3.6	11.3
吴忠市	237.0	29.1	12.3	70.4	14.7	48.5	23.6	23.1	15.3	0
中卫市	131.2	5.2	9.8	14.7	8.3	19.7	15.3	1.8	27.0	29.4
固原市	81.7	48.3	0	2.4	0	14.0	13.2	1.4	2.4	0

6. 灌溉水利用效率

根据调查，宁夏灌区目前大部分采用传统的地面灌水技术，其灌溉水利用系数一般仅有 0.4 左右，宁夏各个灌区的灌溉水利用系数差异也较大，其中引黄灌区仅有 0.38，扬黄灌区、井灌区灌溉水利用系数稍高一点，可以达到 0.5 以上。因此，宁夏灌区节水潜力巨大，在确定灌溉水利用系数时，在现状分析的基础上，要充分考虑未来年份灌溉技术的改进、灌溉工程的更新改造、灌溉管理水平的提高等诸多因素对用水定额的影响。根据宁夏建设节水型社会的目标以及未来可能实施的节水措施，在现状分析的基础上确定未来水平年灌溉水利用系数，见表 10-29。

表 10-29　不同水平年灌溉水利用系数预测

分区	2010 年			2020 年			2030 年		
	渠系水	田间水	灌溉水	渠系水	田间水	灌溉水	渠系水	田间水	灌溉水
银川市	0.463	0.780	0.361	0.523	0.860	0.450	0.573	0.900	0.516
永宁县	0.450	0.780	0.351	0.510	0.860	0.439	0.560	0.900	0.504
贺兰县	0.450	0.780	0.351	0.510	0.860	0.439	0.560	0.900	0.504
灵武市	0.510	0.810	0.415	0.580	0.880	0.512	0.630	0.915	0.578
大武口区	0.450	0.780	0.351	0.510	0.860	0.439	0.560	0.900	0.504
平罗县	0.470	0.780	0.367	0.530	0.860	0.456	0.580	0.900	0.522
惠农县	0.450	0.780	0.351	0.510	0.860	0.439	0.560	0.900	0.504
青铜峡市	0.418	0.780	0.326	0.475	0.860	0.409	0.525	0.900	0.473
利通区	0.435	0.780	0.339	0.495	0.860	0.426	0.545	0.900	0.491
盐池县	0.650	0.840	0.546	0.670	0.900	0.603	0.720	0.930	0.670
同心县	0.595	0.840	0.500	0.650	0.900	0.585	0.700	0.930	0.651
红寺堡	0.650	0.840	0.546	0.680	0.900	0.612	0.730	0.930	0.679
沙坡头区	0.443	0.795	0.354	0.495	0.870	0.432	0.545	0.908	0.496
中宁县	0.500	0.810	0.408	0.548	0.880	0.484	0.598	0.915	0.548
海原县	0.600	0.840	0.504	0.650	0.900	0.585	0.700	0.930	0.651
原州区	0.585	0.840	0.491	0.640	0.900	0.576	0.690	0.930	0.642
西吉县	0.570	0.840	0.479	0.630	0.900	0.567	0.680	0.930	0.632
隆德县	0.570	0.840	0.479	0.630	0.900	0.567	0.680	0.930	0.632
泾源县	0.570	0.840	0.479	0.630	0.900	0.567	0.680	0.930	0.632
彭阳县	0.463	0.780	0.361	0.523	0.860	0.450	0.573	0.900	0.516

(二)渔业需水计算

考虑地方实际状况,由于宁夏属于缺水地区,渔业不会有太大的发展,结合地方规划,确定宁夏鱼塘补水面积小幅度增长,进而对鱼塘补水面积进行预测,水面蒸发量采用宁夏气象局提供的数据。按照鱼塘补水计算原理,可以得到现状年鱼塘补水量,见表10-30(以预测水平年50%降水频率为例)。总体来说,宁夏鱼塘需水量变化不大,仅由2000年的1.19亿 m^3 增加到2010年的1.39亿 m^3,增加了0.2亿 m^3 需水量,之后还略微有所降低,但变化仅有几百万立方米的需水。

表10-30　预测水平年50%保证率的鱼塘补水量　　　　(单位:万 m^3)

地区	2010 年	2020 年	2030 年
全区	13 875.4	13 815.9	13 789.9
银川市	9 421.5	9 381.2	9 363.5
银川市	5 438.3	5 415.0	5 404.8
永宁县	828.1	824.6	823.0
贺兰县	2 730.0	2 718.3	2 713.2
灵武市	425.1	423.3	422.5
石嘴山市	2 664.4	2 653.0	2 648.0
平罗县	1 494.8	1 488.4	1 485.6
惠农县	1 169.6	1 164.6	1 162.4
吴忠市	875.8	872.0	870.4
青铜峡市	875.8	872.0	870.4
中卫市	913.7	909.7	908.0
沙坡头区	575.2	572.7	571.6
中宁县	338.5	337.0	336.4

注:未列县(市)的鱼塘补水量为0。

(三)牲畜需水预测

牲畜需水预测与居民生活需水预测方法相似,分成大牲畜和小牲畜两类,用日需水定额法预测。

随着宁夏产业结构及种植结构的调整,牧业将是该区的发展方向,牧业生产逐步会有较大的提高,结合地方规划及实际状况,对宁夏牲畜发展状况进行预测。

宁夏2000年大牲畜和小牲畜日均需水定额分别为30.0 L/头和8.7 L/头,较丰水地区的定额要小一些,但地方的实际水资源状况决定了牲畜单位需水不会有太大的增长,结合实际状况,可预测宁夏水平年牲畜日需水定额。

根据牧业发展状况及牲畜日需水定额,计算得出牲畜需水结果,见表10-31。结果表明,随着宁夏畜牧业的大力发展,牲畜需水增长较大,由现状年的0.267亿 m^3 增长到2030年的0.583亿 m^3,增加了1倍还多,但是由于总量较小,对需水影响不大。

表 10-31　预测水平年牲畜需水量　　　　　（单位：万 m³）

地区	大牲畜需水			小牲畜需水		
	2010 年	2020 年	2030 年	2010 年	2020 年	2030 年
全区	1 325.3	1 592.3	1 824.5	2 340.7	3 222.3	4 010.1
银川市	238.7	288.9	333.4	457.0	630.3	786.1
石嘴山市	93.6	112.9	129.9	295.0	399.3	488.5
吴忠市	264.3	319.9	369.2	735.2	1 010.5	1 253.0
中卫市	187.9	226.7	260.7	545.0	746.2	924.7
固原市	540.8	643.9	731.3	308.5	436.0	557.8

（四）预测结果与分析

农田毛灌溉水量、鱼塘补水量及牧业需水量之和即为农业需水量。

不节水状态下的农田需水量是指在预测水平年的发展灌溉面积下，保持现状的种植结构，灌区没有实施改造，维持现状的渠系水利用系数，灌溉措施没有改善，维持现状的灌溉水利用系数所需的农田需水量。节水状态下的农田需水量是指在预测水平年的发展灌溉面积下，按照规划年的种植结构，通过灌区改造工程，提高渠系水利用系数，改善灌溉措施，提高灌溉水利用系数所需的农田需水量。

以预测水平年 50% 降水频率条件为例说明农业需水与节水预测结果，见表 10-32 ~ 表 10-34。

1. 不节水状态下农业需水量

表 10-32 结果表明，在不节水状态下，农业需水将有一定幅度的增长，在 50% 平水年份，农业需水由 2000 年的 78.98 亿 m³ 增加到 2010 年的 84.17 亿 m³，增加了 5.19 亿 m³，随着农业的发展，农业需水将逐步增长，到 2020 年和 2030 年农业需水分别为 86.30 亿 m³ 和 88.96 亿 m³，分别比 2010 年和 2020 年增加 2.13 亿 m³ 和 2.66 亿 m³。

表 10-32　宁夏 50% 降水频率下农业毛需水量（不考虑节水）　　　（单位：万 m³）

地区	2000 年	2010 年	2020 年	2030 年
全区	789 766	841 696	862 990	889 560
银川市	336 877	343 271	327 147	333 160
石嘴山市	150 833	154 533	157 354	157 597
吴忠市	163 860	179 219	201 974	212 421
中卫市	122 427	141 979	150 261	156 715
固原市	15 769	22 694	26 254	29 667

2. 农业节水量

农业节水是国民经济节水的重点，通过种植结构调整和工程措施逐步提高农业灌溉水利用系数是农业节水的重要措施，表 10-33 是农业节水效果分析。

表 10-33　　50% 降水频率下节水效果　　　　　　　　　　（单位：万 m³）

地区	种植结构调整			灌溉水利用系数提高			总节水效果		
	2010 年	2020 年	2030 年	2010 年	2020 年	2030 年	2010 年	2020 年	2030 年
全区	77 676.8	96 370.9	113 920.3	142 817	231 571	279 226	211 999	306 440	365 606
银川市	32 857.8	33 314.7	39 252.4	57 392	89 315	106 025	87 207	115 131	135 707
石嘴山市	14 030.8	20 675.9	23 414.6	28 007	43 395	50 566	40 108	59 096	67 867
吴忠市	16 389.1	24 154.9	29 161.7	30 153	52 491	64 838	44 738	71 563	87 390
中卫市	14 243.9	18 122.7	21 979.4	23 975	40 390	49 751	36 524	54 593	66 516
固原市	155.2	102.7	112.2	3 290	5 980	8 046	3 422	6 057	8 126

　　结果表明,50% 降水年份,保持 2000 年的灌溉水利用系数,通过种植结构调整,2010 年、2020 年和 2030 年的节水量分别是 7.77 亿 m³、9.64 亿 m³ 和 11.39 亿 m³,分别占总需水的 9.23%、11.17% 和 12.81%;而保持 2000 年种植结构不变,逐步提高灌溉水利用系数,2010 年、2020 年和 2030 年的节水量分别是 14.28 亿 m³、23.16 亿 m³ 和 27.92 亿 m³,分别占总需水的 16.97%、26.83% 和 31.39%;而通过两种节水措施,三个预测水平年的节水量分别是 21.20 亿 m³、30.64 亿 m³ 和 36.56 亿 m³,分别占总需水量的 25.19%、35.51% 和 41.10%,节水效果非常明显。

　　3. 节水状态下农业需水量

　　表 10-34 结果表明,农业需水总体呈下降趋势,在 50% 平水年份,农业需水由 2000 年的 78.98 亿 m³ 减少到 2010 年的 62.97 亿 m³,减少了 16.01 亿 m³,随着节水措施的不断实施,农业节水潜力将逐渐减少,到 2020 年和 2030 年农业需水分别为 55.66 亿 m³ 和 52.40 亿 m³,分别比 2010 年和 2020 年减少 7.13 亿 m³ 和 3.26 亿 m³,总体来说随着农业节水的不断进行,节水潜力将逐渐减少。

表 10-34　　宁夏 50% 降水频率条件下农业毛需水量（节水）　　　　（单位：万 m³）

地区	2000 年	2010 年	2020 年	2030 年
全区	789 765.6	629 697.1	556 550.2	523 953.4
银川市	336 877.3	256 063.9	212 016.5	197 452.5
石嘴山市	150 832.8	114 424.7	98 258.0	89 730.0
吴忠市	163 859.9	134 481.4	130 410.3	125 030.6
中卫市	122 427.0	105 454.9	95 668.3	90 199.1
固原市	15 768.6	19 272.2	20 197.1	21 541.2

三、第二产业需水与节水预测

　　第二产业需水与节水预测成果也以宏观经济社会发展预测模型中的推荐方案为基础进行计算。

（一）计算参数的确定

　　1. 第二产业增加值预测

　　根据宏观经济社会发展预测模型,可预测各水平年一般行业及火电行业增加值,见表 10-35。

表 10-35 预测水平年一般工业及火电行业增加值 （单位：万元）

地区	火电行业增加值				一般工业增加值			
	2000 年	2010 年	2020 年	2030 年	现状年	2010 年	2020 年	2030 年
全区	80 382	410 337	801 820	1 205 656	1 120 018	3 323 364	8 787 347	18 041 949
银川市	0	100 614	336 003	475 915	475 764	1 567 565	4 191 362	8 031 175
石嘴山市	54 082	134 424	151 309	167 683	229 636	609 382	1 462 472	2 926 428
吴忠市	25 568	140 948	234 029	462 040	274 821	728 843	1 997 899	4 489 234
中卫市	732	34 351	80 479	100 018	89 319	209 625	511 727	1 251 085
固原市	0	0	0	0	50 478	207 949	623 887	1 344 027

2. 工业用水重复率

提高工业生产用水系统的利用效率是工业节水的一大举措。其内容主要包括改变生产用水方式（如改直流用水为循环用水），提高水的循环利用率及回用率，或统称提高水的重复利用率。提高水的重复利用率，通常可在生产工艺条件基本不变的情况下实现，因而是工业节水前期主要的节水途径。当前宁夏工业用水重复利用率为 45%，根据《宁夏节水型社会建设方案》到 2010 年将达到 60%，预计到 2020 年、2030 年将分别达到 70% 和 80%。

3. 第二产业需水定额

第二产业单位增加值需水与地区的经济发展水平、水资源总量状况、工业生产水平、工业内部结构等因素有着很重要的关系。水资源量丰富，不需要因为水资源量的约束来调整工业内部结构，工业生产节水意识不强，因此用水量相对较高，反之，水资源量不足的地区，由于水资源短缺，必须调整产业结构，减少单位用水量，同时人们节水意识较强，因此用水效率较高，单位工业增加值用水量相对较少；另一方面，经济发展水平较高的地区，资金相对雄厚，可以投入一定的资金进行节水，设备更新快，技术先进，水资源利用效率较高，反之，经济发展落后的地区，资金匮乏，设备陈旧，技术落后，水资源利用效率低。

宁夏 1980~2002 年一般工业和火电行业单位增加值用水状况（不考虑工业水重复利用）表明，工业单位增加值用水一直处于下降趋势，一般工业下降幅度较小，由 1985 年最高的 683.9 m³/万元下降到 2002 年的 303.5 m³/万元，而火电行业下降幅度较大，1980 年单位增加值用水量为 13 643 m³，但之后持续下降，2002 年单位增加值用水量为 1 146 m³。

对一般工业单位增加值的历史数据进行线性回归分析，发现单位用水量与时间序列有一定的相关关系：

$$IQ^t = e^{0.032\,5t + 71} \tag{10-19}$$

公式中参数同方法篇中所述计算公式。以此方程得出 2000 年及三个预测水平年的万元增加值用水量分别为 398.5 m³/万元、287.9 m³/万元、208.0 m³/万元和 150.3 m³/万元，火电行业用水量的相关性不是很好，研究中参考一般行业的趋势，同时石嘴山电厂冷却水为直流式，用水量较大，但耗水小，大部分用水回归到河道之中，研究中对单位用水量给予适当折减，取统计用水量的 15%，最终工业单位增加值用水量见表 10-36。

表 10-36　宁夏预测水平年第二产业需水定额(不考虑节水)　(单位:m³/万元)

行政分区	火电行业需水定额				一般工业需水定额			
	2000 年	2010 年	2020 年	2030 年	2000 年	2010 年	2020 年	2030 年
全区	530.0	324.0	228.4	168.6	419.9	302.2	175.1	109.0
银川市	0	348.6	254.5	185.8	420.9	335.1	197.4	128.5
石嘴山市	510.3	385.8	281.6	205.6	503.3	338.2	186.0	115.3
吴忠市	586.7	326.5	235.1	173.9	361.1	249.5	152.4	92.8
中卫市	0	348.6	254.5	185.8	459.7	275.1	145.8	83.1
固原市	0	0	0	0	280.7	160.9	95.5	56.3

与全国及各省份相比,宁夏工业单位产出用水量相对较高,万元增加值取水为 514 m³(依据宁夏水资源公报计算得出的数据是 384.4 m³/万元,差异是因为统计口径不同所致,实际计算依据宁夏水资源公报数据),因此宁夏工业需水具有较大的节水空间。现在宁夏省会银川市正在推广节水型社会建设,加强水资源管理,提高水资源的利用效率,这将对宁夏的节水起到很好的带动作用。考虑到节水措施的实施,宁夏工业万元增加值用水量将会有所降低,由于缺少相关资料,研究中节水状态下定额取非节水定额的95%,宁夏预测水平年万元节水万元增加值需水量见表10-37。

表 10-37　宁夏预测水平年第二产业需水定额(节水)　(单位:m³/万元)

行政分区	火电行业需水定额				一般工业需水定额			
	2000 年	2010 年	2020 年	2030 年	2000 年	2010 年	2020 年	2030 年
全区	530.0	336.4	241.8	175.2	419.9	287.8	166.7	103.8
银川市	0	332.0	242.4	176.9	420.9	319.1	188.0	122.4
石嘴山市	510.3	367.4	268.2	195.8	503.3	322.1	177.2	109.8
吴忠市	586.7	310.9	223.9	165.7	361.1	237.6	145.4	88.4
中卫市	0	332.0	242.4	176.9	459.7	262.0	138.9	79.2
固原市	0	0	0	0	280.7	153.2	90.9	53.7

(二)预测结果分析

依据方法篇中第二产业需水与节水计算方法,可得宁夏第二产业需水与节水预测结果如下。

1. 不考虑节水状态下的需水量

不考虑节水状态下的工业需水量是指在采用非节水定额,按照现状供水管网利用效率和工业用水重复利用率水平,结合预测水平年的工业增加值计算得出的工业需水量。各预测水平年第二产业需水见表10-38。

表 10-38　宁夏第二产业需水预测(不节水)　(单位:万 m³)

行政分区	火电行业需水				一般工业需水			
	2000 年	2010 年	2020 年	2030 年	2000 年	2010 年	2020 年	2030 年
全区	5 306.1	18 040.2	25 277.8	27 593.6	32 456.8	69 037.5	105 549.2	134 879.2
银川市	0	4 277.3	10 427.5	10 781.7	13 529.3	35 488.1	55 916.8	69 723.5
石嘴山市	3 407.4	6 402.8	5 261.2	4 256.3	8 256.0	14 722.7	19 433.4	24 109.7
吴忠市	1 898.7	5 824.8	6 963.5	10 173.5	6 705.3	12 287.6	20 576.3	28 156.3
中卫市	0	1 535.3	2 625.6	2 382.1	2 954.0	4 149.4	5 368.4	7 481.1
固原市	0	0	0	0	1 012.2	2 389.7	4 254.3	5 408.6

　　总体来说,随着工业的发展,宁夏未来年份第二产业需水仍呈增长趋势,但第二产业需水的增长速度要远低于第二产业的增长速度。在经济发展推荐方案下,2010 年第二产业需水将由 2000 年的 3.78 亿 m^3 增加到 2010 年的 8.71 亿 m^3,年均增长率为 8.71%;2020 年自治区工业需水为 13.08 亿 m^3,年均增长率为 4.15%;之后工业需水增长率相对降低,2021~2030 年需水增长率为 2.19%,到 2030 年总需水量为 16.25 亿 m^3。

　　2. 第二产业节水量

　　通过供水管网的改造、工业节水工艺的普及以及价格机制的制约,宁夏工业供水管网的漏损率到 2010 年、2020 年、2030 年分别将达到 15%、13% 和 12%,工业用水的重复利用率将分别达到 60%、70% 和 80%,见表 10-39。

表 10-39　第二产业节水效果　　　　　　（单位:万 m^3）

行政分区	2010 年	2020 年	2030 年
全区	11 173.8	22 696.0	34 953.3
银川市	5 193.3	11 532.0	17 341.3
石嘴山市	2 649.9	4 325.7	6 265.5
吴忠市	2 269.6	4 683.1	7 944.8
中卫市	726.9	1 338.7	2 113.9
固原市	334.1	816.5	1 287.8

　　随着节水措施的实施,工业节水效果非常明显,与 2000 年工业用水效率相比较,2010 年、2020 年、2030 年工业用水量将分别节约 1.12 亿 m^3、2.27 亿 m^3 和 3.5 亿 m^3,分别占各年份工业需水量的 12.83%、17.25% 和 21.51%,因此在今后的发展中,要把工业节水放在首位,以保证国民经济的协调发展。

　　3. 节水状态下的需水量

　　节水状态下工业需水量是指在采用节水定额,按照预测水平年规划供水管网利用效率和工业用水重复利用率水平,结合预测水平年的工业增加值计算得出的工业需水量。各预测水平年第二产业需水见表 10-40。

表 10-40　宁夏第二产业需水预测（节水）　　　　　（单位:万 m^3）

行政分区	火电行业需水				一般工业需水			
	2000 年	2010 年	2020 年	2030 年	2000 年	2010 年	2020 年	2030 年
全区	32 456.8	59 600.8	85 798.0	103 572.0	3 642.1	7 491.3	11 382.3	16 050.9
银川市	13 529.3	30 688.0	45 558.4	53 703.2	2 263.1	4 770.8	7 257.2	9 927.1
石嘴山市	8 256.0	12 664.7	15 703.8	18 369.3	634.7	1 186.2	1 449.7	1 864.6
吴忠市	6 705.3	10 625.5	16 764.6	21 686.9	516.0	1 006.1	1 494.5	2 115.0
中卫市	2 954.0	3 566.8	4 333.4	5 691.8	143.0	316.4	707.4	1 232.5
固原市	1 012.2	2 055.6	3 437.8	4 120.8	85.3	211.8	473.5	911.7

总体来说,随着工业的发展,即使在节水状况下,宁夏未来年份第二产业需水仍呈增长趋势。在经济发展推荐方案下,2010 年第二产业需水将由 2000 年的 3.78 亿 m³ 增加到 2010 年的 7.59 亿 m³,年均增长率为 7.23%;2020 年自治区工业需水为 10.81 亿 m³,年均增长率为 3.60%;之后工业需水增长率相对降低,2021～2030 年需水增长率为1.66%,到 2030 年总需水量为 12.75 亿 m³,宁夏工业需水增长率高于我国平均水平。需要注意的是,银川地区的灵武市将来要发展成工业区,地区规划建设宁东供水工程,用以供给该区的工业发展用水,因此银川地区的工业用水增长率较高。

四、第三产业需水与节水预测

与第二产业类似,第三产业需水与节水预测成果也以宏观经济社会发展预测模型中的推荐方案为基础进行计算。

(一)计算参数的确定

1. 第三产业增加值预测

根据宏观经济社会发展预测模型,可得各水平年第三产业增加值预测结果,见表 10-41。

表 10-41　预测水平年第三产业增加值　　　　　　　　(单位:万元)

行政分区	2000 年	2010 年	2020 年	2030 年
全区	996 831	2 562 683	6 453 081	13 389 199
银川市	527 395	1 330 936	3 681 644	7 582 043
石嘴山市	141 815	380 297	863 962	1 778 242
吴忠市	161 656	427 953	950 109	1 988 623
中卫市	89 027	237 268	529 307	1 113 273
固原市	76 938	186 229	428 059	927 018

2. 第三产业需水定额

根据宁夏 1980～2002 年第三产业单位用水(扣除管网漏损后)的变化趋势可知,宁夏第三产业用水总体经过了先增后减的趋势,从 1990 年之后,宁夏第三产业单位用水一直处于下降趋势,由 1990 年的 37.7 m³/万元减少到 2000 年的 27.8 m³/万元,2002 年又降为 23.3 m³/万元。但内部用水差异较大,由于吴忠及固原市水资源匮乏,单位用水量较少,万元增加值用水量只有 7.5 m³/万元。对第三产业单位增加值的历史数据进行线性回归分析,发现单位用水量与时间序列有一定的相关关系:

$$TQ^t = e^{-0.035t + 73.2} \tag{10-20}$$

公式中参数同方法篇所述公式。以此方程得出现状年及三个预测水平年的万元增加值用水量分别为 26.9 m³/万元、19.0 m³/万元、13.4 m³/万元和 9.4 m³/万元。结合地区的规划及用水趋势,宁夏预测水平年第三产业万元增加值用水量见表 10-42。

表 10-42　宁夏预测水平年第三产业需水定额(不考虑节水)　(单位:m³/万元)

行政分区	2000 年	2010 年	2020 年	2030 年
全区	29.7	24.7	15.7	11.8
银川市	35.2	29.6	18.0	12.8
石嘴山市	36.5	28.4	16.7	11.8
吴忠市	25.2	20.6	13.2	10.7
中卫市	12.5	11.9	11.1	10.5
固原市	8.3	8.1	8.0	7.9

随着价格因素、第三产业内部结构调整,宁夏第三产业单位增加值用水会逐渐减少,节水状态下用水定额取非节水定额的 95%,由于不同地区用水状况不同,定额会有所变动,具体结果见表 10-43。

表 10-43　宁夏预测水平年第三产业需水定额(节水)　(单位:m³/万元)

行政分区	2000 年	2010 年	2020 年	2030 年
全区	29.7	23.2	14.8	10.4
银川市	35.2	27.9	17.0	11.3
石嘴山市	36.5	26.7	15.7	10.3
吴忠市	25.2	18.9	12.2	9.2
中卫市	12.5	10.5	10.1	9.0
固原市	8.3	8.1	8.0	7.8

3. 供水利用系数

第三产业供水系统主要由城市供水系统供给,研究中第三产业供水漏损率取与城市生活相同,2010 年、2020 年和 2030 年第三产业供水利用系数为 85%、87% 和 88%。

(二)预测结果分析

依据方法篇中第三产业需水与节水计算方法,可得宁夏第三产业需水与节水预测结果如下。

1. 不考虑节水状态下的需水量

不考虑节水状态下第三产业需水量是指在采用非节水定额,按照 2000 年供水管网利用效率水平,结合预测水平年的第三产业增加值计算得出的第三产业需水量。各预测水平年第三产业需水见表 10-44。

表 10-44　宁夏第三产业需水预测(不考虑节水)　(单位:万 m³)

行政分区	2000 年	2010 年	2020 年	2030 年
全区	3 642.1	8 401.3	13 024.2	19 909.8
银川市	2 263.1	5 308.4	8 246.3	12 204.7
石嘴山市	634.7	1 324.1	1 656.2	2 320.7
吴忠市	516.0	1 166.0	1 760.2	2 740.1
中卫市	143.0	377.0	837.2	1 585.4
固原市	85.3	225.8	524.3	1 058.9

总体来说,随着经济发展,宁夏未来年份第三产业需水呈增长趋势。在经济发展推荐方案下,2010 年第三产业需水将由 2000 年的 0.364 亿 m^3 增加到 2010 年的 0.84 亿 m^3,年均增长率为 8.72%;2020 年自治区工业需水为 1.302 亿 m^3,年均增长率为 4.48%;之后工业需水增长率相对降低,2021 ~ 2030 年需水增长率为 4.34%,到 2030 年总需水量为 1.991 亿 m^3。

2. 第三产业节水量

第三产业节水主要体现在价格机制和供水系统供水利用系数上,第三产业节水效果见表 10-45。

表 10-45　第三产业节水效果　　　　　（单位:万 m^3）

行政分区	2010 年	2020 年	2030 年
全区	910.0	1 641.8	3 858.9
银川市	537.6	989.1	2 277.7
石嘴山市	137.8	206.6	456.1
吴忠市	159.9	265.8	625.1
中卫市	60.6	129.8	352.9
固原市	14.1	50.5	147.1

结果表明,第三产业总的节水量不高,但节水效果也比较明显,较 2000 年第三产业用水水平,2010 年、2020 年和 2030 年第三产业节水量占第三产业总用水量的 10.83%、12.61% 和 19.38%,推荐方案下节水量分别是 910 万 m^3、1 642 万 m^3 和 3 859 万 m^3。

3. 节水状态下的需水量

节水状态下第三产业需水量是指在采用节水定额,按照预测水平年规划供水管网利用效率水平,结合预测水平年的第三产业增加值计算得出的第三产业需水量。各预测水平年第三产业需水见表 10-46。

表 10-46　宁夏第三产业需水预测（节水）　　　　　（单位:万 m^3）

行政分区	2000 年	2010 年	2020 年	2030 年
全区	3 642.1	7 491.3	11 382.3	16 050.9
银川市	2 263.1	4 770.8	7 257.2	9 927.1
石嘴山市	634.7	1 186.2	1 449.7	1 864.6
吴忠市	516.0	1 006.1	1 494.5	2 115.0
中卫市	143.0	316.4	707.4	1 232.5
固原市	85.3	211.8	473.5	911.7

宁夏未来年份第三产业需水呈增长趋势,2010 年将由 2000 年的 0.364 亿 m^3 增加到 2010 年的 0.749 亿 m^3,年均增长率为 7.48%;2020 年自治区第三产业需水为 1.138 亿 m^3,年均增长率为 4.27%;之后第三产业需水增长率相对降低,2021 ~ 2030 年需水增长率为 3.5%,到 2030 年总需水量为 1.605 亿 m^3。虽然第三产业需水增长速度较快,但由于基数较小,第三产业需水总量变化不是太大。

五、生态需水预测

宁夏绿洲生态需水的计算是在绿洲生态稳定性评价的基础上,以维持绿洲良好的稳定性为目标,分别对不同规划水平年需水进行计算。从供水的角度,宁夏绿洲生态需水又可分为天然供给和人工配置的生态需水。研究中考虑对天然供给量不能满足需水的人工生态进行人工配水,人工配水量根据人工生态需水量和天然供给量的差值计算而得。

宁夏生态需水计算方法公式如前所述,其中参数 a、b 的值可根据宁夏当地水文地质部门试验数据标定出来的数值:a 取 1.174,b 取 3.63;在裸地(植被盖度 <5%)的地区,a 取 0.62,b 取 2.8。宁夏绿洲湖泊生态需水主要考虑湖泊蒸发和湖泊渗漏消耗的水量。湖泊的蒸发量计算原理同河道蒸发计算,其渗漏量等于湖泊面积与该地渗漏系数的乘积。

由表 10-47 可知,宁夏绿洲 2000 年总生态需水量为 49 835.85 万 m^3,平水年份人工配置需水量为 2 147.27 万 m^3,枯水年份人工配置需水量为 3 673.10 万 m^3。预测各水平年的生态需水量时以 2000 年生态状况为生态保护目标,2010 年、2020 年和 2030 年各水平年的生态总需水量分别为 47 193.57 万 m^3、47 923.64 万 m^3 和 47 923.64 万 m^3。与同水文年型相比,人工配置需水量处于增长趋势,2010 年平水年份和枯水年份总人工配置需水量分别增长到 3 267.68 万 m^3 和 4 774.67 万 m^3,2020 年增长到 5 248.42 万 m^3 和 6 664.96 万 m^3,2030 年增长到 7 111.34 万 m^3 和 8 702.66 万 m^3。

表 10-47　宁夏绿洲各水平年生态需水预测结果　　　　　(单位:万 m^3)

水平年	林地需水	草地需水	湿地需水	总需水	平水年份		枯水年份	
					天然供给	人工配置	天然供给	人工配置
2000 年	8 875.01	30 817.47	10 143.37	49 835.85	47 688.58	2 147.27	46 162.74	3 673.10
2010 年	8 875.01	30 817.47	7 501.09	47 193.57	43 925.89	3 267.68	42 418.90	4 774.67
2020 年	8 875.01	31 547.54	7 501.09	47 923.64	42 675.22	5 248.42	41 258.68	6 664.96
2030 年	8 875.01	31 547.54	7 501.09	47 923.64	40 812.30	7 111.34	39 220.97	8 702.66

六、宁夏经济生态系统总需水量与总节水量

(一)总需水量与总节水量

宁夏经济生态总需水量包括生活需水(包括农村生活需水和城镇生活需水)、产业需水(包括第二产业需水和第三产业需水)、农业需水(包括农田灌溉需水、渔业需水、牧业需水和生态需水)三部分,总需水量和总节水量如下。

1. 不考虑节水状态下需水量

不考虑节水状态下的需水量见表 10-48,计算结果表明,在不考虑节水的情况下,2030 年较 2000 年增加了 26.0 亿 m^3,主要为产业需水和农业需水的增加,其中产业需水增加了 14.1 亿 m^3,农业需水增加了 10.5 亿 m^3,生活需水增幅为 1.4 亿 m^3。

2. 宁夏总节水量

宁夏总节水量见表 10-49,总体来讲,宁夏节水量潜力较大,尤其是农业,由于 2000 年

灌溉水利用效率较低,具有很大的节水潜力。在方案组合一情况下,三个预测水平年农业需水节水量分别为21.2亿m³、30.64亿m³和36.56亿m³,分别占当年经济社会总节水量的94.3%、92.1%和89.7%,是经济社会节水的重点;产业需水也有较大的节水潜力,三个预测水平年节水量分别为1.21亿m³、2.43亿m³和3.88亿m³;生活需水的节水量较小,2030年节水量仅为0.3亿m³。因此,在今后的发展过程中,要重视农业节水,实现水权转移,将农业节出的水量用于发展产业经济,逐步提高宁夏的经济水平。

表10-48　不考虑节水状态下宁夏需水状况　　　　　　（单位:亿m³）

年份	2000 年	2010 年	2020 年	2030 年
生活需水	1.06	1.58	2.06	2.52
产业需水	4.14	9.55	14.39	18.24
农业需水	79.19	84.50	86.82	89.67
总需水	84.39	95.63	103.27	110.43

表10-49　宁夏节水量结果　　　　　　（单位:亿m³）

年份	2010 年	2020 年	2030 年
生活节水	0.08	0.18	0.30
产业节水	1.21	2.43	3.88
农业节水	21.20	30.64	36.56
总节水量	22.49	33.25	40.74
节水率(%)	23.52	32.21	36.89

3. 节水状态下的需水量

宁夏节水状态下的需水量见表10-50,计算结果表明,在采取节水措施的情况下,宁夏的总需水量逐渐降低,2030年较2000年的减幅在14.7亿m³。各部门中,农业需水在种植结构调整、工程及非工程节水措施下逐渐减少,由2000年的79.2亿m³减少的2010年的63.3亿m³,减少了15.9亿m³,随着节水措施的不断实施,农业节水潜力将逐渐减少,到2020年和2030年,农业需水分别为56.2亿m³和53.1亿m³,分别比2010年和2020年减少7.1亿m³和3.1亿m³。总体来说,随着农业节水的不断进行,节水潜力将逐渐减少。而随着城镇化的推进和经济的发展,虽然在节水状况下,产业需水仍然有较大的增长,由基准年的4.14亿m³分别增加到三个预测水平年的8.34亿m³、11.95亿m³和14.36亿m³,增长了3.5倍。生活需水增长也较快,由2000年的1.06亿m³增长到三个预测水平年的1.5亿m³、1.88亿m³和2.22亿m³,增长了2.1倍。

表10-50　节水状态下宁夏需水状况　　　　　　（单位:亿m³）

水平年	2000 年	2010 年	2020 年	2030 年
生活需水	1.06	1.50	1.88	2.22
产业需水	4.14	8.34	11.95	14.36
农业需水	79.19	63.30	56.18	53.11
总需水	84.39	73.14	70.01	69.69

（二）节水状态下的需水结构

在节水状态下，宁夏的需水结构见图 10-1。随着节水措施的实施，预测水平年需水结构发生了很大的变化，虽然农业仍是需水大户，但需水量和需水比重都在降低，而产业需水和生活需水的比重在逐渐增加。三个预测水平年农业需水比重为 86.8%、80.1%、76.0%，分别比 2000 年下降了 7.0、13.7、17.8 个百分点，充分体现了农业节水的效果；而产业需水比重由现状的 4.9% 变化为各预测水平年的 11.1%、17.2%、20.8%，增幅较大；生活需水的比重也发生了较大的变化，2030 年生活需水比重为 3.2%，比 2000 年增加了1.9 个百分点。

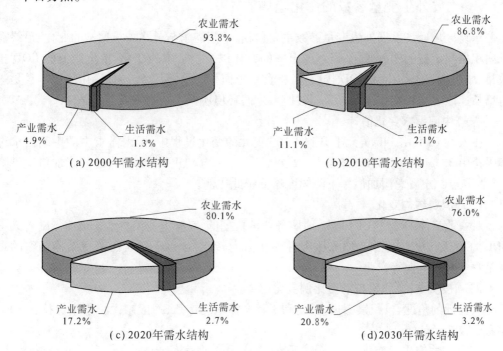

图 10-1　节水状态下宁夏需水结构

总体来说，随着节水的实施，宁夏的需水结构发生了很大的变化，农业用水比重显著减少，而产业需水和生活需水比重明显增加，这是经济社会发展的必然趋势。为了提高居民生活水平，必须大力发展城镇经济，其结果就是产业需水逐渐增加，而地区水资源量有限，必须通过压缩农业需水来供给产业及生活需水，使水权发生转移。当然，由于农业是经济社会发展的基础，压缩农业需水必须在保证农业健康稳定发展的前提下进行，不能动摇生存之本，危及地区的粮食安全。

第十一章　宁夏广义水资源合理配置

第一节　多目标优化配置

一、主要外生变量参数的变化趋势估计

宁夏区域经济发展外生变量参数主要包括:中间需求与最终需求比例的变化、最终需求内积累与消费的比例变化、资本产出率的变化以及投资率的变化、单位产值的 COD 排放量、城市人口人均生活 COD 排放量、粮食单位面积产量,而这些参数变化趋势本身是进行增长速度和结构变化预测,经济与社会、生态环境协调发展的重要前提条件。

(一)中间需求变化估计

在人均 GDP 由 140 美元上升到 2 100 美元的变化过程中,国内需求中的中间需求份额平均由 33% 上升到 45%,增加了 12 个百分点;人均 GDP 每翻一番,总的附加值率下降 3 个百分点。宁夏总附加值率下降幅度略低于此比例。

(二)消费结构变化

对农业产品的消费比例偏高,对服务业消费偏低,对邮电业消费增长迅速。随着人均 GDP 的不断上升,向健康、娱乐、服务性消费方向转化,今后宁夏居民消费结构调整的重点是农业和服务业等产业。

(三)投资结构、积累与消费比例变化

从长远的角度看,积累率过大,不利于社会需求的增长,一般来说积累率保持在 30% 左右比较合适。

(四)资本产出率变化

变化最明显的是农业和采掘业,随着经济发展而降低;社会基础设施和服务业则相反,但变化幅度不大;制造业内部各主要部门基本不变,这个变化趋势可以作为预测资本产出率变化的依据。

(五)粮食单产变化估计

宁夏全区在 20 世纪 80 年代以前,平均产量一般在 100 kg/亩以下,进入 80 年代以后,粮食单产有所提高,从 80 年代以前的 100 kg/亩以下提高到 80 年代末的 170 kg/亩左右,90 年代末提高到 230 kg/亩左右。

二、配置结果分析

以宁夏当前的发展状况,应主要以经济发展为首要目标,提高地区的经济竞争力和居民生活水平,因此在模型决策中,粮食产量目标以保证地区粮食自给、满足地区需求为目标;生态目标以地区生态不发生退化、绿洲面积能够保证地区的绿洲生态稳定度达到良好的水平为目标。在最终的模型决策中,以经济目标为主要决策目标,在不同的经济发展水

平下,得出地区的环境目标、城镇就业目标及水资源利用状况。

总体来说,对宁夏用水影响最大的是农业,也就是模型中的粮食产量目标,农业的发展状况直接影响地区用水状况,如果提高地区的人均粮食占有量,地区用水量会明显提高,但是随着农业节水措施的实施,不同预测水平年农业需水呈降低趋势;某一预测水平年经济的发展变化程度对地区的环境状况和城镇就业状况有较大的影响,同一预测水平年地区的污染状况会随着经济发展的提高而加重,而就业率会随着经济增长而改善。从总的发展趋势看,宁夏经济在稳步增长,虽然地区污水排放量在逐渐增加,但是由于水处理投资的不断提高,污水处理力度逐渐加强,地区的环境状况在逐渐改善,COD 人均负荷呈下降趋势。

最终,经过分析比较,选取了五个方案作为推荐的决策方案。在各个方案中,同一水平年粮食人均占有量和生态绿色当量面积保持不变,粮食产量满足地区自给,三个预测水平年人均占有量分别为 443 kg、442 kg 和 419 kg,生态当量面积以维持地区生态为良好状况,保持在 97.8 万亩。不同决策方案的变化主要体现在经济发展水平上,同一水平年各方案的经济增长速度差 0.5 个百分点。在持续保持经济高增长的情况下,地区总需水量除前 10 年有所降低外,之后总需水量基本保持在 73 亿 m³ 左右,而经济持续保持低增长的情况下,地区的总需水量在持续下降,由基准年的 84.4 亿 m³ 减少到 2010 年的 72.5 亿 m³,之后又逐渐下降到 2020 年的 68.2 亿 m³ 和 2030 年的 66.6 亿 m³。因此,地区的经济发展程度对地区的需水也有着较大的影响,政府应以宁夏水资源量为本底,在地区水量可持续利用的前提下保持地区经济的适度增长,以保证地区经济、生态的和谐,社会的可持续发展,方案主要决策变量见表 11-1,宁夏各地市主要决策变量见表 11-2。

第二节 广义水资源合理配置

一、水资源系统分析与概化

水资源系统概化是建立广义水资源合理配置模型的基础。将实际的水资源系统概化为由节点和有向线段构成的网络,节点包括重要水库、计算单元和河渠道交汇点等。计算单元是基本而重要的节点,各种水源的供水都是在计算单元的基础上进行的;有向线段代表天然河道或人工输水渠,反映节点之间水流传输关系。根据宁夏区域行政区划、水系、工程布局和供水用水等情况,可以将宁夏分为 10 个分区,即沙坡头河北灌区、沙坡头河南灌区、固海扬黄灌区、红寺堡扬黄灌区、南部山区、青铜峡河西灌区银南、青铜峡河西灌区银北、青铜峡河东灌区、盐环定扬水灌区、原陶乐灌区。各分区按行政区划又进一步划分为多个计算单元,将地级市作为独立计算单元单独调算,全区共划分为 33 个计算单元(见表 11-3)。

根据水资源合理配置的需要,为反映影响供需分析中各个主要因素的内在联系,根据计算单元、地表水系、地下水和大中型及重要水利工程之间的地理关系和水力联系,通过抽象和概化绘制了宁夏区域水资源系统网络图。地表水系包括黄河、清水河、苦水河、红柳沟,重要的水利工程包括规划的大柳树水利枢纽、沙坡头水库、青铜峡水库和引扬水渠道等。水资源系统网络见图 11-1。

表 11-1 方案主要决策变量一览表

年份	方案	国内生产总值			粮食		城镇就业率 (%)	生态绿色当量面积 (万亩)	区废色排放量 (亿m³)	水处理投资 (亿元)	COD人均负荷 (g/(人·d))	用水量 (亿m³)				
		GDP (亿元)	增长率 (%)	人均值 (元)	产量 (万t)	人均值 (kg/人)						农业	工业	生活	生态	总量
2000年	现状	265.57	9.80	4 799.0	249.10	454.12	95.40		2.56	1.30	110.72	76.35	3.78	1.43	2.84	84.40
2010年	方案A	657.90	9.50	10 412.1	280.00	443.12	94.10	97.80	4.84	5.09	89.61	60.50	6.93	2.25	2.80	72.48
	方案B	688.60	10.00	10 897.4	280.00	443.12	94.40	97.80	5.02	5.35	93.19	60.50	7.25	2.25	2.80	72.80
	方案C	720.50	10.50	11 403.0	280.00	443.12	94.70	97.80	5.20	5.63	96.92	60.50	7.59	2.25	2.80	73.14
	方案D	753.80	11.00	11 929.7	280.00	443.12	95.10	97.80	5.40	5.91	100.80	60.50	7.94	2.25	2.80	73.49
	方案E	788.50	11.50	12 478.1	280.00	443.12	95.50	97.80	5.60	6.21	104.85	60.50	8.31	2.25	2.80	73.86
2020年	方案A	1 446.90	8.20	20 782.2	300.80	432.05	93.90	97.80	7.86	10.23	62.79	53.38	9.01	3.02	2.80	68.21
	方案B	1 585.80	8.70	22 777.2	300.80	432.05	94.40	97.80	8.47	11.30	67.88	53.38	9.87	3.02	2.80	69.07
	方案C	1 737.30	9.20	24 953.3	300.80	432.05	94.80	97.80	9.13	12.49	73.44	53.38	10.81	3.02	2.80	70.01
	方案D	1 902.50	9.70	27 326.0	300.80	432.05	95.20	97.80	9.85	13.79	79.50	53.38	11.84	3.02	2.80	71.04
	方案E	2 082.50	10.20	29 912.0	300.80	432.05	95.40	97.80	10.64	15.23	86.10	53.38	12.96	3.02	2.80	72.16
2030年	方案A	2 616.20	6.10	34 714.2	315.50	418.64	93.10	97.80	11.42	11.23	42.67	50.31	9.67	3.83	2.80	66.61
	方案B	3 005.40	6.60	39 878.1	315.50	418.64	93.50	97.80	12.80	13.32	47.87	50.31	11.11	3.83	2.80	68.05
	方案C	3 450.20	7.10	45 780.9	315.50	418.64	93.80	97.80	14.37	15.79	53.80	50.31	12.75	3.83	2.80	69.69
	方案D	3 958.40	7.60	52 524.2	315.50	418.64	94.30	97.80	16.16	18.69	60.59	50.31	14.63	3.83	2.80	71.57
	方案E	4 538.60	8.10	60 223.0	315.50	418.64	94.80	97.80	18.21	22.08	68.34	50.31	16.77	3.83	2.80	73.71

表11-2 宁夏各地市主要决策变量一览表

年份	方案	国内生产总值			粮食		城镇就业率(%)	生态绿色当量面积(万亩)	区废水排放量(亿m³)	COD人均负荷(g/(人·d))	用水量(亿m³)				
		GDP(亿元)	增长率(%)	人均值(元)	产量(万t)	人均值(kg/人)					农业	工业	生活	生态	总量
2000年	现状	265.60	9.80	4 799.0	249.11	454.12	95.40	0	2.56	110.72	78.98	3.78	1.43	0.21	84.40
2010年	宁夏全区	720.50	10.50	11 403.0	280.00	443.12	94.70	97.70	5.20	96.92	62.80	7.60	2.30	0.30	73.00
	银川市	334.30	11.20	20 195.6	93.40	564.10	95.40	33.70	2.60	113.60	25.60	3.50	1.10	0.20	30.40
	石嘴山市	122.10	9.60	17 258.2	38.20	540.10	95.10	15.50	1.10	71.10	11.40	1.80	0.30	0.10	13.60
	吴忠市	150.40	10.10	11 996.4	63.60	507.20	94.80	24.80	0.90	130.60	13.40	1.60	0.40	0	15.40
	中卫市	63.10	9.30	5 970.1	46.50	439.90	94.50	15.70	0.40	101.60	10.50	0.50	0.20	0	11.20
	固原市	50.60	10.80	3 076.2	38.30	233.00	93.60	8.00	0.20	24.70	1.90	0.20	0.30	0	2.40
2020年	宁夏全区	1 737.30	9.20	24 953.3	300.80	432.10	94.80	97.80	9.00	73.40	55.60	10.80	3.00	0.50	69.90
	银川市	856.10	9.90	47 505.1	100.30	556.70	95.50	31.90	4.80	104.00	21.20	5.50	1.40	0.30	28.40
	石嘴山市	256.70	7.70	36 274.6	41.10	554.20	95.20	14.80	1.70	60.00	9.80	2.00	0.40	0.20	12.40
	吴忠市	358.30	9.10	28 584.6	68.30	475.10	94.90	27.00	1.50	156.20	13.00	2.30	0.50	0	15.80
	中卫市	140.20	8.30	13 266.5	49.90	440.70	94.60	15.40	0.70	124.20	9.60	0.70	0.30	0	10.60
	固原市	126.00	9.60	7 659.4	41.20	222.90	93.70	8.70	0.30	30.10	2.00	0.30	0.40	0	2.70
2030年	宁夏全区	3 450.20	7.10	45 780.9	315.50	418.60	93.80	97.70	14.10	53.80	52.40	12.70	3.80	0.80	69.70
	银川市	1 670.40	6.90	86 184.0	105.20	542.90	94.50	31.10	7.10	60.10	19.70	6.30	1.80	0.40	28.20
	石嘴山市	490.30	6.70	69 293.5	43.10	558.10	94.20	14.20	2.50	44.10	9.00	2.20	0.50	0.30	12.00
	吴忠市	743.30	7.60	59 298.2	71.60	448.90	93.90	27.60	2.60	159.00	12.50	3.00	0.60	0.10	16.20
	中卫市	287.80	7.50	27 236.7	52.40	445.10	93.60	15.30	1.30	138.30	9.00	0.80	0.40	0	10.20
	固原市	258.50	7.40	15 706.5	43.20	210.30	92.70	9.50	0.60	28.10	2.20	0.40	0.50	0	3.10

表 11-3　宁夏区域水资源系统分区

序号	分区名称	计算单元编号与名称
1	沙坡头河北灌区	1. 中卫市沙坡头河北灌区;2. 中宁县沙坡头河北灌区;3. 青铜峡沙坡头灌区;4. 中卫市区
2	沙坡头河南灌区	5. 中卫市沙坡头灌区黄河南;6. 中宁县沙坡头灌区黄河南
3	固海扬黄灌区	7. 中卫市固海扬黄灌区;8. 中宁县固海扬黄灌区;9. 同心县固海扬黄灌区;10. 海原县固海扬黄灌区;11. 固原市固海扬黄灌区
4	红寺堡扬黄灌区	12. 中宁县红寺堡扬黄灌区;13. 红寺堡管委会
5	南部山区	14. 南部山区境内汇入黄河;15. 原州区;16. 南部山区境外汇入宁夏
6	青铜峡河西灌区银南	17. 青铜峡市河西灌区;18. 永宁县;19. 银川市河西灌区;20. 银川市区
7	青铜峡河西灌区银北	21. 贺兰县;22. 石嘴山;23. 平罗河西灌区;24. 石嘴山市区
8	青铜峡河东灌区	25. 青铜峡市黄河以北;26. 吴忠市;27. 灵武市河东灌区;28. 吴忠市区
9	盐环定扬水灌区	29. 灵武市扬水灌区;30. 同心县扬黄灌区;31. 盐池县扬黄灌区
10	原陶乐灌区	32. 银川原陶乐灌区;33. 平罗县原陶乐灌区

二、配置方案设置

(一)配置方案设置依据

宁夏经济生态水资源合理配置是由工程措施和非工程措施组成的体系来实现的,水资源配置方案的设置与生成实质上是不同配置措施进行组合的过程,对于宁夏经济生态水资源配置方案生成有较大影响的调控措施可以大致归为四类:一是区域水资源调控的基本准则。国家分配给宁夏可耗用的黄河水资源量 40 亿 m^3,其中包括宁夏当地地表水资源可利用量,并视黄河来水丰枯变化进行同比例增减调配。不同调控准则下的配水过程对于流域和区域的生态环境保护和社会经济发展目标仍有很大影响;二是区域经济社会发展方略。经济社会发展的速度、规模和方向将决定着区域用水结构和用水量;三是用水模式的影响,主要包括用水结构和用水水平,包括行业用水比例、行业用水产出、节水方案和节水水平等;四是重大工程的建设与布局。宁夏水工程包括大柳树水利枢纽、沙坡头水利枢纽、宁东工业供水工程、扬黄工程、泾河调水工程、灌区治理改造工程、城市供水和城市景观工程等。而方案生成的过程就是在此四维向量空间中寻优的过程。宁夏经济生态水资源合理配置方案设置主要影响因子见表 11-4。

具体确定上述四类调控向量集合的具体指标主要考虑两大依据,一是现状依据,方案设置必须建立以现状为基础逐步进行调整,现状依据包括现状用水结构和用水水平、供水结构和工程布局、现状生态格局等;二是规划依据,包括区域社会经济发展规划、产业结构调整规划、节水规划、生态环境保护规划和水利工程规划等。

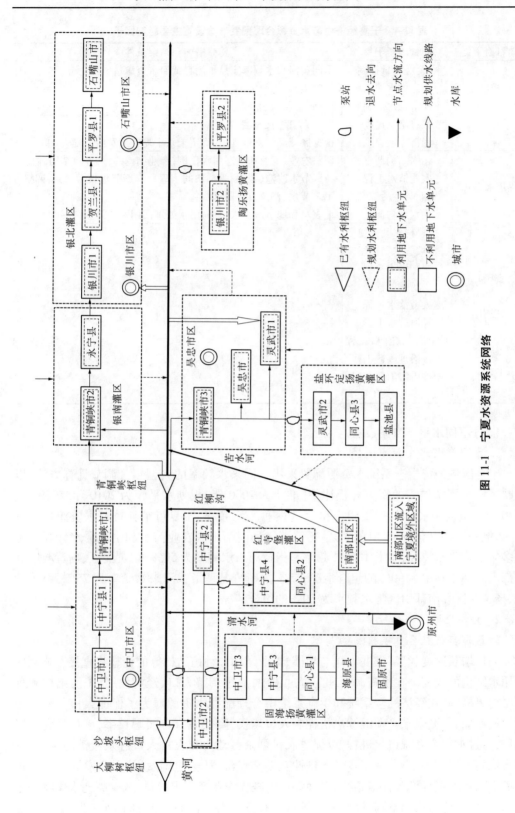

图 11-1 宁夏水资源系统网络

表 11-4 宁夏经济生态水资源合理配置方案设置主要影响因子

向量因子集	向量因子子集	具体措施和约束条件
调控准则	宁夏耗水量控制	不同黄河来水频率宁夏可消耗黄河水资源量
	生态供水原则	适时供水、均衡供水
	经济配水原则	生活、工业、农业的适时配水
社会经济发展	人口增长速度	控制人口增长速度
	经济发展速度	根据区域经济发展规划,确定未来宁夏经济发展速度
供用水模式	用水结构调整	调整农业、工业和生态用水比例,产业结构调整,种植结构调整
	农业节水工程	灌区节水改造(渠系衬砌、田间工程)、高新节水技术、渠系调整
	工业与生活节水	工艺节水、普及节水器具
	供水结构调整	地表水和地下水供水比例、污水处理回用
工程措施	大柳树水利枢纽	
	沙坡头水利枢纽	
	宁东供水工程	
	扬黄工程	
	人畜饮水工程	
	泾河调水工程	
	城市供水和景观工程	
	灌区治理改造工程	
	南部山区治理工程	
	地下水开采工程	

(二)不同水平年方案设置

1. 水平年与水文频率选择

宁夏区域经济生态系统水资源配置采用不同来水频率的典型年月调节计算方法,以反映区域水资源供需的特点和规律,基准年为 2000 年,规划水平年为 2010 年、2020 年、2030 年。黄河来水频率考虑 50% 和 75% 两种来水频率,宁夏可消耗黄河水资源量分别为 32 亿 m^3 和 40 亿 m^3。引黄灌区、扬黄灌区和南部山区农业需水和生态需水计算只考虑多年平均降水情况,本书中 50% 频率是指黄河来水频率为 50%,引黄灌区、扬黄灌区和南部山区降水频率为 50% 的组合情况;75% 频率情况是指黄河来水频率为 75%,引黄灌区、扬黄灌区和南部山区降水频率为 50% 的组合情况。

2. 主要配置措施分析

1)区域经济社会发展格局的调整

人口增长速度、经济发展方向与规模、工业结构和种植结构等的调整将直接影响到区域用水结构的改变。在水资源合理配置过程中,通过调整人口、经济发展、工业结构和种植结构等措施,在经济社会系统和生态系统中合理配置水资源。为了保证人口与社会经济协调发展,宁夏未来必须继续严格控制人口增长,降低人口自然增长率,逐步提高人口素质;通过加速宁夏城镇化进程,以促进农村剩余劳动力和农村人口进入城镇为中心,逐步形成新型城乡关系,实现城乡经济良性互动和经济、社会协调发展;农业发展主要体现在灌溉面积发展规模及种植结构调整两方面,减少农业产品出口量,减少高耗水作物种植面积;加快产业结构调整和升级,大力发展具有竞争力的优势特色加工制造业,依靠工业化来带动农业产业化和城镇化步伐,促进地区经济的跨越式发展。

2) 灌溉面积与种植结构方案

2000 年宁夏灌溉面积 684 万亩,南部山区库井灌区 41 万亩,扬黄灌区 81 万亩,平原区灌溉面积 562 万亩,其中水稻种植面积 130 万亩,复种面积 170 万亩。根据宁夏区域发展"581"工程规划,2010 年前开发灌溉面积 100 万亩,并且随着未来大柳树工程枢纽的运用,宁夏引扬黄灌区灌溉面积都将有大的变化。宁夏现状种植结构以粮食为主、以特色优势农产品为辅,经济作物比重相对较低。未来在确保自治区粮食安全、耕地占补平衡的基础上,农业经济结构调整以种植业为基础、林草业为重点、畜牧业为主导,稳定粮食种植面积,适当压缩耗水量大的水稻种植面积和复种面积,扩大低耗水高效益作物种植面积,扩大优质饲草、饲料作物种植面积,提高畜牧业在国民经济中的比重。

3) 灌区续建配套与节水改造

宁夏引黄灌区引耗水量大,是节水潜力最大的地区。由于灌区历史悠久,水资源利用率低,2000 年青铜峡灌区渠系水利用系数只有 0.44,并且由于灌排不当,地下水位居高不下,蒸发强烈,造成大面积盐渍化。未来宁夏灌区节水改造和配套工程主要是灌区工程改造,230 万亩中低产田改造,提高广义水资源的有效利用率,将自流灌区渠系水利用系数提高到 0.55 以上,田间水利用系数由现状的 0.7~0.8 提高到 0.9 以上。宁夏扬黄灌区将在完成扶贫扬黄灌溉一期工程配套面积 45 万亩的基础上,提高灌溉水利用系数,结合优势特色农产品、设施农业布局配套喷滴灌面积 30 万亩,新增生态建设面积 35 万亩。南部山区库井灌区节水改造规划主要是加强干支渠砌护、完成各类配套建筑、提高水利用系数。

4) 水利工程规划

未来宁夏水利工程规划主要包括沙坡头水利枢纽、大柳树水利枢纽、宁东供水工程、泾河调水工程、太阳山供水工程。沙坡头水利枢纽主要任务为灌溉和发电,装机 12.42 万 kW,提高沙坡头灌区引水保证率,已于 2004 年竣工。大柳树水利枢纽具有供水、灌溉、防洪、发电等综合效益,是黄河流域规划确定的干流控制性骨干梯级枢纽工程之一。泾河调水工程是将宁夏固原地区南部六盘山东麓的泾河流域地表水向北输送到固原县北部清水河川的固原地区,以城市供水为主,兼顾农业灌溉,规划 2010 年供水 6 000 万 m^3。宁东供水工程是宁东能源重化工基地非常重要的基础设施项目,自银川黄河大桥下游的黄河右岸取水,一期工程工业供水 13 570 万 m^3,鸭子挡生态区供水 1 800 万 m^3,二期工业供水 31 820 万 m^3,红墩子生态区供水 4 200 万 m^3。太阳山供水工程规划 2010 年工业生活用水 3 000 万 m^3,2020 年为 7 000 万 m^3。

5) 地下水开采

除了青铜峡电厂、石嘴山电厂和中卫造纸厂使用黄河水以外,宁夏现状工业和生活用水主要以地下水为供水水源,引黄灌区农业实用地下水较少,且地下水开采主要集中在北部地区。随着工业化、城镇化进程的加快和人口的不断增加,对地下水的需求日益增加,以及由于引黄灌区引水量的限制,迫使灌区部分农业用水以地下水为替代水源。灌区大量开采使用地下水,一方面可以降低地下水位,减少区域无效蒸发,有利于水资源的高效利用;另一方面由于地下水大量使用使地下水位下降,导致湖泊萎缩和植被退缩,给区域生态环境带来了危害。

未来地下水使用主要考虑生态地下水位、经济承受能力和优水优用的原则。生活用水继续使用优质地下水,对水质要求较高的工业用水可以继续使用地下水,重点地区则限制地下水使用量。2000 年银川市地下水开采量达到稳定的平衡,不宜再增加深层地下水的开采量,未来银川市生活用水和对水质要求较高的工业企业可以使用深层地下水,其余的地下水使用必须转为浅层地下水或是地表水。石嘴山市大武口区地下水开采区出现了很深的地下漏斗,并且由于开采量过大,没有达到稳定状态,深层地下水仍在不断下降,地下漏斗仍在不断加深,为缓解未来大武口区的地下漏斗状况,未来地下水水资源的使用建议遵循以下方式:生活用水可以使用优质的深层地下水,工业用水应在现状的基础上,适当减少地下水使用量,保持地下水的可持续发展利用,新增的工业供水建议使用地表扬黄供水。

6) 污水处理回用

宁夏水环境污染主要来源于工业和生活等点源污染,以及由于农业、林业、牧业等大量地施用化肥、农药而形成的面大、分散、不易集中处理的面源污染。污水资源化具有环境和资源两大效益,宁夏现状和在建及规划污水处理设施分布如图 11-2 和图 11-3 所示。未来宁夏将逐步增加城市生活和工业污水处理率和回用率,降低城市供水管网漏损率,增加中水回用率,污水处理再利用方案规划见表 11-5。

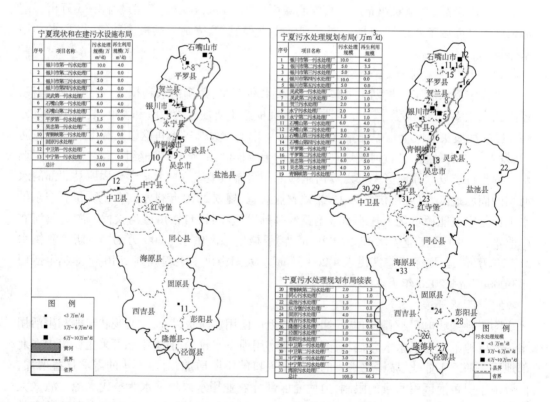

图 11-2 宁夏现状和在建污水处理设施分布   图 11-3 宁夏规划污水处理设施分布

表11-5　城镇污水处理再利用方案规划

水平年	污水再生利用方案	银川市		石嘴山市		吴忠市		中卫市		固原市	
		处理(%)	回用(%)	处理(%)	回用(%)	处理(%)	回用(%)	处理(%)	回用(%)	处理(%)	回用(%)
2000年	—	0	0	0	0	0	0	0	0	0	0
2010年	基本方案	25	20	25	20	25	20	25	20	25	20
	加强方案	35	30	35	30	35	30	35	30	35	30
2020年	基本方案	55	50	55	50	55	50	55	50	55	50
	加强方案	65	60	65	60	65	60	65	60	65	60
2030年	基本方案	80	80	80	80	80	80	80	80	80	80
	加强方案	90	90	90	90	90	90	90	90	90	90

7) 小流域综合治理

小流域综合治理作为水土保持治理措施的主要内容之一,在生产实践中发挥了重要作用,在保持水土、改良土壤、恢复植被等方面有显著成效。除水平梯田外,小流域综合治理的其他经济效益主要体现在沟坝地、经济林、种草和通过流域治理增加蓄水,用于发展和扩大的灌溉面积等方面。

3. 不同水平年主要配置方案集

根据宁夏水资源配置现状,结合不同水平年的相关规划,分别对上述四类主要影响因子进行可能的组合,得到配置方案的初始集。进一步考虑合理配置方案的非劣特性,排除了初始方案集中大量的代表性不够和明显较差的方案,最终得到水资源合理配置方案集,重点规划水平年的2010年生成了4套方案,中期2020年生成了4套方案,远期2030年选取2套方案作为远景展望。

1) 基准年方案

基准年水资源配置以2000年实际的人口、经济社会状况、工程设施、节水水平、灌溉面积和种植结构为依据。基准年全区总灌溉面积684万亩,其中平原区灌溉面积562万亩,扬黄82万亩,南部山区库井灌区41万亩。

2) 2010水平年方案集

2010水平年宁夏广义水资源配置规划了4套方案(见表11-6)。

表 11-6　2010 水平年宁夏经济生态系统水资源合理配置方案集

方案	经济社会	工程措施	其他措施	设置依据
方案一	人口与经济社会发展中方案,生活和工业需水没有考虑工程投资节水	1. 沙坡头水利枢纽; 2. 宁东一期供水 1.6 亿 m³(生态供水 2 400 万 m³); 3. 太阳山工业地表供水 3 000 万 m³; 4. 南部山区综合治理(推荐方案); 5. 银川市、大武口区等工业地表水供水工程; 6. 平原区和扬黄灌区渠系水利用系数保持不变,分别为 0.44 和 0.6,田间水利用系数为 0.78 和 0.84; 7. 平原区灌溉面积增加 25 万亩,扬黄面积增加 40 万亩,灌溉面积增加到 754 万亩; 8. 泾河人畜饮水调水 2 000 万 m³; 9. 盐环定人畜饮水工程; 10. 人畜安全饮水工程; 11. 南部山区库井灌区改造,灌溉面积增加 5 万亩	1. 生活用水采用深层地下水; 2. 银川市区工业用水逐步减少深层地下水使用量; 3. 大武口生活用水采用地下水,工业用水逐步减少地下水使用量; 4. 种植结构维持不变,仅将水稻种植面积压缩到 100 万亩,套种面积为 200 万亩	外延式增长:一次平衡方案
方案二	人口与经济社会发展中方案	1. 沙坡头水利枢纽; 2. 宁东一期供水 1.6 亿 m³(生态供水 2 400 万 m³); 3. 太阳山工业地表供水 3 000 万 m³; 4. 南部山区综合治理(推荐方案); 5. 银川市、大武口区等工业地表水供水工程; 6. 灌区节水改造,平原区和扬黄灌区渠系水利用系数分别提高到 0.50 和 0.65,田间水利用系数达到 0.86 和 0.9; 7. 平原区灌溉面积增加 25 万亩,扬黄面积增加 40 万亩,灌溉面积增加到 754 万亩; 8. 泾河人畜饮水调水 2 000 万 m³; 9. 盐环定人畜饮水工程; 10. 人畜安全饮水工程; 11. 南部山区库井灌区改造,灌溉面积增加 5 万亩	1. 生活用水采用深层地下水; 2. 银川市区工业用水逐步减少深层地下水使用量; 3. 大武口生活用水采用地下水,工业用水逐步减少地下水使用量; 4. 调整种植结构,水稻种植面积压缩到 80 万亩,套种面积压缩到 110 万亩; 5. 增加中水回用量	推荐方案:高强度节水,小幅度增加灌溉面积
方案三	人口与经济社会发展中方案	1. 沙坡头水利枢纽; 2. 宁东一期供水 1.6 亿 m³(生态供水 2 400 万 m³); 3. 太阳山工业地表供水 3 000 万 m³; 4. 南部山区综合治理(推荐方案); 5. 银川市、大武口区等工业地表水供水工程; 6. 灌区节水改造,平原区和扬黄灌区渠系水利用系数分别提高到 0.50 和 0.65,田间水利用系数达到 0.86 和 0.9; 7. 平原区灌溉面积增加 80 万亩,扬黄面积增加 85 万亩,灌溉面积增加到 853 万亩; 8. 泾河人畜饮水调水 2 000 万 m³; 9. 盐环定人畜饮水工程; 10. 人畜安全饮水工程; 11. 南部山区库井灌区改造,灌溉面积增加 5 万亩	1. 生活用水采用深层地下水; 2. 银川市区工业用水逐步减少深层地下水使用量; 3. 大武口生活用水采用地下水,工业用水逐步减少地下水使用量; 4. 调整种植结构,水稻种植面积压缩到 100 万亩,套种面积压缩到 110 万亩; 5. 增加中水回用量	大幅度增加灌溉面积方案

续表 11-6

方案	经济社会	工程措施	其他措施	设置依据
方案四	人口与经济社会发展中方案	1. 沙坡头水利枢纽； 2. 宁东一期供水 1.6 亿 m^3（生态供水 2 400 万 m^3）； 3. 太阳山工业地表供水 3 000 万 m^3； 4. 南部山区综合治理（推荐方案）； 5. 银川市、大武口区等工业地表水供水工程； 6. 灌区节水改造，平原区和扬黄灌区渠系水利用系数分别提高到 0.46 和 0.62，田间水利用系数达到 0.81 和 0.87； 7. 平原区灌溉面积增加 25 万亩，扬黄面积增加 40 万亩，灌溉面积增加到 754 万亩； 8. 泾河人畜饮水调水 2 000 万 m^3； 9. 盐环定人畜饮水工程； 10. 人畜安全饮水工程； 11. 南部山区库井灌区改造，灌溉面积增加 5 万亩	1. 生活用水采用深层地下水； 2. 银川市区工业用水逐步减少深层地下水使用量； 3. 大武口生活用水采用地下水，工业用水逐步减少地下水使用量； 4. 调整种植结构，水稻种植面积压缩到 100 万亩，套种面积压缩到 110 万亩； 5. 增加中水回用量	灌区续建配套和节水改造力度较小方案

注：新增灌溉面积均相对于基准年情况，以下同。

　　方案一为一次平衡方案，即以外延式用水需求增长与区域耗用水进行平衡分析。此方案设置是为了分析宁夏区域经济社会等情况仍然按照 2000 年基准年趋势发展将出现的问题，用以说明建设节水型社会、加强控制区域人口增长、进行工农业结构调整及节水改造等措施的必要性，为合理配置节水、防污、挖潜及其他新增供水措施的分析工作奠定基础。

　　方案二为推荐方案，此方案人口增长与经济社会发展采用中方案，全区人口增长率为 14.2%，其中固原市为 17.5%，全区城镇化率达到 45.0%，GDP 增长率为 10.6%，三产结构为 10.9∶51.3∶37.8。全区新增灌溉面积 70 万亩，宁东工业供水和太阳山工业供水分别达到一期规划供水能力。南部山区泾河调水工程主要供水对象为生活供水，以保证人畜饮水安全，以及部分工业和农业用水。控制银川市和大武口区工业用水逐步减少地下水使用量，以地表水置换工业用水中取用的地下水，按照地下水分质供水的要求，优水优用。

　　方案三为大幅度增加灌溉面积方案，此方案与方案二的区别在于灌溉面积的不同。在方案二的基础上，继续部分完成扶贫扬黄工程，平原区灌溉面积增加 55 万亩，扬黄灌溉面积增加 45 万亩。目的在于比较灌溉面积扩大方案对水资源合理配置的影响。

　　方案四是灌区续建配套和节水改造的力度较小方案，目的在于比较灌区治理节水改造的变化对水资源合理配置的影响。

　　3）2020 水平年方案集

　　2020 水平年宁夏经济生态系统水资源合理配置方案集如表 11-7 所示。

表 11-7　2020 水平年宁夏经济生态系统水资源合理配置方案集

方案	经济社会	工程措施	其他措施	设置依据
方案一	人口与经济社会发展中方案，生活和工业需水没有考虑工程投资节水	1. 大柳树水利枢纽； 2. 宁东二期供水 3.6 亿 m³（生态供水 4 200 万 m³）； 3. 太阳山工业供水 7 000 万 m³； 4. 南部山区综合治理（推荐方案）； 5. 银川市、大武口区等工业地表水供水工程； 6. 灌区节水改造，平原区和扬黄灌区渠系水利用系数分别提高到 0.44 和 0.6，田间水利用系数分别为 0.78 和 0.84； 7. 平原区灌溉面积增加 45 万亩，扬黄面积增加 65 万亩，灌溉面积增加到 804 万亩； 8. 泾河调水人畜饮水 4 000 万 m³； 9. 盐环定人畜饮水工程； 10. 人畜安全饮水工程； 11. 南部山区库井灌区改造增加灌溉面积 5 万亩	1. 生活用水采用深层地下水； 2. 银川市区工业用水逐步减少深层地下水使用量； 3. 大武口生活用水使用地下水，工业用水逐步减少地下水使用量； 4. 除了银川和大武口以外，其他部分县（市）工业生活需水也有大幅增加，增加地表水替代地下水使用量； 5. 种植结构维持不变，仅将水稻种植面积压缩到 80 万亩，套种面积为 200 万亩	一次平衡方案
方案二	人口与经济社会发展中方案	1. 沙坡头水利枢纽和大柳树水利枢纽； 2. 宁东二期供水 3.6 亿 m³（生态供水 4 200 万 m³）； 3. 太阳山工业供水 7 000 万 m³； 4. 南部山区综合治理（推荐方案）； 5. 银川市、大武口区等工业地表水供水工程； 6. 灌区节水改造，平原区和扬黄灌区渠系水利用系数分别提高到 0.55 和 0.70，田间水利用系数分别为 0.9 和 0.93； 7. 平原区灌溉面积增加 45 万亩，扬黄面积增加 65 万亩，灌溉面积增加到 804 万亩； 8. 泾河调水人畜饮水 4 000 万 m³； 9. 盐环定人畜饮水工程； 10. 人畜安全饮水工程； 11. 南部山区库井灌区改造增加灌溉面积 5 万亩	1. 生活用水采用深层地下水； 2. 银川市区工业用水逐步减少深层地下水使用量； 3. 大武口生活用水使用地下水，工业用水逐步减少地下水使用量； 4. 除了银川和大武口以外，其他部分县（市）工业生活需水也有大幅增加，增加地表水替代地下水使用量； 5. 调整种植结构，水稻种植面积压缩到 80 万亩，套种面积压缩到 55 万亩； 6. 增加中水回用量	推荐方案：高强度节水，灌溉面积小幅度增加
方案三	人口与经济社会发展中方案	1. 沙坡头水利枢纽和大柳树水利枢纽； 2. 宁东二期供水 3.6 亿 m³（生态供水 4 200 万 m³）； 3. 太阳山工业供水 7 000 万 m³； 4. 南部山区综合治理（推荐方案）； 5. 银川市、大武口区等工业地表水供水工程； 6. 灌区节水改造，平原区和扬黄灌区渠系水利用系数分别提高到 0.55 和 0.70，田间水利用系数分别为 0.9 和 0.93； 7. 平原区灌溉面积增加 120 万亩，扬黄面积增加 85 万亩，灌溉面积增加到 899 万亩； 8. 泾河调水人畜饮水 4 000 万 m³； 9. 盐环定人畜饮水工程； 10. 人畜安全饮水工程； 11. 南部山区库井灌区改造增加灌溉面积 5 万亩	1. 生活用水采用深层地下水； 2. 银川市区工业用水逐步减少深层地下水使用量； 3. 大武口生活用水使用地下水，工业用水逐步减少地下水使用量； 4. 除了银川和大武口以外，其他部分县（市）工业生活需水也有大幅增加，增加地表水替代地下水使用量； 5. 调整种植结构，水稻种植面积压缩到 80 万亩，套种面积 55 为万亩； 6. 增加中水回用量	大幅度增加灌溉面积方案

续表 11-7

方案	经济社会	工程措施	其他措施	设置依据
方案四	人口与经济社会发展中方案	1. 沙坡头水利枢纽和大柳树水利枢纽; 2. 宁东二期供水 3.6 亿 m³(生态供水 4 200 万 m³); 3. 太阳山工业供水 7 000 万 m³; 4. 南部山区综合治理(推荐方案); 5. 银川市、大武口区等工业地表水供水工程; 6. 灌区节水改造,平原区和扬黄灌区渠系水利用系数分别提高到 0.50 和 0.65,田间水利用系数分别为 0.84 和 0.86; 7. 平原区灌溉面积增加 45 万亩,扬黄面积增加 65 万亩,灌溉面积增加到 804 万亩; 8. 泾河调水人畜饮水 4 000 万 m³; 9. 盐环定人畜饮水工程; 10. 人畜安全饮水工程; 11. 南部山区库井灌区改造增加灌溉面积 5 万亩	1. 生活用水采用深层地下水; 2. 银川市区工业用水逐步减少深层地下水使用量; 3. 大武口生活用水使用地下水,工业用水逐步减少地下水使用量; 4. 除了银川和大武口以外,其他部分县(市)工业生活需水也有大幅增加,增加地表水替代地下水使用量; 5. 调整种植结构,水稻种植面积压缩到 80 万亩,套种面积为 55 万亩; 6. 增加中水回用量	灌区续建配套和节水改造力度较小方案

　　方案一为一次平衡方案,灌区灌溉水利用系数仍维持 2000 年水平,水稻种植面积自然调整为 80 万亩,复种面积为 200 万亩,粮、经、草种植面积比例维持 2000 年现状水平。

　　方案二为推荐方案,此方案人口增长与经济社会发展采用中方案,全区人口增长率为 9.7%,全区城镇化率达到 54.3%,GDP 增长率为 9.2%,三产结构为 7.2∶54.6∶38.1。与基准年相比,全区灌溉面积增加 115 万亩,灌区续建配套和节水改造工程,平原区和扬黄灌区渠系水利用系数分别提高到 0.55 和 0.7。宁东工业供水和太阳山工业供水达到规划水平。南部山区泾河调水工程在保证涉及供水范围的人畜饮水基础上,兼顾固原市城市用水和部分农业用水。银川市、大武口区等县(市)工业用水逐步减少地下水使用量,按照地下水分质供水的要求,优水优用,中卫、中宁、石嘴山、吴忠等县(市)也将使用部分地表水替代地下水。

　　方案三为大幅度增加灌溉面积方案,与方案二相比,平原区灌溉面积增加 55 万亩,扬黄增加灌溉面积 35 万亩。

　　方案四是灌区续建配套和节水改造力度较小方案。

　　4)2030 水平年方案集

　　2030 水平年在本次配置中属远景展望范畴,仅根据规划情景生成 2 套方案,分析远期可能的情景,见表 11-8。

　　方案一在 2020 年推荐方案基础上,考虑到远期灌区仍将继续提高水的利用效率,以及灌溉面积的变化,此方案假定未来灌溉面积小幅度增加方案,水稻种植面积压缩到 60 万亩。

　　方案二为大幅度增加灌溉面积方案,考虑大柳树枢纽及其配套灌溉面积,平原区灌溉面积增加 150 万亩,扬黄增加 100 万亩,水稻种植面积维持在 80 万亩。

表 11-8　2030 水平年宁夏经济生态系统水资源合理配置方案集

方案	经济社会	工程措施	其他措施	设置依据
方案一	人口与经济社会发展中方案	在 2020 年推荐方案基础上,平原区灌溉面积增加 60 万亩,扬黄面积增加 85 万亩,灌溉面积增加到 839 万亩,平原区和扬黄灌区渠系水利用系数分别提高到 0.58 和 0.73,灌溉水利用系数分别提高到 0.94 和 0.96	1. 远期宁夏平原区各县(市)工业生活用水都将有大幅度的增加,生活用水采用深层地下水,银川和大武口工业用水逐渐减少,其他县(市)严格控制工业地下水使用量,是用地表水替代地下水; 2. 继续调整种植结构,水稻种植面积压缩到 60 万亩,套种面积为 55 万亩; 3. 增加中水回用量	小幅度增加灌溉面积
方案二	人口与经济社会发展中方案	在 2020 年推荐方案基础上,平原区灌溉面积增加 150 万亩,扬黄面积增加 100 万亩,灌溉面积增加到 944 万亩,平原区和扬黄灌区渠系水利用系数分别提高到 0.58 和 0.73,灌溉水利用系数分别提高到 0.94 和 0.96	1. 远期宁夏平原区各县(市)工业生活用水都将有大幅度的增加,生活用水采用深层地下水,银川和大武口工业用水逐渐减少,其他县(市)严格控制工业地下水使用量,是用地表水替代地下水; 2. 继续调整种植结构,水稻种植面积压缩到 80 万亩,套种面积为 55 万亩; 3. 增加中水回用量	考虑大柳树工程枢纽,大幅度增加灌溉面积

三、供需平衡分析

(一)基准年供需平衡分析

基准年供需平衡分析的目的是摸清水资源开发利用在现状条件下存在的主要问题,分析水资源供需结构、利用效率和工程布局的合理性,提出水资源供需分析中的供水满足程度、余缺水量、缺水程度、缺水性质、缺水原因及其影响、水环境状况等指标。

1. 基准年 50% 频率三种口径供需平衡分析

1)传统供需平衡分析

传统供需平衡分析是研究人工蓄、引、提水资源需求和供给之间的平衡,其缺水量表明人工供水与需水之间的差值。通过水资源模拟模型和水循环模型耦合计算,并统计宁夏各县(市)供需平衡结果,基准年 50% 频率人工配置水资源供需平衡结果如表 11-9 所示。

水资源供需分析表明,平原区和扬黄灌区工农业生产和生活用水需求可以得到满足,基本上不存在缺水情况,但南部山区库井灌区缺水量为 0.27 亿 m^3,缺水率达到 18.2%。在 50% 频率下,全区总引提黄河水量 78.2 亿 m^3,其中引黄灌溉水量 75.0 亿 m^3,扬黄灌溉水量 3.2 亿 m^3。从水源利用分析,现状主要以地表水供水为主,地下水使用量主要为生活、工业用水和灌溉高峰期的农业用水,局部地区地下水超采比较严重,出现了较大范围的地下水超采,并由此引发了一系列生态环境问题,宁夏第一座污水处理厂于 2000 年兴建,基准年没有污水处理回用量。从水质状况分析,引扬黄灌区引水渠道直接引提黄河水,水质较好,但工业废水和生活污水直接进入排水沟或进入黄河,部分排水沟人为污染较为严重,在非灌溉期排水沟水量小,废污水比重大,水质更差。

表11-9 基准年50%频率人工配置水资源供需平衡结果

地市	县(市)	需水(亿 m³)				供水(亿 m³)				缺水(亿 m³)			缺水率(%)	
		生活	工业	农业	人工生态	地表供水	地下供水	污水回用	生活工业	农业	生态	总缺水量	农业缺水率	总缺水率
中卫市	中卫市	725	1 699	62 374	9	62 383	2 424	0	0	0	0	0	0	0
	中宁县	492	979	56 169	6	56 176	1 471	0	0	0	0	0	0	0
	海原县	685	419	4 255	1	4 204	1 104	0	0	51	0	51	1.2	1.0
银川市	银川市	3 221	11 478	77 204	973	78 177	14 699	0	0	0	0	0	0	0
	永宁县	462	1 346	91 419	65	91 484	1 808	0	0	0	0	0	0	0
	贺兰县	457	990	102 598	35	102 634	1 447	0	0	0	0	0	0	0
	灵武市	663	1 978	65 117	9	65 127	2 641	0	0	0	0	0	0	0
石嘴山市	大武口区	623	4 315	0	203	46	5 094	0	0	0	0	0	0	0
	惠农县	562	6 417	30 786	68	34 261	3 572	0	0	0	0	0	0	0
	平罗县	658	1 566	119 747	697	120 445	2 224	0	0	0	0	0	0	0
吴忠市	青铜峡	690	4 557	82 610	67	84 576	3 349	0	0	0	0	0	0	0
	利通区	824	2 217	64 710	14	64 724	3 041	0	0	0	0	0	0	0
	同心县	718	330	10 675	2	10 675	1 049	0	0	0	0	0	0	0
	盐池县	448	1 658	3 306	1	3 183	2 105	0	0	125	0	125	3.8	2.3
	红寺堡	79	87	3 218	2	3 218	167	0	0	0	0	0	0	0
固原市	原州区	919	613	7 067	4	5 912	1 563	0	0	1 123	0	1 123	15.9	13.1
	西吉县	332	229	2 443	1	1 960	601	0	0	443	0	443	18.1	14.8
	隆德县	370	255	2 721	1	2 183	696	0	0	467	0	467	17.2	14.0
	泾源县	90	62	664	1	533	185	0	0	99	0	99	14.9	12.1
	彭阳县	301	208	2 217	1	1 779	572	0	0	376	0	376	17.0	13.8
合计		13 319	41 405	789 303	2 160	79 400	49 810	0	0	2 684	0	2 684	0.3	0.3

注:此处人工生态需水和人工生态缺水仅指需要人工配给的城市绿化用水和人工直接补给湖泊湿地量部分。

2)耗水供需平衡分析

经济生态系统地表地下耗水供需平衡是分析区域生活、工业、农业、人工生态和天然生态地表地下水资源需求量与实际消耗的地表地下水资源的关系。对于宁夏来说,地表地下水资源是指周边地表地下来水、黄河干流水源和降水产生的地表地下水资源,本次研究主要用于分析区域消耗黄河水资源量与黄河水量指标限制的关系。宁夏全区地表地下耗水供需平衡分析研究结果(见表11-10)表明,宁夏全区消耗黄河水资源量为36.4亿 m³,若加上黄河河道耗水量,则总耗水量达到39.4亿 m³。因此,在2000年50%频率下,区域耗水平衡能够得到满足,不存在耗水缺水情况。消耗黄河水资源量组成情况如图

11-4 所示。

表 11-10　基准年宁夏全区消耗地表地下水及黄河水资源量　　（单位:亿 m³)

地市	县(市)	消耗地表地下水资源量	消耗黄河水资源量						
			人工		天然				小计
			农田灌溉	城乡工业、生活	未利用地	林地	草地	湖泊、湿地	
中卫市	中卫市	26 379	18 956	1 049	1 232	514	661	274	22 686
	中宁县	34 594	26 826	961	729	444	1 396	222	30 578
	海原县	3 905	3 654	251	0	0	0	0	3 905
银川市	银川市	53 438	39 081	2 969	841	601	826	2 168	46 486
	永宁县	33 714	25 475	806	926	275	476	1 218	29 176
	贺兰县	49 474	37 507	707	592	75	494	3 286	42 661
	灵武市	31 204	24 155	703	589	385	945	417	27 194
石嘴山市	惠农县	23 118	14 548	4 208	441	150	398	734	20 479
	石嘴山	4 462	2 174	1 637	66	22	59	110	4 068
	平罗县	70 705	53 976	910	1 170	747	2 210	2 048	61 061
吴忠市	青铜峡	40 802	29 745	2 568	836	315	1 517	597	35 578
	吴忠市	20 530	15 088	1 090	522	336	469	355	17 860
	同心县	8 816	8 310	506	0	0	0	0	8 816
	盐池县	3 051	2 811	240	0	0	0	0	3 051
	红寺堡	3 258	3 071	187	0	0	0	0	3 258
固原市	原州区	3 885	3 055	831	0	0	0	0	3 886
	西吉县	1 123	804	319	0	0	0	0	1 123
	隆德县	1 251	896	355	0	0	0	0	1 251
	泾源县	305	219	87	0	0	0	0	306
	彭阳县	1 019	730	289	0	0	0	0	1 019
合　计		415 033	311 081	20 673	7 944	3 864	9 451	11 429	364 442

注:扬黄灌区和南部山区耗水量仅考虑农田和城乡消耗水量,以下同。

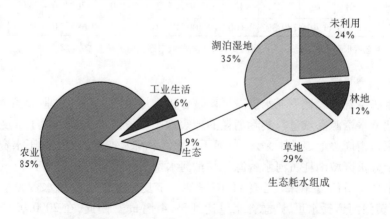

图 11-4　基准年 50% 频率宁夏全区消耗黄河水资源量组成

3）广义水资源供需平衡分析

广义水资源供需平衡全口径地分析了区域耗水对象和各种水源状况，可以更好地预测和分析区域经济系统和生态系统状况。本次研究选取生态稳定评价良好的基准年50%频率下区域天然生态系统实际蒸发蒸腾量作为天然生态需水量。广义水资源供需平衡结果见表11-11。区域广义水资源需求量为55.6亿 m³，广义水资源供给量为55.3亿 m³，广义水资源缺水量为0.3亿 m³，主要为南部山区农业灌溉缺水。

2. 基准年75%频率三种口径供需平衡分析

1）传统供需平衡分析

基准年75%频率传统水资源配置供需平衡结果如表11-12所示。基准年75%频率下，全区需水总量84.8亿 m³，广义水资源合理配置模拟计算表明，若以32亿 m³作为宁夏可耗水量的控制指标，全区最大引扬黄水量为58.3亿 m³，远远不能满足区域经济社会和生态环境对水资源的需求，全区缺水十分严重，缺水量达19.4亿 m³，全区缺水率为22.9%。传统水资源供需平衡结果表明，由于区域消耗黄河水资源大于区域可以消耗的黄河水量指标，区域人工用水将产生巨大的缺口，同时也给区域生态环境需水带来了严重的影响，主要表现为区域地下水位变化影响天然生态补水，也存在着人工大量挤占生态用水情况。

2）耗水供需平衡分析

基准年75%频率黄河耗水供需平衡分析见表11-13。结果表明，全区黄河水资源耗水需求量为35.9亿 m³，实际供给量为32.0亿 m³，黄河水资源量缺少4.0亿 m³，其中，经济系统缺水3.8亿 m³，生态系统缺水0.2亿 m³，农业生产耗水缺水率为12.3%，区域生产已经受到极大的影响。从1956~2000年黄河宁夏入境站年径流过程可以看出，黄河下河沿来水呈现明显减少趋势，并从1990年以来连续低于多年平均来水，按照黄河水量分配规则，宁夏可消耗黄河水资源量将远低于40亿 m³，现状宁夏缺水是十分严峻和现实的问题。

3）广义水资源供需平衡分析

基准年75%频率情况下宁夏经济生态系统广义水资源供需平衡结果见表11-14。宁夏广义水资源需求总量为54.9亿 m³，广义水资源供给量为50.7亿 m³，其中当地降水供给17.1亿 m³，黄河水资源供给32亿 m³，周边山洪补水0.6亿 m³，周边地下来水补给1.2亿 m³。经济生态系统广义水资源缺水总量为4.2亿 m³，其中农业生产缺水3.9亿 m³，生态系统缺水0.3亿 m³。

（二）2010水平年供需平衡分析

1. 50%频率下的供需平衡分析

1）方案集配置结果对比分析

2010水平年不同方案水资源合理配置结果如表11-15所示。对应于未来不同的经济社会和水资源规划，其需水情况将有巨大的差异，不考虑节水、弱节水和强节水方案的区域经济社会和人工生态系统水资源需求量分别为93.6亿 m³、82.6亿 m³和73.2亿 m³，分别比基准年50%频率情况下增加了9.0亿 m³和减少了2.0亿 m³、11.4亿 m³。高强度节水措施下的大幅度增加灌溉面积方案（方案三）需水总量为81.0亿 m³，比基准年50%频率情况减少了3.6亿 m³。由此可见，通过灌区续建配套工程节水改造、调整种植结构等措施，区域需水节水的效果将是十分明显和富有成效的。

表11-11 基准年50%频率广义水资源供需平衡结果

（单位：万 m³）

地市	县(市)	广义水资源需求量						广义水资源供给量						广义水资源缺水量					
		农田灌溉	工业生活	未利用地	天然林地	天然草地	湖泊湿地	农田灌溉	工业生活	未利用地	天然林地	天然草地	湖泊湿地	农田灌溉	工业生活	未利用地	天然林地	天然草地	湖泊湿地
中卫市	中卫县	24 202	1 253	8 024	1 731	2 225	550	24 202	1 253	8 024	1 731	2 225	550	0	0	0	0	0	0
	中宁县	35 651	1 107	4 752	1 495	4 698	446	35 651	1 107	4 752	1 495	4 698	446	0	0	0	0	0	0
	海原县	5 799	251	0	0	0	0	5 748	251	0	0	0	0	51	0	0	0	0	0
银川市	银川市	49 629	3 422	5 477	2 024	2 779	4 356	49 629	3 422	5 477	2 024	2 779	4 356	0	0	0	0	0	0
	永宁县	32 351	993	6 031	926	1 601	2 447	32 351	993	6 031	926	1 601	2 447	0	0	0	0	0	0
	贺兰县	47 630	903	3 858	252	1 662	6 602	47 630	903	3 858	252	1 662	6 602	0	0	0	0	0	0
	灵武市	30 741	894	3 841	1 294	3 181	837	30 741	894	3 841	1 294	3 181	837	0	0	0	0	0	0
石嘴山市	惠农县	18 475	4 457	2 870	506	1 339	1 476	18 475	4 457	2 870	506	1 339	1 476	0	0	0	0	0	0
	石嘴山市	2 761	1 733	429	76	200	220	2 761	1 733	429	76	200	220	0	0	0	0	0	0
	平罗县	68 543	1 285	7 621	2 513	7 437	4 116	68 543	1 285	7 621	2 513	7 437	4 116	0	0	0	0	0	0
吴忠市	青铜峡	37 773	2 833	5 448	1 061	5 104	1 199	37 773	2 833	5 448	1 061	5 104	1 199	0	0	0	0	0	0
	吴忠市	19 160	1 378	3 404	1 130	1 578	713	19 160	1 378	3 404	1 130	1 578	713	0	0	0	0	0	0
	同心县	12 792	506	0	0	0	0	12 792	506	0	0	0	0	0	0	0	0	0	0
	盐池县	4 750	240	0	0	0	0	4 625	240	0	0	0	0	125	0	0	0	0	0
	红寺堡	4 727	187	0	0	0	0	4 727	187	0	0	0	0	0	0	0	0	0	0
固原市	原州区	8 613	831	0	0	0	0	7 490	831	0	0	0	0	1 123	0	0	0	0	0
	西吉县	2 848	319	0	0	0	0	2 405	319	0	0	0	0	443	0	0	0	0	0
	隆德县	3 146	355	0	0	0	0	2 678	355	0	0	0	0	467	0	0	0	0	0
	泾源县	752	87	0	0	0	0	654	87	0	0	0	0	99	0	0	0	0	0
	彭阳县	2 558	289	0	0	0	0	2 182	289	0	0	0	0	376	0	0	0	0	0
合计		412 901	23 323	51 755	13 008	31 804	22 962	410 217	23 323	51 755	13 008	31 804	22 962	2 684	0	0	0	0	0

表 11-12　2000 年 75%频率传统水资源配置供需平衡结果

地市	县(市)	需水(亿 m³)				供水(亿 m³)				缺水(亿 m³)			缺水率(%)	
		生活	工业	农业	人工生态	地表供水	地下供水	污水回用生活工业		农业	人工生态	总缺水量	农业缺水率	总缺水率
中卫市	中卫市	725	1 699	62 374	50	47 149	3 402	0	0	14 286	11	14 297	22.9	22.0
	中宁县	492	979	56 169	35	42 197	2 309	0	0	13 162	8	13 170	23.4	22.8
	海原县	685	419	4 255	0	3 085	1 118	0	0	1 156	0	1 156	27.2	21.6
银川市	银川市	3 221	11 478	77 204	1 535	58 842	16 262	0	0	17 992	342	18 334	23.3	19.6
	永宁县	462	1 346	91 419	139	70 015	2 725	0	0	20 594	31	20 625	22.5	22.1
	贺兰县	457	990	102 598	106	74 941	2 593	0	0	26 594	24	26 618	25.9	25.6
	灵武市	663	1 978	65 117	51	48 062	3 393	0	0	16 342	11	16 353	25.1	24.1
石嘴山市	大武口区	623	4 315	0	382	297	4 938	0	0	0	85	85	0	1.6
	惠农县	562	6 417	30 786	127	25 351	4 217	0	0	8 296	28	8 324	26.9	22.0
	平罗县	658	1 566	119 747	1 073	86 917	3 659	0	0	32 230	239	32 469	26.9	26.4
吴忠市	青铜峡	690	4 557	82 610	97	64 738	4 525	0	0	18 670	22	18 692	22.6	21.3
	利通区	824	2 217	64 710	77	47 844	4 602	0	0	15 364	17	15 381	23.7	22.7
	同心县	718	330	10 675	0	8 003	1 051	0	0	2 670	0	2 670	25.0	22.8
	盐池县	448	1 658	3 306	0	2 434	2 112	0	0	867	0	867	26.2	16.0
	红寺堡	79	87	3 218	0	2 440	177	0	0	768	0	768	23.9	22.7
固原市	原州区	919	613	7 067	0	4 776	1 614	0	0	2 209	0	2 209	31.3	25.7
	西吉县	332	229	2 443	0	1 641	605	0	0	758	0	758	31.0	25.2
	隆德县	370	255	2 721	0	1 828	685	0	0	833	0	833	30.6	24.9
	泾源县	90	62	664	0	446	174	0	0	197	0	197	29.6	24.1
	彭阳县	301	208	2 217	0	1 489	560	0	0	676	0	676	30.5	24.8
合计		13 319	41 403	789 300	3 672	592 495	60 721	0	0	193 664	818	194 482	24.5	22.9

表 11-13 基准年 75% 频率黄河耗水供需平衡分析

地市	县(市)	黄河耗水需求量（万 m³）						黄河耗水供给量（万 m³）						黄河耗水缺水量（万 m³）						黄河耗水缺水率（%）					
		农田灌溉	工业生活	未利用地	天然林地	天然草地	湖泊湿地	农田灌溉	工业生活	未利用地	天然林地	天然草地	湖泊湿地	农田灌溉	工业生活	未利用地	天然林地	天然草地	湖泊湿地	农田灌溉	工业生活	未利用地	天然林地	天然草地	湖泊湿地
中卫市	中卫县	19 109	1 045	1 099	514	661	274	17 127	1 045	1 099	464	582	268	1 983	0	0	50	80	6	10.4	0	0	9.8	12.1	2.2
	中宁县	26 230	919	642	444	1 396	222	23 426	919	642	404	1 226	218	2 804	0	0	40	170	4	10.7	0	0	9.1	12.2	1.9
	海原县	3 496	225	0	0	0	0	3 113	225	0	0	0	0	383	0	0	0	0	0	10.9	0	0	0	0	0
银川市	银川市	36 931	2 969	731	601	826	2 168	32 934	2 969	731	523	693	2 129	3 997	0	0	78	133	39	10.8	0	0	13.0	16.1	1.8
	永宁县	25 037	806	816	275	476	1 218	22 425	806	816	240	400	1 193	2 612	0	0	35	76	24	10.4	0	0	12.7	15.9	2.0
	贺兰县	36 346	707	508	75	494	3 286	32 202	707	508	67	404	3 257	4 144	0	0	8	90	29	11.4	0	0	10.7	18.2	0.9
	灵武市	24 920	701	511	385	945	417	21 763	701	511	335	788	409	3 157	0	0	49	157	8	12.7	0	0	12.8	16.6	1.9
石嘴山市	惠农县	14 257	4 208	383	150	398	734	12 130	4 208	383	130	326	719	2 127	0	0	21	72	15	14.9	0	0	13.8	18.0	2.1
	石嘴山	2 145	1 637	57	22	59	110	1 812	1 637	57	19	49	108	333	0	0	3	11	2	15.5	0	0	13.8	18.0	1.7
	平罗县	53 068	910	1 010	747	2 210	2 048	44 634	910	1 010	661	1 871	2 009	8 433	0	0	86	339	40	15.9	0	0	11.5	15.3	1.9
吴忠市	青铜峡	29 667	2 568	739	315	1 517	597	26 677	2 568	739	291	1 343	587	2 989	0	0	24	174	10	10.1	0	0	7.7	11.4	1.6
	吴忠市	15 453	1 090	455	336	469	355	13 464	1 090	455	293	396	350	1 989	0	0	42	73	5	12.9	0	0	12.6	15.6	1.3
	同心县	8 112	446	0	0	0	0	7 050	446	0	0	0	0	1 062	0	0	0	0	0	13.1	0	0	0	0	0
	盐池县	2 815	221	0	0	0	0	2 418	221	0	0	0	0	397	0	0	0	0	0	14.1	0	0	0	0	0
	红寺堡	2 997	165	0	0	0	0	2 605	165	0	0	0	0	393	0	0	0	0	0	13.1	0	0	0	0	0
固原市	原州区	3 449	822	0	0	0	0	2 902	822	0	0	0	0	547	0	0	0	0	0	15.9	0	0	0	0	0
	西吉县	992	319	0	0	0	0	812	319	0	0	0	0	180	0	0	0	0	0	18.1	0	0	0	0	0
	隆德县	1 092	355	0	0	0	0	905	355	0	0	0	0	188	0	0	0	0	0	17.2	0	0	0	0	0
	泾源县	259	87	0	0	0	0	221	87	0	0	0	0	38	0	0	0	0	0	14.8	0	0	0	0	0
	彭阳县	888	289	0	0	0	0	737	289	0	0	0	0	151	0	0	0	0	0	17.0	0	0	0	0	0
合计		307 263	20 489	6 951	3 864	9 451	11 429	269 357	20 489	6 951	3 427	8 078	11 247	37 907	0	0	436	1 375	182	12.3	0	0	11.3	14.5	1.6

表11-14 基准年75%频率广义水资源供需平衡结果

地市	县(市)	广义水资源需求量(万m³)						广义水资源供给结果(万m³)						广义水资源缺水量(万m³)						广义水资源缺水率(%)					
		农田灌溉	工业生活	未利用地	天然林地	天然草地	湖泊湿地	农田灌溉	工业生活	未利用地	天然林地	天然草地	湖泊湿地	农田灌溉	工业生活	未利用地	天然林地	天然草地	湖泊湿地	农田灌溉	工业生活	未利用地	天然林地	天然草地	湖泊湿地
中卫市	中卫县	24 724	1 249	7 918	1 731	2 225	550	22 741	1 249	7 918	1 675	2 114	543	1 983	0	0	56	112	7	8.0	0	0	3.3	5.0	1.3
	中宁县	34 954	1 065	4 625	1 495	4 698	446	32 150	1 065	4 625	1 426	4 480	437	2 804	0	0	69	217	9	8.0	0	0	4.6	4.6	2.0
	海原县	5 349	225	0	0	0	0	4 967	225	0	0	0	0	383	0	0	0	0	0	7.2	0	0	0	0	0
银川市	银川市	47 528	3 422	5 269	2 024	2 779	4 356	43 531	3 422	5 269	1 869	2 537	4 314	3 997	0	0	155	242	42	8.4	0	0	7.6	8.7	1.0
	永宁县	32 257	993	5 876	926	1 601	2 447	29 645	993	5 876	862	1 457	2 429	2 612	0	0	63	144	18	8.1	0	0	6.9	9.0	0.7
	贺兰县	46 715	903	3 662	252	1 662	6 602	42 570	903	3 662	249	1 457	6 556	4 144	0	0	3	205	46	8.9	0	0	1.3	12.3	0.7
	灵武市	31 982	892	3 678	1 294	3 181	837	28 824	892	3 678	1 189	2 882	828	3 157	0	0	105	299	9	9.9	0	0	8.1	9.4	1.1
石嘴山市	惠农县	18 160	4 457	2 757	506	1 339	1 476	16 033	4 457	2 757	455	1 198	1 463	2 127	0	0	51	142	13	11.7	0	0	10.1	10.6	0.9
	石嘴山	2 728	1 733	412	76	200	220	2 396	1 733	412	70	177	219	333	0	0	6	23	2	12.2	0	0	7.8	11.4	0.9
	平罗县	67 432	1 285	7 275	2 513	7 437	4 116	58 998	1 285	7 275	2 331	6 842	4 099	8 433	0	0	182	595	17	12.5	0	0	7.2	8.0	0.4
吴忠市	青铜峡	38 258	2 833	5 325	1 061	5 104	1 199	35 268	2 833	5 325	1 032	4 889	1 186	2 989	0	0	29	214	13	7.8	0	0	2.8	4.2	1.1
	吴忠市	19 790	1 378	3 280	1 130	1 578	713	17 802	1 378	3 280	1 062	1 435	707	1 989	0	0	68	143	6	10.0	0	0	6.0	9.0	0.8
	同心县	12 050	446	0	0	0	0	10 988	446	0	0	0	0	1 062	0	0	0	0	0	8.8	0	0	0	0	0
	盐池县	4 442	221	0	0	0	0	4 044	221	0	0	0	0	397	0	0	0	0	0	8.9	0	0	0	0	0
	红寺堡	4 453	165	0	0	0	0	4 060	165	0	0	0	0	393	0	0	0	0	0	8.8	0	0	0	0	0
固原市	原州区	8 049	822	0	0	0	0	7 102	822	0	0	0	0	947	0	0	0	0	0	11.8	0	0	0	0	0
	西吉县	2 669	319	0	0	0	0	2 345	319	0	0	0	0	324	0	0	0	0	0	12.1	0	0	0	0	0
	隆德县	2 986	355	0	0	0	0	2 612	355	0	0	0	0	374	0	0	0	0	0	12.5	0	0	0	0	0
	泾源县	736	87	0	0	0	0	637	87	0	0	0	0	98	0	0	0	0	0	13.4	0	0	0	0	0
	彭阳县	2 435	289	0	0	0	0	2 128	289	0	0	0	0	307	0	0	0	0	0	12.6	0	0	0	0	0
合计		407 697	23 139	50 077	13 008	31 804	22 962	368 841	23 139	50 077	12 220	29 468	22 781	38 853	0	0	787	2 336	182	9.5	0	0	6.1	7.3	0.8

表 11-15　2010 年 50% 频率不同方案水资源合理配置结果　　（单位:亿 m³）

项目			方案一	方案二	方案三	方案四
传统供需平衡结果	需水量	生活需水量	1.94	1.87	1.87	1.87
		工业需水量	9.29	8.38	8.38	8.38
		农业需水量	82.05	62.66	70.40	72.07
		生态需水量	0.33	0.33	0.33	0.33
		总需水量	93.61	73.24	80.98	82.65
	供水量	地表水供水量	80.40	67.26	72.73	75.67
		地下水供水量	6.79	5.69	5.84	5.81
	缺水量	生活工业缺水量	0	0	0	0
		农业缺水量	6.41	0.29	2.40	0.67
		生态缺水量	0	0	0	0
		总缺水量	6.41	0.29	2.40	0.67
	缺水率	农业缺水率	7.8%	0.5%	3.4%	0.9%
		总缺水率	6.9%	0.4%	3.0%	0.8%
消耗黄河水资源量平衡结果	引黄灌区耗用黄河干流水量	林草灌木地	1.22	0.92	0.94	0.99
		荒地	0.67	0.52	0.43	0.58
		农田	27.03	24.81	27.49	26.19
		湖泊湿地渠道	2.20	2.13	2.09	2.12
		生活工业	4.06	3.87	3.87	3.87
		总耗水量	35.18	32.25	34.82	33.75
	扬黄消耗水量	农田耗水量	3.53	3.00	3.96	3.31
		生活工业耗水	0.42	0.39	0.39	0.39
		总耗水量	3.95	3.39	4.35	3.70
	南部山区消耗水量	农田耗水量	0.53	0.53	0.53	0.53
		生活工业耗水	0.33	0.31	0.31	0.31
		总耗水量	0.86	0.84	0.84	0.84
	全区消耗黄河干流水量		39.14	35.63	39.16	37.45
	全区消耗黄河水量		40.00	36.47	40.00	38.29
	全区耗水 + 黄河河道耗水		43.26	39.72	43.26	41.54

方案一为没有考虑节水措施的方案,到 2010 年,全区总需水量为 93.61 亿 m³。由于可利用黄河水资源量和灌溉高峰引水量的限制,引扬黄灌区农业缺水 6.1 亿 m³,缺水率为 7.6%,南部山区缺水率为 18.5%。从消耗黄河水资源量结果分析,区域消耗黄河水资源量将超过 40.0 亿 m³,比基准年同频率情况下增加了 3.3 亿 m³,超过宁夏可消耗黄河水资源量指标。从区域耗水来看,宁夏平原区耗水将超过 35.2 亿 m³,扬黄耗水超过 4.0 亿 m³,南部山区耗水大于 0.87 亿 m³。结果分析表明,依靠外延式增长,不进行节水将是一条不可持续发展的道路。

方案二为采取加强节水措施的方案,全区需水总量比基准年同频率情况下减少了 11.4 亿 m³,农业灌溉引水高峰期缺水量为 0.30 亿 m³。由于采取小流域治理措施,增加南部山区有效降水利用量,以及泾河调水工程的实施,南部山区缺水情况有了较大程度的缓解,缺水率为12.1%。从消耗黄河水资源量结果分析,区域消耗黄河水资源为36.5亿 m^3,与基准年同频率情况下耗水量基本持平,与基准年相比较,引黄灌区农业耗水节水量为2.2亿 m^3,由于区域地下水水位的下降,荒地和天然林草灌木地的地下水蒸发减少了0.69亿 m^3,所以,在区域引扬黄灌溉面积增加65万亩的基础上,通过种植结构的调整和灌区续建配套节水改造的实施总共可以减少耗水2.9亿 m^3,耗水节水量与工农业生产新增耗水量基本持平。结果分析表明,通过采取节水措施,宁夏区域农业用水向工业和生活转移的目标可以实现,能够支撑区域经济系统和生态系统的协调发展。

方案三为采取大力节水措施下大幅度增加灌溉面积的方案,虽然采取了大力节水措施,但在农业灌溉引水高峰期缺水2.3亿 m^3,缺水率为3.3%,南部山区缺水率为12.1%。虽然总需水量比基准年减少了3.7亿 m^3,但宁夏全区消耗黄河水资源量却增加了3.6亿 m^3,超过宁夏可消耗40亿 m^3 黄河水资源量的指标。结果分析表明,依靠现有的水资源,即使采取大力节水措施亦不能支撑宁夏区域大幅度增加灌溉面积。

方案四为节水力度较小的方案,农业灌溉引水高峰期将缺水1.2亿 m^3,缺水率为1.6%。南部山区缺水率为15.1%。与基准年50%频率相比,农业需水减少6.9亿 m^3,总需水量减少了2.0亿 m^3,但宁夏全区消耗黄河水资源量增加了1.8亿 m^3。结果分析表明,不加大节水力度将难以维持区域经济社会的健康良好发展。

2)推荐方案下的传统水资源供需平衡分析

根据前面综合分析,推荐方案为方案二,其传统水资源供需平衡分析结果见表11-16。由配置结果可以知道,随着保证率较高的生活工业需水量的大幅度增加,在灌溉高峰期将出现工业和农业用水竞争的情况,农业缺水量为0.3亿 m^3。随着东山坡引水工程的实施和南部山区小流域综合治理,增加了南部山区水资源承载能力,南部山区缺水情况有所缓解,缺水率为12.1%。

从供水水源组成分析,全区地表供水量66.8亿 m^3,其中引黄灌区为61.5亿 m^3,扬黄灌区为3.8亿 m^3。地下水供水5.7亿 m^3,其中,银川市地下水使用量由2000年的1.5亿 m^3 减少到1.0亿 m^3,大武口区的工业地下水使用量由0.51亿 m^3 减少0.32亿 m^3,银川市和大武口区分别需要1.2亿 m^3 和0.4亿 m^3 工业地表水替代水量,全区工业地表水使用量增加到4.6亿 m^3。

3)推荐方案下的耗水供需平衡分析

宁夏经济生态系统地表地下耗水供需平衡分析见表11-17。研究结果表明,宁夏全区消耗地表地下水资源量为41.1亿 m^3,主要为当地降水产生的地表地下水4.7亿 m^3 和黄河水资源量36.4亿 m^3。因此,在2010年50%频率下,区域耗水平衡能够得到满足,不存在耗水缺水情况。按照耗水对象分类,农业消耗29.4亿 m^3,工业生活消耗4.6亿 m^3,生态消耗2.5亿 m^3,消耗黄河水资源量组成情况如图11-5所示。

表 11-16　推荐方案 50% 频率传统水资源供需平衡分析结果

地市	县(市)	需水(亿 m³)				供水(亿 m³)				缺水(亿 m³)				缺水率(%)	
		生活	工业	农业	人工生态	地表供水	地下供水	污水回用		生活工业	农业	生态	总缺水量	农业	总缺水率
								人工	天然						
中卫市	中卫市	1 005	2 412	55 369	35	54 961	3 651	35	39	0	174	0	174	0.3	0.3
	中宁县	728	2 311	46 105	25	47 032	1 895	25	229	0	216	0	216	0.5	0.4
	海原县	1 055	527	3 503	4	3 357	1 606	0	0	0	122	0	122	3.5	2.4
银川市	银川市	4 206	19 918	61 156	1 347	74 404	10 515	1 676	329	0	32	0	32	0.1	0
	永宁县	659	2 616	67 593	72	67 334	3 383	72	202	0	153	0	153	0.2	0.2
	贺兰县	661	2 012	78 768	77	78 480	2 857	77	149	0	103	0	103	0.1	0.1
	灵武市	903	14 832	48 059	36	60 700	2 045	1 027	248	0	57	0	57	0.1	0.1
石嘴山	大武区	732	6 742	0	323	4 754	2 720	323	288	0	0	0	0	0	0
	惠农县	752	9 870	22 956	108	28 369	5 209	108	756	0	0	0	0	0	0
	平罗县	911	2 827	91 138	1 052	91 319	3 983	315	0	0	311	0	311	0.3	0.3
吴忠市	青铜峡	867	8 516	64 749	140	69 785	3 764	641	125	0	81	0	81	0.1	0.1
	利通区	1 015	3 218	48 895	54	48 346	4 772	54	54	0	10	0	10	0	0
	同心县	988	2 940	8 307	6	10 990	1 172	0	332	0	73	0	73	0.9	0.6
	盐池县	661	2 087	3 517	5	3 403	2 766	0	0	0	95	0	95	2.7	1.5
	红寺堡	312	436	8 503	5	8 381	765	0	0	0	105	0	105	1.2	1.1
固原市	原州区	1 482	1 220	10 758	13	10 118	2 580	0	229	0	762	0	762	7.1	5.7
	西吉县	524	406	2 205	5	1 928	972	0	0	0	236	0	236	10.7	7.5
	隆德县	584	452	2 456	3	2 148	1 096	0	0	0	248	0	248	10.1	7.1
	泾源县	142	110	599	2	524	276	0	0	0	53	0	53	8.8	6.2
	彭阳县	476	369	2 001	1	1 750	896	0	0	0	200	0	200	10.0	7.0
合计		18 663	83 821	626 637	3 313	668 083	56 923	4 353	2 980	0	3 031	0	3 031	0.5	0.4

表 11-17 全区地表地下耗水供需平衡分析 （单位:亿 m³）

地市	县(市)	消耗地表地下水资源量	消耗黄河水资源量						
			经济系统		生态系统				小计
			农田灌溉	工业生活	未利用地	天然林地	天然草地	湖泊湿地	
中卫市	中卫市	24 825	18 123	1 414	825	366	470	247	21 445
	中宁县	31 354	23 778	2 099	470	307	964	198	27 816
	海原县	3 351	2 932	419	0	0	0	0	3 351
银川市	银川市	55 825	35 686	10 139	545	412	566	1 976	49 324
	永宁县	31 155	23 615	1 096	600	187	323	1 106	26 927
	贺兰县	45 920	34 601	954	376	50	329	2 997	39 307
	灵武市	36 332	23 041	7 962	379	260	639	376	32 657
石嘴山市	惠农县	22 595	12 978	5 886	286	101	267	670	20 188
	石嘴山	4 786	1 939	2 289	43	15	40	100	4 426
	平罗县	62 789	48 207	1 229	747	510	1 508	1 873	54 074
吴忠市	青铜峡	40 369	28 255	4 833	551	228	1 094	539	35 500
	吴忠市	19 427	14 278	1 475	338	231	323	322	16 967
	同心县	7 738	6 857	881	0	0	0	0	7 738
	盐池县	3 252	2 790	462	0	0	0	0	3 252
	红寺堡	8 326	7 378	948	0	0	0	0	8 326
固原市	原州区	8 801	6 946	1 855	0	0	0	0	8 801
	西吉县	1 393	878	516	0	0	0	0	1 394
	隆德县	1 552	977	574	0	0	0	0	1 551
	泾源县	379	238	140	0	0	0	0	378
	彭阳县	1 264	796	468	0	0	0	0	1 264
合 计		411 433	294 293	45 639	5 160	2 667	6 523	10 404	364 686

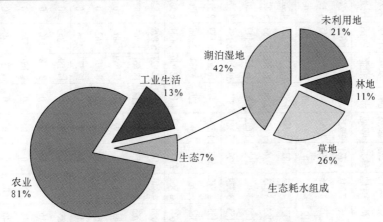

图 11-5 推荐方案宁夏全区消耗黄河水资源量组成

4)推荐方案下的广义水资源供需平衡分析

50%频率推荐方案配置下的的经济生态系统广义水资源供需平衡如表 11-18 所示。宁夏经济生态系统广义水资源需求总量为 56.9 亿 m³,广义水资源供给量为 56.1 亿 m³。经济生态系统广义水资源缺水总量为 0.83 亿 m³,其中农业生产缺水 0.30 亿 m³,生态系统缺水 0.52 亿 m³。

表 11-18　2010 水平年推荐方案 50% 频率广义水资源供需平衡结果

地市	县(市)	广义水资源需求量（万 m³）						广义水资源供给量（万 m³）						广义水资源缺水量（万 m³）						广义水资源缺水率（%）					
		农田灌溉	工业生活	天然未利用地	天然林地	天然草地	湖泊湿地	农田灌溉	工业生活	天然未利用地	天然林地	天然草地	湖泊湿地	农田灌溉	工业生活	天然未利用地	天然林地	天然草地	湖泊湿地	农田灌溉	工业生活	天然未利用地	天然林地	天然草地	湖泊湿地
中卫市	中卫市	24 012	1 618	7 247	1 731	2 225	550	23 838	1 618	7 247	1 592	2 030	537	174	0	0	59	93	13	0.7	0	0	3.6	4.4	2.4
	中宁县	33 153	2 245	4 126	1 495	4 698	446	32 937	2 245	4 126	1 376	4 130	431	216	0	0	178	754	15	0.7	0	0	11.5	15.4	3.4
	海原县	5 223	419	0	0	0	0	5 101	419	0	0	0	0	122	0	0	0	0	0	2.3	0	0	0	0	0
银川市	银川市	46 665	10 591	4 783	2 024	2 779	4 356	46 633	10 591	4 783	1 805	2 434	4 301	32	0	0	140	236	54	0.1	0	0	7.2	8.8	1.2
	永宁县	31 014	1 283	5 273	926	1 601	2 447	30 862	1 283	5 273	821	1 388	2 407	153	0	0	75	162	40	0.5	0	0	8.4	10.4	1.6
	贺兰县	45 323	1 149	3 302	252	1 662	6 602	45 220	1 149	3 302	244	1 399	6 525	103	0	0	44	498	76	0.2	0	0	15.4	26.2	1.2
	灵武市	30 348	8 153	3 329	1 294	3 181	837	30 291	8 153	3 329	1 160	2 736	819	57	0	0	161	512	18	0.2	0	0	12.2	15.8	2.2
石嘴山市	惠农县	16 960	6 135	2 515	506	1 339	1 476	16 960	6 135	2 515	454	1 138	1 459	0	0	0	79	271	17	0	0	0	14.7	19.3	1.1
	石嘴山	2 534	2 386	376	76	200	220	2 534	2 386	376	68	170	218	0	0	0	12	41	2	0	0	0	14.7	19.3	1.1
	平罗县	63 307	1 604	6 562	2 513	7 437	4 116	62 996	1 604	6 562	2 282	6 465	4 078	311	0	0	295	1 161	37	0.5	0	0	11.4	15.2	0.9
吴忠市	青铜峡	37 008	5 098	4 840	1 061	5 104	1 199	36 927	5 098	4 840	1 009	4 720	1 174	81	0	0	56	402	25	0.2	0	0	5.3	7.9	2.1
	吴忠市	18 671	1 763	2 973	1 130	1 578	713	18 661	1 763	2 973	1 005	1 397	700	10	0	0	22	37	12	0.1	0	0	2.1	2.6	1.7
	同心县	11 762	881	0	0	0	0	11 689	881	0	0	0	0	73	0	0	0	0	0	0.6	0	0	0	0	0
	盐池县	5 102	462	0	0	0	0	5 007	462	0	0	0	0	95	0	0	0	0	0	1.9	0	0	0	0	0
	红寺堡	12 682	948	0	0	0	0	12 577	948	0	0	0	0	105	0	0	0	0	0	0.8	0	0	0	0	0
固原市	原州区	14 950	1 855	0	0	0	0	14 188	1 855	0	0	0	0	762	0	0	0	0	0	5.1	0	0	0	0	0
	西吉县	2 714	516	0	0	0	0	2 478	516	0	0	0	0	236	0	0	0	0	0	8.7	0	0	0	0	0
	隆德县	3 008	574	0	0	0	0	2 760	574	0	0	0	0	248	0	0	0	0	0	8.3	0	0	0	0	0
	泾源县	726	140	0	0	0	0	673	140	0	0	0	0	53	0	0	0	0	0	7.2	0	0	0	0	0
	彭阳县	2 448	468	0	0	0	0	2 248	468	0	0	0	0	200	0	0	0	0	0	8.2	0	0	0	0	0
合计		407 610	48 288	45 326	13 008	31 804	22 962	404 580	48 288	45 326	11 816	28 007	22 649	3 031	0	0	1 121	4 167	309	0.7	0	0	8.6	13.1	1.4

2. 75%频率下的供需平衡分析

1)方案集配置结果对比分析

在75%频率下,由于受到黄河耗水指标32亿 m^3 的限制,区域缺水十分严重。因此,重点分析75%频率情况下方案集配置结果,以体现在黄河来水枯水年份,宁夏区域缺水的严重程度,不同方案水资源合理配置结果对比如表11-19所示。结果表明,区域缺水状况将十分严重,即使是在高强度节水的措施下,宁夏全区农业缺水量也达到了13.0亿 m^3 ,缺水率为20.6%。如果不采取节水措施,全区缺水量将达到31.2亿 m^3 ,缺水率为33.5%。而对于大幅度增加灌溉面积的情况,区域缺水量将达到24.7亿 m^3 ,缺水率为30.7%,也属于严重缺水状况,将严重影响区域工农业生产。各方案集配置结果显示,在黄河来水枯水年份,未来宁夏缺水将十分严重,同时由于生活工业用水的增加,没有外来水源,农业缺水将很难缓解。

表11-19 2010年75%频率不同方案水资源合理配置结果对比 (单位:亿 m^3)

项目			方案一	方案二	方案三	方案四
传统供需平衡结果	需水量	生活需水量	1.94	1.87	1.87	1.87
		工业需水量	9.29	8.38	8.38	8.38
		农业需水量	82.05	62.66	70.40	72.07
		生态需水量	0.33	0.48	0.48	0.48
		总需水量	93.61	73.39	81.13	82.80
	供水量	地表水供水量	54.46	53.19	49.01	54.17
		地下水供水量	7.93	7.22	7.34	7.34
	缺水量	生活工业缺水量	0	0	0	0
		农业缺水量	31.17	12.92	24.71	21.22
		生态缺水量	0.05	0.07	0.07	0.07
		总缺水量	31.22	12.99	24.78	21.29
	缺水率	农业缺水率	37.99%	20.62%	35.10%	29.44%
		总缺水率	33.34%	17.69%	30.54%	25.71%
消耗黄河水资源量平衡分析	引黄灌区耗用黄河干流水量	林草灌木地	0.84	0.76	0.73	0.78
		未利用地	0.48	0.43	0.34	0.44
		农田	20.82	21.15	21.00	21.14
		湖泊湿地渠道	2.17	2.09	2.11	2.10
		生活工业	4.12	3.87	3.87	3.87
		总耗水量	28.43	28.30	28.05	28.33
	扬黄消耗水量	农田耗水量	2.27	2.47	2.72	2.44
		生活工业耗水	0.42	0.39	0.39	0.39
		总耗水量	2.69	2.86	3.11	2.83
	南部山区消耗水量	农田耗水量	0.54	0.54	0.54	0.54
		生活工业耗水	0.33	0.31	0.31	0.31
		总耗水量	0.87	0.85	0.85	0.85
	全区消耗黄河干流水量		31.13	31.15	31.15	31.15
	全区消耗黄河水量		32.00	32.00	32.00	32.00
	全区耗水 + 黄河河道耗水		35.26	35.25	35.25	35.25

2) 推荐方案下的传统水资源供需平衡分析

推荐方案 2010 年 75% 频率传统水资源供需平衡分析结果见表 11-20。

表 11-20　2010 年推荐方案 75% 频率传统水资源供需平衡分析结果

| 地市 | 县(市) | 需水(万 m³) | | | | 供水(万 m³) | | | | 缺水(万 m³) | | | | 缺水率(%) | |
		生活	工业	农业	人工生态	地表供水	地下供水	污水回用人工	天然	生活工业	农业	生态	总缺水量	农业	总缺水率
中卫市	中卫市	1 005	2 412	55 369	82	43 132	4 799	67	7	0	10 855	15	10 870	19.6	18.5
	中宁县	728	2 311	46 105	57	36 635	2 906	47	207	0	9 602	10	9 612	20.8	19.5
	海原县	1 055	527	3 503	0	2 475	1 697	0	0	0	913	0	913	26.1	18.0
银川市	银川市	4 206	19 918	61 156	1 924	59 477	13 315	1 617	389	0	12 447	348	12 795	20.4	14.7
	永宁县	659	2 616	67 593	141	53 214	3 918	116	158	0	13 737	26	13 763	20.3	19.4
	贺兰县	661	2 012	78 768	143	60 705	3 778	117	109	0	16 957	26	16 983	21.5	20.8
	灵武市	903	14 832	48 059	83	50 606	3 052	1 022	253	0	9 181	15	9 196	19.1	14.4
石嘴山	大武口区	732	6 742	0	443	4 779	2 695	363	248	0	0	80	80	0	1.0
	惠农县	752	9 870	22 956	148	22 082	6 472	121	742	0	5 024	27	5 051	21.9	15.0
	平罗县	911	2 827	91 138	1 364	70 379	5 206	315	0	0	20 093	247	20 340	22.0	21.1
吴忠市	青铜峡	867	8 516	64 749	265	56 430	5 037	618	148	0	12 263	48	12 311	18.9	16.5
	利通区	1 015	3 218	48 895	125	37 839	6 288	103	5	0	9 001	23	9 024	18.4	16.9
	同心县	988	2 940	8 307	0	8 809	1 357	0	332	0	2 069	0	2 069	24.9	16.9
	盐池县	661	2 087	3 517	0	2 522	2 825	0	0	0	917	0	917	26.1	14.6
	红寺堡	312	436	8 503	0	6 044	854	0	0	0	2 352	0	2 352	27.7	25.4
固原市	原州区	1 482	1 220	10 758	0	8 349	2 555	0	229	0	2 556	0	2 556	23.8	19.0
	西吉县	524	406	2 205	0	1 761	979	0	0	0	396	0	396	18.0	12.6
	隆德县	584	452	2 456	0	1 962	1 122	0	0	0	409	0	409	16.7	11.7
	泾源县	142	110	599	0	479	292	0	0	0	82	0	82	13.6	9.6
	彭阳县	476	369	2 001	0	1 598	919	0	0	0	328	0	328	16.4	11.5
合计		18 663	83 821	626 637	4 775	529 277	70 066	4 506	2 827	0	129 182	865	130 048	20.6	17.7

由配置结果可以知道,在 75% 频率下,由于受到黄河耗水量指标的限制,宁夏全区引扬黄水量最大值为 51.6 亿 m³,其中引黄灌区为 48.7 亿 m³,扬黄灌区为 2.9 亿 m³。地下水供水 7.0 亿 m³,全区农业缺水量十分严重,缺水量为 13.0 亿 m³,缺水率为 20.6%,人工生态补水也将受到影响。相对于现状年,南部山区缺水情况有所缓解,南部山区总体缺水率为 18.5%。

3) 推荐方案下的耗水供需平衡分析

宁夏经济生态系统耗水供需平衡分析见表 11-21。研究结果表明,2010 水平年 75% 频率宁夏全区消耗地表地下水资源量为 36.5 亿 m³,其中当地降水产生的地表地下水 2.7 亿 m³、周边地表地下来水 1.8 亿 m³ 和黄河水资源量 32.0 亿 m³。消耗的黄河水资源中引黄灌区占 28.3 亿 m³,扬黄灌区 2.9 亿 m³,南部山区 0.85 亿 m³,按照消耗黄河水资源对象分类,农业消耗 25.2 亿 m³,工业生活消耗 4.6 亿 m³,生态消耗 2.2 亿 m³。

4) 推荐方案下的广义水资源供需平衡分析

推荐方案宁夏经济生态系统广义水资源供需平衡分析如表 11-22 所示。

表 11-21　2010 水平年推荐方案 75% 频率情况下宁夏经济生态系统耗水供需平衡分析

地市	县（市）	经济生态系统黄河耗水需求量（万 m³）						经济生态系统黄河供给量（万 m³）						经济生态系统黄河耗水短缺量（万 m³）						经济生态系统黄河耗水缺水率（%）					
		农田灌溉	工业生活	未利用地	天然林地	天然草地	湖泊湿地	农田灌溉	工业生活	未利用地	天然林地	天然草地	湖泊湿地	农田灌溉	工业生活	未利用地	天然林地	天然草地	湖泊湿地	农田灌溉	工业生活	未利用地	天然林地	天然草地	湖泊湿地
中卫市	中卫市	17 259	1 414	695	514	661	274	15 692	1 414	695	330	370	239	1 567	0	0	148	244	35	9.1	0	0	31.0	39.7	12.8
	中宁县	22 752	2 099	390	444	1 396	222	20 601	2 099	390	304	753	191	2 151	0	0	146	661	32	9.5	0	0	32.5	46.7	14.2
	海原县	3 902	419	0	0	0	0	2 429	419	0	0	0	0	1 473	0	0	0	0	0	37.7	0	0	0	0	0
银川市	银川市	33 971	10 139	453	601	826	2 168	30 219	10 139	453	370	432	1 922	3 752	0	0	193	341	245	11.0	0	0	34.3	44.1	11.3
	永宁县	22 941	1 096	502	275	476	1 218	20 461	1 096	502	168	242	1 077	2 479	0	0	91	207	141	10.8	0	0	35.3	46.2	11.6
	贺兰县	33 929	954	309	75	494	3 286	29 364	954	309	60	244	2 921	4 565	0	0	24	305	364	13.5	0	0	28.3	55.5	11.1
	灵武市	22 358	7 962	310	385	945	417	20 139	7 962	310	244	473	365	2 219	0	0	139	467	52	9.9	0	0	36.3	49.7	12.5
石嘴山市	大武口区	12 710	5 886	239	150	398	734	10 862	5 886	239	99	204	654	1 848	0	0	56	204	81	14.5	0	0	36.1	50.0	11.0
	惠农县	1 899	2 289	36	22	59	110	1 623	2 289	36	15	30	98	276	0	0	8	31	12	14.5	0	0	36.1	50.0	11.0
	平罗县	47 884	1 229	624	747	2 210	2 048	40 759	1 229	624	504	1 193	1 829	7 125	0	0	242	1 014	219	14.9	0	0	32.4	45.9	10.7
吴忠市	青铜峡	27 426	4 833	461	315	1 517	597	24 875	4 833	461	232	881	524	2 551	0	0	76	601	73	9.3	0	0	24.6	40.6	12.3
	利通区	13 445	1 475	279	336	469	355	12 235	1 475	279	200	240	313	1 210	0	0	97	175	42	9.0	0	0	32.7	42.2	11.9
	同心县	8 661	881	0	0	0	0	5 641	881	0	0	0	0	3 020	0	0	0	0	0	34.9	0	0	0	0	0
	盐池县	3 651	462	0	0	0	0	2 338	462	0	0	0	0	1 313	0	0	0	0	0	36.0	0	0	0	0	0
	红寺堡	9 445	948	0	0	0	0	6 070	948	0	0	0	0	3 375	0	0	0	0	0	35.7	0	0	0	0	0
固原市	原州区	9 718	1 855	0	0	0	0	6 110	1 855	0	0	0	0	3 608	0	0	0	0	0	37.1	0	0	0	0	0
	西吉县	1 443	516	0	0	0	0	887	516	0	0	0	0	555	0	0	0	0	0	38.5	0	0	0	0	0
	隆德县	1 575	574	0	0	0	0	988	574	0	0	0	0	587	0	0	0	0	0	37.3	0	0	0	0	0
	泾源县	366	140	0	0	0	0	241	140	0	0	0	0	125	0	0	0	0	0	34.2	0	0	0	0	0
	彭阳县	1 277	468	0	0	0	0	805	468	0	0	0	0	472	0	0	0	0	0	37.0	0	0	0	0	0
合计		296 612	45 639	4 298	3 864	9 451	11 429	252 339	45 639	4 298	2 526	5 062	10 133	44 271	0	0	1 221	4 250	1 296	14.9	0	0	31.6	45.0	11.3

表 11-22　2010 水平年推荐方案 75% 频率情况下宁夏经济生态系统广义水资源供需平衡分析

地市	县(市)	经济生态系统广义水资源需求量 (万 m³)						经济生态系统广义水资源供给量 (万 m³)						经济生态系统广义水资源缺水量 (万 m³)						经济生态系统广义水资源缺水率 (%)					
		农田灌溉	工业生活	未利用地	天然林地	天然草地	湖泊湿地	农田灌溉	工业生活	未利用地	天然林地	天然草地	湖泊湿地	农田灌溉	工业生活	未利用地	天然林地	天然草地	湖泊湿地	农田灌溉	工业生活	未利用地	天然林地	天然草地	湖泊湿地
中卫市	中卫市	23 066	1 618	7 141	1 731	2 225	550	21 499	1 618	7 141	1 533	1 917	531	1 567	0	0	198	308	19	6.8	0	0	11.4	13.8	3.4
	中宁县	31 671	2 245	4 003	1 495	4 698	446	29 520	2 245	4 003	1 306	3 903	424	2 151	0	0	189	795	22	6.8	0	0	12.7	16.9	5.0
	海原县	5 795	419	0	0	0	0	4 322	419	0	0	0	0	1 473	0	0	0	0	0	25.4	0	0	0	0	0
银川市	银川市	44 901	10 591	4 652	2 024	2 779	4 356	41 149	10 591	4 652	1 697	2 254	4 277	3 752	0	0	327	525	79	8.4	0	0	16.1	18.9	1.8
	永宁县	30 348	1 283	5 159	926	1 601	2 447	27 869	1 283	5 159	757	1 261	2 395	2 479	0	0	168	340	51	8.2	0	0	18.2	21.3	2.1
	贺兰县	44 561	1 149	3 177	252	1 662	6 602	39 996	1 149	3 177	217	1 282	6 500	4 565	0	0	35	379	102	10.2	0	0	13.8	22.8	1.5
	灵武市	29 797	8 153	3 182	1 294	3 181	837	27 578	8 153	3 182	1 058	2 473	811	2 219	0	0	237	708	26	7.4	0	0	18.3	22.2	3.1
石嘴山市	大武口区	16 637	6 135	2 459	506	1 339	1 476	14 789	6 135	2 459	425	1 066	1 455	1 848	0	0	82	273	21	11.1	0	0	16.2	20.4	1.4
	惠农县	2 486	2 386	367	76	200	220	2 210	2 386	367	63	159	217	276	0	0	12	41	3	11.1	0	0	16.2	20.4	1.4
	平罗县	62 627	1 604	6 410	2 513	7 437	4 116	55 503	1 604	6 410	2 188	6 177	4 069	7 125	0	0	325	1 260	46	11.4	0	0	12.9	16.9	1.1
吴忠市	青铜峡	36 438	5 098	4 735	1 061	5 104	1 199	33 887	5 098	4 735	986	4 504	1 165	2 551	0	0	76	599	34	7.0	0	0	7.1	11.7	2.9
	利通区	17 878	1 763	2 871	1 130	1 578	713	16 669	1 763	2 871	922	1 248	696	1 210	0	0	208	330	17	6.8	0	0	18.4	20.9	2.4
	同心县	12 841	881	0	0	0	0	9 822	881	0	0	0	0	3 020	0	0	0	0	0	23.5	0	0	0	0	0
	盐池县	5 607	462	0	0	0	0	4 294	462	0	0	0	0	1 313	0	0	0	0	0	23.4	0	0	0	0	0
	红寺堡	13 943	948	0	0	0	0	10 568	948	0	0	0	0	3 375	0	0	0	0	0	24.2	0	0	0	0	0
固原市	原州区	16 338	1 855	0	0	0	0	12 730	1 855	0	0	0	0	3 608	0	0	0	0	0	22.1	0	0	0	0	0
	西吉县	2 976	516	0	0	0	0	2 421	516	0	0	0	0	555	0	0	0	0	0	18.7	0	0	0	0	0
	隆德县	3 283	574	0	0	0	0	2 696	574	0	0	0	0	587	0	0	0	0	0	17.9	0	0	0	0	0
	泾源县	783	140	0	0	0	0	658	140	0	0	0	0	125	0	0	0	0	0	16.0	0	0	0	0	0
	彭阳县	2 668	468	0	0	0	0	2 196	468	0	0	0	0	472	0	0	0	0	0	17.7	0	0	0	0	0
合计		404 644	48 288	44 156	13 008	31 804	22 962	376 360	48 288	44 156	11 152	26 244	22 540	44 271	0	0	1 857	5 558	420	10.9	0	0	14.3	17.5	1.8

(三)2020水平年供需平衡分析

2020水平年制定了4套水资源合理配置方案集,分别为一次平衡方案(方案一)、推荐方案(方案二)、大幅度增加灌溉面积方案(方案三)和较弱节水力度方案(方案四)。

1. 2020水平年方案集配置结果分析

2020水平年50%和75%频率不同方案水资源合理配置结果如表11-23所示。50%频率下,不考虑节水(方案一)、弱节水(方案四)和强节水方案(方案二)的区域经济社会和人工生态系统水资源需求量分别为100.4亿 m^3、76.5亿 m^3 和69.8亿 m^3,分别比基准年50%频率情况下增加了15.8亿 m^3 和减少了8.2亿 m^3、14.9亿 m^3,方案之间最大差值为30.6亿 m^3,方案四为高强度节水措施下大幅度增加灌溉面积的方案,其需水总量为75.8亿 m^3,比基准年减少了8.8亿 m^3。

表11-23 2020年50%、75%频率方案集水资源合理配置结果 (单位:亿 m^3)

平衡分析	分项	50%频率				75%频率			
		方案一	方案二	方案三	方案四	方案一	方案二	方案三	方案四
供需平衡结果	需水量	100.39	69.76	75.85	76.46	99.86	71.15	77.24	76.77
	供水量	82.95	67.46	71.26	72.97	59.13	56.73	52.7	55.40
	缺水量	17.44	2.29	4.58	3.49	41.40	15.04	25.21	22.00
	缺水率(%)	17.37	3.28	6.04	4.56	41.46	21.14	32.64	28.66
耗用黄河水量结果	引黄灌区	34.67	32.09	34.67	33.32	27.75	27.75	27.85	27.84
	扬黄灌区	4.30	3.96	4.34	4.42	3.22	3.25	3.15	3.16
	南部山区	1.03	0.99	0.99	0.99	1.03	1.00	1.00	1.00
	合计	40.00	37.04	40.00	38.73	32.00	32.00	32.00	32.00

由50%频率的方案集配置结果可以看出,推荐方案属于大力节水方案,缺水率为3.3%,消耗黄河水量分别为37.0亿 m^3。不考虑节水方案和大幅度增加灌溉面积方案的全区耗水总量都已经超过了黄河可消耗水量40亿 m^3 指标,不仅出现了灌溉高峰期缺水的情况,也将会出现耗水缺水情况,总缺水率分别为17.37%和6.04%。方案四是在2020水平年的基础上没有进行大规模节水工作的方案,在高峰期农业缺水将达到4.56%,全区消耗黄河水资源量为38.73亿 m^3。

由于受到黄河耗水量32亿 m^3 的限制,75%频率下区域缺水状况将十分严重,即使是对于高强度节水的方案二,宁夏全区农业缺水量也达到了15.0亿 m^3,缺水率为26.2%。对于大力节水和大幅度增加灌溉面积的情况,区域缺水率将达到32.6%。不采取任何节水措施的方案一和保持2010年节水水平的方案四,宁夏全区缺水量更加严重,缺水率分别为41.5%和28.7%。75%频率水资源配置结果表明,对于当地水资源匮乏的宁夏来说,黄河来水将直接决定着区域缺水状况。宁夏引扬黄灌区没有大型年际调蓄工程,若不大力采取节水措施,控制灌溉面积,区域缺水状况将会变得十分严重。

2. 推荐方案的三种口径供需平衡指标分析

1）传统水资源供需平衡分析

根据前面综合分析，2020 水平年推荐方案为方案二，即大力采取节水措施，灌溉面积增加较少，水稻种植面积维持在 80 万亩。推荐方案传统水资源供需平衡分析结果如表 11-24 所示。

表 11-24　2020 年推荐方案 50% 频率传统水资源供需平衡分析结果

频率	项目		需水（亿 m³）				供水（亿 m³）				缺水（亿 m³）				缺水率（%）	
			生活	工业	农业	人工生态	地表供水	地下供水	污水回用		生活工业	农业	生态	总缺水量	农业	总缺水率
									人工	天然						
50%频率	地市	中卫市	0.36	0.75	9.51	0.02	9.36	0.91	0.02	0.12	0	0.35	0	0.35	3.6	3.3
		银川市	0.77	4.71	22.56	0.26	24.75	1.96	0.78	0.37	0	0.84	0	0.84	3.7	3.0
		石嘴山市	0.29	2.06	9.82	0.20	10.37	1.32	0.16	0.32	0	0.51	0.01	0.51	5.2	4.2
		吴忠市	0.50	2.20	12.97	0.05	13.28	1.77	0.22	0.19	0	0.45	0	0.45	3.4	2.8
		固原市	0.44	0.43	1.86	0.01	1.53	1.04	0.01	0.12	0	0.15	0	0.15	7.9	5.4
	分区	引黄灌区	1.48	8.92	51.45	0.52	54.48	4.96	1.17	0.83	0	1.95	0.01	1.95	3.8	3.1
		扬黄灌区	0.45	0.83	3.95	0.01	3.79	1.02	0.01	0.18	0	0.24	0	0.24	6.1	4.6
		南部山区	0.43	0.40	1.32	0.01	1.02	1.02	0	0.11	0	0.11	0	0.11	8.5	5.2
	合计		2.36	10.15	56.72	0.54	59.29	7.00	1.18	1.12	0	2.30	0.01	2.30	4.0	3.3
75%频率	地市	中卫市	0.36	0.75	9.51	0.04	7.01	1.14	0.03	0.11	0	2.47	0.01	2.48	26.0	23.2
		银川市	0.77	4.71	22.56	0.32	20.72	2.35	0.98	0.46	0	5.78	0.05	5.84	25.6	19.5
		石嘴山市	0.29	2.06	9.82	0.24	7.82	1.51	0.16	0.34	0	2.97	0.05	3.01	30.2	24.1
		吴忠市	0.50	2.20	12.97	0.09	10.40	2.07	0.23	0.25	0	3.36	0.02	3.38	25.9	21.0
		固原市	0.44	0.43	1.86	0.01	1.48	0.87	0.01	0.12	0	0.37	0	0.37	19.7	13.4
	分区	引黄灌区	1.48	8.92	51.45	0.67	43.39	6.02	1.38	0.93	0	13.46	0.13	13.59	26.2	21.2
		扬黄灌区	0.45	0.83	3.95	0.01	2.89	1.09	0.02	0.24	0	1.32	0	1.32	33.3	23.6
		南部山区	0.43	0.40	1.32	0.01	1.15	0.83	0.01	0.11	0	0.17	0	0.17	12.5	7.6
	合计		2.36	10.15	56.72	0.69	47.43	7.94	1.41	1.28	0	14.94	0.13	15.07	26.3	21.0

由 50% 频率的配置结果可以知道，全区缺水将达到 2.3 亿 m³，灌溉高峰期农业将缺水 2.1 亿 m³。随着南部山区调水量的增加，以及小流域综合治理工程措施的继续实施，南部山区缺水情况有所缓解，缺水率为 8.5%。随着用水结构的改变，农业需水比重和需水量将继续减少，生活和工业需水量逐渐增加。由供水水源组成来看，全区地表供水量 59.3 亿 m³，地下水供水 7.0 亿 m³，地下水利用逐渐增加区域浅层地下水的使用量，减少深层地下水使用量，并在工业用水集中的区域逐步使用地表水替代部分工业地下水使用量。银川市地下水使用量减少到 0.89 亿 m³，大武口区的工业地下水使用量减少到 0.24

亿 m³,以保持区域地下水位的稳定状态,全区地表水工业供水量将由现状的 0.5 亿 m³ 增加到 7.0 亿 m³。

由推荐方案 75% 频率配置结果可以知道,即使在大力节水的措施下,宁夏全区缺水仍将十分严重,全区总缺水 15.1 亿 m³,农业缺水率达到 26.3%,属于严重缺水状况,将严重影响区域工农业的生产,人工生态补水也将难以保证。

2)地表地下耗水供需平衡分析

在 50% 频率下,宁夏全区消耗地表地下水资源量为 41.6 亿 m³,主要为当地降水产生的地表地下水 4.5 亿 m³ 和黄河水资源量 37.1 亿 m³,消耗的黄河水资源中引黄灌区占 32.2 亿 m³,扬黄灌区 4.0 亿 m³,南部山区 0.9 亿 m³。与基准年相比较,引黄灌区耗水增加了 0.8 亿 m³,扬黄消耗量增加了 1.3 亿 m³,南部山区增加了 0.3 亿 m³。按照耗水对象分类,农业消耗 29.4 亿 m³,工业生活消耗 4.6 亿 m³,生态消耗 2.5 亿 m³。50% 频率下地表地下耗水供需平衡分析见表 11-25。宁夏区域消耗黄河水资源没有达到可消耗黄河水资源量指标,区域耗水平衡能够得到满足。

表 11-25　2020 水平年 50% 频率下地表地下耗水供需平衡分析　　（单位:亿 m³)

地市	县(市)	消耗地表地下水资源量	消耗黄河水资源量						
			经济系统		生态系统				小计
			农田灌溉	工业生活	未利用地	天然林地	天然草地	湖泊湿地	
地市	中卫市	5.80	4.28	0.54	0.10	0.05	0.12	0.04	5.14
	银川市	17.34	11.05	3.26	0.14	0.07	0.15	0.63	15.28
	石嘴山市	8.54	5.83	1.09	0.08	0.04	0.14	0.25	7.45
	吴忠市	8.30	6.09	1.21	0.07	0.04	0.11	0.08	7.60
	固原市	1.60	1.10	0.50	0	0	0	0	1.60
分区	引黄灌区	36.60	24.42	5.55	0.39	0.21	0.52	1.00	32.09
	扬黄灌区	3.99	3.36	0.63	0	0	0	0	3.99
	南部山区	0.99	0.57	0.42	0	0	0	0	0.99
合计		41.58	28.35	6.60	0.39	0.21	0.52	1.00	37.07

2020 水平年 75% 频率下经济生态系统地表地下耗水供需平衡研究结果表明,宁夏全区消耗地表地下水资源量为 36.5 亿 m³。消耗的黄河水资源量为 32.0 亿 m³,其中,引黄灌区为 27.8 亿 m³,扬黄灌区 3.2 亿 m³,南部山区 1.0 亿 m³。全区黄河耗水平衡结果表明,2020 水平年 75% 频率下,宁夏全区黄河水资源缺水量为 5.6 亿 m³,其中农业生产短缺 4.6 亿 m³,生态系统短缺 1.0 亿 m³。

3)经济生态系统广义水资源供需平衡分析

2020 水平年 50% 频率下宁夏经济生态系统广义水资源需求总量为 59.0 亿 m³,广义水资源供给量为 55.9 亿 m³。经济生态系统广义水资源缺水总量为 3.1 亿 m³,其中农业生产缺水 2.3 亿 m³,生态系统缺水 0.8 亿 m³。

(四)2030 水平年供需平衡分析

1. 两种方案的传统供需平衡分析

两种方案 50% 频率的传统供需平衡表明(见表 11-26),两种方案总需水量分别为 70.1 亿 m³ 和 77.9 亿 m³,灌溉面积小幅度增加的方案缺水率为 4.3%,灌溉面积大幅度增加的方案缺水将比较严重,缺水量为 9.6 亿 m³,农业缺水率达到 15.4%,将严重影响农业生产。

表 11-26　2030 年方案一和方案二 50% 频率各县(市)供需平衡

方案	分项	需水(万 m³)				供水(万 m³)				缺水(万 m³)				缺水率(%)	
		生活	工业	农业	人工生态	地表供水	地下供水	污水回用 人工	污水回用 天然	生活工业	农业	生态	总缺水量	农业	总缺水率
方案一	中卫市	0.43	0.90	8.78	0.03	8.91	0.86	0.03	0.38	0	0.33	0	0.33	3.8	3.3
	银川市	0.89	7.32	20.40	0.36	24.83	1.46	1.73	0.96	0	0.92	0.02	0.94	4.5	3.2
地市 石嘴山市		0.34	2.37	8.76	0.27	9.79	1.14	0.47	0.42	0	0.32	0.02	0.34	3.7	2.9
	吴忠市	0.60	3.31	12.20	0.07	13.12	2.12	0.46	0.80	0	0.48	0	0.48	3.9	3.0
	固原市	0.55	0.55	1.97	0.01	1.80	1.10	0.01	0.30	0	0.17	0	0.17	8.5	5.4
	引黄灌区	1.71	12.50	46.68	0.71	53.29	4.33	2.67	1.98	0	1.86	0.04	1.90	4.0	3.1
分区 扬黄灌区		0.56	1.43	4.20	0.01	4.03	1.31	0.01	0.59	0	0.25	0	0.25	5.9	4.0
	南部山区	0.54	0.52	1.23	0.01	1.13	1.06	0.01	0.29	0	0.11	0	0.11	8.6	4.6
	合计	2.81	14.45	52.11	0.73	58.44	6.69	2.70	2.86	0	2.22	0.04	2.26	4.3	3.2
方案二	中卫市	0.43	0.90	13.30	0.03	11.61	0.95	0.03	0.38	0	2.07	0	2.07	15.6	14.1
	银川市	0.89	7.32	21.25	0.36	23.08	1.76	1.75	0.94	0	3.23	0	3.23	15.2	10.8
地市 石嘴山市		0.34	2.37	8.95	0.27	9.01	1.13	0.47	0.42	0	1.30	0	1.30	14.6	10.9
	吴忠市	0.60	3.31	14.29	0.07	13.2	2.25	0.46	0.80	0	2.31	0	2.31	16.2	12.6
	固原市	0.55	0.55	2.17	0.01	1.51	1.46	0.01	0.30	0	0.30	0	0.30	13.8	9.1
	引黄灌区	1.71	12.50	54.20	0.67	54.13	4.76	2.70	1.96	0	8.12	0	8.12	15.0	11.8
分区 扬黄灌区		0.56	1.43	4.53	0.01	3.58	1.35	0.01	0.59	0	0.99	0	0.99	21.8	15.1
	南部山区	0.54	0.52	1.23	0.06	0.75	1.44	0.01	0.29	0	0.10	0	0.10	8.2	4.3
	合计	2.81	14.45	59.96	0.73	58.46	7.55	2.72	2.84	0	9.21	0	9.21	15.4	11.8

在 75% 频率下,宁夏全区缺水将十分严重,方案一全区农业缺水 18.0 亿 m³,缺水率为 34.2%,方案二农业缺水将达到 29.2 亿 m³,缺水率高达 48.2%。结果表明,若在黄河来水干旱年份,宁夏区域缺水将十分严重,无法支撑区域的可持续发展和社会的稳定。

2. 两种方案的耗水平衡分析

两种方案50%频率的地表地下水资源消耗供需平衡表明,方案一消耗黄河水量为38.79亿 m³,按照耗水对象分类,农业消耗黄河水资源为28.63亿 m³,工业生活消耗8.16亿 m³,生态消耗2.0亿 m³,若加上黄河河道耗水量,则总耗水量达到42.1亿 m³(见表11-27)。由于灌溉面积的大幅度增加,在50%频率下,方案二消耗黄河水资源量已经超过40亿 m³(可消耗黄河水量指标),全区黄河水资源耗水缺水量2.8亿 m³,其中,农业灌溉耗水短缺1.9亿 m³,生态系统耗水缺水0.9亿 m³。

75%频率的地表地下水资源消耗供需平衡表明,方案一和方案二全区黄河水资源缺水缺水量分别为18.0亿 m³ 和29.2亿 m³,缺水率分别为25.6%和37.3%。

结果表明,到2030水平年,即使采取所有可能的节水措施,由于经济社会的发展,生活工业耗用水量大幅度增加,即使在多年平均水平,区域可利用水资源量已经接近极限,依靠现有水资源,无法满足区域经济社会的发展。而对于黄河来水干旱年份,区域经济社会水资源量将出现极端匮乏的状态,解决未来宁夏缺水的措施只能依靠增加外来水源。

表 11-27　2030 水平年方案一消耗地表地下水资源量　　　　（单位:亿 m³）

分项统计		消耗地表地下水资源量	消耗黄河水资源量						
			经济系统		生态系统				小计
			农田灌溉	工业生活	未利用地	天然林地	天然草地	湖泊湿地	
地市	中卫市	6.70	4.95	0.85	0.09	0.05	0.11	0.04	6.09
	银川市	18.09	11.09	4.14	0.12	0.06	0.13	0.63	16.15
	石嘴山市	8.75	5.86	1.36	0.07	0.05	0.13	0.25	7.73
	吴忠市	8.36	6.04	1.38	0.06	0.03	0.10	0.08	7.70
	固原市	1.12	0.69	0.43	0	0	0	0	1.12
分区	引黄灌区	37.84	24.62	6.98	0.34	0.19	0.47	1.00	33.61
	扬黄灌区	4.19	3.44	0.76	0	0	0	0	4.19
	南部山区	0.99	0.57	0.42	0	0	0	0	0.99
合　计		43.02	28.63	8.16	0.34	0.19	0.47	1.00	38.79

第三节　广义水资源配置生态稳定性响应

一、权重的确定

根据宁夏实际情况和专家调查分析,采用主观赋权法对宁夏绿洲生态稳定性评价指标进行赋值,具体权重值见表11-28。

表 11-28　绿洲生态稳定性指标体系权重结果

目标层	基准层	指标层	权重
绿洲系统	水资源指标 33.04	农田单位面积水资源量	7.82
		非农田单位面积水资源量	8.70
		农业缺水率	7.82
		生态缺水率	8.70
	土地资源指标 16.53	耕地指数	4.35
		耕地盐渍化指数	6.09
		荒地指数	6.09
	生物资源指标 36.95	林地指数	6.09
		林地覆盖度	6.96
		草地指数	5.22
		草地覆盖度	4.78
		湿地指数	6.95
		基于生态绿洲当量的草地覆盖率	6.95
	环境因子指标 13.48	水污染状况	3.91
		地下水埋深(对盐渍化区的影响)	4.35
		地下水埋深(对非盐渍化区的影响)	5.22

二、评价指标的预测

(一)植被群落盖度的预测

根据地下水位埋深与植被群落覆盖度之间的关系,应用 SPSS 数值分析软件对宁夏绿洲地下水埋深与植被群落覆盖度的变化进行曲线拟合,见图 11-6 和图 11-7。结果可知,随着地下水埋深的增加,植被群落盖度逐渐降低。

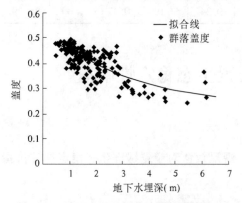

图 11-6　地下水埋深与草地覆盖度的关系

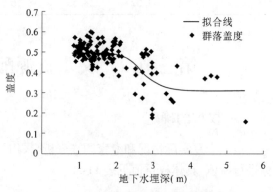

图 11-7　地下水埋深与林地覆盖度关系

拟合结果如下：

$$Cr_g = 0.208\ 8 + \frac{0.282\ 8}{1 + \left(\dfrac{G_d}{3.035\ 9}\right)^{1.687\ 1}} \qquad R^2 = 0.58 \qquad\qquad (11\text{-}1)$$

$$Cr_f = 0.307\ 5 + \frac{0.189\ 1}{1 + \left(\dfrac{G_d}{2.719\ 8}\right)^{10.340\ 9}} \qquad R^2 = 0.47 \qquad\qquad (11\text{-}2)$$

式中：Cr_g、Cr_f 分别为草地和林地的植被盖度；G_d 为地下水埋深，m。

从模拟结果来看，地下水埋深对草地群落盖度的影响比较显著，拟合模型的 R^2 为 0.58；相比之下，林地群落盖度对地下水埋深的变化的敏感程度相对要小一些，R^2 为 0.47。虽然林地植被群落盖度与地下水埋深关系拟合模型的 R^2 值较小，但对于草地和林地拟合模型组成的模型系统从整体上能满足绿洲生态稳定性预测的要求，所以可应用于绿洲生态稳定性预测中。

（二）盐渍化面积预测

引起盐渍化的主要因子的调控是盐渍化防治的关键。对于干旱少雨的西部干旱区要改变淋溶过程是不可能的，在大范围内要人为地改变土壤结构也不现实，而通过建立完善的灌溉体系控制地下水位，并且改变地表覆盖来调控地表蒸散，达到防治盐渍化的目的则是可行的。盐渍化发生的地下水位的临界深度一般在 2.5 ~ 3.0 m。但是对于不同的土壤和不同的地表状况，该临界深度会有所差别。地表覆盖与盐渍化发生有密切的关系，调整地表的植被类型不仅可以改变叶面积指数，由于植物的种类不同，其叶片的气孔阻力也不同，因此可以起到调控植被蒸腾失水的作用。同时，还可通过调节植被的盖度、群落的结构等来改变下垫面的粗糙度，从而改变下垫面的返照率来实现对地面水分蒸散的调控，并且植物根系对水分的吸收及叶面对水分的蒸腾作用又有利于将地下水位控制在临界深度。

由于盐渍化面积同地下水位埋深、地面蒸散发量、土壤结构和降水强度之间的关系没有完全探明，同时考虑宁夏当地的实际情况，本次盐渍化面积的预测根据地下水位埋深的变化量及地面蒸散发量的变化情况，由已有盐渍化面积资料进行初步的估算，可以满足本次绿洲生态稳定性评价的需要。

三、生态稳定性响应分析

（一）基准年平原区生态稳定性分析

根据建立的绿洲生态稳定性评价模型，结合广义水资源合理配置模型的相关数据，计算各县（市）及全区的绿洲生态稳定性综合评价值，与绿洲生态稳定性状况评价的标准比较并分析绿洲生态稳定性状况。基准年 50% 和 75% 黄河来水频率下宁夏平原区生态稳定性评价结果如图 11-8 所示，在评价的 10 个县（市）中，基准年 50% 黄河来水频率下所有县（市）的综合评价值均处于 0.69 ~ 0.74 之间，根据绿洲生态稳定性状况评价标准可以判断，各县（市）的绿洲生态稳定性状况均处于良好状态；基准年 75% 黄河来水频率下仅有平罗县的综合评价值为 0.59，绿洲生态稳定性状况处于一般状态，其他各县（市）的综合评价值均处于 0.60~0.66 之间,各县(市)的绿洲生态稳定性状况均处于良好状态。从全区看,基准年 50% 和 75% 黄河来水频率下全区的综合评价值分别为 0.70 和 0.62,与相应的绿洲生态稳定性状况评价标准比较可知,全区的绿洲生态稳定性状况均处于良好状态。

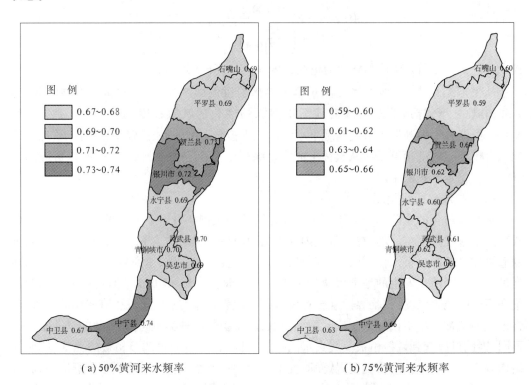

(a) 50% 黄河来水频率   (b) 75% 黄河来水频率

图 11-8   基准年宁夏平原区生态稳定性评价结果

(二) 2010 水平年平原区生态稳定性预测

在多方案的评价中,本次研究主要研究分析了推荐方案(方案二)的生态稳定性状况,并选取了区域经济社会和生态系统发展有实际意义的方案三对比研究。

2010 水平年方案二中,平原区农田灌溉面积较基准年增加了 25 万亩,2010 水平年与基准年相比,引水量减少的同时,由于渠系衬砌和田间平整提高了水的利用效率,从而导致对地下水的入渗补给量减少,虽然在这个过程中侧向排泄量和潜水蒸发量均有所减少,但总体趋势上导致了地下水位的降低,对植被群落盖度产生不利影响。与此同时,由于单位面积水资源量的减少和生态缺水率的提高,均对绿洲生态稳定性产生不利影响,也就导致了各县(市)和全区的绿洲生态稳定性状况相对于基准年有所下降。宁夏平原区 50% 和 75% 黄河来水频率下生态稳定性评价结果如图 11-9 所示,根据评价结果分析,在评价的 10 个县(市)中,2010 水平年方案二 50% 黄河来水频率下所有县(市)的综合评价值均处于 0.61~0.67 之间,各县(市)的绿洲生态稳定性状况虽然较基准年 50% 黄河来水频率下的绿洲生态稳定性状况有所下降,但仍处于良好状态;在 75% 黄河来水频率,仅有中宁县的综合评价值为 0.60,绿洲生态稳定性状况仍处于良好状态,但已经处于边缘状态,而其他各(县)市的综合评价值均处于 0.54 ~ 0.59 之间,绿洲生态稳定性状况均处于一般状态。从全区看,2010 水平年 50% 黄河来水频率下全区的综合评价值为 0.64,较基准年 50% 黄河来水频率下的 0.70 下降了 0.06,绿洲生态稳定性状况有所下降但仍处于良好状态;2010 水平年 75% 黄河来水频率下全区的综合评价值为 0.57,较基准年 75% 黄河来水频率下的 0.62 下降了 0.05,绿洲生态稳定性状况处于一般状态。

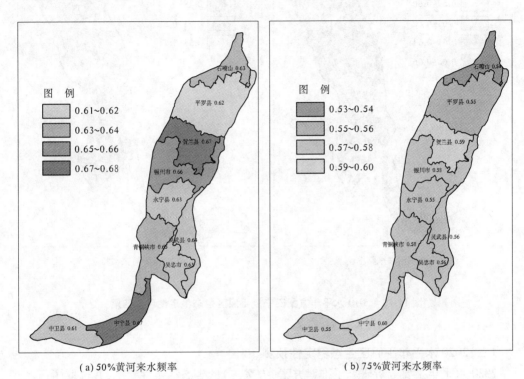

(a) 50%黄河来水频率 (b) 75%黄河来水频率

图 11-9 2010 水平年方案二宁夏平原区生态稳定性评价结果

2010 水平年方案三中,平原区农田灌溉面积较基准年增加了 80 万亩,2010 水平年与基准年相比,引水量减少的同时,开展了一系列节水措施,使得地下水位显著降低,导致植被群落盖度明显下降。与此同时,由于单位面积水资源量较基准年有明显减少和生态缺水率的明显提高,对绿洲生态稳定性不利,导致了各县(市)和全区的绿洲生态稳定性状况相对于基准年明显下降,评价结果见图 11-10。经分析,在评价的 10 个县(市)中,2010 水平年 50% 黄河来水频率下仅中卫市的综合评价值为 0.59,绿洲生态稳定性状况处于一般状态,其他各县(市)的综合评价值均处于 0.61 ~ 0.66 之间,绿洲生态稳定性状况处于良好状态;2010 水平年 75% 黄河来水频率下所有县(市)的综合评价值均处于 0.49 ~ 0.54 之间,绿洲生态稳定性状况较基准年同频率下有明显的降低,均处于一般状态。从全区看,2010 水平年 50% 黄河来水频率下全区的综合评价值为 0.63,较基准年同频率下的 0.70 下降了 0.07,绿洲生态稳定性状况有所下降但仍处于良好状态;2010 水平年 75% 黄河来水频率下全区的综合评价值为 0.51,较基准年同频率下的 0.62 下降了 0.11,绿洲生态稳定性状况处于一般状态,较基准年同频率下的绿洲生态稳定性状况有明显的降低。

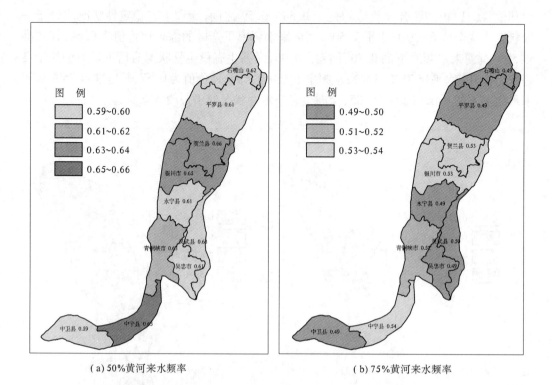

（a）50%黄河来水频率　　　　　　　　　　　　（b）75%黄河来水频率

图 11-10　2010 水平年方案三宁夏平原区生态稳定性评价结果

（三）2020 水平年平原区生态稳定性预测

2020 水平年主要分析研究了推荐方案（方案二）的生态稳定性状况，并选取了区域经济社会和生态系统发展有实际意义的方案四对比研究。

2020 水平年方案二中，平原区农田灌溉面积较基准年增加了 45 万亩，在 2010 水平年节水的基础上进一步加强节水建设，导致地下水位继续下降，同时由于引水量的控制，导致 2020 水平年绿洲生态稳定性与 2010 水平年方案二相比整体处于下降趋势，2020 水平年方案二宁夏平原区生态稳定性评价结果如图 11-11 所示。根据评价结果分析，在评价的 10 个县（市）中，2020 水平年 50% 黄河来水频率下中宁县、贺兰县、银川市、青铜峡市和灵武市的综合评价值处于 0.60 ~ 0.63 之间，绿洲生态稳定性状况处于良好状态，其他各县（市）的综合评价值均处于 0.57 ~ 0.59 之间，绿洲生态稳定性状况处于一般状态；2020 水平年 75% 黄河来水频率下所有县（市）的综合评价值均处于 0.48 ~ 0.55 之间，绿洲生态稳定性状况处于一般状态。从全区看，2020 水平年 50% 黄河来水频率下全区的综合评价值为 0.60，较 2010 水平年方案二 50% 黄河来水频率下的 0.64 下降了 0.04，绿洲生态稳定性状况仍处于良好状态，但已经处于良好状态的边缘；2020 水平年 75% 黄河来水频率下全区的综合评价值为 0.51，较 2010 水平年方案二 75% 黄河来水频率下的 0.57 下降了 0.06，绿洲生态稳定性状况处于一般状态。

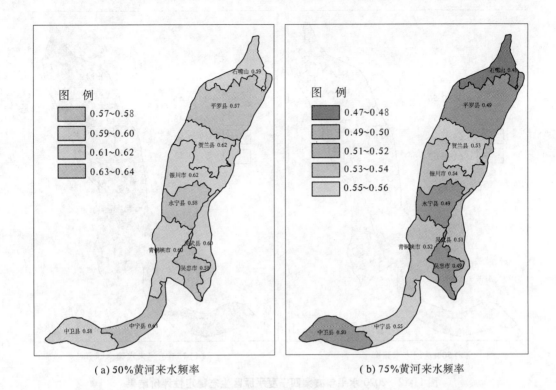

（a）50%黄河来水频率　　　　　（b）75%黄河来水频率

图 11-11　2020 水平年方案二宁夏平原区生态稳定性评价结果

2020 水平年方案四中,平原区农田灌溉面积较 2010 水平年方案二增加了 95 万亩,而且随着节水措施进一步建设,黄河引用水量受到严格控制,致使 2020 水平年地下水位有明显降低,绿洲生态稳定性状况较 2010 水平年方案二有明显的下降趋势。2020 水平年方案四宁夏平原区生态稳定性评价结果如图 11-12 所示。根据评价结果分析,在评价的 10 个县(市)中,2020 水平年 50% 黄河来水频率下中宁县、贺兰县、银川市的综合评价值处于 0.60 ~ 0.61 之间,绿洲生态稳定性状况处于良好状态,其他各县(市)的综合评价值均处于 0.55 ~ 0.57 之间,绿洲生态稳定性状况处于一般状态;2020 水平年 75% 黄河来水频率下所有县(市)的综合评价值均处于 0.45 ~ 0.52 之间,绿洲生态稳定性状况处于一般状态。从全区看,2020 水平年 50% 黄河来水频率下全区的综合评价值为 0.57,较 2010 水平年方案二 50% 黄河来水频率下的 0.64 下降了 0.07,绿洲生态稳定性状况处于一般状态;2020 水平年 75% 黄河来水频率下全区的综合评价值为 0.48,较 2010 水平年方案二 75% 黄河来水频率下的 0.57 下降了 0.09,绿洲生态稳定性状况处于一般状态,较 2010 水平年方案二 75% 黄河来水频率下的绿洲生态稳定性状况有明显降低。

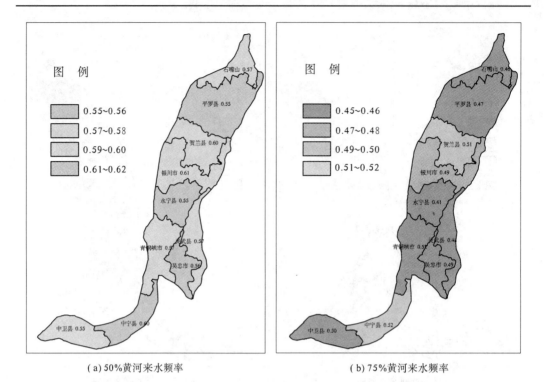

　　　　(a) 50%黄河来水频率　　　　　　　　　　　(b) 75%黄河来水频率

图 11-12　2020 水平年方案四宁夏平原区生态稳定性评价结果

第四节　广义水资源配置水环境响应

一、水环境保护目标

　　以黄河流域水功能区划为基础,并充分考虑宁夏地区水环境实际情况以及以后的发展,确定水平年内宁夏地区各河段、排水沟水环境保护目标为:2010 年前黄河干支流水质达到Ⅲ～Ⅳ类标准,2010 年后,水质达到国家地表水环境质量Ⅲ级标准;2010 年前各排水沟水质优于地表水Ⅳ～Ⅴ类水质标准,2010 年后达Ⅳ类标准;水源区水质基本达到Ⅱ～Ⅲ类水质标准;生活饮用水水源水质指标达标率为 100%;各功能区水质指标达标率为100%。

　　根据宁夏或流域历年水污染统计资料和水环境质量现状,确定 COD 和氨氮为必控指标。

二、水功能区划分

　　水功能区划分依据为:①宁夏地表水水域功能分类依据,以中华人民共和国《地表水水环境质量标准(GB 3838—2002)》为划分依据;②根据国家地表水标准指出"划分水域功能一般不低于现状功能"的规定。

　　黄河流域宁夏段黄河干流一级区划为开发利用区,根据宁夏实际情况,同时参考《宁夏回族自治区水环境功能区划分报告》和《宁夏回族自治区水功能区划》,确定宁夏黄河干流二级水功能区划,见表 11-29,选定 6 条污染严重的排水沟进行纳污能力和污染物削减计算。根据排水沟现状水质和目前水体功能,将 6 条排水沟均化为排污控制区,并确定分期达到一定的水环境目标。区划结果见表 11-30。

表 11-29　黄河干流宁夏段二级水功能区划结果

功能区名称	起始断面	终止断面	水质代表断面	长度	现状水质	目标水质
吴忠饮用水源保护区	中卫申滩南山台扬黄灌取水口		申滩取水口	上游 1 000 m 下游 200 m	Ⅳ	Ⅲ
吴忠饮用水源保护区	中宁泉眼山同心扬黄灌取水口		泉眼山取水口	上游 1 000 m 下游 200m	Ⅳ	Ⅲ
吴忠工业用水区	下河沿	青铜峡大坝	下河沿、青铜峡水文站	115 km	Ⅳ	Ⅲ
银川工业用水区	青铜峡水文站	仁存渡口	叶盛黄河大桥	36.5 km	Ⅴ	Ⅲ
银川工业用水区	仁存渡口	银川公路桥	银古公路大桥	26 km	劣Ⅴ	Ⅲ
石嘴山工业用水区	银古公路大桥	陶乐渡口	陶乐渡口	74 km	劣Ⅴ	Ⅲ
石嘴山工业用水区	陶乐渡口	石嘴山黄河水厂取水口	电厂取水口上游	73.1 km	劣Ⅴ	Ⅲ
石嘴山饮用水源保护区	石嘴山黄河取水口		电厂取水口	上游 1 000 m 下游 200m	劣Ⅴ	Ⅲ
石嘴山工业用水区	陶乐渡口	麻黄沟出境	麻黄沟	84.3 km	劣Ⅴ	Ⅳ

表 11-30　宁夏排水沟二级水功能区划结果

功能区名称	起始断面	终止断面	水质代表断面	长度(km)	现状水质	目标水质
清水沟吴忠排污控制区	关马湖	新华桥	新华桥	26.5	劣Ⅴ	Ⅳ~Ⅴ
东排灵武排污控制区	新华桥	磁窑堡煤厂	史家壕	30.8	劣Ⅴ	Ⅳ~Ⅴ
中干沟永宁排污控制区	增岗乡	永宁入黄口	永宁县城	24.5	劣Ⅴ	Ⅳ~Ⅴ
银新沟银川排污控制区	新市区	贺兰潘昶	潘昶	33.8	劣Ⅴ	Ⅳ~Ⅴ
四排贺兰排污控制区	银川市	平罗通伏	通伏水文站	43.7	劣Ⅴ	Ⅳ~Ⅴ
三排石嘴山排污控制区	银川西湖	石嘴山入黄	安乐桥水文站	80.0	劣Ⅴ	Ⅳ~Ⅴ

三、水功能区纳污能力分析

（一）不同水平年黄河干流各功能区对主要污染物纳污能力

不同水平年黄河干流各功能区对主要污染物纳污能力如表11-31所示。结果表明，不同河段未来水平年的纳污能力是不一样的，对于下河沿至青铜峡大坝、青铜峡水文站至仁存渡口、仁存渡口至银川公路桥三个河段，2010纳污能力与基准年相比，除了仁存渡口至银川公路桥这一河段对氨氮的纳污能力略微增加外，其余均呈减小趋势，且减小幅度差别很大。

表11-31　不同水平年黄河干流各功能区对主要污染物纳污能力

河段	功能区	水平年	对COD纳污能力		对氨氮纳污能力	
			（kg/d）	（t/a）	（kg/d）	（t/a）
仁存渡口至银川公路桥	工业用水区	基准年	199 800.1	72 972	13 321.1	4 862.2
		2010年后	166 503.3	60 773.7	14 430.5	5 267.1
青铜峡水文站至仁存渡口	工业用水区	基准年	65 686.3	23 975.5	7 389.6	2 697.2
		2010年后	61 580.2	22 476.8	5 747.6	2 097.9
仁存渡口至银川公路桥	工业用水区	基准年	39 462.4	14 403.8	6 839.6	2 496.5
		2010年后	34 200.8	12 483.3	3 683.1	1 344.3
银古公路大桥至陶乐渡口	工业用水区	基准年	62 311.0	22 743.5	11 075.9	4 042.7
		2010年后	103 831.4	37 898.5	8 999.0	3 284.6
陶乐渡口至石嘴山黄河水厂取水口	工业用水区	基准年	87 455.2	31 921.1	6 728.2	2 455.8
		2010年后	114 352.6	41 738.7	10 090.1	3 682.9

与基准年相比，2010年下河沿至青铜峡大坝河段对COD的纳污能力减少16.7%，对氨氮的纳污能力增加8.3%；青铜峡水文站至仁存渡口河段对COD的纳污能力减少6.25%，对氨氮的纳污能力减少22.2%；仁存渡口至银川公路桥河段对COD的纳污能力减少13.3%，对氨氮的纳污能力减少46.2%；银古公路大桥至陶乐渡口河段对COD的纳污能力增加66.6%，对氨氮的纳污能力减少18.7%；陶乐渡口至石嘴山黄河水厂取水口河段对COD的纳污能力增加30.76%，对氨氮的纳污能力增加50%。

（二）现状水平年各排水沟对主要污染物纳污能力

现状水平年各排水沟对主要污染物纳污能力如表11-32所示。结果表明，灌期排水沟对COD和氨氮等主要污染物的纳污能力要远比非灌期的纳污能力大得多，平均增加82%左右。这主要是因为与非灌期相比，在灌期灌区退水量增大，水体自净能力较强，因而承污能力也随之增大。

表 11-32　基准年各排水沟对主要污染物纳污能力　　（单位：kg/d）

排水沟名称	河段	功能区	时段	对 COD 纳污能力	对氨氮纳污能力
清水沟	关马湖至新华桥	排污控制区	灌季	26 418.4	2 352.4
			非灌季	2 903.6	244.1
东排水沟	新华桥至磁窑堡煤厂	排污控制区	灌季	11 868.9	1 012.5
			非灌季	1 432.4	129.3
中干沟	增岗乡至永宁入黄口	排污控制区	灌季	10 585.6	904.7
			非灌季	1 397.8	115.7
银新沟	新市区至贺兰潘昶	排污控制区	灌季	16 594.3	1 413.9
			非灌季	3 163.9	263.4
第四排水沟	银川市至平罗通伏	排污控制区	灌季	43 540.2	4 550.4
			非灌季	8 733.3	809.7
第三排水沟	银川西湖至石嘴山入黄	排污控制区	灌季	40 387.7	4 253.6
			非灌季	12 070.1	1 205.1

四、污染物排放量

（一）污染物排放量预测结果

在现有宁夏水环境资料的基础上，根据污染物排放量预测计算模型，对宁夏地区各地市不同水平年的主要污染物及废、污水排放量进行预测，成果见表 11-33。

表 11-33　宁夏黄河干流沿岸各地市废、污水及污染物排放量预测

地市	项目	2000 年	2010 年	2020 年	2030 年
银川市	污水排放总量（万 t）	13 195	18 856	24 237	23 894
	COD 排放总量（t）	88 613	104 956	120 501	118 980
	氨氮排放总量（t）	6 688	8 139	9 500	9 580
石嘴山市	污水排放总量（万 t）	8 632	10 814	11 833	11 808
	COD 排放总量（t）	27 191	33 450	36 258	35 941
	氨氮排放总量（t）	3 050	3 677	4 021	4 103
吴忠市	污水排放总量（万 t）	5 359	7 114	8 485	9 251
	COD 排放总量（t）	59 813	65 712	70 370	73 122
	氨氮排放总量（t）	2 029	3 257	4 390	5 352
中卫市	污水排放总量（万 t）	2 082	2 916	3 718	3 792
	COD 排放总量（t）	36 918	40 773	44 506	45 910
	氨氮排放总量（t）	946	1 860	2 848	3 619
固原地区	污水排放总量（万 t）	589	1 377	1 932	2 407
	COD 排放总量（t）	9 157	13 699	17 771	21 417
	氨氮排放总量（t）	1 651	3 964	6 516	8 865

结果分析:黄河干流沿岸城市中,只有银川市和石嘴山市在 2020~2030 年污水排放量略有减少,其余地市未来水平年的废污水和污染物的排放量是逐年增加的。基准年各地市污水排放总量中,银川市最大,其次是石嘴山市;COD 排放总量中,银川市最大,其次是吴忠市;氨氮排放总量中,银川市最大,石嘴山市次之。

整体看来,从基准年到 2030 年,污水排放量、COD 排放量以及氨氮排放量呈逐年增加趋势,并且基准年到 2010 年的污水排放年平均增长率比 2010~2020 年的大,而 2010~2020 年平均增长率比 2020~2030 年的大,即涨幅呈逐年减小趋势。

面源污染主要来自暴雨径流对地面污染物的冲刷,弥漫性进入河流湖库而导致水体污染,污染物主要包括悬浮物、营养盐、耗氧物质、细菌、重金属等,污染源涉及农田、林地、城镇、工矿企业等,其中农田径流较为普遍,其带来的面源污染也是地表水水质恶化的重要原因。

由于面源污染具有复杂性、不连续性和涉及面广等特点,污染物与负荷量因时间空间表现的差异很大,其野外实地调查和精确计算较为困难,所以,本研究根据对宁夏有关部门的调查,统计结果见表 11-34。

表 11-34　基准年宁夏地区面源污染统计　　　　　　　（单位:t）

县(市)	银川市	永宁县	贺兰县	石嘴山市	平罗县	陶乐县	惠农县	吴忠市	青铜峡市	灵武市
COD	4 038	3 080	2 348	644	4 834	587	1 399	3 877	4 533	5 755
氨氮	566	437	334	210	1 153	207	314	857	947	842
县(市)	中卫市	中宁市	海原县	盐池县	同心县	固原市	西吉县	隆德县	泾源县	彭阳县
COD	9 844	4 943	2 675	2 047	2 896	3 359	2 591	1 564	571	1 989
氨氮	1 460	968	275	330	370	393	289	217	102	250

(二)污染物排放总量控制成果分析

1. 黄河干流各水平年污染物控制成果

黄河干流各水平年污染物控制结果表明,未来不同水平年,各功能区污染物入河量呈逐年增加的趋势,而排放控制量变化不大,且整体上 COD 的入河量要比氨氮的入河量大几倍;吴忠段工业用水区和石嘴山段工业用水区现状和未来不同水平年的排放削减量为零,说明污染物的排放量仍在水功能区的可纳污能力范围内。而银川段相应的排放削减量值较大,说明污染物的排放量已经远远大于其水功能区的可纳污能力,应当采取必要措施进行处理。控制成果见表 11-35。

2. 排水沟各水平年污染物控制成果

排水沟各水平年污染物控制结果表明,未来排水沟污染物进入量逐年增加,排放控制量逐年减少,排放削减量也逐年增加;COD 的入河量要远远大于氨氮的入河量;银新沟排污控制区的排污量最大,是最小排污控制区——东排水沟排污控制区的 10 倍还多,其余各沟的污水排放情况也十分严重,不容乐观,控制成果见表 11-36。

表 11-35 黄河干流各水平年污染物控制成果 （单位:t）

功能区名称	水平年	COD			氨氮		
		入河量	排放控制量	排放削减量	入河量	排放控制量	排放削减量
吴忠段工业用水区	2000 年	31 589	72 927	0	1 736	4 862	0
	2010 年	31 437	60 771	0	1 729	5 267	0
	2020 年	32 621	60 771	0	1 860	5 267	0
	2030 年	33 049	60 771	0	1 898	5 267	0
银川段工业用水区（青铜峡水文站至仁存渡口）	2000 年	47 710	23 975	37 086	1 779	2 697	0
	2010 年	51 384	22 476	45 169	2 089	2 098	0
	2020 年	55 081	22 476	50 946	2 399	2 098	464
	2030 年	56 614	22 476	53 340	2 522	2 098	652
银川段工业用水区（仁存渡口至银古公路大桥）	2000 年	16 204	14 404	2 812	3 044	2 496	843
	2010 年	17 390	12 483	7 668	3 149	1 344	2 777
	2020 年	18 186	12 483	8 913	3 355	1 344	3 094
	2030 年	18 216	12 483	8 958	3 362	1 344	3 105
石嘴山段工业用水区（银古公路大桥至陶乐渡口）	2000 年	24 362	22 741	2 532	3 365	4 043	0
	2010 年	33 716	37 898	0	4 121	3 285	1 286
	2020 年	36 016	37 898	0	4 423	3 285	1 750
	2030 年	36 956	37 898	0	4 567	3 285	1 973
石嘴山段工业用水区（陶乐渡口至石嘴山黄河取水口）	2000 年	24 012	31 912	0	3 415	2 456	1 475
	2010 年	31 021	41 739	0	4 098	3 683	639
	2020 年	32 380	41 739	0	4 289	3 683	932
	2030 年	32 790	41 739	0	4 401	3 683	1 104

以上排入各河段和各沟段的污染物经过排放削减后,基本都能达到其水功能区水质目标。

表 11-36 排水沟各水平年污染物控制成果 （单位：t）

功能区名称	水平年	COD			氨氮		
		入河量	排放控制量	排放削减量	入河量	排放控制量	排放削减量
清水沟排污控制区	2000 年	12 345	1 323	14 108	381	110	366
	2010 年	12 835	1 366	14 678	425	115	416
	2020 年	13 641	1 399	15 652	531	118	546
	2030 年	14 291	1 399	16 465	615	118	651
东排水沟排污控制区	2000 年	1 763	559	1 645	1 189	50	1 437
	2010 年	2 176	639	2 081	1 697	58	2 063
	2020 年	3 043	619	3 185	2 424	56	2 974
	2030 年	3 797	619	4 127	3 045	56	3 750
中干沟排污控制区	2000 年	12 603	639	15 115	1 305	53	1 579
	2010 年	12 932	618	15 547	1 332	51	1 614
	2020 年	13 210	470	16 042	1 351	40	1 649
	2030 年	13 410	470	16 293	1 366	40	1 668
银新沟排污控制区	2000 年	21 129	1 513	24 899	1 661	121	1 955
	2010 年	23 949	1 207	28 729	1 731	101	2 063
	2020 年	25 467	918	30 916	1 859	76	2 248
	2030 年	24 995	918	30 326	1 926	76	2 333
第四排水沟排污控制区	2000 年	8 180	4 184	6 042	3 202	376	3 626
	2010 年	9 678	3 146	8 952	3 590	292	4 196
	2020 年	10 369	2 242	10 719	3 857	208	4 613
	2030 年	10 672	2 242	11 098	3 995	208	4 786
第三排水沟排污控制区	2000 年	15 171	5 389	11 575	2 738	542	2 880
	2010 年	16 104	3 990	16 140	3 446	398	3 919
	2020 年	17 190	3 281	18 207	3 938	328	4 595
	2030 年	18 311	3 281	19 608	4 412	328	5 187

第五节 广义水资源配置工程经济效益响应

宁夏工程经济效益分析评价的主要参数为：①社会折现率，取 12%；②基准点，选在 2000 年，各项费用和效益均按年末发生计算；③项目的计算期，采用 50 年，包括建设期、运行期和正常运行期；④投入产出价格，根据世界银行提供的国际市场价格，计算出各种农副产品的到岸价格，再按 2000 年影子汇率折算人民币，再加上国内运输费用，计算出影子价格;⑤节水灌溉效益,采用分摊系数法,直接效益与农业等其他工程措施分摊,由于宁夏地处西北,所以分摊系数取0.6。

2010年推荐工程配置方案共涉及到7个工程,根据各个工程的规模又设置了4套方案,不同方案中各个工程的规模和实际引水量见表11-37。

表 11-37 2010年不同方案下各个工程的规模及实际引水量

工程项目	方案	工程设计规模	实际规模	备注	设计发电量（亿kWh）	实际发电量（亿kWh）	设计引水（亿m³）	实际引水（亿m³）
沙坡头水利枢纽工程及灌区节水改造	方案一	12.42	12.42	装机容量（万kW）	6.1	5.0	15.5	14.9
	方案二	12.42	12.42		6.1	5.0	15.5	12.1
	方案三	12.42	12.42		6.1	5.0	15.5	16.2
	方案四	12.42	12.42		6.1	5.0	15.5	14.0
青铜峡灌区节水改造工程	方案一	0.49	0.44	渠系水利用系数	—	—	51.5	60.7
	方案二	0.49	0.50		—	—	51.5	49.1
	方案三	0.49	0.50		—	—	51.5	51.0
	方案四	0.49	0.46		—	—	51.5	57.4
宁东供水工程	方案一	1.60	1.60	引水量（亿m³）	—	—	1.6	1.3
	方案二	1.60	1.60		—	—	1.6	1.3
	方案三	1.60	1.60		—	—	1.6	1.3
	方案四	1.60	1.60		—	—	1.6	1.3
南部山区小流域综合治理工程	方案一	—	—	采用高方案	—	—	—	—
	方案二	—	—		—	—	—	—
	方案三	—	—		—	—	—	—
	方案四	—	—		—	—	—	—
固海扩灌工程	方案一	55.0	16.0	灌溉面积（万亩）	—	—	2.1	0.4
	方案二	55.0	16.0		—	—	2.1	0.3
	方案三	55.0	35.0		—	—	2.1	0.8
	方案四	55.0	16.0		—	—	2.1	0.4
红寺堡扬黄灌溉工程	方案一	75.0	30.8	灌溉面积（万亩）	—	—	3.0	1.1
	方案二	75.0	30.8		—	—	3.0	1.0
	方案三	75.0	55.8		—	—	3.0	1.7
	方案四	75.0	30.8		—	—	3.0	1.0
泾河饮水工程	方案一	0.2	0.2	引水量（亿m³）	—	—	0.2	0.2
	方案二	0.2	0.2		—	—	0.2	0.2
	方案三	0.2	0.2		—	—	0.2	0.2
	方案四	0.2	0.2		—	—	0.2	0.2

根据工程实际发生规模和配水量确定不同方案的费用和成本,计算不同方案的国民经济效益费用流量,同理,利用国民经济效益费用流量表可以计算出所有方案的国民经济评价,评价指标见表11-38。

表 11-38　不同方案的国民经济评价指标

方案	内部回收率(%)	经济净现值(万元)	经济效益费用比
方案一	11.89	−3 868.6	0.992
方案二	12.06	2 863.1	1.005
方案三	11.28	−38 872.2	0.946
方案四	11.58	−19 085.9	0.969

各个方案的内部回收率分别为 11.89%、12.06%、11.28% 和 11.58%，比较各个方案可以看出，除了方案二以外，其他方案内部收益率均未达到 12% 的标准，经济效益较差，从经济角度来看，方案二为经济可行方案。

同理，可以确定 2020 年方案二为经济可行方案。

第六节　广义水资源配置水循环响应

一、扬黄灌溉回归水量分析

到 2000 年为止，宁夏已经建设了红寺堡、固海、盐环定扬黄灌区，总灌溉面积已经达到 82 万亩，根据国家农业发展战略，同时为了宁夏南部山区生态移民的出路，在未来规划水平年灌溉面积还将进一步扩大，扬黄灌溉水量相当可观，宁夏大规模的扬黄灌溉工程必将对区域的产水规律产生影响，水资源总量以及地表水、地下水、土壤水等各组成部分也将发生变化，随之也将产生一定的灌溉回归水量，对于区域水资源配置具有一定的影响。不同水平年扬黄灌区灌溉回归水量结果见表 11-39。

表 11-39　不同水平年扬黄水量及其回归量

项目		2000 年	2010 年	2020 年	2030 年
灌溉面积(万亩)		82	122	147	147
引水量(万 m³)		31 650	36 238	39 825	40 265
灌溉水入渗补给量 (万 m³)	渠系水补给量	4 073	4 222	3 868	3 302
	田间灌溉水补给量	2 294	2 832	3 351	3 533
	总补给量	6 367	7 054	7 219	6 834
地下水储蓄量(万 m³)		1 094	1 627	1 961	1 961
回归水量(万 m³)		5 273	5 426	5 258	4 873

根据结果分析，2000 年扬黄灌区灌溉面积为 82 万亩，引水量为 31 650 万 m³，根据灌

溉回归水量计算结果得灌溉水入渗补给量为6 367万 m³,地下水储蓄量为1 094万 m³,根据水量平衡原理计算灌溉回归水量为5 273万 m³。从2000年到2010年、2020年和2030年,由于渠系水利用系数的逐步提高,导致单位面积上的灌溉水入渗补给量逐年减少,使得单位面积上的灌溉回归水量有所降低。从2000年到2010年,灌溉回归水量增加到5 426万 m³,较2000年增加了153万 m³;从2000年到2020年,灌溉回归水量减少到5 258万 m³,较2000年减少了15万 m³;从2000年到2030年,灌溉回归水量减少到4 873万 m³,较2000年减少了400万 m³。

二、小流域治理对山区水循环的影响

为了彻底治理宁夏南部山区的水土流失,改善当地恶劣的自然生态环境,针对不同规划水平年,宁夏南部山区规划了若干水土保持工程,水平梯田、退耕、植树、种草、淤地坝以及谷坊、沟坊等水土保持措施必将对区域的产水规律产生影响,水资源总量以及地表水、地下水、土壤水等各组成部分也将发生变化。不同的水资源配置方案,对应着不同的区域水循环过程,本次研究重点选取了推荐方案进行水循环变化分析,将其他方案与其对比分析,表11-40为不同水平年采取的小流域治理措施方案,其中,高改造治理面积为推荐方案,低方案为对比方案。表11-41为不同水平年产生的减水效益。

表 11-40　各水平年工程措施参数以及面积

工程	拦蓄能力(m³/亩)	2000年(万亩)	高方案				低方案			
			减水系数	面积(万亩)			减水系数	面积(万亩)		
				2010年	2020年	2030年		2010年	2020年	2030年
坝地	133.33	70.50	0.40	120.99	157.47	180.71	0.40	105.95	131.48	153.60
经果林	13.30	100.68	0.25	116.66	144.33	161.98	0.25	111.87	131.23	137.68
草地	10.00	1 166.54	0.10	1 216.60	1 216.60	1 216.60	0.10	1 074.08	1 074.08	1 113.94
梯田	46.70	242.73	0.20	448.09	474.67	489.18	0.20	405.63	432.22	446.73

表 11-41　南部山区不同水平年水资源量减少量　　　　（单位:亿 m³）

区域	2010年			2020年			2030年		
	地表	地下	总量	地表	地下	总量	地表	地下	总量
高方案	-0.511	0.247	-0.264	-0.705	0.322	-0.383	-0.826	0.368	-0.458
低方案	-0.347	0.168	-0.179	-0.494	0.228	-0.266	-0.617	0.276	-0.342

各区域气候因素、水文情势、降水条件不同,现状水平年的流域下垫面情况差异很大,各区域在各个规划水平年采取的各项水土保持措施的数量、质量、配置都有明显不同,造成了各区域水土保持措施的综合减水效果的差异相当明显。由计算结果可知,实施水土

保持措施以后,高方案各规划水平年全区水资源总量与2000年相比,三个水平年分别减少了3.5%、5.0%和6.0%。其中盐池、同心和海原等几个区域在实施水土保持措施后水资源总量减少率较大,是因为这几个区域在实施水土保持措施过程中坝地面积相对其他区域来说增加的比较多,同时坝地的拦蓄能力比较大,减水效果比较好,所以这几个区域相对其他区域来说减水效果非常明显。总体上看,实施水土保持措施后可以治理宁夏南部山区的水土流失,减少径流量,改善当地恶劣的自然生态环境。

三、平原区水循环响应

(一)水均衡计算结果

宁夏广义水资源合理配置模型是水资源配置和水循环过程的耦合,在水资源合理配置过程中,同时进行着区域水循环转化过程的模型,以分析水资源合理配置对区域水循环过程的影响。2010年推荐方案50%频率配置情况下平原区水循环响应结果见表11-42。

表 11-42　2010 水平年推荐方案 50% 频率平原区水均衡状况　　（单位:亿 m³）

平衡项目	补给项	补给量	消耗项	消耗量
引水渠道	降水	0.20	蒸发	0.92
	引黄河水	58.47	进入农田	29.63
	地下水补给	0.01	干支斗农渠入渗	10.35
			渠系直接退入排水沟	17.01
			渠系退水补给湖泊湿地	0.57
			引水补给湖泊湿地	0.20
	总计	58.68	总计	58.68
农田	降水	7.09	蒸发	32.46
	渠道引黄供水	29.62	田间地表排水	1.66
	开采地下水	0.34	入渗	9.54
	地下水补给	6.61		
	总计	43.66	总计	43.66
荒地	降水	3.75	蒸发	4.53
	地下水补给	0.94	入渗	0.16
	总计	4.69	总计	4.69
林草灌木地	降水	2.52	蒸发	3.98
	地下水补给	1.67	入渗	0.21
	总计	4.19	总计	4.19
城镇居工地	降水	0.72	蒸发	0.26
	城乡使用地下水	4.49	地表排水	0.45
	城乡引黄水	4.28	工业生活消耗	3.67
			污水排放	5.11
	总计	9.49	总计	9.49

续表 11-42

平衡项目	补给项	补给量	消耗项	消耗量
湖泊湿地	降水	0.37	蒸发	2.27
	引水渠系退水补给	0.57	总蓄变量	-0.02
	地下水补给	0.21		
	山洪	0.60		
	人工引水补给	0.30		
	渠道补给	0.20		
	总计	2.25	总计	2.25
排水沟	降水	0.10	蒸发	0.47
	田间地表排水	1.66	进入黄河	29.21
	不透水面积	0.46		
	地下排泄补给	5.64		
	引水渠系直接退入	17.01		
	污水	4.81		
	总计	29.68	总计	29.68
平原区地下水均衡	农田入渗	9.53	进入排水沟	5.64
	渠道入渗	10.36	地下水补给渠道	0.01
	荒地入渗	0.16	地下水侧排入黄河	1.51
	林草灌木地入渗	0.21	补给农田	6.61
	周边来水入渗	1.16	补给荒地	0.94
			补给林草灌木地	1.67
			补给湖泊湿地	0.21
			人工开采	4.83
			蓄变量	0
	总计	21.42	总计	21.42
平原区水均衡	引黄河水	62.75	蒸发	48.57
	降水	14.76	排水沟入黄河	29.21
	周边地下侧渗	1.16	地下水侧排入黄河	1.51
	周边山洪来水	0.60	地下水蓄变量	0
			湖泊蓄变量	-0.02
	总计	79.27	总计	79.27

(二)平原区水循环变化趋势

平原区水循环系统是一个已经适应了自然和人工复合作用的相对稳态的系统。未来随着人类活动的加强、大规模节水措施的实施,以及农业用水向工业和生活用水进一步转移,宁夏平原区水循环变化趋势为:平原区引黄水量将进一步减少,水循环强度将大幅度减弱,地表水、土壤水和地下水的交换量也逐渐减弱,地下水位降低,潜水蒸发减少,未来虽然可以通过人工供水的方式补给湖泊和部分植被,但天然生态耗水将呈下降的趋势,湖泊补给水源将由天然补给逐渐向人工补给转移。表 11-43 为不同水平年 50% 频率水循环过程变化趋势。

表 11-43 不同水平年推荐方案 50% 频率水循环过程变化趋势 （单位：亿 m³）

分项		2000 年	2010 水平年	2020 水平年	2030 水平年
引黄灌溉水量		75.3	58.5	50.1	45.9
区域水资源消耗量	总蒸发消耗量	49.6	48.8	48.6	50.1
	农田蒸发消耗量	34.3	32.5	31.3	31.8
	天然生态消耗量	13.3	12.2	11.4	11.1
	生活工业消耗量	1.7	3.9	5.6	7.0
排水沟排水量	排水沟总水量	41.7	29.2	25.0	21.2
	地下水排泄补给	8.5	5.6	4.5	3.6
	生活工业补给	3.9	4.8	6.7	7.2
	农田与降水补给	29.4	18.8	13.8	10.3
地下水补给量	区域入渗总量	27.9	21.4	17.4	15.7
	渠系渗漏补给量	15.1	10.4	7.9	6.4
	农田入渗补给量	11.1	9.5	8.1	7.8
	其他补给	1.7	1.5	1.5	1.4
地下水消耗量	潜水蒸发量	12.8	9.2	6.6	5.7
	地下水排泄入排水沟	8.5	5.6	4.5	3.6
	地下水侧排入黄河	1.9	1.5	1.1	0.8
	人工开采量	4.3	4.8	5.1	5.4

从 2000 年到 2030 水平年 50% 频率推荐方案水循环过程可以看出：

（1）由于平原区引黄水量大幅度减少，平原区水循环外来水源驱动作用力将大大减弱。除了当地降水之外，平原区主要依靠引用黄河水量，而平原区降水条件短期内不会有大的改变，引黄灌溉水量在可预见的未来将逐渐减少，从基准年的 75.3 亿 m³ 减少到 2030 年的 45.9 亿 m³。

（2）尽管平原区灌溉面积略有增加，但从基准年到 2020 水平年农业蒸散发消耗水量将会持续减少，需水节水和耗水节水效果都比较明显，到 2030 水平年，农业蒸散发消耗水量将趋于稳定，引黄灌区生活工业耗水将持续迅速增加。因此，区域总蒸发耗水量变化趋势是：从基准年到 2010 水平年，总蒸散发耗水将小幅度减少，到 2020 水平年基本保持稳定，2030 水平年将有小幅度的增加，如图 11-13 所示。

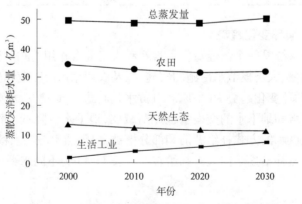

图 11-13 平原区水资源量消耗及其组成变化趋势

（3）地下水补给与消耗都将发生显著变化。随着灌区续建配套工程和节水改造的实施，地下水入渗量将大幅减少，地下水位有明显下降。随之，区域潜水蒸发和地下水排泄到排水沟的水量将大幅减少，引黄灌区侧排入黄河的水量也将明显减少，而地下水人工开采利用量将有所增加，如图 11-14、图 11-15 所示。

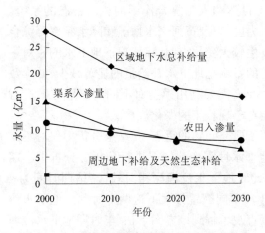
图 11-14　平原区地下水补给量及其组成变化趋势

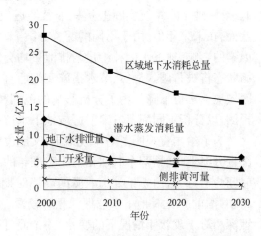
图 11-15　平原区地下水消耗量及其组成变化趋势

（4）平原区引排水量将迅速减少，但减少的速度将越来越慢，同时，排水沟水量的组成将发生巨大的变化，地下水排水量将大幅度减少，生活工业排水量大幅增加，灌溉排水量将急剧减少，大引大排的现象将发生显著变化，转变为小引小排，如图 11-16、图 11-17 所示。

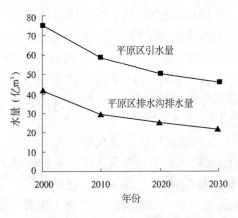
图 11-16　平原区引排水量变化趋势

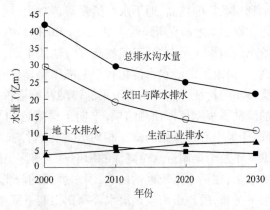
图 11-17　平原区排水沟水量及其组成变化趋势

（5）随着未来平原区大规模节水，天然生态赖以维持的地下水补给将减少，通过人工补水的方式增加湖泊供水，基本能够保持区域湖泊总水面的稳定，但湖泊补给水源将由天然补给逐渐向人工补给转移，零星分布的湖泊将由人工补给的大型人工湖泊所代替。虽然可以通过人工供水的方式补给湖泊和部分植被，但天然生态耗水将呈下降的趋势，其中，未利用地和草地的潜水蒸发消耗减少将十分明显。

(三)地下水位变化

平原型灌区地下水之所以能够快速地响应气候、地表水和灌溉活动的变化,潜水水位埋藏深浅是一个重要的原因,灌溉－排水系统的水流过程对区域水循环具有显著的驱动作用,这样,地下水系统就能够与地表水系统和土壤包气带建立较为稳定的动态关系。因此,灌区地下水系统实际上是一个已经适应了自然和人工复合作用的相对稳态的系统。然而,在未来年份,由于不同的配置方案、节水力度,以及黄河来水情况和降水频率等综合因素的影响,地下水的补给量与排泄量均会发生较大变化,现状年情况下地下水的相对平衡状态将被打破。显然,节水措施实施后直接的影响是地下水补给量的显著减少,并导致区域地下水位下降。为了分析影响的范围和大小,需要利用模型对不同的配置方案进行预测,以分析不同配置方案下区域地下水位相对于现状年的变化规律。

为了给出直观明了的比较结果,又能说明所研究问题的重点,在结果分析中仅对不同配置方案下丰、枯两个时期相对于基准年的地下水埋深变化情况进行分析。分析中丰期时间为七月末,由于正处于灌溉的高峰时期,此时地下水位埋深相对较浅,枯期时间为4月初(灌前),此时地下水位埋深相对较深。比较不同配置方案下这两个时刻的地下水位埋深相对于现状年情况下的变化,一方面可以直观了解到该方案下枯、丰时期地下水位埋深相对现状年的增加幅度,也可以使不同的预测配置方案之间有统一的比较基准。在模拟预测过程中发现,不同的配置方案下,地下水位埋深变化宏观趋势基本相同,然而变化幅度和分布情况依不同的配置方案而异。因此,本次研究主要描述2010水平年方案二50%频率下的地下水位变化规律,相关其他配置方案只直接给出宏观统计结果。

1. 潜水位动态

从2010水平年方案二50%频率下的模拟结果来看,随着引水量的减少,渠系和田间水利用系数的提高,地下水补给量显著减少,区域水循环强度减弱,青铜峡灌区的潜水位在枯期和丰期都有所降低。图11-18和图11-19分别为丰期和枯期的潜水降深场;图11-18给出的结果表明,在处于灌溉高峰时期的丰期,由于引水量的减少和渠系水利用系数的提高,干渠附近的潜水水位相对于基准年将显著降低,以至于降深等值线呈现出明显沿着干渠分布的特征。这是由于干渠的渗漏补给量占渠系渗漏量的比例较大,渗漏量比较集中的缘故。根据模拟预测结果,丰期干渠附近的平均水位降低幅度一般在 0.4～0.9 m 之间,干渠中心位置处的降深相对较大,这对减轻干渠两侧区域的沼泽化程度会有一定帮助。不过干渠附近水位降深的影响范围有限,一般在离干渠中心位置 1～3 km 的区域影响较大,在离干渠较远的区域,潜水埋深的降低幅度减少到 0.2～0.4 m。通过对模拟结果的分析,发现银南丰期潜水降深比银北下降明显,这应该是银南排水条件优于银北的缘故。在枯期(灌前),由于此前经过长时期的地下水位平衡,灌区内部潜水降深分布比较均匀,大多数区域的潜水降深在 0.2 m 左右,如图11-19所示。值得注意的是,图11-19同时显示由于承压地下水开采量的增加,某些局部地区的潜水将会通过渗漏补给承压水,对潜水的降深会有一定的影响,如永宁县和银川市市郊以及吴忠市等处。大武口市和银川市在本配置方案中减少了地下水开采量,因此局部地下水位有所回升。

2. 潜水降深统计分析

图11-18和图11-19分别给出了2010年方案二情况下的丰、枯时期潜水降深分布情

况,对预测结果可以起到直观分析的作用,并可以粗略了解潜水降深的大致范围,然而要做到定量分析,还必须对降深场进行统计分析。贺兰山东麓单一潜水区不在灌区范围之内,统计埋深时排除在外。不同方案不同时期的潜水降深统计见表11-44。

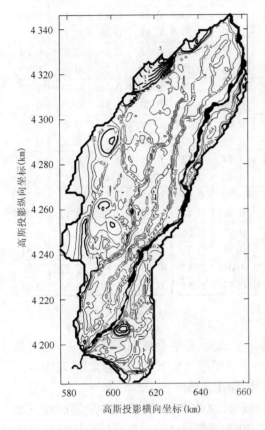 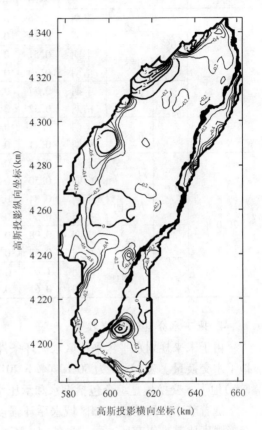

图 11-18 推荐方案 50% 频率丰期潜水降深场 图 11-19 推荐方案 50% 频率枯期潜水降深场

由潜水地下水位模拟结果可以看出,相对于基准年情况,2010 水平年推荐方案(方案二)50% 频率同期地下水埋深值有不同程度的增加。在枯水期,银南地区增加 0.23 m,银北地区增加 0.13 m,河东地区增加 0.22 m,全灌区地下水枯期埋深增加 0.18 m;丰水期地下水降深比枯水期明显,银北平均增加 0.34 m,银南平均增加 0.56 m,河东平均增加 0.45 m,全灌区丰期地下水埋深增加 0.41 m。

2020 水平年推荐方案(方案二)50% 频率对应地下水埋深变化情况为:枯期银南地区地下水埋深比基准年平均增加 0.50 m,银北增加 0.28 m,河东增加 0.46 m,枯期全灌区埋深平均增加 0.37 m;丰期银南增加 0.85 m,银北增加 0.58 m,河东增加 0.74 m,丰期全灌区埋深平均增加 0.65 m。

3. 承压水位动态

图 11-20 和图 11-21 为丰期和枯期承压水流场。大武口市和银川市地下水开采量的减少将使局部承压地下水位显著回升,承压水漏斗面积减小。通过枯期和丰期的对比发现,承压水降深场在年内比较稳定,分布情况基本相似,这一点与潜水降深场的变化不同。

表 11-44　规划水平年不同方案下不同时期潜水降深统计　　　　（单位：m）

规划水平年	频率	方案	时期	青铜峡灌区					卫宁灌区		
				银南	银北	河东	陶乐	平均	河北	河南	平均
2010 年	50%	方案二	丰期	0.56	0.34	0.45	0.43	0.41	0.43	0.43	0.43
			枯期	0.23	0.13	0.22	0.37	0.18	0.28	0.15	0.22
		方案三	丰期	0.51	0.34	0.37	0.42	0.38	0.06	0.02	0.04
			枯期	0.20	0.17	0.14	0.36	0.18	0.12	0.08	0.10
	75%	方案二	丰期	0.77	0.62	0.67	0.48	0.64	0.74	0.70	0.72
			枯期	0.32	0.29	0.24	0.43	0.30	0.39	0.29	0.34
		方案三	丰期	0.91	0.78	0.80	0.52	0.79	0.58	0.60	0.59
			枯期	0.41	0.37	0.29	0.47	0.37	0.31	0.22	0.27
2020 年	50%	方案二	丰期	0.85	0.58	0.74	0.53	0.65	0.74	0.65	0.70
			枯期	0.50	0.28	0.46	0.47	0.37	0.47	0.32	0.39
		方案四	丰期	0.84	0.58	0.75	0.53	0.65	0.32	0.21	0.27
			枯期	0.50	0.27	0.48	0.47	0.37	0.32	0.12	0.22
	75%	方案二	丰期	0.98	0.80	0.95	0.56	0.84	0.97	0.72	0.85
			枯期	0.57	0.39	0.54	0.52	0.46	0.54	0.41	0.47
		方案四	丰期	1.03	0.88	1.01	0.57	0.91	0.84	0.72	0.78
			枯期	0.61	0.44	0.59	0.54	0.51	0.49	0.34	0.41

4. 地下水分县（市）交换量

由于未来规划水平年平原区水循环条件将发生改变，必然会影响不同县（市）之间的地下水交换量。表 11-45 为 50% 频率下 2010 年宁夏平原区地下水交换量数据，表中各县（市）地下水交换量是综合包括潜水和承压水的统计计算结果。

随着节水力度的增加和区域水循环强度的减弱，总体来说，各县（市）之间的地下水交换强度比基准年有所减弱。虽然幅度不大，2020 水平年总体来说各县（市）的交换量比 2010 水平年进一步减少，然而，由于不同规划年地下水开发利用分布上和开采强度上的差异，个别县（市）之间的地下水交换强度有小幅度的增加。综合来说，由于平原区地势平坦，地下径流的水平运动微弱，县（市）之间的地下水交换量对节水措施的实施不敏感。

在农业灌溉活动的干预下，宁夏灌区的地下水系统、地表水系统和农田土壤－植物－大气连续体存在密切的相互作用，形成了统一的人工－自然复合型的水循环动态体系。结果表明，灌溉－排水系统的水流过程对区域水循环具有显著的驱动作用，实施节水改造后，水循环的强度将有所减弱，地下水埋深将有明显的增加。

在模拟预测过程中发现，推荐配置方案下地下水位随时间的动态，在一年内可基本达到新的平衡，一般 3~5 年内完全达到新的平衡，水位没有持续下降的趋势，即地下水位状态基本上可以达到年内调节。

地下水位下降有利弊两方面的效应，在银北地区，有利于盐渍化土壤改良，但湖泊渗漏量会有所增加，沼泽和湿地的面积会有一定面积的缩小；银南地区，部分浅埋带盐渍化土壤亦有改良作用，但是还增加了部分埋深大于 3 m 的区域，从而失去最优地下水埋深状态，可能导致灌溉定额的相对增加，但仍在较优可行的范围之内。

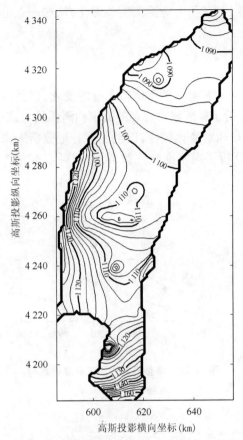

图 11-20 推荐方案 50% 频率丰期承压水流场

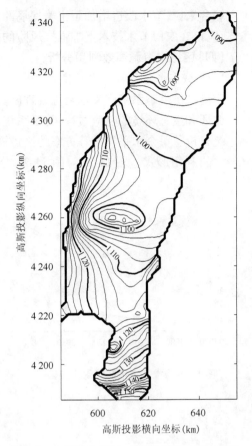

图 11-21 推荐方案 50% 频率枯期承压水流场

表 11-45　2010 水平年 50% 频率分县(市)地下水交换量　　（单位:万 m³）

流出 ＼ 流入		石嘴山			银川市				吴忠市		中卫市		合计流出量
		惠农区	平罗县	大武口	银川	贺兰县	永宁	灵武市	利通区	青铜峡	中宁县	中卫县	
石嘴山	惠农区	0	219	501	0	0	0	0	0	0	0	0	720
	平罗县	348	0	638	0	60	0	0	0	0	0	0	1 047
	大武口	57	33	0	0	0	0	0	0	0	0	0	90
银川	银川	0	23	0	0	1 950	550	16	0	0	0	0	2 539
	贺兰县	0	1 259	0	1 268	0	0	0	0	0	0	0	2 527
	永宁	0	0	0	3 832	0	0	336	0	684	0	0	4 852
	灵武市	0	0	0	42	0	69	0	1 306	0	0	0	1 416
吴忠	利通区	0	0	0	0	0	0	361	0	920	0	0	1 281
	青铜峡	0	0	0	0	0	914	0	2 594	0	0	0	3 509
中卫市	中宁县	0	0	0	0	0	0	0	0	0	0	382	382
	中卫县	0	0	0	0	0	0	0	0	0	116	0	116
合计流入量		405	1 534	1 139	5 142	2 011	1 533	713	3 900	1 604	116	382	

综合来说,节水改造增加了土壤保墒的风险,但有利于防治次生盐碱化,从这一点上考虑,应该在农田节水技术上加强抗风险的能力。

(四)区域水资源高效利用分析

1. 区域需水与耗水变化规律

宁夏经济生态系统广义水资源合理配置研究了不同水平年供需水量的变化,以及区域水循环和生态环境的响应过程,为了系统地分析宁夏区域水资源的需求和消耗状况,下面系统分析了每个水平年推荐方案的区域需水和耗水变化规律,以便于更好地分析未来区域水的利用形式。图11-22 ～ 图11-25 分别分析了需水变化规律、需水与耗水变化规律。

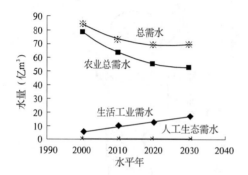

图11-22　推荐方案区域需水变化

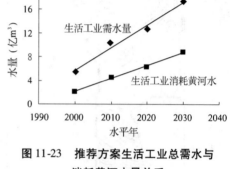

图11-23　推荐方案生活工业总需水与
消耗黄河水量关系

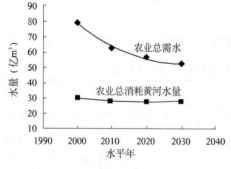

图11-24　推荐方案农业总需水与
消耗黄河水量关系

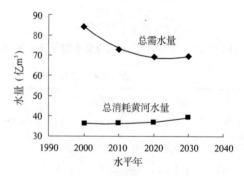

图11-25　推荐方案总需水与
消耗黄河水量关系

从基准年到2030 水平年推荐方案的需水耗水信息,可以得出以下结论:首先,区域总需水从基准年到2020 水平年快速减少,但2020 年以后,由于生活、工业和生态需水迅速增加,而农业需水节水的潜力越来越小,总需水减少的趋势较缓;其次,生活和工业耗水快速增加,农业耗水减少的速率逐渐变缓,区域总耗水到2010 年基本能够保持稳定,2010 水平年以后区域总耗水量将呈现逐渐增加趋势。

2. 农业节水潜力分析

目前,我国节水潜力的研究还没有统一的标准和公认的研究方法,节水潜力的计算不能采取静止的观念,应该考虑到社会经济的发展、未来可能的变化和区域生态环境的改变,节水潜力应该是指采取可能的社会、经济和科技措施,在保持区域生态稳定和经济社会可持续发展前提下,区域最大的实际节水能力,它体现了维持区域经济社会系统可持续发展的节水量阈值。

传统节水潜力分析一般是指用水节水,它反映了区域水资源取用量的节约。本书从区域广义水资源量消耗的角度研究宁夏农业节水潜力,提出耗水节水的概念。认为耗水节水是在考虑各种可能的节水措施的情景下,考虑节水措施的耗水与不采取节水措施的耗水差值,它体现了未来真正发生的耗水节水潜力,及其能够向工业生活转移的水量。耗水节水量是表明区域实际蒸发消耗的节水量,体现了区域真正的节水潜力。但节水是以不损害区域生态环境和社会经济发展为前提的,因此节水导致的区域生态耗水减少必须通过人工途径进行补偿,这部分农业耗水节水量转移给天然生态系统,不计算在区域耗水节水指标内。

通过区域水循环模拟、生态稳定性评价和经济效益分析,认为推荐方案是能够支撑区域经济社会系统可持续发展的较好方案。因此,研究认为各水平年推荐方案的耗水量与不节水方案的耗水量的差值即为区域实际耗水节水潜力,50%频率下宁夏农业节水潜力见表11-46。从节水变化规律来看,宁夏区域用水节水潜力较大,但耗水节水潜力远远小于用水节水潜力,与基准年相比,未来2010水平年耗水的节水潜力为2.75亿 m^3。

表11-46　50%频率下宁夏农业节水潜力　　　　　　（单位:亿 m^3）

节水分类	2010 水平年		
	不节水	节水	差值
用水	75.64	62.37	13.27
耗水	30.56	27.81	2.75

注:1. 由于节水导致地下水位下降,地下水对湖泊的补给减少,湖泊渗漏增加,2010水平年湖泊人工补水为0.32亿 m^3。

2. 由于有消耗黄河水量的限制,未来年份的不节水方案情况下的缺水率远大于节水状态下的缺水率,因此表中给出的是实际农业可以节水转移的潜力。若不考虑消耗黄河水量限制,即节水和不节水方案都不缺水情况下2010水平年理论耗水节水潜力为4.5亿 m^3。

3. 水利用系数提高对农业取水、耗水和节水的影响

随着渠系防渗衬砌和田间节水改造的进行,宁夏平原区农业灌溉水利用系数将会有显著的提高,而农业用水、耗水和节水与水利用系数有着密切的关系。分析宁夏平原区农业灌溉水利用系数与用水、耗水和节水之间的定量化关系,寻求不同水利用系数的提高产生的需水、耗水变化和区域农业节水潜力效应,为节水型社会建设提供定量节水潜力参考依据。广义水资源合理配置推荐了2010水平年经济生态响应良好的方案,以此方案为基础,保持种植结构等工程和非工程措施不变,仅调整灌区农业水利用系数,采用广义水资源配置模型,模拟区域水资源配置过程和引用耗排水量的关系,得到不同水利用系数相应的农业用水量、耗水量以及节水量之间的关系,见表11-47。情景一为现状水利用系数,其余为不同节水改造措施对应的水利用系数的提高情景,其中情景三为推荐方案的水利用

系数。

表 11-47 宁夏平原区农业用水量、耗水量、节水量与水利用系数关系

2010 年	水利用系数	农业用水量 （亿 m³）	农业耗水量 （亿 m³）	用水节水量 （亿 m³）	耗水节水量 （亿 m³）
情景一（现状）	0.38	63.3	33.6	0	0
情景二	0.41	58.4	32.5	4.9	1.1
情景三（推荐）	0.43	56.3	32.1	7.0	1.5
情景四	0.47	51.7	31.2	11.6	2.4
情景五	0.50	49.2	30.7	14.0	2.9
情景六	0.52	47.8	30.5	15.5	3.1
情景七	0.60	41.7	29.8	21.6	3.8

注：各情景下的农业用水节水量和耗水节水量等于其与现状情景的差值。

根据其中不同情景下的模拟结果,可以得到宁夏平原区水利用系数的变化与用水、耗水和节水的相关关系,如图 11-26 ~ 图 11-31 所示。可以看出,随着水利用系数的提高,农业用水量和耗水量不断减少,且减少幅度越来越小;随着水利用系数的提高,农业用水节水量和耗水节水量不断提高,且用水节水量和耗水节水量的增加幅度越来越小;随着取用水量的减少,耗水量也逐渐减少,但减少幅度越来越小,当用水达到极值点时(即水的利用系数为 1 时),用水量等于耗水量;随着用水节水量的提高,耗水节水量也逐渐增加,但增加幅度越来越小,最后趋近于零。

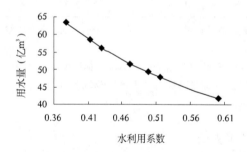

图 11-26　水利用系数与用水量的关系

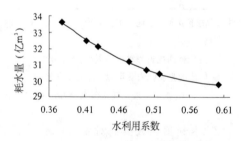

图 11-27　水利用系数与耗水量的关系

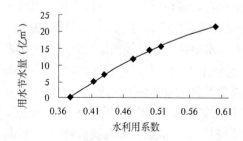

图 11-28　水利用系数与用水节水量的关系

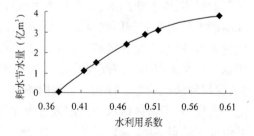

图 11-29　水利用系数与耗水节水量的关系

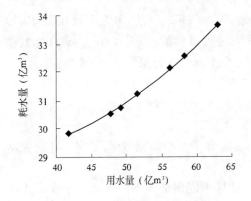

图 11-30 用水量与耗水量的关系

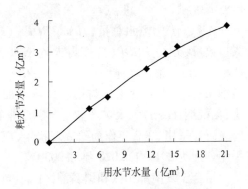

图 11-31 用水节水量与耗水节水量的关系

第七节 水资源承载能力分析

根据宁夏的自然条件、地形地貌特点、水资源利用方式、农业生产方式、农业种植结构和社会经济发展水平,一般可将其分为引黄灌区、扬黄灌区和宁南山区三个大的水资源利用分区。根据水资源承载能力评价的要求和特点,由于引黄灌区与宁南山区在经济发展条件、居民生活方式、自然条件、土地类型、水资源利用、农业生产方式以及农业种植结构等方面存在诸多差异,而扬黄灌区的状况介于以上两个区域之间,不单独作为一个分区计算,而是把位于宁南山区的算到宁南山区之中,位于川区的算到川区之中。本研究确定按川区和山区两大分区分别进行水资源承载能力评价研究;在分区水资源承载能力评价的基础上,提出宁夏水资源承载能力。

研究采用多目标分析方法,对宁夏水资源承载能力进行研究,总体思想是根据各分区不同的生产方式、生产力水平和生活水平现状,合理选定一系列评价指标,将评价指标与水资源的关系进行量化,建立起量化关系和目标约束条件,以可利用水资源和耗水量为最终的约束条件,计算宁夏的水资源承载能力。建立的主要模型的约束方程如下。

水量约束:社会经济及生态环境总用水量必须小于地区水资源可开发量。

$$W_{\text{live}}(s,j) + W_{\text{FI}}(s,j) + W_{\text{SI}}(s,j) + W_{\text{TI}}(s,j) + W_{\text{env}}(s,j) \leqslant W(s,j) \tag{11-3}$$

人均 GDP 约束:全社会总 GDP 占有量要小于地区的 GDP 生产能力。

$$(POP_{\text{rur}}(s,j) + POP_{\text{urb}}(s,j)) \cdot PGDP(s,j) \leqslant GDP_{\text{SI}}(s,j) + GDP_{\text{TI}}(s,j) + GL(s,j) \cdot a(s,j) \tag{11-4}$$

人均粮食指标约束:全社会总粮食占有量要小于地区粮食生产能力。

$$(POP_{\text{rur}}(s,j) + POP_{\text{urb}}(s,j)) \cdot PGL(s,j) \leqslant GL(s,j) \tag{11-5}$$

城镇化约束:地区的城镇化进程以一定的比重发展。

$$POP_{\text{urb}}(s,j)/(POP_{\text{urb}}(s,j) + POP_{\text{rur}}(s,j)) = b(s,j) \tag{11-6}$$

产业比重约束:地区的产业结构在一定的范围内调整发展。

$$GDP_{\text{SI}}(s,j)/GDP_{\text{TI}}(s,j)) = c(s,j) \tag{11-7}$$

式中: $W_{\text{live}}(s,j)$ 为生活需水量,万 m³; $W_{\text{FI}}(s,j)$ 为第一产业需水量,万 m³; $W_{\text{SI}}(s,j)$ 为第二

产业需水量,万 m^3;$W_{TI}(s,j)$ 为第三产业需水量,万 m^3;$W_{env}(s,j)$ 为生态环境需水量,万 m^3;$W(s,j)$ 为需水总量,万 m^3;$PDP_{rur}(s,j)$ 为农村人口数量,万人;$POP_{urb}(s,j)$ 为城镇人口数量,万人;$PGDP(s,j)$ 为人均 GDP,元/人;$GDP_{SI}(s,j)$ 为第二产业增加值,万元;$GDP_{TI}(s,j)$ 为第三产业增加值,万元;$GL(s,j)$ 为粮食指标;$PGL(s,j)$ 为人均粮食指标,无量纲;$a(s,j)$ 为粮食指标与第一产业增加值的比例;$b(s,j)$ 为城镇人口与农村人口的比重,无量纲;$c(s,j)$ 为第二产业与第三产业的比重,无量纲。

研究采用 2000 年作为研究现状年,规划以每 10 年为一个研究周期,确定不同研究水平年分别为 2010 年、2020 年和 2030 年。

结合宁夏南部山区和引黄灌区的不同特点,计算不同保证率下的承载力。南部山区灌溉用水不足,主要是雨养农业,农业生产主要依靠降水,因此以平水年 50%、中等干旱年 75% 和特殊干旱年 95% 三种保证率作为研究区域不同水平年的来水保证率,研究各水平年不同来水频率时全自治区的发展状况,考察各水平年在不同来水状况时的水资源承载能力。而对于宁夏川区的引黄灌区,以灌溉农业为主,农业生产保证率较高,以 50% 和75% 来水年份作为研究基准年。

一、川区水资源承载能力

根据宏观经济社会发展预测模型,可得到不同水平年宁夏川区人口与城镇化发展规模、GDP 生产规模,川区需水预测结果则可由需水与节水预测计算得到。

(一)承载力指标分析

承载力指标的具体量值是与居民生活状况紧密相关的,各种指标随着生活水平的提高而不断变化。

随着居民生活水平的不断提高,产品的人均需求量以及需求结构在不断的运动过程之中,各种产品的需求量与人均 GDP 存在着一定的线性关系。随着人均 GDP 的提高,对于各类农产品的需求量也呈逐渐增长的趋势,但对农产品的需求增长速度会逐渐减缓。当前宁夏川区人均 GDP 为 7 171 元,预计 2010 年、2020 年人均 GDP 将分别达到 1.7 万元、3.9 万元,根据人均 GDP 水平,结合地区特点制定适合宁夏各类农产品需求的小康和富裕两个标准(表 11-48),以此指标对宁夏的水资源承载力进行评价。

表 11-48　宁夏承载力标准

项目	年份	人均 GDP（万元/人）	人均农产品占有量(kg/人)						
			粮食	棉花	油料	肉	奶	蔬菜	水果
小康标准值	2010 年	10 000	430.0	3.0	22.5	60.0	12.5	335.0	65.0
	2020 年	15 000	430.0	3.5	24.0	70.0	18.0	390.0	85.0
	2030 年	25 000	420.0	4.0	24.5	75.0	22.5	420.0	105.0
富裕标准值	2010 年	20 000	445.0	4.0	25.0	70.0	16.5	370.0	80.0
	2020 年	30 000	445.0	4.5	26.5	77.0	23.0	410.0	95.0
	2030 年	50 000	435.0	5.0	25.5	82.5	25.0	440.0	115.0

(二)农业生产能力

1. 种植业生产能力

农产品的单位产量、灌溉水资源的可利用量以及可发展的灌溉面积是决定农产品生产能力的主要因素。农产品单位产量与灌溉农业发展水平、地域环境、生产力条件、农业科技水平等众多因素有关,通过对世界、我国及宁夏农产品单位产量的分析,结合未来宁夏灌溉农业的发展趋势,可预测水平年流域各种农产品单位产量。

宁夏属于缺水地区,随着社会经济的发展,对于水资源的利用量仍将呈逐渐增加的趋势。川区农业用水量占有很大比重,农业用水效率也不是很高,将来的用水趋势必将是提高农业用水效率、节约农业用水量、促进用水结构的调整。地区的灌溉面积与当地的土地资源状况和水资源状况有着密切的关系,虽然农业用水不可能增加,但是由于农业用水效率的提高,农业灌溉面积仍将有一定的发展空间。结合区内土地资源状况,预测各分区未来水平年灌溉面积发展状况,结果表明,预测水平年宁夏灌溉面积比重和总量增加不是很大,粮食作物比重将不断减少,而经济作物和经济林的比重将不断增加,农业种植结构将更趋于合理。

宁夏农产品生产能力逐渐加强,但是由于人口增长,粮食人均占有量有所减少,见表11-49。2000～2010年,农业灌溉面积有所增加,但由于作物种植结构调整,粮食作物比重略有下降,但总量仍没有减少,粮食人均占有量由2000年的623.8 kg/人下降到2010年的551.1 kg/人。之后,灌溉面积基本保持稳定,粮食产量仍呈增长趋势,由于人口增长速度放缓,人均粮食占有量基本稳定,2020年、2030年粮食人均占有量为569.4 kg/人和569.1 kg/人。

表11-49　各分区主要农产品人均占有量　　　　(单位:kg/人)

分项指标	年份	全区	银川市	石嘴山市	吴忠市	中卫市
粮食	2000年	623.8	618.6	577.0	741.0	566.9
	2010年	551.1	499.6	511.7	777.7	492.8
	2020年	569.4	477.3	519.9	934.1	490.2
	2030年	569.1	457.3	514.6	999.6	488.0
油料	2000年	30.2	12.2	42.9	25.7	35.6
	2010年	34.7	13.7	47.9	37.9	36.0
	2020年	39.9	14.5	52.5	52.7	38.7
	2030年	46.2	16.2	58.1	66.8	44.5
蔬菜	2000年	571.6	458.9	814.6	803.4	329.3
	2010年	631.6	510.3	878.4	905.2	387.5
	2020年	746.4	584.4	1 031.6	1 083.0	516.6
	2030年	850.3	663.2	1 145.9	1 271.2	605.9
水果	2000年	59.4	79.8	11.4	33.2	91.1
	2010年	95.0	125.8	18.2	54.0	142.9
	2020年	107.5	139.9	20.9	61.3	164.0
	2030年	119.0	151.3	22.9	69.6	185.9

2. 畜产品生产能力

对于宁夏,由于其地域特点,未来年份牧业将是其发展重点,预计 2010 年肉类总产量将达到 19.5 万 t,人均占有量为 53.3 kg,比 2000 年增加 51%;到 2020 年总产量为 31.0 万 t,人均占有量 79.1 kg,比 2010 年增加 26.9%,高于全国平均水平。各分区肉类人均占有量见表 11-50。

表 11-50　宁夏肉类、奶人均占有量　　　　　　　　　（单位:kg/人）

农产品	年份	全区	银川市	石嘴山市	吴忠市	中卫市
牛肉	2000 年	6.7	6.1	7.7	10.7	2.9
	2010 年	9.3	8.9	12.3	12.0	4.0
	2020 年	13.6	12.5	16.3	18.5	8.3
	2030 年	18.9	17.4	19.9	26.9	13.4
猪肉	2000 年	23.0	13.2	13.8	30.2	50.6
	2010 年	35.5	22.7	26.6	41.2	73.1
	2020 年	53.2	33.8	40.3	62.4	108.9
	2030 年	71.7	44.8	55.1	85.5	148.2
羊肉	2000 年	6.7	7.2	7.0	7.2	4.8
	2010 年	8.5	8.2	9.8	9.3	7.1
	2020 年	12.3	11.0	14.8	13.8	11.5
	2030 年	15.8	12.9	19.8	18.4	16.7
肉类合计	2000 年	36.4	26.5	28.4	48.1	58.4
	2010 年	53.3	39.8	48.6	62.5	84.2
	2020 年	79.1	57.3	71.4	94.8	128.7
	2030 年	106.4	75.1	94.7	130.8	178.3
牛奶	2000 年	71.3	58.1	8.7	225.2	13.9
	2010 年	81.1	69.0	12.1	249.0	14.3
	2020 年	94.9	83.0	15.8	284.7	16.2
	2030 年	107.4	96.4	19.8	315.4	17.9

(三)承载力分析

根据预测年份宁夏经济发展对水资源的需求趋势、农产品生产与水资源的消耗关系以及人均生活用水需求,结合地区水资源量供给分析,依据预定的承载力指标对宁夏川区水资源承载能力进行预测,表 11-51 为宁夏川区水资源承载能力计算结果。

表 11-51　宁夏川区水资源承载能力计算结果

降水频率	标准	项目	单位	2010 年	2020 年	2030 年
50%	小康标准	预测人口	万人	378.3	413.8	444.6
		承载人口	万人	502.8	579.9	678.3
		承载人口差值	万人	124.5	166.1	233.7
		总体平衡指标 R		397.3	507.1	685.6
	富裕标准	预测人口	万人	378.3	413.8	444.6
		承载人口	万人	424.0	499.7	579.3
		承载人口差值	万人	45.7	85.9	134.8
		总体平衡指标 R		262.0	403.9	588.3
75%	小康标准	预测人口	万人	378.3	413.8	444.6
		承载人口	万人	413.8	467.7	512.3
		承载人口差值	万人	35.5	53.8	67.7
		总体平衡指标 R		397.3	507.1	685.6
	富裕标准	预测人口	万人	378.3	413.8	444.6
		承载人口	万人	350.6	405.4	440.6
		承载人口差值	万人	−27.7	−8.5	−4.0
		总体平衡指标 R		262.0	403.9	588.3

　　总体来说,在 50% 降水频率下,宁夏基本不缺水,水资源承载能力较强。在小康标准下,各县(市)均能达到承载要求,而且随着水资源利用效率的不断提高,水资源承载能力还呈逐步上升的趋势,2010 年、2020 年和 2030 年水资源承载能力分别为 502.8 万人、579.9 万人和 678.3 万人,分别比当年预测人口多 124.5 万人、166.1 万人和 233.7 万人;在富裕标准下,地区的水资源承载力的具有一定的压力,2010 年银川市、石嘴山市和中卫市刚刚达到承载力富裕标准,但全区综合考虑,承载人口分别比预测人口高 45.7 万人,到 2020 年和 2030 年,随着水资源利用效率的逐步提高,川区各地市水资源承载能力均能达到富裕标准,人口承载力分别比预测人口多 85.9 万人和 134.8 万人,承载能力较强。但是,在 75% 降水频率下,由于地区缺水量较大,水资源承载能力不容乐观,在小康标准下,各预测水平年水资源承载能力分别只比预测人口多 35.5 万人、53.8 万人和 67.7 万人;在富裕标准下,各预测水平年水资源承载力均不能满足要求,但承载力缺口有逐渐减少的趋势,各水平年承载力差值分别为 −27.7 万人、−8.5 万人和 −4.0 万人。

二、山区水资源承载能力

(一)研究内容

　　根据前述水资源承载能力的定义和属性,按照水资源承载能力研究赋予的内涵,结合宁夏南部山区的实际情况,南部山区水资源承载研究的主要内容包括以下几个方面:

　　(1)分析南部山区重点城镇供水问题,提出未来不同水平年的水需求态势,并提出解决办法,初步进行工程规划。

　　(2)在现状水资源利用条件下,考虑雨养农业为主的农业生产条件的改善,结合南部山区农业水资源利用工程的规划和布局,分析水资源承载力,确定可承纳人口容量。

（3）结合水资源承载力计算，提出不超过允许承载能力条件下，所需要采取的措施和不同水平年适宜的移民数量。

（二）人口发展预测

南部山区分县（区）不同水平年、不同人口增长规模情况下的人口预测结果可参见宁夏宏观经济社会发展预测模型结果。

（三）南部山区重点城镇供水分析

1. 供水现状

根据《宁夏主要城镇及工业区地下水资源概况》（宁夏地质矿产局），宁夏南部山区8县（区）县城所在地城镇供水都程度不同地存在一些问题，主要表现为：一是水量不足，二是水质不好，三是供水能力不能满足需水要求，四是供水系统尚不完善和配套。在这些问题中，最为突出的是水量不足。但通过开源节流、调节供水时段等措施，目前8县（区）所在地城镇供水大部分能够得到保障。

南部山区主要城镇现状供水量采用调查统计资料，现状需水量资料根据城镇人口和工业产值计算确定。其中，城镇生活用水定额采用"九五"水资源研究成果，工业用水定额采用现状实际值计算确定，见表11-52。

表 11-52　南部山区主要城镇现状供水及水源情况

城镇名称	第一水源			第二水源			远期水源	现状年供水量（亿 m³）
	水源类型	最大可供（t/d）	现状利用（t/d）	水源类型	最大可供（t/d）	现状利用（t/d）		
盐池县	骆驼井地下水	2 000	1 000	扬黄工程		15 500	扬黄工程	0.060
同心县	小红沟地下水	3 500	1 500	扬黄工程		9 200	扬黄工程	0.039
海原县	沟谷潜水	380	300	地下水	2 500	2 300	扬黄或水库调水	0.014
原州区	海子峡水库	—	—	地下水	12 500	10 500	泾河调水	0.044
西吉县	地下水	7 000	6 830	—	—	—	泾河调水	0.023
隆德县	地表水潜流	10 000	9 900	—	—	—	泾河调水	0.032
泾源县	西峡水库	4 000	750	—	—	—	西峡水库	0.003
彭阳县	地下水	15 000	2 300	—	—	—	地下水	0.010
合 计			22 580			37 500		0.191

2. 重点城市需水预测

根据需水与节水预测计算，可得南部山区重点城镇需水总量结果。

（四）承载能力边界条件

1. 主要农作物单位面积产量

根据宁南山区现状农业种植情况，将农作物划分为粮食、油料、蔬菜、甜菜和其他作物五大类。进行水资源承载能力评价，实质上是确定区域水资源对人口的供养水平和程度。根据水资源承载能力评价指标，食物消费包括植物产品消费和动物产品消费。其中，植物产品消费指标主要包括粮食、油料、蔬菜和甜菜 4 类，而动物产品消费指标主要包括肉、蛋、奶制品。为此,本研究仅对前述 4 种植物产品的产量指标进行预测研究;对动物产品只做产量预测和人均指标研究。为此,在水资源承载能力的计算中,只考虑植物产品消费指标的满足和保障供给,动物产品不作为确定承载能力计算的限制因素。

1)高生产水平单位面积产量

《宁夏自治区水土保持规划》给出了南部山区坡地、梯田、沟坝地、库井灌区现状年、2010 年、2020 年单位面积粮食产量,可以近似地认为是不同水平年(发展阶段)多年平均状况下的单位面积产量,可以作为分析不同降水保证率时粮食作物单位面积产量的依据。但通过对现状年粮食产量的分析计算可以知道,规划数值约偏高 10%。为此,预测时不同水平年的产量均按规划数值的 90% 采用;对于水平年 2030 年,考虑到随着基数的增大,单位面积产量的增长会趋于缓慢,为此,按水土保持规划数值 2010~2020 年增长率的80% 进行预测计算。

根据"九五"宁夏水资源研究成果,在不同水平年 2000~2010 年、2010~2020 年、2020~2030 年,南部山区粮食作物的单位面积产量增长率按 1.10%、0.86% 和 0.44% 计算。借鉴前述研究成果,油料、蔬菜、甜菜及水果在不同水平年 2010 年、2020 年、2030 年的单位面积产量在现状年的基础上近似地按每年增长 0.5% 进行预测。

2)低生产水平单位面积产量

除现状年 2000 年外,粮食作物其他各水平年单位面积产量增加按高水平年单位面积产量增长的 70% 进行预测计算,油料、蔬菜、甜菜及水果均按每年增长 0.3%(高水平的60%)进行预测计算。

根据前述确定的比例关系、拟合方程和不同水平年时的产量增长率,可以计算确定各种作物在不同水平年不同来水保证率情况下的单位面积产量。

3)草地生产能力

宁夏南部山区的草地面积主要由退耕以后的陡坡地和现状荒山荒坡组成,生产能力相对较弱。其中,人工草地以种植紫花苜蓿为主,而通过水土保持综合治理由荒山荒坡形成的草地大部分以天然牧草为主。草地单位面积产量和草地种类与当地的天然降水量有直接关系。由于草地具有多年生的性质和对季节的要求相对较低,在不同的降水频率下,草地的单位面积产量变化不大。同时可以近似地认为各种草地在不同水平年的产量也基本维持稳定。为此,本预测认为草地在不同降水频率和不同水平年的单位面积产量保持不变。分县(区)草地单位面积产量见表 11-53。

表 11-53　南部山区分县(区)草地单位面积产量预测　　　　(单位:kg/亩)

行政分区	盐池县	同心县	海原县	原州区	西吉县	隆德县	泾源县	彭阳县
耕地苜蓿	740	900	1 180	1 460	1 380	1 740	2 580	1 460
荒地苜蓿	247	300	393	487	460	580	860	487
天然草地	164	188	230	272	260	314	440	272

2. 农作物种植结构

根据农业统计资料,包括扬黄灌区在内,2000 年南部山区 8 县(区)农业生产以种植粮食作物为主,平均占 81.02%,其次为油料作物,占 7.43%,蔬菜占 0.86%,甜菜仅在彭阳县有少量种植,其他作物种植面积占 10.68%。

　　根据南部山区的特点,确定以降水频率为 50% 时平水年的各类作物的总产量水平,作为计算承载力的依据并要求在县域内达到各指标承载人口的相对平衡。同时,考虑到各县(区)农作物种植习惯和产量优势,可允许部分目前已经超过本身需求水平的农作物保持现状面积。但分析发现,由于受现状生活水平和"以粮为纲"思想的影响,除粮食作物外,南部山区其他作物种植比例均不能满足现状需求。

　　为此,承载力计算时,不同水平年农作物种植结构比例可依据 50% 频率年时的作物单位面积产量指标,根据"县域内部平衡"(即不同作物产量供养相同数量的人口)的原则确定。但同时需要指出的是,受面积、产量以及消费指标等多因素的控制,不同水平年以 50% 来水频率产量指标确定的农作物种植结构并不能满足 75% 和 95% 来水频率时承载容量"县域内部平衡"的要求。也就是说,按照 50% 来水频率时,粮食、油料与蔬菜供养人口相等所确定的农作物种植结构比例,在 75% 和 95% 来水频率时,并不能实现三者供养人口的平衡。但分析认为,以粮食、油料、蔬菜 3 项主要指标供养人口的平均值所计算的承载人口数量,仍大致能反映区域的承载人口数量。南部山区分县(区)不同作物种植结构见表 11-54。

表 11-54　不同水平年南部山区农作物种植结构

行政区	2000 年农作物种植结构(%)					2010 年农作物种植结构(%)				
	粮食	油料	蔬菜	甜菜	其他	粮食	油料	蔬菜	甜菜	其他
盐池县	79.82	5.11	0.04	0	15.03	69.50	11.50	3.90	0.13	14.97
同心县	82.23	4.00	0	0	13.77	74.12	10.50	1.73	0.09	13.56
海原县	81.17	7.36	0.19	0	11.28	77.64	9.10	2.33	0.10	10.83
原州区	77.01	11.54	0.10	0	11.35	79.13	8.40	1.26	0.11	11.10
西吉县	86.14	8.23	1.19	0	4.44	82.99	9.10	3.23	0.24	4.44
隆德县	76.67	10.96	2.52	0	9.85	78.24	8.30	3.14	0.43	9.88
泾源县	79.82	6.21	5.54	0	8.43	82.75	6.30	2.13	0.20	8.63
彭阳县	83.42	4.54	1.73	0	10.30	77.27	8.80	3.44	0.21	10.28
平　均	81.02	7.43	0.86	0	10.68	77.19	9.37	2.48	0.15	10.81

行政区	2020 年农作物种植结构(%)					2030 年农作物种植结构(%)				
	粮食	油料	蔬菜	甜菜	其他	粮食	油料	蔬菜	甜菜	其他
盐池县	68.10	12.80	3.94	0.19	14.97	67.28	13.30	4.26	0.19	14.97
同心县	72.78	11.68	1.85	0.14	13.56	72.13	12.20	1.97	0.14	13.56
海原县	76.67	10.00	2.34	0.16	10.83	76.18	10.30	2.53	0.16	10.83
原州区	78.29	9.20	1.25	0.16	11.10	77.79	9.60	1.35	0.16	11.10
西吉县	81.46	10.45	3.28	0.36	4.44	80.43	11.20	3.56	0.36	4.44
隆德县	77.12	9.40	2.95	0.65	9.88	76.93	9.50	3.03	0.66	9.88
泾源县	81.79	7.23	2.05	0.30	8.63	81.79	7.40	2.21	0.30	8.63
彭阳县	75.95	9.96	3.49	0.32	10.28	74.98	10.60	3.82	0.33	10.28
平均	75.99	10.46	2.51	0.23	10.81	75.32	10.93	2.71	0.23	10.81

注:本表数据不包括扬黄灌区。

(五) 消费水平分析

1. 消费现状

宁南山区水果、奶类、禽蛋产品主要以城镇居民消费为主,进入市场环节以后,农村人口的消费率十分低下,在可预见的水平年内,这项指标或许会有一定程度的增长,但总体而言,增长空间不大,与全国平均消费水平仍保持较大差距。而奶类产品无论是生产还是消费,在南部山区均处于起步阶段,除城镇居民主要依靠市场交换有所消费外,农村人口的消费量目前基本为零。南部山区主要食物指消费现状见表 11-55。

表 11-55　南部山区主要食物指标消费现状　　　　（单位:kg/人）

行政区	粮食	油料	蔬菜	甜菜	水果	肉类	禽蛋	奶类
盐池县	184.8	11.8	21.8	0	4.9	47.5	3.2	15.8
同心县	313.7	10.0	31.2	0	9.2	20.3	3.3	0.2
海原县	180.3	3.4	84.4	0	8.1	11.2	2.3	0
原州区	188.8	20.0	131.2	0	8.4	11.4	2.8	0.2
西吉县	239.4	4.8	99.7	0	2.9	10.2	2.4	0
隆德县	310.5	18.0	69.8	0	2.4	25.7	2.6	0
泾源县	339.2	8.0	74.9	0	0.7	23.9	4.5	0
彭阳县	215.3	4.5	100.5	1.8	63.3	26.3	5.9	0
平均	234.9	10.3	85.2	0.2	12.0	18.1	3.1	1.1

2. 期望消费

由于宁夏自治区社会经济发展水平远落后于全国平均水平,针对宁夏南部山区社会经济发展现状和食物消费现状水平又远落后于宁夏全区现状平均水平这样一个事实,通过对全国、宁夏以及宁夏南部山区生活和消费水平的具体分析,确定分别以全国平均水平90%和80%来预测未来30年宁夏南部山区的食物生产和消费指标。同时,根据宁南山区的社会经济发展现状和群众生活消费情况,参考"九五"水资源承载能力研究成果,对南部山区的粮食需求指标予以适当降低,以最大限度地减少粮食生产和食物需求造成的人口压力。具体预测结果见表 11-56。

表 11-56　南部山区主要食物指标消费现状　　　　（单位:kg/人）

项目	水平年	粮食	油料	蔬菜	甜菜	水果	肉类	禽蛋	奶类
生产目标	2010 年	320	19		89	39	42	15	14
	2020 年	340	23		93	44	42	18	21
	2030 年	360	26		100	47	42	19	26
消费目标	2010 年	132	8	119		32	23	12	14
	2020 年	130	8	126		38	22	14	22
	2030 年	133	8	144		42	22	14	33

注:南部山区指标按我国平均水平的80%进行预测。

（六）农业生产能力

1. 不同类型耕地面积

根据宁南山区的实际情况，耕地可分为库井灌区、雨水灌溉、膜料覆盖、梯田、沟坝地和坡地六种类型，由于经果林和草地的特殊性，也将其看做不同的耕地利用类型。根据南部山区的水资源和旱作农业的特点，这些不同类型的耕地，在同一发展阶段当遇到不同的来水频率年时面积有所不同。南部山区不同来水频率时各水平年耕地面积汇总见表 11-57。

表 11-57　南部山区不同来水频率各水平年耕地面积汇总　　（单位：万 hm²）

方案	水平年	频率（%）	总耕地	库井灌	雨水灌	膜覆盖	梯田	坝地	坡地	经果林	草地
	2000 年	50	95.46	6.07	2.48	3.43	11.27	2.04	70.16	1.77	24.48
		75	95.46	4.73	2.05	3.43	11.57	2.04	71.63	1.77	24.48
		95	95.46	3.40	1.54	3.43	11.92	2.04	73.13	1.77	24.48
高发展水平	2010 年	50	95.24	7.62	3.42	5.39	22.26	4.75	51.80	2.20	41.98
		75	95.24	4.73	2.83	5.39	22.68	4.75	54.87	2.20	41.98
		95	95.24	3.40	2.13	5.39	23.18	4.75	56.40	2.20	41.98
	2020 年	50	95.04	8.29	4.49	8.34	20.40	5.80	47.71	2.94	41.98
		75	95.04	4.73	3.72	8.34	20.96	5.80	51.48	2.94	41.98
		95	95.04	3.40	2.81	8.34	21.62	5.80	53.06	2.94	41.98
	2030 年	50	94.84	8.96	4.49	9.87	19.93	6.71	44.87	3.41	41.98
		75	94.84	8.65	3.72	9.87	20.49	6.71	45.40	3.41	41.98
		95	94.84	3.40	2.81	9.87	21.15	6.71	50.89	3.41	41.98
低发展水平	2010 年	50	95.24	7.62	2.88	4.45	20.78	3.93	55.58	2.07	36.73
		75	95.24	4.73	2.38	4.45	21.12	3.93	58.63	2.07	36.73
		95	95.24	4.73	1.79	4.45	21.53	3.93	58.81	2.07	36.73
	2020 年	50	95.04	8.29	3.34	5.98	20.78	4.67	51.98	2.59	36.73
		75	95.04	4.73	2.76	5.98	21.18	4.67	55.72	2.59	36.73
		95	95.04	4.73	2.07	5.98	21.65	4.67	55.93	2.59	36.73
	2030 年	50	94.84	8.96	3.34	7.71	20.14	5.70	48.99	2.92	36.73
		75	94.84	4.73	2.76	7.71	20.54	5.70	53.39	2.92	36.73
		95	94.84	4.73	2.07	7.71	21.01	5.70	53.60	2.92	36.73

南部山区不同类型耕地农作物种植面积见表 11-58。

表 11-58 南部山区不同水平年各降水频率下种植面积情况 （单位：万 hm²）

方案	水平年	频率(%)	库井灌区				雨水补充灌溉				膜料覆盖		梯田		坝地		坡地		林果
			粮食	油料	蔬菜	甜菜	粮食	油料	蔬菜	甜菜	粮食	油料	粮食	油料	粮食	油料	粮食	油料	
	2000年	50	4.24	0.43	0.70	0	1.69	0.17	0.34	0	2.81	0.27	9.43	0.93	1.67	0.15	57.53	4.68	1.77
		75	3.30	0.33	0.55	0	1.40	0.14	0.28	0	2.81	0.27	9.67	0.95	1.67	0.15	58.73	4.78	1.77
		95	2.37	0.24	0.39	0	1.05	0.11	0.21	0	2.81	0.27	9.96	0.98	1.67	0.15	59.95	4.88	1.77
高发展水平	2010年	50	5.06	0.66	0.88	0.15	2.26	0.28	0.44	0.07	4.36	0.48	18.31	1.95	3.83	0.36	41.89	3.87	2.20
		75	3.16	0.38	0.55	0.09	1.87	0.23	0.36	0.06	4.36	0.48	18.65	1.99	3.83	0.36	44.32	4.16	2.20
		95	2.27	0.27	0.39	0.07	1.40	0.17	0.28	0.04	4.36	0.48	19.06	2.03	3.83	0.36	45.55	4.28	2.20
	2020年	50	5.27	0.82	1.00	0.25	2.85	0.43	0.58	0.13	6.66	0.84	16.52	2.03	4.58	0.52	37.84	4.33	2.94
		75	3.03	0.45	0.57	0.14	2.36	0.36	0.49	0.11	6.66	0.84	16.96	2.09	4.58	0.52	40.79	4.73	2.94
		95	2.17	0.32	0.41	0.10	1.78	0.27	0.37	0.08	6.66	0.84	17.49	2.16	4.58	0.52	42.03	4.87	2.94
	2030年	50	5.13	1.13	1.22	0.45	2.61	0.55	0.62	0.22	7.67	1.23	15.63	2.47	5.12	0.78	34.43	5.23	3.41
		75	4.95	1.10	1.20	0.43	2.16	0.45	0.52	0.19	7.67	1.23	16.06	2.54	5.12	0.78	34.82	5.29	3.41
		95	1.97	0.41	0.46	0.17	1.63	0.34	0.39	0.14	7.67	1.23	16.57	2.62	5.12	0.78	38.98	6.00	3.41
低发展水平	2010年	50	5.06	0.66	0.88	0.15	1.91	0.23	0.37	0.06	3.60	0.40	17.10	1.83	3.17	0.30	44.95	4.19	2.07
		75	3.16	0.38	0.55	0.09	1.57	0.19	0.30	0.05	3.60	0.40	17.38	1.86	3.17	0.30	47.37	4.47	2.07
		95	3.16	0.38	0.55	0.09	1.18	0.15	0.23	0.04	3.60	0.40	17.71	1.89	3.17	0.30	47.51	4.48	2.07
	2020年	50	5.27	0.82	1.00	0.25	2.13	0.31	0.43	0.10	4.78	0.60	16.82	2.08	3.69	0.42	41.23	4.74	2.59
		75	3.03	0.45	0.57	0.14	1.75	0.26	0.36	0.08	4.78	0.60	17.14	2.12	3.69	0.42	44.16	5.13	2.59
		95	3.03	0.45	0.57	0.14	1.32	0.20	0.27	0.06	4.78	0.60	17.51	2.16	3.69	0.42	44.32	5.15	2.59
	2030年	50	5.13	1.13	1.22	0.45	1.95	0.40	0.46	0.17	5.97	0.96	15.81	2.50	4.35	0.66	37.60	5.73	2.92
		75	2.74	0.57	0.64	0.24	1.61	0.33	0.38	0.14	5.97	0.96	16.12	2.55	4.35	0.66	40.92	6.31	2.92
		95	2.74	0.57	0.64	0.24	1.21	0.25	0.29	0.10	5.97	0.96	16.49	2.60	4.35	0.66	41.09	6.33	2.92

2. 农产品生产能力

本研究仅就拟定的承载力分析时采用的 4 大类农产品粮食、油料、蔬菜、甜菜和林果进行了产量预测，南部山区不同水平年各降水频率条件农作物总产量见表 11-59。

表 11-59 南部山区不同水平年各降水频率下农作物产量预测 （单位：万 t）

方案	水平年	P=50%					P=75%					P=95%				
		粮食	油料	蔬菜	甜菜	林果	粮食	油料	蔬菜	甜菜	林果	粮食	油料	蔬菜	甜菜	林果
	2000年	75.4	5.1	20.1	0.1	4.1	60.2	4.1	12.6	0.1	3.2	43.8	2.9	6.2	0	2.2
高面积高单产	2010年	105.2	7.7	26.6	7.1	4.9	83.7	6.2	16.6	5.0	3.8	60.6	4.3	8.2	3.1	2.6
	2020年	119.8	9.9	32.9	12.8	6.7	95.3	7.9	20.7	9.1	5.2	68.9	5.5	10.3	5.7	3.4
	2030年	127.6	13.3	40.7	24.0	8.1	105.6	11.0	30.9	20.5	6.2	73.7	7.3	12.5	10.6	4.1
低面积低单产	2010年	97.8	7.4	25.6	6.9	4.9	77.7	5.9	16.0	4.9	3.8	58.7	4.3	10.2	3.9	2.5
	2020年	107.6	9.4	30.7	12.1	6.7	85.6	7.1	18.2	8.1	5.0	64.7	5.2	11.9	6.7	3.3
	2030年	113.2	12.7	38.1	22.7	8.1	90.2	9.0	21.5	14.5	5.6	68.3	6.8	14.4	12.4	3.8
高面积低单产	2010年	102.7	7.7	26.6	7.1	4.9	81.8	6.2	16.6	5.0	3.8	59.4	4.2	8.1	3.1	2.5
	2020年	113.8	9.9	32.9	12.8	6.7	90.6	7.5	19.7	8.7	6.7	65.7	5.2	9.9	5.4	3.3
	2030年	119.1	13.3	40.7	24.0	8.1	98.5	9.9	27.9	18.6	5.6	69.0	6.9	11.8	10.0	3.8
低面积高单产	2010年	100.2	7.4	25.6	6.9	4.9	79.5	5.9	16.0	4.9	3.8	60.2	4.3	10.4	4.0	2.6
	2020年	113.3	9.4	30.7	12.1	6.7	89.9	7.4	19.1	8.5	5.2	68.0	5.4	12.4	7.0	3.4
	2030年	121.4	12.7	38.1	22.7	8.1	96.5	10.0	23.7	16.0	6.2	73.1	7.3	15.4	13.2	4.1

注：1. 本表产量不包括扬黄灌区产量；
　　2. 甜菜、水果产量按发展规模计算，未进行县域平衡。

(七)动物产品生产能力

1. 各水平年可供养牲畜量

根据宁南山区的实际情况,目前所供养的各类大牲畜,除少部分外,绝大部分以使役或者繁殖役畜为主,在可预见的时期内,数量不会发生较大的变化。为此,南部山区大牲畜数量以现状饲养数量为准,预测期内各水平年保持恒定不变。考虑到以奶制品生产为目的的奶牛数量虽会有一定程度的增长,但对整个大牲畜的增长影响不大,为此,在进行牲畜发展预测时对其影响予以忽略。

羊是南部山区农村地区重要的经济来源和宁夏的支柱产业之一,其发展数量与草地可载畜量成正比关系。可以预见,在可预测期内,随着草地面积的增加,草地产草量将稳定增长,不同水平年羊的数量也将稳定增长。本研究以草地产草首先满足役畜饲草,其次满足羊的饲草为原则进行预测期内可供养羊数量的预测。除大牲畜外,南部山区草地尚可供养的羊数量见表11-60。

表 11-60　扣除大牲畜后理论载畜(羊单位)量预测结果　　　（单位:万只）

行政区	2000 年	高发展、高产量			低发展、低产量		
		2010 年	2020 年	2030 年	2010 年	2020 年	2030 年
盐池县	52. 96	48. 11	53. 40	56. 20	50. 39	54. 36	55. 34
同心县	33. 01	33. 34	51. 19	61. 35	34. 29	47. 68	51. 24
海原县	39. 01	43. 64	94. 96	127. 32	43. 44	81. 93	93. 25
原州区	10. 03	11. 34	30. 46	41. 32	11. 24	25. 57	29. 38
西吉县	36. 36	35. 24	35. 24	35. 24	35. 58	35. 58	35. 58
隆德县	-7. 28	-8. 09	-0. 87	3. 39	-7. 85	-2. 43	-0. 94
泾源县	1. 77	1. 08	1. 08	1. 08	1. 29	1. 29	1. 29
彭阳县	11. 32	14. 52	44. 41	62. 69	13. 96	36. 38	42. 78
合　计	177. 18	179. 18	309. 87	388. 59	182. 34	280. 36	307. 92

从前述计算可以看出,宁夏南部山区 8 县(区)2000 年共有各类牲畜 385.35 万羊单位,现状草地可供养 409.74 万羊单位。总体来看,现状草地承载力已经基本趋于饱和状态。

一方面,与水资源的承载能力一样,草地载畜能力的评价也应划定一定的评价范围和时间断面,本研究确定以县为单位进行评价,分别以现状年和设定的水平年为评价的时间断面。从县域内部来看,只有盐池、海原、西吉、彭阳 4 县尚有一定发展余地。除此之外,其他县(区)草地载畜量均已经饱和或达到超载状态,尤其是隆德县超载现象十分严重,总超载率达到 51.4%。这一点,从表 11-60 的计算结果也可以得到进一步的验证,表中扣除大牲畜后的理论载畜羊数量出现负值,说明隆德县仅大牲畜的存在数量目前已经超过现状草地承载能力,在今后的畜牧业规划中要引起重视,否则,六盘山一带的生态植被将面临严峻考验;其次,同心县超载 10.8%,原州区、泾源县也不同程度地出现了超载情况。在今后的畜牧业发展规划中,也应引起足够的重视。

另一方面,根据目前已经存在或部分地区仍可能出现的草地超载问题,在今后的草地规划、草种改良方面，应开展工作，寻求解决问题的对策和途径。

2. 畜产品（肉类）人均占有量

畜产品（肉类）产量可按猪肉、牛肉、羊肉和禽肉四大类进行预测。其中，猪及禽类主要以粮食为饲料，肉类产量根据现状年粮食产量与猪肉产量比例关系，按照不同水平年的粮食产量进行估算；大牲畜牛的饲养总量维持不变，牛肉产量也保持稳定；羊根据草地面积的变化，总的趋势是有一定程度的发展，在不同水平年的饲养数量也有较大变化，羊肉产量按现状年出栏数和实际产量比例进行估算。

通过对肉类人均占有量的计算，可以看出，现状年人均占有肉类19.5 kg。不同水平年在不同生产水平（高水平、低水平）下的占有量分别在18.4～19.8 kg和18.2～19.8 kg之间，约占肉类生产指标的45%和消费指标的86%，具体指标见表11-61。

表11-61　南部山区全部人口人均肉类拥有量　　　（单位:kg/人）

行政区	2000年	高发展水平			低发展水平		
		2010年	2020年	2030年	2010年	2020年	2030年
盐池县	44.1	34.9	34.5	32.5	34.6	34.2	32.0
同心县	26.2	20.9	22.9	22.4	21.1	23.3	23.0
海原县	13.4	13.6	17.6	19.0	13.5	17.6	19.4
原州区	13.4	13.3	15.1	15.3	13.1	15.1	15.6
西吉县	9.7	11.0	10.1	9.5	11.0	10.0	9.3
隆德县	25.3	25.1	22.8	21.0	24.1	22.0	20.3
泾源县	20.5	16.7	14.5	12.9	17.0	15.0	13.6
彭阳县	26.6	27.3	34.5	36.8	27.0	34.4	37.3
合　计	19.5	18.4	19.8	19.7	18.2	19.8	19.8

（八）承载能力及移民数量

1. 承载容量

严格地说，一个地区的承载能力计算涉及各个领域的各个方面，承载力的大小应该用不同水平年人均占有GDP指标或者人均占有食物（植物产品、动物产品）的数量来表示。但由于宁夏南部山区是一个相对落后的地区，尚有一部分地区的群众尚未解决温饱问题。况且南部山区土地面积辽阔，除耕地面积外，以荒山荒坡为主要来源的草场面积很大，虽然本区大力实施禁耕禁牧和封育政策，对畜牧业发展有一定程度的制约，但经对规划草地数量的平衡计算，仍可维持一定的畜牧业发展需要，畜产品（肉类）产量虽然不能满足预测的消费指标要求，但仍可维持一定的社会需求。所以说，对本区的动物产品的支撑能力不做评价，仅将为满足动物产品生产所需的饲料（粮食）包括在人均粮食占有指标中，而承载人口的数量仅按主要的植物产品指标进行预测。

由于南部山区以雨养农业生产为主，而雨养农业生产最大的特点是随着降水量的变化粮食生产具有丰、欠年之分。但从长期变化来看，与降水量变化一样，粮食产量的丰、歉变化也存在一个多年平均值，而且多年平均值基本与降水保证率 $P=50\%$ 时的产量相等。为此，按照"以丰补欠"的原则，确定移民数量的计算应以降水保证率 $P=50\%$ 时的可承载人口数量为基数。南部山区各县（区）承载人口数量计算结果见表11-62。

表 11-62　南部山区分县(区)可承载人口数量　　　　　（单位:万人）

城镇名称	高面积、高产量			低面积、低产量		
	2010 年	2020 年	2030 年	2010 年	2020 年	2030 年
盐池县	15.88	18.37	21.03	14.91	16.96	19.29
同心县	32.27	37.69	40.70	30.94	34.90	38.19
海原县	43.83	45.92	46.97	41.18	42.72	43.38
原州区	96.97	103.94	122.90	93.07	97.62	116.22
西吉县	40.30	44.00	47.59	38.70	41.00	43.66
隆德县	34.92	35.98	35.75	32.90	32.94	32.62
泾源县	17.79	19.06	19.10	17.25	17.60	17.47
彭阳县	37.68	43.14	49.00	35.07	39.41	44.83
合　计	319.64	348.10	383.04	304.02	323.15	355.66
城镇名称	高面积、低产量			低面积、高产量		
	2010 年	2020 年	2030 年	2010 年	2020 年	2030 年
盐池县	15.62	17.93	20.49	15.16	17.37	19.80
同心县	31.74	36.77	39.61	31.44	35.75	39.24
海原县	43.48	45.22	46.05	41.51	43.35	44.24
原州区	96.28	102.57	120.97	93.74	98.98	118.12
西吉县	40.01	42.98	46.11	38.98	41.98	45.07
隆德县	34.75	35.59	35.27	33.08	33.31	33.10
泾源县	17.72	18.92	18.90	17.31	17.75	17.66
彭阳县	37.41	42.31	47.79	35.34	40.21	45.99
合　计	317.01	342.29	375.19	306.56	328.70	363.22

注:本表不包括扬黄灌区部分的可承纳人口数量。

　　由于在确定农作物种植结构比例时,考虑了除糖料(甜菜)以外其他三种作物供养人口的大致平衡,为此,表 11-62 中可承载人口的数量是指粮食、油料、蔬菜三种作物同时可供养人口的平均数。

　　从表 11-62 可以看出,在一定的期望消费水平下,按照多年平均情况预测,南部山区在 2010 年的可承载人口数量在 304 万～319 万人之间,2020 年为 323 万～342 万人,2030年为 356 万～375 万人,在不同水平年 2010 年、2020 年和 2030 年,粮食生产指标分别达到了 320 kg/人、340 kg/人和 360 kg/人。如果以落后 10 年的水平进行预测,则可承载人口的数量可减少 10%左右。但总体来看,仅以粮食作物占有量来评价,现状年完全可实现保障供给。

　　从整个南部山区来看,在规划的水平年内,作物生产(植物产品)完全可以满足人口增长对食物的需求。但从根本上看,这种满足无法掩盖某一县(区)或部分区域承载力不足的矛盾。在不同水平年高、中、低三种人口发展速度下,盐池县、同心县、西吉县均出现了承载力不足的问题,而原州区、隆德县、泾源县、彭阳县四地区则可实现粮食自给,而海原县在高面积、低产量的状况下可以满足自给,但在低面积、高产量的状况下出现了承载力不足的问题。在以后的发展规划、移民规模和人口政策中需要引起足够的重视。

2. 移民数量

宁夏南部山区是一个以靠天吃饭为主的地区,农业生产的年际变幅很大。近年来,虽然大力推广雨水利用灌溉、地膜覆盖种植、水平梯田建设和小流域综合治理,农业生产条件得到改善,农业生产力水平大大提高,旱作农业水资源利用率和生产效率均有显著提高,旱作农业的发展呈现出了良好的发展势头,但是,这仍然没有从根本上改变本地区"十年九旱"和"靠天吃饭"的被动局面,农业生产过程的"卡脖子旱"仍然存在。与此相反的是,随着水资源紧张趋势的进一步加剧,原来规划建设的一些水利工程相继出现了水源不足的矛盾,供水保证率降低,灌溉面积有所减少。总体来看,南部山区仍然是一个以雨养农业为主的农业生产地区,在可以预见的时期内,农业生产力将长期处于一个较低的水平和阶段。考虑到实际情况,高面积、高产量最理想的状况及低面积、低产量最差的农业生产方案出现的概率不大,不作为移民组合方案。南部山区各发展方案移民人口数量计算结果见表11-63。

表 11-63　南部山区分县(区)不同方案移民人口数量　　　　　(单位:万人)

城镇名称	方案一 (高面积、低产量、高人口)			方案二 (高面积、低产量、中人口)			方案三 (高面积、低产量、低人口)		
	2010 年	2020 年	2030 年	2010 年	2020 年	2030 年	2010 年	2020 年	2030 年
盐池县	2.67	3.06	2.86	2.57	2.84	2.56	2.39	2.55	2.18
同心县	7.86	9.21	12.09	7.65	8.74	11.44	7.26	7.85	9.46
海原县	0	3.69	8.89	0	3.32	8.34	0	2.83	7.53
原州区	0	0	0	0	0	0	0	0	0
西吉县	9.49	14.33	18.21	9.36	13.89	17.55	9.10	13.32	16.61
隆德县	0	0	0	0	0	0	0	0	0
泾源县	0	0	0	0	0	0	0	0	0
彭阳县	0	0	0	0	0	0	0	0	0
合　计	20.02	30.29	42.05	19.58	28.79	39.89	18.75	26.55	35.78

城镇名称	方案四 (低面积、高产量、高人口)			方案五 (低面积、高产量、中人口)			方案六 (低面积、高产量、低人口)		
	2010 年	2020 年	2030 年	2010 年	2020 年	2030 年	2010 年	2020 年	2030 年
盐池县	3.13	3.62	3.55	3.03	3.40	3.25	2.85	3.11	2.87
同心县	8.16	10.23	12.46	7.95	9.76	11.81	7.56	8.87	9.83
海原县	0.78	5.56	10.70	0.67	5.19	10.15	0.45	4.70	9.34
原州区	0	0	0	0	0	0	0	0	0
西吉县	10.52	15.33	19.25	10.39	14.89	18.59	10.13	14.32	17.65
隆德县	0	0	0	0	0	0	0	0	0
泾源县	0	0	0	0	0	0	0	0	0
彭阳县	0	0	0	0	0	0	0	0	0
合　计	22.59	34.74	45.95	22.04	33.24	43.80	20.99	31.00	39.69

注:迁移人口是县域迁移人口的简单合计,未考虑南部山区的整体平衡。

根据对水资源承载能力计算时不同水平年粮食产量计算的方案组合,可以知道,迁移人口最少的方案为方案三,即种植面积高速度发展(高面积)、单位面积产量高水平(低产量)、人口低增长(低人口)方案;而最不利方案为方案四,即种植面积低速度发展(低面积)、单位面积产量低水平增长(高产量)、人口高增长(高人口)方案。据此可以知道,南部山区在不同水平年2010年、2020年和2030年的移民数量分别在18.75万人、26.55万人、35.77万人和22.59万人、34.74万人、45.95万人之间。当然,这一结论是在没有考虑南部山区人口承载力内部平衡的基础上得出的。如果考虑内部平衡,组织得力,办法有效,措施到位,就南部山区整体而言,并不排除短期内超载人口内部化解的可能。但是,从长远发展来看,这种做法具有较大的风险,不排除需要进行二次迁移的可能和需要。

为此,结合南部山区的发展现状和具体实际,从水资源与食物安全、社会稳定与经济发展以及经济承受能力和政策的可持续性等方面综合考虑,认为移民人口的数量按高面积、低产量、中人口方案(方案二)确定比较合理,相应的移民数量分别为19.58万人、28.79万人、39.88万人。在具体的实施过程中,可根据社会经济发展、生产力水平、人口增长和消费需求进行必要的调整。

第十二章　广义水资源合理配置战略分析

一、广义水资源合理配置主要结论

(一)产业用水结构不合理,农业用水比重过大

目前,在宁夏各用水部门中,农业是用水大户,2000年农业用水、产业用水和生活用水的比例为93.8:4.9:1.3,农业用水是其他部门用水的十几倍,甚至几十倍,而根据宁夏水资源投入产出模型结果可知,农业万元产值和增加值用水量在所有行业中均是最大的,且与工业完全用水系数相比,农业完全用水系数是工业的10倍还多;从用水乘数和完全产出系数来看,农业的用水乘数和完全产出系数也较工业低很多。因此,可以看出,用水量最大的农业生产部门,其经济效益产出却十分低下。另一方面,宁夏农业内部种植结构也不尽合理,受经济利益驱使,高耗水作物种植比例很大,导致农业用水量长期居高不下。同时未来宁夏畜牧业的大力发展也需要更多的水资源来支撑,这些都说明宁夏的经济用水结构存在着严重的不合理现象。

(二)净虚拟水输出量过大

在宁夏各行业中,虚拟水输出主要为农业产品,除了商业有一定的虚拟水输出外,其他大行业均为虚拟水进口行业。由于农业用水产出效益低,虽然经济量输出不大,但是虚拟水输出量却非常大,达到了24.6亿 m³,工业为主要虚拟水输入行业,输入水量为8.32亿 m³,最终虚拟水输出总量为11.94亿 m³。从经济贸易中隐含虚拟水输出输入来看,宁夏净虚拟水输出量由1998年3.0亿 m³增加至2002年的12亿 m³,由此可见,宁夏不仅是虚拟水净输出省份,并且输出量还在逐渐增加。整体上看,宁夏净虚拟水输出量过大,不利于以有限的水资源量支撑宁夏经济的可持续发展,未来宁夏对外市场贸易中,应尽量减少虚拟水含量大的产品出口。

(三)现状年宁夏引排耗水量变化趋势明显

应用所建立的区域水循环模型对宁夏复杂的水循环转换关系进行科学模拟,结果表明:①1991~2000年10年间,随着宁夏引黄灌区灌溉面积逐渐增加,宁夏全区耗用黄河水量整体呈上升趋势,1999年全区耗用黄河水量最大,为38.1亿 m³(不包括黄河本身蒸发量)。②宁夏耗用黄河水量随气象因素发生变化。一般年份,宁夏耗用黄河水量为37.2亿 m³,如果将黄河河道本身蒸发计算在内,则耗水量达40.1亿 m³;在干旱年份,耗水量为38.1亿 m³,如果将黄河河道本身蒸发计算在内,则耗水量达41.4亿 m³,但在受到引水限制的2000年,虽然这一年份干旱,但耗水仍呈下降趋势,仅为37.3亿 m³,将黄河河道蒸发计算在内,则耗水达40.2亿 m³。表明区域用水效率有了显著的提高。③黄河水量在满足宁夏社会经济发展的同时,对宁夏绿洲生态也起着重要的支撑作用,且未来随着经济社会的发展和宁夏缺水形势的变化,生态耗用黄河水量也将越来越大,已成为宁夏耗用黄河水量中不容忽视的重要内容。

（四）未来宁夏缺水形势仍十分严峻

宁夏未来水资源配置下的缺水形势仍十分严峻。2010 年不同配置方案下的缺水情况如下：①如果不采取节水措施，由于可利用黄河水资源量和灌溉高峰引水量的限制，一般年份和干旱年份宁夏缺水都十分严重。②若加大节水力度，采取各种节水措施（诸如灌区续建配套节水改造、种植结构调整、提高工业用水重复利用率、减少管网漏损率、采用先进的节水工艺等），并严格控制灌溉面积，则一般年份基本满足需水要求，即使缺水，也主要是季节性缺水，但是在干旱年份，全区总缺水率高达 17.8%，缺水十分严重。③若在节水的同时，仍大力发展灌溉面积，则一般年份有少量缺水，而干旱年份缺水率达25.9%，缺水形势依然严峻。综上所述，根据水资源供需平衡分析，应选择②作为宁夏未来 2010 年水资源合理配置的推荐方案。2020 年随着工业的发展和扬黄灌溉面积的扩大，宁夏当地水资源量已开发殆尽，在可能采取的最大节水力度和严格控制灌溉面积发展的条件下，干旱年份宁夏区域缺水仍高达 21.1%。2030 年在类似方案条件下，缺水形势将比 2020 年更为严峻。因此，从长远考虑，为满足宁夏经济社会发展的需要和维护绿洲生态稳定，宁夏需要实行外流域调水给予补充。

（五）宁夏耗水节水潜力远小于用水节水潜力

目前，在宁夏的经济社会发展过程中，水资源的有效利用率很低，整个社会经济按用水计算，存在着巨大的节水潜力。2010 年农业用水节水量为 14.24 亿 m^3，2020 年农业用水节水量可达 15.48 亿 m^3。因此，未来宁夏农业用水节水不可小视。尽管宁夏用水节水效果十分明显，但其耗水节水量却远远小于用水节水量，2010 年节水方案与不节水方案相比，耗水量仅节约了 2.74 亿 m^3，约为用水节水量的 19%，2020 年耗水节水量为 4.13 m^3。因此，宁夏耗水节水潜力远小于用水节水潜力。

（六）未来生态缺水严重，生态稳定性亟待提高

宁夏绿洲生态主要依靠降水和地下水维持其稳定性，但是由于宁夏降水稀少，且社会经济用水份额较大，因此生态用水一度被挤占，造成宁夏绿洲生态缺水严重，从而引发植被退化、湖泊湿地面积萎缩甚至消失等生态恶化现象，严重威胁着宁夏绿洲生态的稳定性。尽管 2000 年宁夏绿洲生态稳定性基本达到良好状态，但是与过去相比，生态稳定性依然有下降趋势。

由于宁夏平原区引黄水量的减少，未来区域水循环的强度将明显减弱，地表水、土壤水和地下水的交换强度减弱，地下水位降低，潜水蒸发减少，天然生态耗水将有下降的趋势，虽然可以通过人工供水的方式补给湖泊和部分植被，但改变不了区域生态可消耗潜水的减少，其中，荒地和草地的潜水蒸发消耗减少将十分明显。通过人工补水的方式增加湖泊供水，能够保持区域湖泊总水面的稳定，但湖泊水源将由天然补给逐渐向人工补给转移。未来社会经济对水的需求量增加以及地下水位的下降会导致生态稳定性逐渐下降，但盐碱化面积有所减小。2010 年一般年份宁夏绿洲生态稳定性有所下降，但整体仍处于良好状态，干旱年份生态稳定性趋于一般。2020 年一般年份绿洲生态稳定性尽管仍处于良好状态，但是却处于良好边缘地带，而干旱年份绿洲生态稳定性则处于一般状态，因此如不尽早采取补水措施，宁夏绿洲生态稳定性则会向一般状态甚至不良状态发展。

（七）水污染形势仍不容乐观，水环境纳污能力逐年下降

根据黄河沿岸城市污水排放量的预测，未来水平年污水排放总量以及主要污染物排

放量仍呈逐年增加趋势,尽管在未来水平年增幅不是很大,但排污总量仍不容小视,尤其是银川和石嘴山地区,其污水排放量和主要污染物排放量最严重,分别是其他地市排放量的 1~2 倍。

未来不同水平年,除陶乐渡口至石嘴山黄河水厂取水口河段外,其余黄河干流各功能区水环境纳污能力整体呈下降趋势,其中对 COD 的纳污能力平均减少 12%;现状年灌溉期排水沟对 COD 和氨氮等主要污染物的纳污能力要远比非灌溉期的纳污能力大得多,平均增加 82% 左右。

黄河干流各水平年污染物控制结果表明,未来不同水平年,各功能区污染物入河量呈逐年增加的趋势,而排放控制量变化不大,且整体上 COD 的入河量要比氨氮的入河量大几倍;排水沟各水平年污染物控制结果表明,未来排水沟污染物进入量逐年增加,排放控制量逐年减少,排放削减量也逐年增加;COD 的入河量要远远大于氨氮的入河量。目前宁夏已建有大型污水处理厂 5 座,日处理能力 6 万 t/d 以上,若加大处理力度,未来宁夏黄河干流和主要排水沟纳污能力将控制在国家规定的标准范围之内。

(八) 平原区水资源承载能力较高,南部山区水资源承载能力有待于进一步提高

宁夏平原区为整个区域的精华地带,水资源相对较为丰富,社会经济发展程度高,尽管人口也呈增长趋势,但总体而言,水资源承载力水平较高。

南部山区主要以雨养农业为主,生产力低下,水资源极度短缺,同时人口控制力度不够,导致人口增长速度很快,水资源承载能力严重不足,社会经济发展缓慢,除少数地区能够在短时期内实现粮食自给外,其余大部分地区均远远超过了本地水资源能够承受的支撑能力,未来若不控制人口增长,则移民数量会大幅度增长。另一方面,南部山区实施的小流域综合治理工程,提高了当地降水所产生的土壤水蓄积量,相应增加了南部山区可利用水资源量,有助于该区水资源承载能力的进一步提高,从而减少了移民数量,减轻了政府负担。

(九) 确定了工程效益良好的骨干水利工程框架

宁夏骨干水利工程主要包括沙坡头水利枢纽工程、青铜峡灌区节水改造工程、宁东供水工程、南部山区综合治理工程、扬黄工程、泾河引水调水工程等。根据各个工程的规模和作用,以及可引用的水量,设置了 4 个不同的工程组合方案,并确定不同方案的费用和成本,同时利用选定的评价指标对各个方案进行工程效益评价分析,结果表明,2010 年仅方案二内部收益率达到 12.06%,其余方案均低于此值,因此选择方案二(加大节水力度、控制灌溉面积的方案)为工程规模布置依据。2020 年则根据类似算法选择方案二和方案四作为工程规模布置依据。

二、战略措施与建议

(一) 调整产业用水结构,实现农业用水向工业用水转移

在宁夏目前的用水结构中,用水量大的农业单位产出效率低下,且新增单位产出用水较高,而工业用水单位产出较高,水资源经济效益也十分明显。宁夏有限的水资源要求宁夏在其经济结构调整中,必须促使水资源向经济效益高的部门流动,以期达到以水资源的可持续利用支撑经济社会的可持续发展,因此在今后发展过程中,逐步调整产业结构是推进地区经济可持续发展的重要途径。一方面调整三产结构,逐步降低第一产业的比重,增加第二和第三产业的比重,另一方面各产业内部也要逐步调整,农业要控制灌溉面积,压缩水稻种植面积,积极发展畜牧业,第二产业在当前阶段要发展农产品加工行业,将以前直接出口的初级农产品经过加工后再出口,以提高经济效益。三是在大力节水的同时,转变用水结构,实现农业用水向工业用水的转移。

(二)转变虚拟水贸易策略,逐步完成从虚拟水净输出向净输入的转化过程

在宁夏对外贸易中,输出的都是水资源密集型农产品,高耗水的水稻是其重要的输出农产品,虚拟水贸易存在逆差。对水资源短缺的地区来说,大量水资源密集型农产品的输出进一步地加剧了水资源供需矛盾。今后要逐步完成从虚拟水净输出向净输入的转化过程,减少水资源密集型农产品的输出。虚拟水净输出逐渐转向净输入是个渐进的过程,这需要产业结构的调整。由于宁夏农业还停留于初级产品生产,初级产品贸易阶段,其经济能力制约了虚拟水战略,可在银川、石嘴山、吴忠市率先尝试虚拟水战略,适度压缩水稻种植面积,利用贸易逐步缓解水资源压力。

(三)全面推进宁夏节水型社会建设

节水型社会建设对于宁夏经济社会的发展和生态环境的维护改善具有重要的实践意义。由于宁夏水资源有限,而经济结构用水不尽合理,区域取用水节水量潜力较大,具有建立节水型社会的基础条件,同时节水型社会的建立也是解决宁夏区域水资源供需矛盾的根本出路。

宁夏节水型社会建设的主要内容包括:①建立以水权、水市场为理论基础的水资源管理体制,形成以经济手段为主的节水机制,不断提高水资源的利用效率和效益,促进经济、资源、环境协调发展。②制定区域水资源规划,明晰初始用水权,在分配初始用水权时,要注意保证充分的生态用水和环境用水;注意协调好上下游、左右岸,特别是行政区之间的关系,协调好经济发达地区和相对落后地区、城市和农村、工业和农业之间的关系;要调整经济结构和产业结构,优化水资源配置,提高水资源承载能力;要注意保留一部分用水权指标,作为经济社会发展的水资源储备。③确定各县(市)的宏观控制指标和各行业部门的微观定额指标。水资源的宏观控制指标用来明确各地区、各行业、各部门乃至各单位、各企业、各灌区的水资源使用权指标。水资源的微观定额指标用来规定社会的第一项工作或产品的具体用水量要求。通过控制用水指标的方式,提高水的利用效率。④综合采用行政措施、工程措施、经济措施和科技措施来保证用水控制指标得到实现。制定合理的水价,充分发挥价格对促进节水的杠杆作用。⑤制定用水权交易市场规则,建立用水权交易市场,实行用水权有偿转让,通过用水权的市场交易来提高水资源的利用效率和效益,并引导水资源向节水、高效领域进行配置。⑥建立政府调控、市场引导、公众参与的节水型社会管理体制。⑦实现水资源统一管理。水资源统一管理包括流域管理和区域管理两个方面。在建立节水型社会的管理区域、市场范围内,则必须实行城乡水资源一体化管理,这是实施水权管理的前提。⑧加强水资源管理,在进行结构调整、更新生产设备和改进工艺技术来降低工业用水定额的同时,提高水的重复利用率,进而提高水资源的有效利用效率。⑨保护水资源,防治水污染。

(四)严格控制灌溉面积发展

由于农业耗用黄河水量在宁夏总耗黄水量中的比重很大,农业单方水经济效益产出低下的同时,另有3亿 m³ 的无效蒸发,同时宁夏本身又受到当地水资源和引黄指标的限制,水资源情势的客观性和农业本身耗水机理的科学性要求宁夏在对农业进行发展规划时,必须严格控制农业灌溉面积的发展,尤其是要适当限制高耗水作物面积的发展,而对于南部山区,则根据该区水资源承载能力和相应的移民数量,适当加大扶贫扬黄灌溉面积的发展。

(五) 建议黄委对宁夏耗用黄河水量进行调整,以丰补欠

根据对宁夏水资源开发情势和经济社会发展状况进行分析可知,一般年份宁夏水资源量尚有富余,而在干旱年份,宁夏缺水十分严重,且在一般年份还存在着季节性缺水现象,同时宁夏当地还缺乏修建大型水利调蓄工程的条件,因此无法对年内和年际间的来水进行有效调节,这些情况在增加宁夏区域用水紧张的同时,也需要黄委根据宁夏和黄河来水的特点适当进行水量调整。调整内容包括:①建议国家在对黄河水量进行全流域调度时,可在枯水年份对宁夏增加耗黄指标,而在丰水年份减少耗黄指标;②在一般年份,从全年范围看,宁夏并未将所分配的耗黄水量指标完全用完,但是由于农业存在灌溉用水高峰期和回落期,造成宁夏季节性缺水严重,因此可建议对宁夏实现枯季增加耗水指标、丰季减少耗水指标的调蓄方式;③从长期发展战略角度来看,在干旱年份,即使加大节水力度,将当地水资源消耗殆尽,也解决不了宁夏缺水的严峻局面,因此建议黄委可根据宁夏具体情况,对宁夏适当增加耗黄水量,以满足宁夏经济社会的发展和绿洲生态的生存与稳定。

(六) 加大生态补水,维护绿洲生态稳定

由于宁夏地理位置的特殊性,生态环境相对比较脆弱,水资源是决定生态环境向良性方向发展的控制性因素。现状条件下,宁夏生态配水基本得到满足,其稳定性综合评价指标值均在0.6以上,处于良好状态。未来不同配水方案下,即使是平水年份,宁夏依然有部分县(市)生态稳定性呈下降趋势,由良好转为一般。宁夏生态退化主要由三种原因造成,一是引水量的减少造成进入生态中的灌溉退水减少;二是渠系衬砌和田间平整提高了水的利用效率,从而导致对地下水的入渗补给量减少;三是工农业用水量的加大,间接地减少了对生态的配水。因此,为维持宁夏绿洲生态稳定,未来应在实施节水措施的同时,加大对生态环境的人工配置水量,不仅满足人工林草的需水要求,而且对天然湖泊湿地以及城市绿地景观都应按照适宜的生态标准加大人工配水,以维持和改善宁夏区域生态环境,保证宁夏绿洲生态稳定。

(七) 合理确定移民数量,进一步提高南部山区的水资源承载能力

鉴于南部山区水资源短缺、人口增长过快的特点,建议未来南部山区的经济社会发展必须要在移民的同时严格控制人口增长,若不控制人口增长,则在增加移民负担的同时,还会进一步减弱该区的水资源承载能力,从而阻碍原本就缓慢的社会经济发展速度,不利于改善南部山区人们的生活水平和生活质量。在控制人口增长的同时,还应加大南部山区综合治理力度,进一步提高南部山区可利用的有效水资源量,提高其水资源承载能力,促进区域经济社会健康稳定发展。

南部山区移民方向主要是宁夏扬黄地区,移民数量的多少必须要在科学合理的基础上确定。移民太多,会造成扬黄地区压力过大,经济社会发展缓慢;移民太少,解决不了南部山区水资源的承载力不足问题。必须采取合适的承载力指标,通过科学定量分析研究,

对南部山区未来水平年的移民数量进行科学规划,严格根据移民规划实行,确保移民工作顺利进行。同时也必须采取各种有效措施提高山区的水资源承载能力,尽可能多修建集雨工程,有效利用天然降水,提高粮食产量,减少移民负担。

(八)工业用水实现由地表水供水逐渐替代开采地下水

就整个银川盆地而言,目前地下水的总体开采程度较低,尤其对于地下水埋深较小的灌区,应提倡开采浅层地下水作为部分农业灌溉调节用水。

银川市区不宜扩大对承压水的开采量,对部分工业耗水大户,应逐步以浅层地下水源或地表水源来代替,减少承压水的开采量,使优质的承压地下水作为长期生活饮用水及水质要求较高产业的供水水源。

石嘴山市大武口区,随着地下水开采量的不断增加,导致水源开采区的地下水埋深与漏斗面积逐渐加大。从长远用水战略考虑,该区除生活用水和部分对水质要求较高的产业外,不宜将地下水作为长期供水水源,应逐渐将工业供水用地表水源来代替。

对于其他地下水仍有一定开发潜力的城市,仍可适当增加开采部分地下水,在允许开采量的范围内,对局部总开采量进行限制。除生活用水外,尽量开采浅层地下水,以保证水资源的可持续性和安全性。

(九)构建合理的骨干水利工程布局框架

构建合理的骨干水利工程布局和规模是实现宁夏水资源可持续利用的前提条件。保证饮水安全是宁夏水资源开发利用中一个急需解决的问题,饮水工程的建设是确保宁夏社会稳定、经济健康发展的重要条件。根据宁夏水资源特点和社会经济发展及生态环境保护的需要,结合宁夏经济生态系统广义水资源合理配置可知,宁夏骨干水利工程主要包括饮水安全工程、扶贫扬黄工程、灌区节水改造工程、工业供水工程、南部山区综合治理工程、沙坡头水利枢纽工程、大柳树水利枢纽工程。实现这些骨干水利工程的合理布局,确定适宜的工程规模,必须因地制宜,科学规划,根据实际需要和地方资金配套水平进行,只有这样,才能确保宁夏区域骨干水利工程布局合理,以支撑宁夏水资源的可持续利用。

参 考 文 献

［1］ Belmans C, Wesseling J G, Feddes R A. Simulation model of the water balance of a cropped soils: SWATRE. Journal of Hydrology, 1983, 63:271～286

［2］ Chankong V, Haimes Y Y. Multiobjective Decision Making Theory and Methodology. Elsevier Science Publishing Co,,1983

［3］ De Vries J J, Simmers I. Groundwater recharge: an overview of processes and challenges. Hydrogeology Journal, 2002(10): 5～17

［4］ Dickinson R E. Modelling Evapotranspiration for three-dimensional global climate sensitivity. Geophysical Monograph 29. American Geophysical Union, Washington, 1984

［5］ Jin Menggui, Zhang Renquan, Sun Lianfa. Temporal and spatial soil water management: a case study in the Heilonggang region. PR China, Agricultural Water Management,1999, 42: 172～187

［6］ Keating A B, Gaydon D, Huth N I, et al. Use of modeling to explore the water balance of dryland farming systems in the Murray-Darling Basin. Australia. Europ. J. Agronomy, 2002, 18: 159～169

［7］ Ma Jing. Assessment of Virtual Water Trade as a Tool in Achieving Food Security. UNESCO-IHE institute for Water Education,Delft,the Netherlands,2004

［8］ McDonald M G, Harbaugh A W. A modular three-dimensional finite difference ground-water flow model. US Geological Survey Techniques of Water Resources Investigations, Book 6. 1988

［9］ Mihailovich D T, Rajkovic B, Lalic B, et al. The Main Features of the Hydrological Module in the Land Air Parameterization Scheme (LAPS). Phys, Chem. Earth, 1996, 21(3): 201～204

［10］ Nathan R J, Mudgway L B. Estimating salt loads in high water table areas. II: Regional Salt Loads, Journal of Irrigation and Drainage Engineering, 1997, 123(2): 91～99

［11］ Newman E I. Resistance to water flow in soil and plant II: A review of experimental evidence on the rhizospere resistance. Journal of Applied Ecology, 1969, 6(2): 261～272

［12］ Penman H L. The physical Basis of Irrigation Control. Rep 13th Int Hort Cong, 1953, 2: 912～923

［13］ Penman H L. Natural evaporation from open water, bare soil and grass. Proc R Soc. London, 1948, A193:120～146

［14］ Pindyck R S, Rubinfeld D L. Econometric Models and Economic Forecast, Copyright 1998 by The McGraw-Hill Companies, Inc

［15］ Simonvic S P , Fahmy H. A New Modeling Approach for Water Resources Policy Analysis. Water Resources Research,1998,35(1)

［16］ United Nations development programme Water Resources Management in North China, Research Center of North China Water Resources China Institute of Water Resources & Hydropower Research ,January 1994

［17］ Xie Mei,Nie Guisheng, Jin Xianglan. Application of an Input-Output Model to Beijing Urban water-use System, in Chinese Economic Planning and Input-Output Analysis, edited by Karen R. Polenske and Chen Xikang,Hong Kong, Oxford University Press,1991

［18］ 白美健,许迪, 蔡林根,等. 黄河下游引黄灌区渠道水利用系数估算方法. 农业工程学报,2003,19(3): 80～84

［19］ 蔡安乐. 水资源承载能力浅谈. 新疆环境保护,1994(6)

［20］曹云者,宇振荣,赵同科.夏玉米需水及耗水规律的研究.华北农学报,2003,18(2)：47～50

［21］柴畸达雄.地下水盆地管理：理论与实践.王秉枕,周文辅,闵连太等译.北京:地质出版社,1982

［22］陈崇希,唐仲华.地下水流动问题数值方法.武汉:中国地质大学出版社,1990

［23］陈建耀,刘昌明,吴凯.利用大型蒸渗仪模拟土壤–植物–大气连续体水分蒸散.应用生态学报,
　　　1999,10(1):45～48

［24］陈启生,戚隆溪.有植被覆盖条件下土壤水盐运动规律研究.水利学报,1996(1)：38～46

［25］陈守煜.区域水资源可持续利用评价理论模型与方法.中国工程科学,2001(2)

［26］陈锡康.中国城乡投入占用产出分析.北京:科学出版社,1992

［27］陈亚新,于健.考虑缺水滞后效应的作物–水模型研究.水利学报,1998(4)：70～74

［28］陈玉民,等.中国主要作物需水量与灌溉.北京:水利电力出版社,1995

［29］程国栋.虚拟水——中国水资源安全战略的新思路.中国科学院院刊,2003,18(4):260～265

［30］崔振才,等.水资源系统模糊优化多维动态规划模型与应用.水科学进展,2000(6)

［31］邓楠.可持续发展：人类安全与生存.哈尔滨:黑龙江教育出版社,1999

［32］樊自立,马英杰,王让会,等.干旱区内陆河流域生态系统类型及其整治途径——以新疆为例.中国
　　　沙漠,2000(12)

［33］方创琳,毛汉英.区域发展规划指标体系建立方法探讨.地理学报,1999,54(5)

［34］方玲.黄河流域农业用水需求价格弹性研究:[硕士学位论文].北京工业大学,2003

［35］丰华丽,王超,李勇.流域生态需水量的研究.环境科学动态,2001(1)

［36］冯尚有,刘国全.水资源持续利用的框架.水科学进展,1997(12)

［37］傅小锋.干旱区绿洲发展与环境协调研究.中国沙漠,2000(6)

［38］高占义,许迪.农业节水可持续发展与农业高效用水.北京:中国水利水电出版社,2004

［39］郭生练,熊立华,杨井.分布式流域水文物理模型的应用和检验.武汉大学学报(工学版),2001,34
　　　(1)：1～5

［40］韩德麟.绿洲生态稳定性初探.宁夏大学学报(自然科学版),1999(6)

［41］何其祥.投入产出分析.北京:科学出版社,1999

［42］何晓群.回归分析与经济数据建模.北京:中国人民大学出版社,1997

［43］胡国强,于向英.投入产出法.北京:中国科学技术出版社,2003

［44］胡和平,王亚华.灌区改革中的水权问题.中国水利报,2001,10

［45］胡振鹏,傅春.水资源产权配置与管理.南昌大学学报,2001,10

［46］黄冠华,沈荣开,张瑜芳,等.作物生长条件下蒸发与蒸腾的模拟及土壤水分动态预报.武汉水利水
　　　电大学学报,1995,28(5)：481～487

［47］黄晓荣,汪党献,裴源生.宁夏国民经济用水投入产出分析.资源科学,2005,27(3):135～139

［48］惠泱河,蒋晓辉,黄强.水资源承载力指标体系研究.水土保持通报,2000(1)

［49］籍传茂,王兆馨.区域地下水资源研究的进展和前沿问题.地学前沿,1996,3(1～2):147～155

［50］贾宝全,慈龙骏.绿洲景观生态研究.北京:科学出版社,2003

［51］贾仰文,王浩,倪广恒,等.分布式流域水文模型原理与实践.北京:中国水利水电出版社,2005

［52］康绍忠,刘晓明,等.土壤–植物–大气连续体水分传输理论及其应用.北京:水利电力出版社,
　　　1994

［53］雷·赫法克,诺曼·惠特里塞,等.优先专用水质在21世纪水资源分配中的作用.水利水电快报,
　　　2000(9)

［54］李令跃,甘泓.试论水资源合理配置和承载能力概念与可持续发展之间的关系.水科学进展,2000
　　　(9)

［55］李品,等.水权与水价——国外经验研究与中国改革方向探讨.北京:中国发展出版社,2003

[56] 刘昌明,孙睿.水循环的生态学方面:土壤－植被－大气系统水分能量平衡研究进展.水科学进展,1999,10(3):251～259

[57] 刘国纬,等.跨流域调水运行管理.北京:中国水利水电出版社,1995

[58] 刘惠明,林伟强,张璐.景观动态研究概述.广东林业科技,2004

[59] 刘贤赵,黄明斌.黄土丘陵沟壑区森林土壤水文行为及其对河川径流的影响.干旱地区农业研究,2003,21(2):73～76

[60] 刘晓志.内蒙古河套灌区区域节水灌溉水管理优化模型初步研究:[硕士学位论文].内蒙古农业大学,2003

[61] 刘艳芳,明冬萍,杨建宇.基于生态绿当量的土地利用结构优化.武汉大学学报(信息科学版),2002(10)

[62] 吕广仁.利用回归水灌溉是河套灌区节水灌溉的重要途径之一.内蒙古水利,1999(3):44～45

[63] 罗格平,周成虎,陈曦.干旱区绿洲景观尺度稳定性初步分析.干旱区地理,2004(12)

[64] 马风云.生态系统稳定性若干问题研究评述.中国沙漠,2002(10)

[65] 马太玲,袁保惠,梅金铎.内蒙河套灌区建立回归水灌溉系统可行性分析.灌溉排水,2001,20(2):69～72

[66] 毛德华,夏军,黄友波.西北地区生态修复的若干基本问题探讨.水土保持学报,2003(3)

[67] 宁夏回族自治区计划委员会,宁夏回族自治区测绘局.宁夏回族自治区国土资源地图集.北京:中国地图出版社,1990

[68] 宁夏回族自治区人民政府.宁夏经济社会发展地图集.西安:西安地图出版社,2002

[69] 宁夏回族自治区统计局.宁夏统计年鉴2002.北京:中国统计出版社,2003

[70] 潘晓玲.干旱区绿洲生态系统动态稳定性的初步研究.第四纪研究,2001(7)

[71] 裴源生,王建华,罗琳.南水北调对海河流域水生态环境影响分析.生态学报,2004,24(10):2115～2123

[72] 裴源生,张金萍.广义水资源合理配置总控结构.资源科学,2006(4)

[73] 裴源生,张金萍.水资源高效利用概念和研究方法探讨.见:中国水利学会2005学术年会论文集,27～31.北京:中国水利水电出版社,2005

[74] 裴源生,赵勇,陆垂裕.水资源合理配置的区域水循环响应研究.资源科学,2006(4)

[75] 裴源生,赵勇,罗琳.相对丰水地区的水资源合理配置研究.资源科学,2005,27(5):84～89

[76] 秦长海.多目标方法在宁夏川区水资源承载力研究中的应用.人口、资源与环境,2006(8)

[77] 秦长海,裴毅飞.宁夏宏观经济发展预测模型.资源科学,2006(4)

[78] 秦大庸,于福亮.裴源生.宁夏引黄灌区耗水量及水均衡模拟.资源科学,2003,25(6):19～24

[79] 秦寿康.综合评价原理与应用.北京:电子工业出版社,2003

[80] 阮本清,沈晋.区域水资源适度承载能力计算研究.土壤侵蚀与水土保持学报,1998(4)

[81] 芮孝芳.流域水文模型研究中的若干问题.水科学进展,1997,8(1):94～98

[82] 沈振荣,汪林,于福亮.节水新概念——真实节水的研究与应用.北京:中国水利水电出版社,2000

[83] 沈振荣,张瑜芳,杨诗秀.水资源科学实验与研究——大气水、地表水、土壤水、地下水相互转化关系.北京:中国科技出版社,2000

[84] 石元春.农业节水中的盲区与亮点.科技日报,2002-06-17

[85] 苏凤阁.大尺度水文模型及其与陆面模式的耦合研究:[博士学位论文].河海大学,2001

[86] 粟晓玲,康绍忠.生态需水的概念及其计算方法.水科学进展,2003(11)

[87] 孙素艳,陈一鸣,姜健俊.水土保持措施对山区水循环的影响.资源科学,2006(4)

[88] 汪林,甘泓,汪珊,等.宁夏引黄灌区水盐循环演化与调控.北京:中国水利水电出版社,2003

[89] 汪恕诚.水权管理与节水型社会.中国水利报,2001

［90］ 汪恕诚. 水权和水市场 ——谈实现水资源优化配置的经济手段. 中国水利,2000(11)

［91］ 王芳,王浩,陈敏建,等. 中国西北地区生态需水研究(2)——基于遥感和地理信息系统技术的区域生态需水计算及分析. 自然资源学报,2002(3)

［92］ 王根绪,程国栋. 干旱内陆流域生态需水量及其估算. 中国沙漠,2002(6)

［93］ 王浩,陈敏建,秦大庸. 西北地区水资源合理配置与承载能力研究. 郑州:黄河水利出版社,2003

［94］ 王慧炯. 中国实用宏观经济模型 1999. 北京:中国财政经济出版社,1999

［95］ 王让会. 且末绿洲的现状与发展——试论绿洲生态系统的稳定性. 新疆环境保护,1996,12

［96］ 王亚东,孙庆,杨柱柱. 河套灌区节水改造实施前后区域地下水水位变化的分析. 内蒙古水利,2003 (3):10～12

［97］ 王玉朝,赵成义,蒋平安,等. 三工河流域绿洲景观格局的定量分析. 水土保持学报,2002(9)

［98］ 王正伟. 宁夏社会发展战略研究. 银川:宁夏人民出版社,1999

［99］ 王治. 关于建立水权与水市场制度的思考. 中国水利,2001,12

［100］ 王中根,刘昌明,黄友波. SWAT 模型的原理、结构及应用研究. 地理科学进展,2003,22(1):79～86

［101］ 魏占民. 干旱区作物—水分关系与田间灌溉水有效性的 SWAP 模型模拟研究:[博士学位论文]. 内蒙古农业大学,2003

［102］ 魏忠义,汤奇成. 西北干旱区地表水与地下水资源转换的几个问题探讨. 自然资源,1997 (6):35～40

［103］ 吴殿延. 区域经济学. 北京:科技出版社,2004

［104］ 夏军. 华北地区水循环与水资源安全:问题与挑战. 地理科学进展,2002,21(6):517～526

［105］ 谢新民,赵文俊,裴源生,等. 宁夏水资源优化配置与可持续利用战略研究. 郑州:黄河水利出版社,2002

［106］ 许迪,蔡林根,茆智. 引黄灌区节水决策技术应用研究. 北京:中国农业出版社,2004

［107］ 许平. 黑河流域中游灌区节水对策与措施. 中国水利,2002(8)

［108］ 许新宜,等. 华北地区宏观经济水资源规划理论与方法. 郑州:黄河水利出版社,1997

［109］ 许有鹏. 干旱区水资源承载能力综合评价研究. 自然资源学报,1993,8

［110］ 杨建锋,李宝庆,刘士平,等. 地下水对农田腾发过程作用研究进展. 农业工程学报,2000,16(3):45～49

［111］ 袁宏源,邵东国,郭宗楼. 水资源系统分析理论与应用. 武汉:武汉水利电力大学出版社,2000

［112］ 张勃,石惠春. 河西地区绿洲资源优化配置研究. 北京:科学出版社,2004

［113］ 张金萍,裴源生. 南水北调与黄河未来水量分配. 人民黄河,2006(7)

［114］ 张金萍,张静,孙素艳. 灰色关联分析在绿洲生态稳定性评价中的应用. 资源科学,2006(4)

［115］ 张蔚榛. 地下水非稳定流计算和地下水资源评价. 北京:科学出版社,1983,399～401

［116］ 赵文智,程国栋. 干旱区生态水文过程研究若干问题评述. 科学通报,2001(11)

［117］ 赵勇,裴源生,于福亮. 黑河流域水资源实时调度模型系统研究. 水利学报,2005,37(1):82～88

［118］ 赵勇,裴源生,张金萍. 宁夏河套灌区耗水量研究. 资源科学,2006(4)

［119］ 张丽,董增川,赵斌. 干旱区天然植被生态需水量计算方法. 水科学进展,2003(11)

［120］ 郑冬燕,夏军,黄友波. 生态需水量估算问题的初步探讨. 水电能源科学,2002(9)

［121］ 钟契夫,陈锡康,刘起运,等. 投入产出分析(修订本). 北京:中国财政经济出版社,1993

［122］ 周跃志,潘晓玲,何伦志. 绿洲生态稳定性研究的几个基本理论问题. 西北大学学报,2004(6)